HINFÜHRUNG ZU LUTHER

OTTO HERMANN PESCH

Hinführung zu Luther

Zweite, durchgesehene Auflage

MATTHIAS-GRÜNEWALD-VERLAG · MAINZ

CIP-Kurztitelaufnahme der Deutschen Bibliothek

Pesch, Otto Hermann:
Hinführung zu Luther / Otto Hermann Pesch. –
Mainz: Matthias-Grünewald-Verlag, 1982.
ISBN 3-7867-1000-7

2. Auflage 1983
© 1982 Matthias-Grünewald-Verlag, Mainz
Umschlaggestaltung: Kroehl Design Gruppe (unter Verwendung einer Luther-Abbildung,
mit freundlicher Genehmigung des Bildarchivs Preußischer Kulturbesitz, Berlin)
Satz: Georg Aug. Walter's Druckerei GmbH, 6228 Eltville am Rhein
Druck und Bindung:
Echter Würzburg, Fränkische Gesellschaftsdruckerei und Verlag GmbH

HEINRICH FRIES
ZUM 70. GEBURTSTAG

INHALT

VORWARNUNG AN DEN LESER

Dieses Buch bricht mit einigen Selbstverständlichkeiten evangelischer wie katholischer Lutherforschung – um nicht zu sagen: mit einigen Tabus.

1. Ich wollte ein zugleich fachtheologisches und allgemeinverständliches Buch schreiben – und kann nur hoffen, daß das nicht ganz mißlungen ist. Ich möchte also nicht *nur* Ergebnisse der Forschung an Interessierte vermitteln, sondern mich auch in die Fachdiskussion um Luther einschalten. Dies aber so, daß auch ein Nicht-Experte verstehen kann, was ich in der Sache meine, auch wenn ihm der Hintergrund der oft genug dschungelartigen Fachdiskussion nicht geläufig ist. Die Vereinbarung des Unvereinbaren habe ich versucht durch die Dreiteilung in Text, Fußnoten und »Fachsimpeleien«, auf die im Text jeweils mit der zugehörigen Ziffer in eckigen Klammern verwiesen wird. Gern gestehe ich, daß ich die Idee dazu der seit Jahrzehnten bewährten Gliederung der Bände der Deutschen Thomas-Ausgabe verdanke, die die längeren historischen Anmerkungen von Kommentar und Fußnoten abtrennt. Wer also einfach mein Urteil zu den Sachfragen kennenlernen, wer – warum nicht? — meine Darstellung einfach nur »genießen« will, der lese nur den Text. Wer aus irgendwelchen Gründen Nachweise und Belege braucht, findet sie in den Fußnoten – er findet dort also keine Parallelaufsätze, von gelegentlichen Zwischenrufen abgesehen, die man der theologischen Leidenschaft vergeben möge. Wer, etwa als Fachmann, meine Position zu bestimmten aktuellen Forschungsproblemen wissen möchte oder muß, findet sie in den »Fachsimpeleien« im Anhang – dort dann ohne Rücksicht auf den Nicht-Fachmann formuliert. Die Auswahl der Fachprobleme richtet sich natürlich danach, wozu ich eine Meinung habe – und insofern mußte ich mir die Auswahl vorbehalten. Im übrigen sind die »Fachsimpeleien« längere Anmerkungen, aber selbstverständlich keine »gesammelten Aufsätze«.

2. Luther wird in diesem Buch »vorkonfessionell« und »überkonfessionell« gelesen und gewürdigt. Der Historiker wird fragen: Wie kann man davon absehen, daß an Luthers Theologie die abendländische Kircheneinheit zerbrochen ist? Der Dogmatiker wird fragen: Wie kann man davon absehen, daß, wenn es zum Schwur kommt, noch heute bestimmte Aussagen der Theologie Luthers zur Rechtfertigung der Unvermeidlichkeit des Skandals der Kirchenspaltung dienen? Kann es in bezug auf Luther etwas anderes geben als ein eindeutiges und ehrliches Entweder-Oder? Nun, die »vorkonfessionelle« Lutherlektüre erfolgt zu genau dem

Zweck, das Entweder-Oder zu überwinden – sei es katholisch, sei es evangelisch begründet. Näheres im 1. und 2. Kapitel. Wer also am Entweder-Oder interessiert ist, wer es auch nur zur Debatte zu stellen schon für Unfug hält, ist gewarnt.

Zwei weitere »Warnungen« seien gleich angefügt. Dieses Buch ist keine »Theologie Luthers«, sondern es enthält exemplarisch ausgewählte »Fallstudien« zur Theologie Luthers – und zu ihrer kontroverstheologischen« Aktualität. Warum und wie das geschieht, wird am Ende des 2. und 6. Kapitels begründet und erläutert.

Dieses Buch ist auch keine Kurzfassung meiner umfangreichen (inzwischen vergriffenen) Studie über »Theologie der Rechtfertigung bei Martin Luther und Thomas von Aquin« (Mainz 1967). Dies schon deshalb nicht, weil deren Anfänge mittlerweile über 20 Jahre zurückliegen und es schlimm wäre, wenn es für mich da heute nur etwas zusammenzufassen und nichts hinzuzufügen gäbe. Ich habe mir, ganz im Gegenteil, vorgenommen, in diesem Buch auch deutlich zu machen, wo ich über mein damaliges Buch – die Dissertation – hinausgekommen zu sein meine. Anderseits stehe ich voll und ganz zu meinem damaligen Versuch – von Einzelheiten immer abgesehen. Er bedeutet mir weit mehr als einen Steinbruch von Stellen, Zitaten und Literaturangaben (und damit, das natürlich auch, die Möglichkeit, die Anmerkungen dieses Buches durch Verweise auf das früher Erarbeitete zu entlasten). Das Buch von 1967 war und ist die so schnell nicht wiederkehrende Gelegenheit, mit einer Ausführlichkeit, die sich dem Anspruch des riesigen Quellenwerkes der beiden Autoren Luther und Thomas wenigstens *nähert*, auch dem Detail nachzugehen. Gleiche Ausführlichkeit ist heute nicht nur kaum noch finanzierbar, sie ist in unserer immer hektischer werdenden Zeit auch kaum noch lesbar. Und so geht bei manchem eher andeutenden als darstellenden Abschnitt dieses Buches, bei mancher eher summarischen als belegkräftigen Anmerkung der Blick nostalgisch zurück in die Jahre der Arbeit an der »Theologie der Rechtfertigung« – mit Einsicht in die Notwendigkeit, aber doch mit schlechtem Gewissen.

In dieses Buch sind im übrigen einige ältere (zum Teil vergriffene) Studien bzw. Vortragsmanuskripte abschnittweise eingegangen. Bei größeren Passagen wird in den Anmerkungen darauf verwiesen.

Zum Technischen: Alle Texte aus Luther werden in der üblichen Weise nach der Weimarer Ausgabe (= WA) zitiert, und zwar lateinische Texte in deutscher Übersetzung, deutsche Texte der leichteren Lesbarkeit halber im originalen Klangbild, aber in moderner Umschrift. Ich weiß, ein anständiger Lutherforscher tut solches nicht – aber ich möchte nicht, daß das Vergnügen an Luthers deutscher Sprache durch orthographische Stolpersteine Schaden nimmt. Übrigens sind längere Texte in der Regel in

der Fassung der Münchener Ausgabe wiedergegeben, soweit dort vorhanden.
Da andere Ausgaben die Seitenzahlen der WA am Rande vermerken, sind die WA-Zitate auch in den anderen (Auswahl-) Ausgaben – Clemen, Münchener Ausgabe, Calwer Ausgabe (s. Literaturverzeichnis) – leicht aufzufinden. Die Abteilung »Werke« der WA wird ohne besondere Kennzeichnung einfach mit Bandzahl, Seitenzahl und Zeilenzahl zitiert. Zitaten aus den Abteilungen Deutsche Bibel, Briefe und Tischreden steht ein DB, Br bzw. TR voran, außerdem wird gegebenenfalls die laufende Nummer der WA beigefügt. Nach den Zeilenzahlen ist jeweils ein »f.« oder »ff.« zu denken; nur bei Verweisen auf besonders lange Texte ist eigens ein »ff.« beigefügt.
Da die Titel der einzelnen Lutherschriften oft sehr umständlich und lang sind, wird in den Fußnoten nur mit Zahlen belegt. Eine Aufgliederung der Zitate nach den einzelnen Schriften in der Abfolge der Bände der WA findet sich am Schluß dieses Buches. Die Aufgliederung wurde vorgenommen mit Hilfe des »Hilfsbuchs zum Lutherstudium« von Kurt Aland, Gütersloh ³1970. Die Abkürzungen der biblischen Bücher folgen durchweg den »Loccumer Richtlinien« für die ökumenische Bibelübersetzung.
Am Anfang der Sachkapitel, also besonders ab 7. Kapitel, wird generell auf die neuere einschlägige Fachliteratur hingewiesen. Zur Entlastung der Anmerkungen wird dann auf diese Arbeiten im weiteren Verlauf des Kapitels nur noch aus speziellem Anlaß verwiesen, z. B. bei einem Zitat oder einem kritischen Vorbehalt.
Ebenfalls zur Entlastung der Anmerkungen werden Literaturtitel nur in einer Kurzform zitiert. Der volle Titel sowie alle bibliographischen Angaben finden sich im Literaturverzeichnis. Ausgenommen sind nur solche Arbeiten, die nur gelegentlich aus besonderem Anlaß erwähnt werden, nicht unmittelbar mit dem Thema dieses Buches zu tun haben und darum mit allen Angaben in der entsprechenden Fußnote aufgeführt werden. Auf ein Verzeichnis der übrigen zitierten Quellen wurde verzichtet. Dem Fachmann sind sie ohnehin bekannt. Editionen wurden in den Fußnoten nur verzeichnet, wenn es zur Überprüfung gegebener Nachweise nötig ist – also z. B. nicht bei Werken des Thomas von Aquin.

Das Buch geht auf Vorlesungen zurück, die ich in immer wieder veränderter Form mehrfach seit einem guten Jahrzehnt gehalten habe – in Walberberg, in Fribourg, in Harvard, in Hamburg. Daß sie nun – von Anfang bis Ende neu formuliert und beträchtlich erweitert – druckreif gemacht werden konnten, danke ich vielen studentischen und kollegialen Rückfragen, danke ich insbesondere der einmaligen Gesprächssituation, die ich am Fachbereich Evangelische Theologie in Hamburg seit Jahren buchstäblich »genieße«, wobei ich besonders meinen Kollegen und Freund Bernhard Lohse nennen darf. – Frau Inge Kotte danke ich herzlich für die zuverlässige Reinschrift des Manuskripts, wofür sie in ihrer Freizeit wortwörtlich auf Abruf, das heißt: auf Anruf bereitstand. Herrn cand. theol. Markus Wriedt danke ich ebenso herzlich für schnelle und effiziente Hilfe bei den technischen Teilen des Manuskriptes und bei der Fahnenkorrektur sowie für die Erstellung der Verzeichnisse. – Meiner Frau und meiner kleinen Tochter Anja aber danke ich von Herzen, daß sie in der Schlußphase meine häufige Geistesabwesenheit bei Mahlzeiten und Spaziergängen so verstehend hingenommen und mich so gut »abgeschirmt« haben.

Gewidmet sei dieses Buch dem Manne, ohne dessen Geduld und freilassendes Wartenkönnen mein Anlauf zu Luther in den Jahren 1960–1965, also: meine Dissertation auf halbem Wege hätte abgebrochen werden müssen: Heinrich Fries, meinem Doktorvater in München. Ob ohne die Fernwirkung seiner wahren wissenschaftlichen Vaterschaft dieses Buch je hätte geschrieben werden können, ist mehr als fraglich.

Und nun sage ich mit den Worten Martin Luthers am Ende der Vorrede zum ersten Band seiner lateinischen Schriften (1545): »Gottbefohlen, lieber Leser!« – und hüte mich, weiterzuzitieren!

Hamburg, 1982, am 28. März, dem Tag,
an dem Luther im Jahre 1518 den
»Sermo de duplici iustitia« hielt.   Otto Hermann Pesch

1. KAPITEL

EINE NEUE HINFÜHRUNG?

Lutherinterpretation jenseits von Reformation und Gegenreformation

Dieses Buch will zu einem großen Theologen der Christenheit hinführen: zu Martin Luther. Es will Leser in Luthers Denken einführen, die mit ihm nicht oder wenig vertraut sind – katholische ebenso wie evangelische Leser, denn beide wissen durchschnittlich, von einigen »Experten« abgesehen, weit weniger von Luther, als es seiner Bedeutung und seiner geschichtlichen Wirkung angemessen ist. Die folgenden Kapitel wollen darum einerseits Grundkenntnisse über das vermitteln, *was* der Theologe Martin Luther gedacht, gelehrt, geschrieben hat, und sie wollen anderseits von innen her verstehen lassen, *warum* er gerade *so* und gerade *dies* gedacht hat und wie seine theologischen Gedanken innerlich zusammenhängen. Wir fragen also nach zentralen inhaltlichen Aussagen der Theologie Luthers, und wir fragen zugleich nach ihren inneren Antrieben und Ansätzen, mit dem Modewort: nach der »Struktur« seines Denkens – so gehört es sich heute für eine »Hinführung«, die etwas auf sich hält.

1. »KANN MAN DENN ZU LUTHER NOCH ETWAS NEUES SAGEN?«

Mit dieser Absicht begeben wir uns jedoch in eine schwer zu bestehende Konkurrenz. Dabei ist jetzt nicht – weil es ohnehin klar ist – daran zu denken, daß die Beiträge zur Lutherforschung auch nur aus den letzten Jahrzehnten ganze Bibliotheken füllen und nur ganz wenige Fachleute sie noch überblicken – die dann freilich sich kaum noch mit etwas anderem beschäftigen können. Wir besitzen vielmehr aus den letzten beiden Jahrzehnten – dieser zeitliche Einsatzpunkt, nämlich beim ökumenischen Einschnitt des Zweiten Vatikanischen Konzils, ist gewiß ohne lange Begründung einleuchtend – eine wahre Fülle hervorragender »Einführungen« im engen und eigentlichen Sinne des Wortes, die Luthers Theologie von den verschiedensten Ausgangspunkten aus erschließen, und dies nicht nur, aber vor allem aus dem deutschen Sprachraum.

Da ist das inzwischen schon »klassische« Werk von Paul Althaus über »Die Theologie Martin Luthers«[1], das anhand reichen Textmaterials, meist auch wörtlich zitiert, einen ungemein flüssig und lesbar geschriebe-

---

[1] s. Literaturverzeichnis; ergänzend ders., Die Ethik Luthers.

nen Überblick über Luthers Theologie gibt und dabei durchaus, ein-schlußweise und auch ausdrücklich, die »Struktur« von Luthers Denken – so wie der Autor sie versteht – deutlich macht: ein Buch, ohne das ein »Anfänger« auf dem Wege zu Luther kaum auskommen kann. Da ist wie im Gegenzug das zwei Jahre später erschienene kleine Einführungsbuch von Gerhard Ebeling[2], der mit seiner bekannten bohrenden Art zu fragen speziell der Struktur von Luthers Denken nachgeht, seiner antithetischen, scharf unterscheidenden und zugleich die Pole im Gegensatz beieinander-haltenden Art des Denkens, wie sie in den vielen für Luther typischen Gegensatzpaaren zum Ausdruck kommt: Philosophie und Theologie, Vernunft und Glaube, Buchstabe und Geist, Gesetz und Evangelium, Person und Werk, Glaube und Liebe, Freiheit und Knechtschaft, verbor-gener und offenbarer Gott, Reich Gottes und Reich der Welt...
Im Jahre des 450jährigen Reformationsgedenkens, 1967, erschien nicht nur die umstrittene und umstreitbare systematische Einführung in Lu-thers Theologie von Friedrich Gogarten[3], sondern auch die gediegene, die historische mit der sachlichen Darstellung, die geschichtliche mit der theologischen und ökumenischen Würdigung verbindende Monographie von Peter Meinhold, dem von lutherischer Seite viel verketzerten Vor-kämpfer eines evangelisch-katholischen Gespräches um Luther[4] – und dazu eine Fülle kleinerer, teils wissenschaftlicher, teils allgemeinverständ-licher Arbeiten und Sammelbände[5]. Daß man Luthers Theologie ausführ-lich darstellen und doch völlig anders bewerten kann, beweisen die beiden ebenfalls durchaus als »Überblicke« gemeinten Bücher von Paul Hacker über »Das Ich im Glauben bei Martin Luther«, und von Theobald Beer über »Der fröhliche Wechsel und Streit«[6]: Bücher, die man »Hinzufüh-renden« nur dann empfehlen kann, wenn sie die Kenntnisnahme von (teilweise sonst vielfach unterschlagenem) Textmaterial und die Würdi-gung durch die Autoren strikt auseinanderzuhalten verstehen. Wir werden auf beide Bücher noch zurückzukommen haben.
Gehen wir über den deutschen Sprachraum hinaus, so sind eine Reihe von Namen und Werken zu nennen, die den deutschsprachigen in keiner Weise nachstehen, so Gordon Rupp, Philip S. Watson, Jaroslav Pelikan aus dem angelsächsischen Sprachraum, Lennart Pinomaa für den skandi-navischen Sprachraum – sein Buch wurde durch die Übersetzung von

---

[2] Ebeling, Luther; vgl. von Ebeling ergänzend: Luther (RGG IV); ders., Lutherstudien.
[3] Gogarten, Luthers Theologie.
[4] Meinhold, Luther heute, bes. 120–187.
[5] Vgl. den Bericht bei Brandenburg, Martin Luther gegenwärtig, 91–152. »Bilanzen« des Jubiläumsjahres finden sich in den Jahrgängen 1968 und 1969 der einschlägigen Fachzeit-schriften eigenartigerweise nicht – im Gegensatz zum Jubiläumsjahr 1980!
[6] s. Literaturverzeichnis. Beer hat in der 2. Aufl. seines Buches seine kritischen Thesen gegen Luther einschneidend verändert – mit verschärfender Wirkung.

Horst Beintker in Deutschland bekannt –, und den französischen Sprachraum repräsentieren Marc Lienhard und Daniel Olivier[7]. Dies alles sind Arbeiten zu den Inhalten der Theologie Luthers. Die beiden vergangenen Jahrzehnte haben aber auch einige biographische Studien zu Luther gebracht – was bekanntlich zum Schwersten vom Schweren gehört. Seite langem erfreut sich die Biographie von Roland H. Bainton auch in der deutschen Übersetzung ungebrochener Wertschätzung. Seit 1967 besitzen wir die zwar nicht fachwissenschaftliche, aber auch von Fachwissenschaftlern im wesentlichen anerkannte, immer fesselnd geschriebene und darum breitenwirksame Biographie Luthers aus der Feder von Richard Friedenthal[8], der die Gestalt Luthers und ihre Ausstrahlung vor allem vor dem Hintergrund der sozialen, kulturellen und politischen Geschichte des 16. Jahrhunderts beleuchtet. Heinrich Bornkamm hat schon 1951 in 4. Auflage die bekannte Teilbiographie von Heinrich Boehmer »Der junge Luther« herausgegeben[9] und ihr vor einigen Jahren als reife Frucht eines Forscherlebens eine Fortsetzung unter dem Titel »Martin Luther in der Mitte seines Lebens« folgen lassen[10]. 1972 erschien in deutscher Übersetzung die ein Jahr zuvor in Frankreich veröffentlichte Teilbiographie von Daniel Olivier »Der Fall Luther«[11] – so spannend geschrieben wie Friedenthal, jedoch beschränkt auf die Jahre 1517 bis 1521.

Den Biographien gesellen sich neuere Darstellungen der Reformationsgeschichte im ganzen und der zugehörigen theologiegeschichtlichen, theologiepolitischen und universitätspolitischen Entwicklung hinzu. Von Joseph Lortz und Erwin Iserloh haben wir seit 1969 in der »Herderbücherei« eine »Kleine Reformationsgeschichte«[12], in der der Altmeister der katholischen Lutherforschung und sein Schüler die Ernte ihrer großen fachwissenschaftlichen Arbeiten einbringen[13]. Heiko A. Oberman hat

---

[7] Rupp, The Righteousness of God; Watson, Um Gottes Gottheit; Pelikan, Luther the Expositor; ders., Obedient Rebels; Pinomaa, Sieg des Glaubens; Olivier, Der Fall Luther; ders., Warum hat man Luther nicht verstanden?; ders., Luthers Glaube; Lienhard, Luthers christologisches Zeugnis.

[8] Friedenthal, Luther; Bainton, Hier stehe ich. Zu Meissinger, Der katholische Luther, vgl. [1].

[9] s. Literaturverzeichnis.

[10] s. Literaturverzeichnis.

[11] s. Anm. 7. Vgl. auch G. Ph. Wolf, Das neuere französische Lutherbild. Oliviers Teilbiographie entspricht die von Atkinson, The Trial of Luther; und (vor allem unter juristischem Aspekt) Borth, Die Luthersache.

[12] s. Literaturverzeichnis. Iserloh, Geschichte und Theologie der Reformation, ist die Neuauflage dieses Buches ohne die Beiträge von Lortz.

[13] Vgl. vor allem Lortz, Die Reformation in Deutschland; Iserloh, Gnade und Eucharistie; ders., Luthers Stellung in der theologischen Tradition; ders., Luther zwischen Reform und Reformation.

vor einigen Jahren eine gründliche Darstellung der Luther berührenden theologiegeschichtlichen Entwicklung des frühen 16. Jahrhunderts vorgelegt, in der er, detailfreudig wie immer, bis in den letzten Winkel jene Entwicklung ausleuchtet, in der aus einem anfänglichen (und vermeintlichen) Streit zwischen theologischen Schulrichtungen der Kampf um ein neues, eben das reformatorische Verständnis des ganzen christlichen Glaubens wurde[14]. Auf die Reformations-Abschnitte oder gar Reformations-Bände inzwischen neu erschienener Handbücher der Kirchengeschichte ist hier ebenfalls hinzuweisen[15].

Wer in die angeführten Bücher auch nur flüchtig hineinschaut, wird schnell bemerken, daß sich die früher so selbstverständlichen konfessionellen Grenzen in der Beurteilung Luthers eigenartig verschoben und verwischt haben. Längst gibt es evangelische Lutherkritiker und katholische Luther-»Sympathisanten« – so wie es selbstverständlich nach wie vor katholische Luther-Inquisitoren und evangelische Luther-Heldenverehrer gibt. Jedenfalls ist Lutherforschung und Lutherinterpretation längst eine interkonfessionelle Angelegenheit geworden – aktenkundig seit 1966, dem Jahr, in dem zum ersten Mal und dann nicht mehr anders auch katholische Theologen als Teilnehmer, Referenten und Seminarleiter zum (3.) Internationalen Kongreß für Lutherforschung, damals nach Helsinki, eingeladen wurden. Über diese interkonfessionelle Auseinandersetzung um Luther, die sich naturgemäß vor allem an Einzelthemen seiner Theologie abarbeitet, gibt es inzwischen eine Reihe vorzüglicher Berichte und Überblicke. Sie sind meist allgemeinverständlich geschrieben, weil sie in der Regel auch die Referate und Diskussionen auf Tagungen dokumentieren, die sich an ein allgemeininteressiertes, nicht-fachtheologisches Publikum wandten. Das jüngste Buch dieser Art ist erst wenige Monate alt und trägt den Titel »Weder Ketzer noch Heiliger. Luthers Bedeutung für den ökumenischen Dialog«[16].

---

[14] Obermann, Werden und Wertung der Reformation.
[15] Vgl. etwa HKG IV (E. Iserloh, H. Jedin); GK III (H. Tüchle); ÖKG II (R. Bäumer, A. Ganoczy, B. Moeller); KiG II H (Moeller: Spätmittelalter); III K (Lau – Bizer: Reformationsgeschichte Deutschlands bis 1555).
[16] Vgl. Geißer u. a., Weder Ketzer noch Heiliger; andere Überblicke: Forster (Hg.), Wandlungen des Lutherbildes; Gehrig (Hg.), Martin Luther; Pesch, Zwanzig Jahre katholische Lutherforschung; ders., Abenteuer Lutherforschung; ders., Ketzerfürst und Kirchenlehrer; ders., Der gegenwärtige Stand der Verständigung (und das ganze Heft 10 von Concilium 12, 1976); Beyna, Das moderne katholische Lutherbild; Stauffer, Die Entdeckung Luthers; Brosseder, Der fremde Luther; Lutz, Zum Wandel der katholischen Lutherinterpretation; Lehmann (Hg.), Luthers Sendung für Katholiken und Protestanten; Wohlfeil, Das wissenschaftliche Lutherbild der Gegenwart; Manns (Hg.), Zur Lage der Lutherforschung; Maron, Das katholische Lutherbild der Gegenwart; weitere, speziellere Untersuchungen sind verzeichnet bei Pesch, »Ketzerfürst« und »Vater im Glauben«; Manns, Lutherforschung heute; ders., Lortz, Luther und der Papst; Maron, a. a. O.

Wir sind damit bereits im unmittelbaren Umfeld des Luther-Jubiläumsjahres 1983. Rechtzeitig erschien schon 1981 die wahrhaft altmeisterliche Biographie des evangelischen Kirchenhistorikers Walther von Loewenich, und ebenfalls schon 1981 veröffentlichte Martin Brecht seine Teilbiographie, die erklärtermaßen den Versuch unternimmt, dem schon erwähnten Buch von Heinrich Bornkamm den zugehörigen »Ersten Band« über den jungen Luther vorzuschalten und damit das alte Buch von Heinrich Boehmer aus der Sicht des inzwischen erreichten Forschungsfortschritts zu ersetzen[17]. Zwei Profanhistoriker legen uns rechtzeitig zwei allgemeine Darstellungen der Geschichte der Reformationszeit vor: Rainer Wohlfeil und Heinrich Lutz[18]. Der besondere Vorzug ihrer Arbeiten ist, gerade dem theologisch interessierten Leser klarzumachen, daß die Geschichte des 16. Jahrhunderts nicht nur aus Theologie bestand, sondern auch aus (immer weniger) Essen und Trinken, Bevölkerungsentwicklungen, beginnendem Kapitalismus, Problemen mit Land– und Forstwirtschaft, Emanzipationsbestrebungen der Fürsten gegenüber dem Reich und der Städte gegenüber den Fürsten, Machtpolitik durch Heirat, sozialem Wandel auf allen Gebieten. Und eine höchst originelle Mischung aus biographischem Portrait, Theologiegeschichte und exemplarischen Einblicken in die Zeitgeschichte, dazu erzählt wie ein historischer Roman, bietet Peter Manns in der mit H. N. Loose gestalteten Bildbiographie.[18a]

Mit besonderem Nachdruck und darum am Schluß dieses Blicks in die Bücherregale müssen wir den »Hinzuführenden« verweisen auf das wahrhaftige »Elementarbuch« von Bernhard Lohse »Martin Luther. Einführung in sein Leben und sein Werk«[19]. Dieses Buch ist gleichsam theologisches »Bio-Vollkornbrot« für jeden, der sich Luther zu nähern sucht. Es bietet eine gestraffte Biographie Luthers und einen knappen Überblick über die wichtigsten Themen seiner Theologie – das auch. Vor allem aber bietet es eine Anleitung, wie man sich in Luthers Theologie einarbeiten kann: Hinweise auf die aktuellen und akuten Forschungsprobleme, Hinweise auf die jeweils zugehörige jüngste Literatur, Hinweise auf die wichtigsten in der Forschung vertretenen Meinungen, Hinweise auf deren jeweilige Schwächen und Stärken, Erläuterungen zu den verschiedenen Lutherausgaben... Kurzum: wer dieses Buch gelesen hat und sich nun für eine spezielle Frage der Theologie Luthers interessiert, weiß, wo und wie er gezielt anfangen kann. Mit diesem Buch in der Hand

---

[17] Brecht, Martin Luther. Sein Weg zur Reformation; v. Loewenich, Martin Luther.
[18] Wohlfeil, Einführung in die Geschichte der deutschen Reformation; Lutz, Das Ringen um deutsche Einheit und kirchliche Erneuerung.
[18a] Manns – Loose, Martin Luther (zitiert: Manns).
[19] s. Literaturverzeichnis.

müßte jedenfalls jener vielbeklagten »Luthervergessenheit« aufzuhelfen sein, soweit sie auf reiner Hilflosigkeit gegenüber dem Riesenwerk des Reformators und dem Irrgarten der ihm gewidmeten Forschung beruht. Insbesondere sollte auch den Hemmungen, die bislang einen *katholischen* Leser hindern mochten, sich unbefangen zu Luther »hinführen« zu lassen, mit diesen Hinweisen auf die zur Zeit zur Verfügung stehende Einführungsliteratur der Boden entzogen sein. Es scheint vielmehr, der »Hinführung zu Luther« ist eher zuviel als zuwenig geschehen. Kann man überhaupt zu Luther noch etwas Neues sagen? [1].

Und doch wird man bei der Durchsicht der vielen und guten Bücher über Luther, die uns aus jüngster Zeit vorliegen, nicht *wunschlos* glücklich. Man hat, scheint es, noch nicht alle Möglichkeiten versucht, noch nicht alle Ansätze durchgeführt, das Phänomen Luther und das Phänomen seines theologischen Denkens von innen her zu verstehen. Dabei braucht man nicht gleich an die nicht nur in den Ostblockländern in Mode gekommene marxistische Luther- und Reformationsdeutung zu denken, die die kirchlichen Ereignisse des 16. Jahrhunderts als Resultat der in Gang gekommenen sozialen, soziologischen und politischen Entwicklungen versteht, wobei Luthers Theologie und die darauf sich gründende lutherische Kirche diese Entwicklung – je nach dem persönlichen Geschichtsbild des Autors – entweder zum Ziel geführt oder blockiert habe[20]. Wie man weiß, ist Ernst Bloch mit seinem Buch über Thomas Müntzer der große Protektor einer solchen Deutung[21]. Erst recht ist nicht zu denken an die nicht aussterbenden Nachblüten einer Deutung Luthers mit den Mitteln der Tiefenpsychologie[22]. Solche und ähnliche Fragestellungen nach Luther können völlig ohne theologisches Interesse verfolgt werden, und solange sie nicht gleichzeitig beanspruchen, die *Theologie* Luthers in ihren Inhalten abschließend und total zu erklären, muß ihnen als Seitenthemen der Lutherforschung ein eingeschränktes Recht gar nicht bestritten werden. Man kann ja beispielsweise auch Beethoven sozialgeschichtlich oder tiefenpsychologisch betrachten, nur wird niemand im Ernst behaupten, man habe damit, auch bei beweisbaren Ergebnissen, schon etwas *Wesentliches* über Beethovens Musik gesagt. Entsprechendes gilt für Luther und seine Theologie.

[20] Vgl. H. G. Koch, Luthers Reformation in kommunistischer Sicht; Friesen, Reformation and Utopia; Wohlfeil, Einführung, 144–199; 222–225 (Lit.). Vgl. auch die unter [4] gegebenen Hinweise.

[21] Bloch, Thomas Münzer *(sic)* als Theologe der Revolution.

[22] Die beiden wichtigsten Arbeiten dazu sind unstreitig Reiter, Martin Luthers Umwelt, Charakter und Psychose, und: Erikson, Der junge Mann Luther. Weitere Titel bei Pesch, Zwanzig Jahre katholische Lutherforschung, 393 Anm. 5; Bornkamm, Martin Luther, 489–499; Lohse, Martin Luther, 50 f.; Bericht und Auseinandersetzung bei Bornkamm, ebd., und bei Lohse, a. a. O. 37 f. Zum Grundsätzlichen vgl. auch Oberman, Wir sein pettler, 235–242.

Es scheint jedoch, daß gerade innerhalb einer *theologischen* und *theologie-geschichtlichen* Fragestellung nach Luther noch Lücken sind, die durch einen neuen Versuch auszufüllen sich lohnt. Genauer: es erscheint lohnend, noch einmal neu nach der Stellung und Bedeutung Luthers und seiner Theologie innerhalb der Geschichte der Kirche und innerhalb der Geschichte des christlichen Denkens zu fragen. Warum könnte ein solcher Versuch sich lohnen? Warum kann man in dieser Hinsicht noch Grund zur Unzufriedenheit haben mit dem, was bisher erreicht wurde?

2. LUTHER GIBT FRAGEN AUF, DIE NOCH NICHT GESTELLT WURDEN

Es wäre arrogant, Unzufriedenheit zu äußern mit dem, was an inhaltlichen Einzelergebnissen zur Vorgeschichte, Entwicklung und sachlichen Bedeutung der Theologie Luthers heute schon erarbeitet worden ist. Das Verhältnis Luthers zur theologischen Tradition vor ihm birgt zwar noch Stoff für jahrzehntelange Forschungsarbeit – konkret: für Dutzende von Doktorarbeiten. Das »Institut für Spätmittelalter und Reformation« an der Universität Tübingen, das unter der Leitung von Heiko A. Oberman die kritische Herausgabe der letzten Bände der sogenannten »Weimarer Ausgabe« der Werke Luthers, die kritische Revision der älteren Bände dieser Ausgabe sowie die Erstellung eines Luther-Registers betreut, hat noch für Jahrzehnte gesicherte Arbeitsplätze zu bieten. Insbesondere zeichnen sich zwei neuere Forschungsrichtungen ab, deren Gewicht in der Zukunft kaum abnehmen wird. Die eine beschäftigt sich sowohl mit der historisch-genetischen als auch der sachlichen Beziehung zwischen Luthers Denken und dem Renaissance-Humanismus – einer Verbindung, die keineswegs so selbstverständlich und klar ist, wie es vor allem von nichttheologischer Seite gern vermutet wurde und wird, andererseits auch nicht so unterschätzt werden sollte, wie es theologischen Lutherinterpreten um der Originalität Luthers willen gelegen sein mag [2]. Die andere Forschungsrichtung gilt dem Neo-Augustinismus zu Beginn des 16. Jahrhunderts und seinem Einfluß auf den jungen Luther und seine Entwicklung. Die Eigenart dieses Augustinismus, der natürlich keine Neuentdeckung Augustins war, wohl aber mit neuer Kraft in belebende Konkurrenz zu den »alten«Schulen der Thomisten und Skotisten und der »modernen« Schule (»via moderna«) der Ockhamisten trat, erschließt sich zur Zeit immer deutlicher der Forschung[23]. Die beiden neuen Forschungsrichtungen haben bereits wirksam eine gewisse Einseitigkeit der bisherigen, vor allem der deutschen Lutherforschung durchbrochen, die, wenn sie Luthers Beziehung zur Tradition befragte, vorrangig, wenn nicht ausschließlich seine Rückbindung an die Schule des Wilhelm von Ockham

---

[23] Vgl. vor allem die Arbeiten von Oberman; jetzt bes. den Überblick in ders., Werden und Wertung, 82–140.

untersuchte – getreu einem belegbarem, aber gar nicht so eindeutigen und jedenfalls überbewerteten Wort Luthers: »Ich bin von Ockhams Partei«.[24] Auch eine vierte Fragestellung, die in den beiden letzten Jahrzehnten aufgekommen ist, wird ihr Gewicht bewahren und vermehren: die sowohl historische wie sachliche Erforschung des Verhältnisses zwischen Luther und der Theologie des Hochmittelalters. Luther ereifert sich zu oft und bis zu unflätigen Flüchen gegen Thomas von Aquin, den er nachweislich kaum aus Originallektüre, sondern allermeist aus zweiter Hand, wenn nicht manchmal sogar nur vom Hörensagen her kennt, als daß man nicht neugierig sein dürfte, wie sich denn Luthers Theologie zur wirklichen Lehre des Thomas von Aquin verhält. Hinzu kommt, daß die Theologie des Thomas von Aquin trotz aller Neuorientierungen in diesem Jahrhundert nach wie vor zur »klassischen« Tradition katholischer Theologie zu rechnen ist und nicht zuletzt von evangelischer Seite als solche betrachtet wird. Katholiken, die sich zu Luther »hinführen« lassen möchten, bewegen sich daher in jedem Fall auf sicherem Boden, wenn sie zu ermessen suchen, wie groß denn der Abstand zwischen Luther und Thomas wirklich ist. Und evangelische Leser Luthers, die nicht dem Heldenkult verfallen, sondern die Originalität seiner theologischen Leistung unbestechlich einschätzen wollen, werden stets gut daran tun, zu überprüfen, was denn an Luthers Beschimpfungen wirklich dran ist. Und so gibt es schon eine kleine Bibliothek zum Thema »Luther und Thomas«[25]. Auch hat man schon nach den Verbindungslinien zwischen Luther und Bonaventura und selbstverständlich nach denen zwischen Luther und Duns Scotus gefragt – also nach den großen Ahnherren der

[24] TR 4, Nr. 4118 und 5134; 5, Nr. 6419. Der Satz kann heißen: »Ich bin bleibend von Ockham geprägt und beeinflußt.« Er kann aber auch heißen: »Ich habe mit Ockham *angefangen* – mich aber von ihm gelöst.« Und beide Bedeutungen kann man wiederum verschieden bewerten. Für die erste Bedeutung in positiver Wertung steht – indirekt – Dettloff, Die Akzeptations- und Verdienstlehre; in negativer Wertung Lortz, Die Reformation in Deutschland, I, 172–174; und Iserloh, Gnade und Eucharistie; für die zweite Deutung in positiver Wertung steht Grane, Contra Gabrielem; in negativer Wertung Beer, Der fröhliche Wechsel, passim (s. Register), bes. 100–122; a. a. O. 410 Anm. 95 dokumentiert Beer eine Vielzahl divergierender Urteile Luthers über Ockham. Zur nach wie vor kontroversen Beurteilung des Ockhamismus in sich und in seiner Bedeutung für Luther vgl. Pesch, Theol. der Rechtfertigung, 708–714; Pesch–Peters, Einführung in die Lehre von Gnade und Rechtfertigung, 110–118; und Manns, Lortz, Luther und der Papst, 360–370; dort jeweils die Literatur.
[25] Vgl. etwa Pfürtner, Luther und Thomas im Gespräch; Ebeling, Der hermeneutische Ort der Gotteslehre (= Wort und Glaube II, 209–256); ders., Existenz zwischen Gott und Gott (= a. a. O. 257–286); ders., Das Leben – Fragment; ders., Lutherstudien II/1 u. II/2; Kühn, Via caritatis; ders., Die Rechtfertigungslehre des Thomas von Aquin; ders., Thomas von Aquin und die evangelische Theologie; ders., Thomas von Aquin; Vorster, Das Freiheitsverständnis; McSorley, Luthers Lehre vom unfreien Willen; Kasten, Taufe und Rechtfertigung; Baur, Fragen an Thomas von Aquin. Von meinen eigenen Arbeiten darf ich

sogenannten Franziskanertheologie, deren (illegitimes?) Kind der Ockhamismus ist[26]. Es ist noch nicht abzusehen, was speziell diese Fragestellung letztlich austragen wird.

Im Zuge der kritischen Revisionsarbeit an der Gesamtausgabe der Werke Luthers, der (nach ihrem ursprünglichen Erscheinungsort) sogenannten »Weimarer Ausgabe«, insbesondere im Zuge der Neuherausgabe der Ersten Psalmenvorlesung (»Dictata super Psalterium«) steht schließlich das Verhältnis Luthers zur Theologie der Kirchenväter neu und intensiv zur Debatte. Denn der junge Professor, der – jedenfalls für uns aktenkundig – 1513 mit dieser Psalmenvorlesung seine Lehrtätigkeit eröffnet, hat sich, den selbstverständlichen akademischen Anforderungen entsprechend, vorher fleißig in den einschlägigen Werken der Kirchenväter umgesehen und Anregungen für seine Psalmenauslegung gesucht.[27]

Aufgrund all dieser neuen oder mit neuen Einsichten verfolgten Fragen sind ältere Lutherforscher, die in früheren Jahren das Verhältnis Luthers zur Theologie seiner Vorzeit fest im Griff zu haben glaubten, heute mit Urteilen über die mittelalterliche Theologie, ja sogar über die spätmittelalterliche Theologie sehr vorsichtig geworden[28]. Die Thematik der drei letzten internationalen (und interkonfessionellen!) Lutherforschungskongresse in Järvenpää bei Helsinki (1966), in St. Louis / USA (1971) und Lund / Schweden (1977) sprechen dazu eine beredte Sprache[29]. Dennoch: trotz aller noch offenen Fragen wissen wir zum Thema »Luther und seine theologische Vorgeschichte« auch heute schon nicht nur eine ganze Menge, sondern eine schon kaum noch zu übersehende Fülle von Einzelheiten. Insoweit gibt es nicht den geringsten Anlaß zur Unzufriedenheit. Neben der Heiligen Schrift ist kein Schrifttum so sehr nach allen Richtungen erforscht worden wie das Werk Luthers – selbst das Werk Augustins oder des Thomas von Aquin können da nicht ganz Schritt halten.

erwähnen: Freiheitsbegriff und Freiheitslehre; Der hermeneutische Ort der Theologie; Theol. der Rechtfertigung; Existentielle und sapientiale Theologie; Die Frage nach Gott; Die Lehre vom »Verdienst«; Das Gesetz, 664–680; weitere Hinweise in: Theol. der Rechtfertigung, 5f.

[26] Vgl. Schwarz, Bonaventura und Luther; Pannenberg, Akzeptationslehre des Duns Scotus.

[27] Vgl. den kritischen Apparat in WA 55 (= Neuausgabe der Ersten Psalmenvorlesung), soweit schon erschienen; vgl. ferner w. u. S. 71.

[28] Eine erschöpfende Belegsammlung müßte hier zu weit führen. Vgl. aber exemplarisch die Äußerungen über Thomas bei Iwand, Um den rechten Glauben, 250–253; Link, Das Ringen Luthers um die Freiheit der Theologie, 166–210; und noch Jetter, Die Taufe beim jungen Luther, 58–78, mit den Urteilen bei Ebeling, Kühn, Vorster (s. Anm. 25); oder den Wandel der katholischen Beurteilung des Ockhamismus, bilanziert bei Manns, Lortz, Luther und der Papst, 360–370.

[29] Vgl. die Dokumentationsbände von Asheim (Hg.), Oberman (Hg.), Grane – Lohse (Hg.) im Literaturverzeichnis.

Unzufrieden aber kann man mit etwas anderem sein: mit den Konsequenzen, die aus den historischen Einsichten für eine Beurteilung der Theologie Luthers gezogen werden, oder genauer: mit der inhaltlichen Würdigung der Theologie Luthers vor dem Hintergrund der Geschichte des christlichen Glaubensverständnisses. Den erwähnten marxistischen Lutherdeutungen macht man mit Recht den Vorwurf ideologischer Vorentscheidung. Aber wieweit ist denn die innerkirchliche Lutherbeurteilung, sowohl die evangelische als auch die katholische, von Vorentscheidungen frei? Wieweit ist nicht am Ende auch die theologische Beurteilung Luthers von Vorentscheidungen gesteuert, wenn schon nicht von ideologischen, so doch von konfessionellen Vorentscheidungen, die manch einer heutzutage bekanntlich auch schon als ideologische Vorentscheidungen zu betrachten geneigt ist?

Nun mag man der Meinung sein, eine solche konfessionelle Vorentscheidung, die man in die Lutherbeurteilung einbringt, sei aus Gründen der Treue zur je eigenen Kirche selbstverständlich, unvermeidlich, ja geboten. Eine »voraussetzungslose« Lutherforschung könne es schon deswegen nicht geben, weil alle, die sich aus direkt *theologischem* Interesse mit Luther befassen, dies im Lebenskontext von Kirchen tun, die auf diese oder jene Weise von den Ereignissen des 16. Jahrhunderts geprägt sind und sich in ihrem Selbstverständnis darauf beziehen.

Das kann man nun gewiß nicht bestreiten. Und doch scheint der skizzierte Loyalitätsanspruch der Konfessionen in *dieser* Form fragwürdig. Hält man ihn für das letzte Wort, muß sich also, anders ausgedrückt, Lutherforschung nach wie vor zwischen Reformation und Gegenreformation entscheiden, dann ist die Lutherforschung innerhalb der Kirchen um ihre Unbefangenheit und damit um ihre Wissenschaftlichkeit als Geschichtsforschung gebracht. Die Frage ist also: Kann es wirklich keine Form kirchlicher Loyalität geben, die diese Konsequenz vermeidet? Eine Antwort auf diese Frage ergibt sich, und sogar ziemlich zwanglos, wenn wir einmal überprüfen, was jene fragwürdige Vorentschiedenheit alles an weiteren Vorentscheidungen einschließt.

Die konfessionelle Vorentscheidung in der Lutherinterpretation kommt nämlich in der Regel heraus in der charakteristischen Unterwerfung des Urteils unter ein voranwaltendes generelles Schema der Geschichtsdeutung überhaupt. Auf katholischer Seite ist es zumeist ein Fortschrittsschema, demzufolge die Geschichte der Kirche und des christlichen Glaubensverständnisses keine Brüche kennt, sondern stetig von unvollkommener zu immer vollkommenerer, von unklarer zu immer präziserer Einsicht in das geoffenbarte Wort Gottes wächst und demgemäß nur vorwärts, nie zurück kann hinter den jeweiligen Stand der Glaubenserkenntnis und der entsprechenden kirchlichen Lebensformen. Eine »Umkehr« kann es nie im Bereich verbindlicher und gar definierter kirchlicher Lehre geben, sondern höchstens im Bereich von theoretischen und, vor allem, praktischen Schlußfolgerungen, die man aus der wirklichen kirchlichen Lehre und ihrer Tradition zu Unrecht gezogen hat, wobei zugegebenermaßen nicht selten eine gewisse Zeit vergehen kann, bis man das Unrechtmäßige solcher Schlußfolgerungen, ihre nur vermeintliche Folgerichtigkeit in bezug auf die echte kirchliche Tradition einsieht [3]. Auf evangelischer Seite wird oft in einem Niedergangsschema gedacht, demzufolge die Geschichte der Kirche nur eine Geschichte des Niederganges in Denken und Praxis ist, dem erst die Reformatoren durch eine gewaltige und umfassende Kehrtwendung Einhalt gebieten. Die klassische und allenthalben in der evangelischen Literatur anzutreffende Formel lautet dann: »Luther (die Reformation) hat das Evangelium wiederentdeckt.«

Für eindeutige Störfaktoren, die ein geschichtskundiger Theologe nicht übersehen kann, weiß das jeweilige Schema durchaus Rat: Das Fortschrittsschema wird nach Sündenböcken suchen, die entscheidend an der Wendung zum Schlechteren schuld sind, das Niedergangsschema fahndet nach »Vorreformatoren«.

Die latente oder offene Wirksamkeit beider Schemata ist in der Literatur zu Luther auf Schritt und Tritt nachzuweisen. Selbst Forscher, deren Fähigkeit, geschichtlich zu denken, ebenso über allen Zweifel erhaben ist wie ihr Wille zur Gerechtigkeit im Urteil – man denke etwa an Gerhard Ebeling, auf evangelischer Seite heute einer der besten Kenner der vorlutherischen Tradition, insbesondere auch der Hochscholastik –, berühren beim Vergleich zwischen Luther und der Tradition doch wieder die Grenze zum ungeschichtlichen Denken: Die Scholastik etwa ist im Vergleich mit Luther nicht nur ein *anderes* (und im Vergleich mit uns durchaus *fremdes*) Denken, das indes, weil an *seine* nicht manipulierbaren Verstehensvoraussetzungen gebunden, sein eigenes christliches Recht genauso hat wie das Denken Luthers; die Scholastik repräsentiert vielmehr trotz aller anerkennenswerten Leistungen ein *insuffizientes* christliches Denken. Erst Luther steht dann wieder voll auf der Höhe des neutestamentlichen Zeugnisses. Trotz aller Konzessionen und trotz aller echten Wertschätzung ist das Mittelalter doch nur ein Petroleumlicht, verglichen mit dem Kronleuchter, den Luther in der Christenheit (wieder) angezündet hat – und um so schlimmer ist es, wenn das gegenwärtige Phänomen der »Luthervergessenheit« auch und gerade in der evangelischen Christenheit dann als erneuter Abfall von mühsam wieder erreichter Höhe verstanden werden muß[30].

---

[30] Vgl. exemplarisch Ebeling, Theologie zwischen reformatorischem Sündenverständnis und heutiger Einstellung zum Bösen (= Wort und Glaube III, 173–204); ders., Das Leben – Fragment und Vollendung; ders., Lutherstudien, II/1 u. 2.

Auf katholischer Seite – wiederum bei Forschern, deren Fähigkeit, geschichtlich zu denken, ebenso über allen Zweifel erhaben ist wie ihr Wille zur Gerechtigkeit im Urteil – ist entweder Luther selbst der Sündenbock, der die Kirche von der Höhe der scholastischen Theologie und vom Gehorsam gegen das unter der Leitung des Heiligen Geistes ausgebildete kirchliche Amt herunterreißen will[31]. Oder man macht weitgehend die Theologie und den Zustand der Kirche *vor* Luther für das verantwortlich, was durch ihn in Theologie und Kirche geschehen ist. Das letztere ist etwa der Fall bei Joseph Lortz, von dessen Ansätzen zu einer katholischen Beurteilung Luthers dringend zu wünschen ist, aber immer noch nicht feststeht, daß sie sich in der breiten katholischen Urteilsbildung über Luther durchsetzen[32]. Ein berühmt gewordenes Wort faßt die Position von Joseph Lortz zusammen: »Luther rang in sich selbst einen Katholizismus nieder, der nicht katholisch war[33].« Das Bild sieht, grob nachgezeichnet, so aus: Luther wächst leider auf im Klima und unter dem prägenden Einfluß des Ockhamismus, den er für *die* katholische Theologie und die Quintessenz der gesamten Scholastik hält. Die Beschäftigung mit Augustinus verhilft ihm dazu, die unkatholischen Züge des Ockhamismus zu durchschauen und diesem eine Absage zu erteilen. Auf das Konto seines Augustinismus geht denn auch das umfangreiche »katholische Erbe«, das Luther festhält und auch bis in seine letzten Jahre hinein nicht verschleudert. Auf das Konto seines Ockhamismus aber, zuzüglich einiger ganz persönlicher, aus seiner charakterlichen und psychischen Veranlagung zu erklärender Faktoren, gehen seine »Einseitigkeiten«, seine »Überspitzungen«, seine »Auswahl«, die er unter den Lehren der Kirche trifft, kurz: seine »Häresie«. Auch wenn man, aus Gründen geschichtlicher Gerechtigkeit ebenso wie der ökumenischen Gesinnung, gerade bei den Spitzenthesen Luthers sich stets um die am wenigsten scharfe Interpretation bemüht, manchmal die Spitze geradezu abbricht – von seinen Einseitigkeiten kann er nicht freigesprochen werden. Er ist, so wiederum Joseph Lortz, »nie im Vollsinn Hörer (des Wortes Gottes) gewesen«[34]. Hätte er doch Thomas von Aquin gekannt! Hätte er doch das

---

[31] Vgl. exemplarisch dazu die Arbeiten von Bäumer, Der junge Luther und der Papst; ders., Luther und der Papst; ders. (Hg.), Lutherprozeß und Lutherbann; ders., ÖKG II, 284–327; ders., Das Zeitalter der Glaubensspaltung; dazu fügt sich bruchlos ders., Johannes Cochläus.

[32] Vgl. Lortz, Reformation in Deutschland; ders., Luthers Römerbrief-Vorlesung (laut Vorbemerkung in maßgebender Zusammenarbeit mit P. Manns!); ders., Einleitung; ders., Martin Luther; ders, in: Lortz – Iserloh, Kleine Reformationsgeschichte, 13–26; 277–337. Zur »Durchsetzung« der Lortz'schen Lutherdeutung vgl. Pesch, Der gegenwärtige Stand der Verständigung, 539; ders., »Ketzerfürst« und »Vater im Glauben«, 129–131; Manns, Lortz, Luther und der Papst, 353–359; 385–391.

[33] Reformation in Deutschland, I, 176; vgl. 402.

[34] A. a. O. 162; vgl. Martin Luther, Grundzüge, 242 f.

Römische Meßbuch (das er täglich benutzte!) genauer gelesen – bedauert Lortz an anderer Stelle[35]. Aber der Einfluß des Ockhamismus hat Luther das unmöglich gemacht. Kann der große Protektor eines erneuerten katholischen Lutherbildes die Bindung an Fortschrittsschema und Sündenbocktheorie deutlicher dokumentieren[36]?

3. JENSEITS VON REFORMATION UND GEGENREFORMATION

Gegen beide Arten der Verhältnisbestimmung zwischen Luther und der Tradition, sowohl gegen die im Sinne des Niedergangsschemas als auch gegen die im Sinne des Fortschrittsschemas, wären historische wie systematisch-theologische Einwände zu erheben – und alle nachfolgenden Überlegungen wollen im Grunde nichts anderes, als diese Einwände zu formulieren und sie durch eine sachgerechtere Lutherinterpretation gegenstandslos zu machen. Was insbesondere die Position von Joseph Lortz angeht, so hilft auch die brillante Verteidigung seines Schülers Peter Manns über diese Einwände nicht hinweg[37]. Vermerken wir vorerst nur dies: Indem beide Typen der Lutherdeutung die historische, die theologiegeschichtliche Frage mit der Frage einer theologischen Rechtfertigung der Konfessionsgrenzen verbinden, tun sie etwas, was man heute zunehmend als nicht mehr nötig erachtet. Sie bleiben hinter einem erstaunlichen, in seiner Tragweite noch gar nicht ausreichend reflektierten Tatbestand zurück: Evangelische Theologen lesen spätestens seit zwei Jahrzehnten die Theologen der von Luther so gehaßten Scholastik, ja sogar die Texte des Trienter Konzils, katholische Theologen lesen seit derselben Zeit die Schriften des »Ketzerfürsten« Luther – und beides lesen die Kronzeugen der jeweils anderen Tradition so, wie man auch die großen Zeugen der eigenen Tradition liest. Man liest also kritisch, fragend nach den Verbindungslinien nach rückwärts und vorwärts, aber gerade ohne die früher so selbstverständliche primäre Leitfrage: Wo muß das Nein, das »Anathema« beiderseits gesagt werden? Man liest also beiderseits inzwischen soweit irgend möglich *ohne konfessionellen Vorbehalt.*

Warum das, entgegen einer jahrhundertealten Gewohnheit, heute so ist, hat sicher manche äußeren Gründe. Nicht von ungefähr ist das ja im einigermaßen paritätisch gemischt-konfessionellen deutschen Sprach-

---

[35] Vgl. a. a. O. I, 170; 351 f.; II, 177 f.; I, 161; ders. Die Reformation als religiöses Anliegen heute.

[36] Zum Urteil von Lortz über den Ockhamismus vgl. die Hinweise in Anm. 24 u. 28.

[37] Vgl. Manns, Lutherforschung heute. Manns hat seine Vorwürfe gegen mich inzwischen zurückgenommen, seine Bedenken allerdings aufrechterhalten; vgl. ders., Lortz, Luther und der Papst, 384; ders., »Katholische Lutherforschung«, 102–107. Meine Antwort s. bei Pesch, Gerechtfertigt aus Glauben, 3. Studie.

27

raum stärker der Fall als etwa, im Blick auf die Katholiken, im romanischen, im Blick auf die Lutheraner, im skandinavischen Sprachraum. Im Blick auf seine sachliche innere Bewandtnis und gar auf seine Zukunftsbedeutung ist dieser neue Umgang mit der »gegnerischen« konfessionellen Tradition noch gar nicht recht bedacht. Muß es aber dann nicht Bestandteil einer solchen Reflexion sein, eine theologische Würdigung Luthers im Ganzen des christlichen Denkens jenseits konfessioneller Selbstverteidigung einfach einmal zu versuchen und zu sehen, was sich dann zeigt? Genau dies möchte ich in diesem Buch versuchen. Sollte dieser Versuch etwas Neuartiges haben, so könnte es – ich wage diese Formulierung – darin bestehen, daß wir Luthers Bedeutung zu erfassen suchen von einer Art vorkonfessionellem und überkonfessionellem Standpunkt aus – nicht um die Gegensätze zwischen den Konfessionen zu verharmlosen, sondern um zunächst einmal unbefangener in den Blick zu bekommen, was denn mit Luther überhaupt in das christliche Denken eingetreten ist. Dieser Versuch ist um so legitimer, als ja durchaus strittig sein *kann*, wie die Entwicklung der katholischen Kirche vom Trienter Konzil (1545–1563) über das Erste zum Zweiten Vatikanischen Konzil und darüber hinaus zu bewerten ist, und durchaus strittig *ist*, ob das heutige Luthertum und die einzelnen lutherischen Kirchen wirklich noch bei dem stehen, nach dem sie sich – gegen seinen ausdrücklichen Willen – benennen. Wie sollte man also, scharf gesagt, ausgerechnet die Frage nach der richtigen Würdigung der Theologie Luthers auch nur indirekt zur konfessionellen Selbstrechtfertigung »mißbrauchen« dürfen?

Eine solche vorkonfessionelle Betrachtungsweise wird ganz gewiß nicht – wie ein konservatives Luthertum – Luther als absoluten Neuanfang, ja als »Wiederentdecker des Evangeliums« ansehen. Schon gar nicht erscheint Luther, so gesehen, als »moderner« Theologe, der all unsere Fragen schon vorweggenommen und sogar beantwortet hat. Freilich wird eine solche Betrachtungsweise gerade *im* traditionellen Denkrahmen bei Luther auch das Neue, in die Zukunft Weisende aufbrechen, manchmal auch nur wie von ferne (und vom Autor selbst unbemerkt) aufdämmern sehen. Und sie wird es gerade nicht nötig haben, dieses Neue als Einseitigkeit oder Verkürzung oder Übertreibung zu charakterisieren, sondern es gerade in seiner vollen Schärfe und, gemessen an der Tradition, Unannehmbarkeit ernst nehmen. Und sie wird sodann ohne vorschnelle Aktualisierung die Vergangenheit ebenso wie die Gegenwartsbedeutung Luthers ermessen können.

Eine Voraussetzung ist bei diesem Vorgehen allerdings nicht nur eingeschlossen, sondern bewußt gemacht: der Abschied sowohl vom Fortschrittsschema wie vom Niedergangsschema. Das Fortschrittsschema taugt nicht zur Deutung der Geschichte. Geschichtsbetrachtung, die bei den Tatsachen bleibt und das heißt: bei Menschen, die sich wandeln, neue

Erfahrungen machen und zu neuen Ufern aufbrechen können, muß immer auch den Bruch, unter Umständen den epochalen Bruch einkalkulieren – der allerdings selten punktuell, auf einen Schlag passiert. Ich ziehe die Möglichkeit eines solchen Bruches zwischen Luther und der Tradition vor ihm – trotz aller nicht zu leugnenden Bindung – von vornherein in Betracht. Das heißt: *Wir haben damit zu rechnen, daß Luther der wurde, der er war, weil sich ihm in exemplarischer Weise die Aufgabe stellte, unter neuen Verstehensbedingungen das Ganze des Evangeliums neu zu denken und zu sagen.* Unter Verstehensbedingungen, die nicht mehr mit denen der Tradition zu verrechnen sind und die *dennoch* gleiches Recht vor dem Evangelium haben und daher die gleiche Chance gelingenden christlichen Redens zugestanden bekommen müssen wie die Voraussetzungen des christlichen Mittelalters. Wie wenig eine solche Voraussetzung selbstverständlich ist, zeigt überdeutlich das Buch von Paul Hacker[38], der in Luther den Descartes vor Descartes sieht, ihn also der theologischen Vorwegnahme des philosophisch-erkenntnistheoretischen Subjektivismus bezichtigt und sein Denken *schon allein deshalb* der Unchristlichkeit für überführt hält. Auf andere Weise zeigt sich dasselbe bei Theobald Beer[39], der es für eine hinreichende theologische Anklage gegen Luther hält, daß er nicht mit Ockham, Thomas oder Augustinus übereinstimmt. Selbst wenn beide Autoren in ihren sachlichen Feststellungen völlig recht hätten, wenn Luther also wirklich der »Descartes vor Descartes« wäre und über Augustinus, Thomas, Ockham hinausginge, so ist damit keineswegs auch schon seine »Häresie« erwiesen. Das Neuartige einer theologischen Position ist nicht schon dadurch eine Irrlehre, daß es neu ist. Das dem Fortschrittsschema exakt entsprechende Verfahren, Neuerungen gegenüber der Tradition herauszustellen in der Absicht, eben dadurch der Irrlehre auf die Spur zu kommen, ist zwar uralt und hätte unter anderen beinahe schon Augustinus und Thomas von Aquin ihre kirchliche Anerkennung gekostet[40]. Es ist aber zu einfach und darf bei Luther ebensowenig das letzte Wort haben, wie es sich gegen Augustinus und Thomas letztlich hat durchsetzen können[41]. Aber auch das Niedergangsschema taugt nicht zum Verständnis der Geschichte. Die Vorstellung von einem allmählichen und unaufhaltsamen Niedergang der Menschheitsentwicklung mag für einen Geschichtsphi-

[38] s. Anm. 6. Vgl. meine Besprechung in ThRv 64 (1968) 51–56.
[39] s. Anm. 6. Vgl. meine Stellungnahme in: »Ketzerfürst« und »Vater im Glauben«, 143–146; sowie Manns, Das Lutherjubiläum, 295–298; ders., »Katholische Lutherforschung«, 112–127; W. Löser, in: ThPh 56 (1981) 565–573; Iserloh, Der fröhliche Wechsel und Streit.
[40] Vgl. Pesch – Peters, Einführung, 28; 34–40; dort Literatur (zu Augustinus); zu Thomas vgl. jetzt Weisheipl, Thomas von Aquin, 302–318.
[41] Vgl. Pesch, »Ketzerfürst« und »Vater im Glauben«, 133f.

losophen nicht unbedingt absurd sein – sowenig wie die Vorstellung von einer unaufhaltsamen Höherentwicklung der Menschheit. Kulturpessimisten finden denn auch immer wieder das eine, Optimisten das andere Denkmodell plausibel. Absurd aber scheint es – »inconveniens«, »unangemessen«, würde ein mittelalterlicher Theologe sagen –, daß ein gläubiger *Christ* die Geschichte der *Kirche* und des christlichen *Glaubens* als sofort nach Paulus beginnende und immer schneller werdende Talfahrt anzusehen vermag, bei der am Ende vom christlichen Glauben kaum noch etwas übrig bleibt – wie soll das mit seinem Vertrauen auf die unwiderrufliche Gegenwart Christi im Heiligen Geiste bei seiner Kirche zusammengehen? Absurd müßte es eigentlich auch für einen nüchtern denkenden Historiker sein, dem Prinzip »Männer machen Geschichte« in solch extremer Form zu huldigen, daß er einem einzigen Menschen, ausschließlich ihm, zutraut, nach 1500 Jahren Fehlverständnis und Verfall den christlichen Glauben wieder richtig verstanden und verkündet zu haben, während schon seine Mitarbeiter und Anhänger, zu schweigen von seinen Nachfahren, sich nicht mehr auf der neu erreichten Höhe halten konnten. Doch das eigentlich Absurde ist aktenkundig. In der neutestamentlichen Exegese hat es seit langem seinen festen Platz unter dem meist negativ gemeinten Stichwort »Frühkatholizismus«, womit die im späten Neuen Testament erkennbare Kirche gemeint ist, die theologisch und institutionell in der Welt ihren Platz sucht (»sich einrichtet«, sagt man gern), nachdem man die Erwartung der nahe bevorstehenden Wiederkunft Christi aufgeben mußte[42]. Die These vom »Frühkatholizismus«, insofern sie einen negativen Unterton hat, darf man getrost als Projektion des skizzierten, vom Niedergangsschema geprägten Lutherbildes verstehen: Der Niedergang beginnt dort, wo die Anfänge jener Kirche sichtbar werden, deren Endform Luther vor Augen hat und durch die »Wiederentdeckung des Evangeliums« »reformiert«.

Es wäre zu solchen Thesen natürlich noch viel zu sagen und vor allem eine Menge Differenzierungen anzubringen. Auch ist selbstverständlich überhaupt nicht zu bestreiten, daß es in der Kirche Niedergang, ja schlimmsten Verfall gegeben hat – sowenig wie wahrer »Fortschritt« zu bestreiten ist[43]. Die Jahrhunderte der Kirche sind wahrhaftig nicht alle von gleichem Rang. Nur eine lupenreine Interpretation der Kirchengeschichte nach dem einen oder anderen Schema, abzüglich einiger, je nachdem, negativer

---

[42] Vgl. pars pro toto Marxsen, Der »Frühkatholizismus« im Neuen Testament; Käsemann, Amt und Gemeinde im Neuen Testament (= Exegetische Versuche und Besinnungen I, 109–134); ders., Begründet der neutestamentliche Kanon die Einheit der Kirche? (= a. a. O. 214–223); Schulz, Die Mitte der Schrift. Theologisch besonnener und »realitätsnäher« liest sich Thielicke, Der evangelische Glaube III, 311–314.
[43] Vgl. Seckler, Der Fortschrittgedanke in der Theologie (= Im Spannungsfeld von Wissenschaft und Kirche, 127–148; 215–221 [Anmerkungen]).

oder positiver Ausnahmen, die aber an den Fingern einer Hand abzuzählen sind, scheint schlechterdings der Sache unangemessen, und es ist nur erstaunlich, wie entschieden sie dennoch, direkt oder indirekt, versucht und praktiziert wird. Demgegenüber ist schon aus einfachen Gründen des Realitätssinnes jede Interpretation und darum auch jede Würdigung Luthers vorzuziehen, die davon ausgeht, daß jede Zeit und ihre jeweiligen geistigen und allgemein-menschlichen Voraussetzungen »unmittelbar zu Gott« sind und darum ein Erdreich, in dem das Evangelium Wurzeln schlagen kann, auch wenn man sich immer wieder mit Unkraut plagen muß. Dem Evangelium darf zugetraut werden, daß es sich in *jedem* Kopf, wie er ist, und *jedem* Herzen, wie es ist, durchsetzen kann, notfalls auch gegen sie. So auch in Luthers Kopf und Herz – wie gegen eine gängige Be- und Verurteilung betont werden muß; aber nicht nur und nicht erst bei Luther – wie gegen ein gängiges lutherisches Urteil einzuschärfen bleibt.

Wer aber war dann Luther, wenn er weder der Spalter der (westlichen) Kirche und damit der letzte Ahnherr von heute über 500 »protestantischen« Kirchen und Sekten war (die größtenteils kaum noch etwas mit ihm zu tun haben wollen), aber auch nicht der Wiederentdecker des Evangeliums? Wenn zumindest solche Urteile viel zu vordergründig sind? Nimmt man Luthers Theologie nicht ihren Ernst, wenn man sie »jenseits von Reformation und Gegenreformation« betrachtet und damit zumindest einschlußweise die Tatsache verharmlost, daß damals und bis heute Christen in ihrem *Christsein* damit stehen und fallen, daß sie *lutherische* Christen sind und für sich persönlich jedenfalls alles andere als Unglaube verstehen würden? Wer also war Luther, und was war seine »Reformation«?

2. KAPITEL

AUFSTAND DER KIRCHE GEGEN DIE KIRCHE?

Eine vorläufige These über Luther und die Reformation

Die Überschrift dieses Kapitels weist auf eine vor allem im Zeichen des ökumenischen »Tauwetters« stark gewordene gutmütige Deutung Luthers hin, deren Unzulänglichkeit zu kritischen Fragen stimuliert und uns dadurch auf die Spur bringen kann. Diese Deutung lautet etwa so: In Luther und seinen Freunden ist damals der bessere, gläubigere, gewissenhaftere Teil der Kirche aufgestanden gegen diejenigen, die zwar offiziell und legal die Kirche repräsentierten, insofern also die »Kirche« waren (sowie auch wir gelegentlich »die Kirche« sagen und Papst und Bischöfe meinen), die aber damals den Namen »Kirche« und gar eine Gleichsetzung mit der Kirche nicht mehr verdienten. Luther fühlte sich in einem unwidersprechlichen Gewissensentscheid dazu berufen, die Kirche zu *reformieren,* es ist nicht seine Schuld, zumindest nicht seine Schuld allein, wenn das nicht gelang und statt dessen die Spaltung der abendländischen Kirche die Folge war.

Diese Würdigung Luthers und seines Werkes ist eine in aufgeschlossenen katholischen (und evangelischen) Kreisen verbreitete »Stimmung« und ein im besten Sinne des Wortes gesprächsbereites Vor-Urteil, das Luther von jeder subjektiven Böswilligkeit freispricht, sein Handeln als notwendig begreift und dessen Fehlschlag den widrigen Umständen und der Böswilligkeit *anderer* anlastet[1]. Fachwissenschaftlich wird die These dort vertreten, wo man Luther als typischen »Propheten« zu verstehen sucht, der gegen erstarrte Formen und hartgewordene Institutionen zum Anwalt eines neuen, lebendigen, geisterfüllten Glaubens wird. Und da solche »Propheten« unabdingbar zu Wesen und Existenz der Kirche gehören – weil nämlich die Spannung zwischen »Leben« und »Form« für die Kirche konstitutiv ist –, hat Luther grundsätzlich sein Recht in der Kirche, trotz aller Fehlschläge, auch trotz allen Versagens, aller ungenutzten Möglichkeiten, aller abgelehnten Versöhnung, für die er persönlich die Verant-

---

[1] Unter der Überschrift dieses Kapitels – *ohne* Fragezeichen – wurde 1967 ein Vortrag von mir vor einer katholischen Akademie erbeten, der dann damit beginnen mußte, den Titel richtigzustellen. Das Folgende knüpft – in starker Umarbeitung – an den 1. Teil des damaligen Vortrags an und bietet damit einen Vorblick auf das Ganze dieses Buches. Den damaligen 2. Teil des Vortrags ersetzen die folgenden Kapitel. Im übrigen löse ich damit – endlich – die Ankündigung ein, die ich in »Das heißt eine neue Kirche bauen«, 660 Anm. 70 gegeben habe.

wortung trägt. Für diese These steht exemplarisch die – damals nicht ausdiskutierte – Lutherdeutung von Johannes Hessen, seinerzeit die erklärte Gegenposition zum Lutherbild bei Joseph Lortz, sofern Hessen da, wo es mit Luther »schwierig« wird, nicht Luthers »Einseitigkeit« und gar »Subjektivismus« ins Spiel bringt, sondern das damit Gemeinte seinem »prophetischen Typus« zuschreibt und es damit gerade als *objektiv* für die Kirche gültig und notwendig hinstellt[2]. Elemente der These klingen aber auch bei Lortz und bei all denen durch, die Luther grundsätzlich als integre religiöse Persönlichkeit anerkennen und seine Sorge um die Kirche nicht für vorgetäuscht halten können. Restlos ablehnen kann diese These nur derjenige, der Luther *von vornherein* für egozentrisch, rechthaberisch, lernunfähig, ungehorsam und also böswillig hält oder im »günstigsten« Fall für psychopathologisch belastet. Das aber ist nicht einmal bei Remigius Bäumer der Fall[3], der eine anfängliche gute Absicht Luthers keineswegs in Abrede stellt, wohl aber bei den großen Lutherpolemikern vom Anfang des Jahrhunderts, Heinrich Denifle und Hartmann Grisar, dem negativen Ausgangspunkt einer Erneuerung des katholischen Lutherbildes in diesem Jahrhundert[4].

Im übrigen hat die These vom »Aufstand gegen die Kirche« neuen Auftrieb erhalten durch die Bemühungen, die Reformation überhaupt als »Revolution« zu verstehen[5]. Eine solche Auffassung ist zwar nicht neu, sondern reicht tief ins 18. Jahrhundert, in das Lutherbild der Aufklärung zurück und konnte sich im 19. Jahrhundert harmonisch mit dem Selbstverständnis des werdenden preußisch-deutschen Nationalstaates verbünden. In unseren Jahren erhält sie neue Akzente durch die schon erwähnte[6] marxistische Reformationsdeutung, die die kirchliche Reformation Luthers als ideologischen Ausdruck bereits in Gang gekommener, zumindest fälliger sozialer und ökonomischer Umwälzungen begreift, wobei Luther diese teils gefördert, teils auch wieder blockiert habe, vor allem im Zusammenhang mit dem Bauernkrieg. Die Diskussion um diese Deutung der Reformation als Teil einer »frühbürgerlichen Revolution« ist inzwischen so weitverzweigt, daß sie mehr Probleme schafft als löst.

[2] Vgl. Hessen, Luther in katholischer Sicht. Das Buch wurde, mitten in der angelaufenen Fachdiskussion, auf Verlangen des Sacrum Officium aus dem Buchhandel zurückgezogen. Bericht über die These Hessens und über die Diskussion bei Beyna, Das moderne katholische Lutherbild, 139–142, und in den oben S. 18 Anm. 16 genannten Überblicken.
[3] Vgl. die oben S. 26 Anm. 31 verzeichneten Arbeiten.
[4] Vgl. Denifle, Luther und Luthertum; Grisar, Luther; ders., Martin Luthers Leben und Werk.
[5] Vgl. Becker, Zur Deutungsmöglichkeit der Reformation als Revolution; ders., Reformation und Revolution; Wohlfeil (Hg.), Reformation oder frühbürgerliche Revolution; ders. (Hg.), Der Bauernkrieg; ders., Einführung in die Geschichte der deutschen Reformation, 169–199 (mit weiterer Literatur und Überblick über die Diskussion).
[6] Vgl. w. o. S. 20 (Anm. 20).

Zumindest ist ihr Beitrag zum Verständnis der *Theologie* Luthers nur ein sehr geringer, denn deren inhaltliche Zusammenhänge sind für Freund und Gegner der Revolutionsthese gänzlich uninteressant und kommen nur an der äußersten Oberfläche in Betracht, da nämlich, wo Luther aus theologischer Verantwortung zu einer politischen Frage Stellung nimmt, beziehungsweise sich bewußt einer Stellungnahme enthält [4].

Die These vom »Aufstand der Kirche gegen die Kirche« ist, meine ich, in all ihren Varianten, den gutmütigen und den kritischen, unzulänglich. Das zeigt sich am besten, wenn wir uns einmal auf sie einlassen und sie gewissermaßen »durchfragen«.

1. EIN POLITISCHER AUFSTAND?

Was für ein Aufstand käme denn in Frage? Selbstredend keine bewaffnete Erhebung. Es muß keineswegs von vornherein als ausgeschlossen gelten, daß es selbst in diesem Sinne einen »Aufstand der Kirche gegen die Kirche« geben könnte, zumindest damals hätte geben können. Zu der Zeit, da Päpste und Bischöfe zugleich weltliche Fürsten waren und keine Scheu hatten, ihre Gegner mit Waffengewalt auszuschalten, Kriege zu führen und gestützt auf militärische Bündnisse ganze Staaten anzugreifen und dies alles gut mit »geistlichen« Interessen der Kirche zu begründen wußten – man denke an einen Papst wie Julius II. (1503–1513), den Luther noch bewußt erlebt hat –, mußte der Gedanke nicht von vornherein abwegig sein, daß jemand auch unter Einsatz von Waffengewalt gegen den weltlichen Fürsten Papst oder Bischof antrat, um ihm seine weltliche Herrschaft zu nehmen und ihm dadurch die Möglichkeit zu geben, sich wieder ganz und allein auf sein geistliches Amt zu besinnen. Ob dies faktisch in der Kirchengeschichte je einmal aus lauterer Absicht geschehen ist, wird füglich zu bezweifeln sein. Auch den berüchtigten »Sacco di Roma«, die Eroberung Roms durch die Truppen Kaiser Karls V. im Jahre 1527, bei dem die Soldaten, um den in der Engelsburg verschanzten Papst zu ärgern, unter seinem Fenster, als Kardinäle verkleidet, »Konklave« spielten und forderten, Luther zum Papst zu machen[7], wird man nicht dazu zählen dürfen – zumal es anschließend mit der weltlichen Herrschaft des Papstes, wenn auch zeitweilig geschwächt, so weiterging wie bisher. Es gibt nur einen Fall, wo es wenigstens faktisch dahin gekommen ist, den Papst zur ausschließlichen Konzentration auf sein geistliches Amt zu zwingen, aber da war es kein Aufstand der *Kirche* gegen die Kirche: die Zerstörung des Kirchenstaates durch den italienischen Nationalismus im Jahre 1870 – deren langfristige Folgen heute jedermann als Segen betrachtet.

---

[7] Vgl. die Schilderung (und die zeitgenössischen Zeugnisse!) bei Friedenthal, Luther, 569–587, hier bes. 577.

Immerhin, Luthers Reformation war auf keinen Fall in diesem Sinne ein bewaffneter Aufstand der Kirche gegen die Kirche – auch nicht indirekt. Er war der letzte, der seine Sache mit Waffengewalt durchsetzen wollte (wie es etwa Zwingli in Zürich ohne Bedenken für zulässig hielt[8]). Die zweite Hälfte von Luthers Wirken, nach der großen Einbuße, die sein Prestige durch seine Haltung im Bauernkrieg 1525 erlitten hatte, ist gezeichnet von wachsender Resignation darüber, daß er den Fortgang seiner Sache nun den Politikern überlassen muß, gezeichnet auch von einem nie ganz verarbeiteten Erstaunen darüber, daß das »reine Wort Gottes« seinen Weg sich doch nicht ganz selber gebahnt hat (wobei er aber in keinem Augenblick an seinem Verständnis dieses Wortes Gottes irre wurde), gezeichnet auch von Unsicherheit darüber, wie er sich als Lehrer der Theologie und der Heiligen Schrift der politischen Ausbeutung seiner Sache gegenüber verhalten solle. Er, der sich nach Verhängung der Reichsacht auf dem Wormser Reichstag 1521 nie mehr über die Grenzen des Kurfürstentums Sachsen hinauswagen durfte, hat schon 1530 aus Anlaß des Augsburger Reichstages und der Erarbeitung des »Augsburger Bekenntnisses« zu Protokoll gegeben, er halte nur noch einen politischen Frieden, nicht aber eine dogmatische Verständigung für möglich[9]. Dem politisch und militärisch auf die gewaltsame Auseinandersetzung vorbereiteten Schmalkaldischen Bund hat er nur insoweit zugestimmt, daß der Widerstand der Fürsten gegen den Kaiser in bestimmten Gewissensdingen rechtens sei[10] – und das war damals auch juristisch eine offen diskutierte Frage, in der Luther, was sein Urteil angeht, keineswegs ein Unrechtsbewußtsein haben mußte[11]. Also: an einen bewaffneten Aufstand mit dem Ziel, die Verhältnisse in der Kirche zum Besseren zu ändern, hat Luther nicht gedacht. Wenn er später auch Ketzerhinrichtungen zugestimmt hat[12], so ist gerade dies ein klarer Widerspruch zu dem, was von Anfang an als Überschrift über seinem Wirken steht: »Man

---

[8] Vgl. die Handbücher der Kirchengeschichte, pars pro toto: HKG IV, 261 f.
[9] Vgl. Br 5, 470, 4.15 (an Melanchthon, 13. Juli 1530).
[10] Vgl. Br 8, 367,20; 515–517. Es geht dabei nur um die Verteidigung gegen einen militärischen Angriff auf die evangelischen Territorien zu dem Zweck, sie mit Gewalt zum alten Glauben zurückzuführen; vgl. dazu ausführlich Dörries, Luther und das Widerstandsrecht (= Wort und Stunde III, 195–270); Günter, Luthers Vorstellung von der Reichsverfassung; Kurzinformation bei Althaus, Ethik Luthers, 132–136; HKG IV, 277f. (Iserloh). Aber schon einen – möglicherweise weniger verlustreichen – Präventivkrieg zum Schutz der evangelischen Territorien hält Luther (ebenso wie Melanchthon) für unerlaubt, wie vor allem in seinen Gutachten im Zusammenhang der sog. »Pack'schen Händel« 1528 deutlich wird; dazu ausführlich Bornkamm, Luther, 545–552.
[11] Vgl. außer den in Anm. 10 verzeichneten Arbeiten auch die Hinweise bei Becker, Zur Deutungsmöglichkeit, 16–18; dort weitere Literatur; vgl. auch w. u. im 12. Kap., S. 234 ff.
[12] Vgl. dazu die alte, aber nach wie vor deprimierende Studie von Wappler, Die Stellung Kursachsens...zur Täuferbewegung; zu Luther bes. 12–30; 51 – unter Hinweis auf 31 I, 207,33-213,22; ferner Goertz, Der Zweite Speyerer Reichstag und die Täufer.

soll die Ketzer [also auch seine Gegner!] mit Schriften, nicht mit Feuer überwinden[13]«.

2. Ein religiös-geistlicher Aufstand?

War aber nicht Luthers Reformation ein *geistlicher* Aufstand der Kirche gegen die Kirche? Das wird man nicht so leicht verneinen können. Hat er nicht Reformforderungen aufgenommen, die seit Jahrhunderten spruchreif und wohlbegründet waren? Ist nicht seine geschichtliche Leistung gerade die, daß es ihm gelang, nicht nur, wie bei früheren Reformversuchen, einzeln oder in einer kleinen Gruppe ohnmächtige Reformvorschläge zu machen, sondern diese Reform zum einheitlichen und mächtig geäußerten Willen einer großen Bewegung zu machen, die man fürder weder im Handeln der kirchlichen Amtsträger noch in der weltlichen Politik übersehen konnte? Ist nicht das zwar immer wieder von den Päpsten hinausgezögerte, aber gleichwohl am Ende erzwungene und schließlich auch von den Päpsten bejahte und durchgeführte Konzil von Trient mit seinen heilsamen Wirkungen für die Kirche letztlich der Ertrag von Luthers Wirken? Als der Franziskanerguardian Johannes Fleck Luthers Ablaßthesen kennenlernte, sagte er zu seinen Mitbrüdern: »Er ist da, der es tun wird«, und schrieb Luther einen begeisterten Brief[14]. Ist das nicht ein exemplarischer Beleg dafür, daß die Zeitgenossen Luthers Handeln als geistlichen Aufstand verstanden und begrüßten?

In solchen Überlegungen ist viel Wahrheit. Und insoweit könnte man auch davon sprechen, daß in Luther die bessere und eigentliche Kirche gegen eine Kirche aufgestanden ist, die nicht mehr wirklich Kirche war. Nur hätte man damit noch keineswegs die unverwechselbare Eigenart von Luthers Reformation erfaßt. Sie wäre dann im Grunde etwas Ähnliches wie etwa die Bewegung des Franz von Assisi oder die anderer Laien- und Armutsbewegungen des Mittelalters. Auch diese traten auf mit der Forderung: Zurück zum Evangelium! Abbau kirchlicher Strukturen und Lebensformen, die vor dem ursprünglichen Glaubenszeugnis der Heiligen Schrift kein Recht beanspruchen können! Absage an eine Welt und eine Kirche der Macht und des Reichtums! Der Unterschied zwischen Luther und einem Franz von Assisi wäre nur der, daß es im 13. Jahrhundert durch die Größe und das religiöse Format auch noch der machtvoll-

---

[13] 6, 455,21; so auch noch 11, 268,19–269,31.
[14] Zitiert nach Iserloh, Luther zwischen Reform und Reformation, 75; vgl. TR 5, 177, Nr. 5480. Vgl. Becker, Zur Deutungsmöglichkeit, 14: »Die rasende Verbreitung der Ablaßthesen trifft über Nacht auf ein interessiertes Publikum, die Reformation wirkt, weil das Volk Luther antwortet. Der kleine Handwerker, der bisher seine Kerzen gestiftet und ein formalistisch gewordenes Wallfahrts- und Frömmigkeitsbrauchtum absolviert hat, will die Schrift verstehen und aus ihr leben.«

sten Päpste – man denke an Innozenz III.! – gelang, diese Bewegungen wenigstens teilweise innerhalb der Kirche zu halten und für sie fruchtbar zu machen, während der Luther aufgezwungene Ablaßstreit für einen Leo X. nur eine lästige Störung in einem päpstlichen Lebensstil war, den der Inhaber des päpstlichen Stuhles bei seinem Amtsantritt unter den so kolportierten Leitsatz gestellt hatte: »Laßt uns das Papsttum genießen, da Gott es uns verliehen hat[15].«

Aber so sehr Luther die Reform der Kirche am Herzen lag – seine Frühschriften bezeugen dies auf Schritt und Tritt[16] –, so wenig erklärt sie *allein* seinen Lebensweg und sein Werk. Das wird deutlich durch zwei Beobachtungen.

1. Luther hat den Ablaßstreit und also sein erstes öffentliches Auftreten als »Reformator« gar nicht gesucht. Gleichgültig, ob man die Nachricht vom Anschlag der Ablaßthesen am Portal der Schloßkirche zu Wittenberg am 31. Oktober 1517 für historisch oder für eine Legende hält[17], sicher ist, daß Luther selbst die lawinenartige Verbreitung der Thesen zunächst keineswegs beabsichtigt hatte. Seine Freunde und auch immer mehr Luther unbekannte Empfänger der Thesen waren es, die ohne Luthers Wissen und Willen dafür sorgten, daß die Thesen binnen weniger Wochen in ganz Deutschland umliefen, zunächst immer wieder abgeschrieben, bald auch gedruckt – und ein »Urheberrecht«, mit dem Luther das hätte verhindern können, gab es nicht. Luther war erschrocken über das Echo, das die Thesen auslösten. Der Schritt in die Öffentlichkeit wurde Luther also aufgezwungen. Allerdings hat er ihn dann entschieden getan: einmal gefragt, hat er auch gegen die kirchlichen Autoritäten seine in den Thesen abgegebenen theologischen Stellungnahmen verteidigt – und präzisiert, denn Thesen sind zum Disputieren da und also keine abschließende Urteilsbildung. So hat Luther dann Anfang 1518, als der Gang der Ereignisse nicht mehr aufzuhalten war, für die Theologen einen Kommentar zu seinen Thesen geschrieben, die sogenannten »Resolutiones« (»Lösungen«) zu seinen Ablaßthesen[18], und für das theologisch nicht vorgebildete Kirchenvolk den »Sermon von Ablaß und Gnade«[19]. Wenn man Luthers Handeln also einen »Aufstand« nennen will, so hat er ihn

---

[15] Zitiert nach Seppelt/Schwaiger, Geschichte der Päpste, 274. Seppelt/Schwaiger fährt fort: »Mögen diese Worte auch vielleicht nicht so gesprochen worden sein, sie kennzeichnen jedenfalls treffend die Einstellung des Papstes zu seinem Amt.« Zu Leo X. vgl. a. a. O. 272–277; HKG III/2, 671–676 (K. A. Fink).

[16] Vgl. Iserloh, a. a. O. 30–40; Aland, Weg zur Reformation, 17–23; Lohse, Luthers Ruf zur Reformation; und w. u. im 3. und 4. Kapitel.

[17] Der Streit darum datiert seit 1962, seit E. Iserloh erstmals die negative These vertrat. Seine in Anm. 14 zitierte Untersuchung ist die stark erweiterte 3. Auflage seiner Schrift von 1962.

[18] 1, 525–628.

[19] 1, 239–246.

jedenfalls nicht selbst entfesselt. Andere haben Luther geradezu benutzt, um diesen »Aufstand« zu entfesseln, und Luther hat sich erst nachträglich zum theologischen Mentor und zur Integrationsfigur dieser Bewegung machen lassen. Er ist »absichtlos zum Reformator« geworden, wie Erwin Iserloh treffend formuliert[20] [5].

Aber *warum* konnte sich Luther so prompt und uneingeschränkt hinter und vor das in Gang gekommene Geschehen stellen? Offenbar deshalb, weil es keines langen Nachdenkens bedurfte, weil vielmehr die Ablaßthesen, wiewohl nicht als Signal zum »Aufstand« geplant, bereits die Frucht einer Theologie waren, die, sollte sie öffentliche Verbreitung finden, notwendig kritische Sprengkraft gegen theologische Anschauungen und Lebensformen der damaligen Kirche entfalten mußte. Das weist uns schon eine Spur: Im Unterschied etwa zu einem Franz von Assisi liegt das Entscheidende und Unverwechselbare in Luthers Reformation auf dem Gebiet des theologischen Denkens, auf einer ursprünglichen und neuen geistigen Verarbeitung der Botschaft des Evangeliums.

2. Luther hat sich sein Leben lang mit Stolz als Lehrer der Heiligen Schrift verstanden und darin die ernsteste seiner Pflichten gesehen. Wir werden der Bedeutung dieser Tatsache noch eine eigene Überlegung widmen müssen[21]. In unserem Zusammenhang ist vorerst dies wichtig: Bei seinem intensiven Schriftstudium entdeckte Luther, daß die Theologie seiner Zeit auch und gerade bei der Interpretation der Schrift eine ganz andere Sprache sprach. Die zentralen Begriffe dieser Theologie fand Luther in der Schrift nicht, und umgekehrt bekamen die Worte der Schrift in dieser Theologie einen anderen Sinn, als Luther ihn in seiner exegetischen Arbeit heraushob. Ganz davon zu schweigen, daß die Theologie, die er in seiner Studienzeit gelernt hatte, in entscheidenden Punkten auch sachlich der Schrift entgegenstand – wie heute kaum ein Forscher noch bestreitet. So ist es Luthers erklärte Absicht, dieser Theologie – konkret also: der spätscholastischen Theologie des Ockhamismus und der hochscholastischen Theologie des Thomismus und des Skotismus, wie sie sich ihm zu Beginn des 16. Jahrhunderts darstellten – eine Absage zu erteilen, zumindest sie auf ein erträgliches Maß zurückzuführen und der Heiligen Schrift zu neuer und unbedingter Geltung zu verhelfen. Er tut das schon zu einer Zeit, wo niemand in der Kirche ihm irgendeinen Vorwurf machte, obwohl er schon damals wie ein Löwe gegen seine Kollegen von den traditionellen Schulen der Theologie gefochten hat und dabei zusammen mit seinen Wittenberger Kollegen zum Anführer einer theologischen Erneuerungsbewegung geworden war, die sich zugleich mit einer Universitätsreform verband. In einem berühmten Brief von 1517 – vor Beginn

[20] A. a. O. 82. Vgl. auch w. o. Anm. 14.
[21] Vgl. w. u. im 3. Kapitel, bes. S. 50 f. und [6].

38

des Ablaßstreites – schreibt er, wer in Wittenberg auf Hörer rechnen wolle, dürfe keine Vorlesungen über die »Sentenzen« des Petrus Lombardus und schon gar nicht über die »Physik« des Aristoteles halten, sondern müsse über die Bibel oder über Augustinus oder sonst einen kirchlichen Schriftsteller von Rang dozieren[22]. Zwanzig Jahre später, in einer Disputation im Jahre 1537, formuliert Luther dieses Reformprogramm noch deutlicher: »Ihr wißt, daß die Naturphilosophie (physica) immer etwas Übles und Unangemessenes in die Theologie hineingebracht hat und hineinbringt. Denn jede Wissenschaft hat ihre eigenen Begriffe und Vokabeln, mit denen sie arbeitet, und diese Vokabeln gelten in je ihrem Gegenstandsbereich. Die Juristen haben ihre Vokabeln, die Mediziner die ihren, die Naturphilosophen die ihren. Überträgt man sie von einem Gebiet in ein anderes, dann gibt es eine unerträgliche Verwirrung, am Ende verfinstert diese alles. Wenn ihr dennoch diese Vokabeln benutzen wollt, so reinigt sie zuvor gründlich, führet sie mal zum Bade[23].« Dieser Text ist erhellend. Luther ist der Meinung, die herkömmliche Theologie habe sich einer unzulässigen Übertragung von Begriffen aus einem anderen Wissensgebiet, nämlich der (aristotelischen) Naturphilosophie, auf das ureigene Gebiet der Theologie schuldig gemacht, während doch klar sei, daß die Theologie ihre eigenen Vokabeln hat wie die anderen Wissenschaften auch. Was sind diese eigenen Vokabeln und Begriffe der Theologie? Natürlich die der Heiligen Schrift. Luther sieht sich also vor der Aufgabe, in der Theologie die Sprache der Schrift wieder in ihr Recht einzusetzen, damit müßte doch wohl dem Übelstand abgeholfen sein, müßten Unzulänglichkeiten in der theologischen Tradition sich von selbst lösen, wofern man nur voraussetzt, daß die Schrift die Glaubensurkunde der Kirche ist.

3. Ein theologischer Aufstand?

Also ist Luthers Reformation ein *theologischer* Aufstand gegen die Kirche? Damit trifft man allerdings die Absicht Luthers. Er wollte

[22] Br 1, 99,10. – Die »Vier Bücher der Sentenzen« (»Quatuor Libri Sententiarum«) des Pariser Magisters und Bischofs Petrus Lombardus entstanden um 1150. In einer anspruchslosen und im Detail unausgereiften Systematik (I: Gott; II: Schöpfung/Mensch; III: Christus/Ethik; IV: Sakramente/Eschatologie) bieten die »Sentenzen« übersichtlich den ganzen Stoff der Theologie dar, meist in Form von Kirchenväter-Zitaten (daher »Sentenzen«), bei denen im Streitfall Augustinus recht gegeben wird. Durch seine Bescheidenheit konnte das Werk zum theologischen Schulbuch des ganzen Mittelalters werden, weil sich im Vorgang seiner Kommentierung mühelos auch kontroverse Schulmeinungen austragen ließen. Noch Luther hat es zu Beginn seiner Lehrtätigkeit kommentieren müssen, und wir besitzen noch die »Randbemerkungen« in seinem Handexemplar: 9, 29–94.
[23] 39 I, 222,6. Vgl. zum Ganzen Joest, Ontologie der Person, 56–136. Grane, Modus loquendi theologicus; zur Mühlen, Nos extra nos.

tatsächlich von der Schrift her die Zustände in der Theologie um jeden Preis ändern – und die Kirche dazu bringen, diese unerträglich gewordene Theologie samt ihren praktischen Auswirkungen nicht länger zu decken. Dafür wäre er, wie er selbst mehrfach erklärt, auf den Scheiterhaufen gestiegen, und darauf war er schon 1518, als er vor Kardinal Cajetan nach Augsburg zitiert wurde, und wieder 1521, als er vor den Reichstag nach Worms geladen wurde, auch gefaßt.

Und doch müssen wir auch hier noch einmal kritisch nachfragen, gegebenenfalls über Luthers feststellbare Absichten hinaus. Es ist keineswegs ausgeschlossen, daß Luthers Reformation oder auch nur seine reformatorische Theologie durchaus mehr und noch etwas anderes war, als ihm selbst absichtsvoll bewußt war. Gewiß ist Luthers exegetische Leistung, im Rückgriff auf eine genauer und mit neuen Methoden studierte Bibel die Schultheologie kritisch in Frage zu stellen, beachtlich und ein großer Schritt nach vorn. Wir begegnen bei ihm Beobachtungen am Text, Achtsamkeit auf den Zusammenhang, Berücksichtigung literarischer Gattungen, andersartiger Begrifflichkeit usw., die schon alle Vorzüge der verfeinerten Methoden heutiger Exegese aufweisen. Hier nur diese Hinweise, die noch ausführlicher wiederaufgenommen werden sollen:[24] Er hat das Verständnis des neutestamentlichen Gegensatzes von »Fleisch« und »Geist« gegen ein vielhundertjähriges platonisierendes Mißverständnis richtiggestellt; er hat die Eigenart des paulinischen Gesetzesbegriffes bemerkt und eine ganze neue Theologie des Gesetzes darauf aufgebaut; er hat im Einklang mit der Bibel und entgegen einer jahrhundertelangen Ängstlichkeit die Heilsbedeutung des Wortes neu herausgestellt und nach allen Richtungen durchdacht; er hat sich dagegen verwahrt, Texte wie zum Beispiel den Verlassenheitsschrei Jesu am Kreuz oder den Satz des Paulus, Christus sei für uns zur Sünde geworden, in traditioneller Manier abzuschwächen usw. Und doch fällt es einer kritischen Beurteilung auf heutigem Erkenntnisstand nicht schwer, an allen Ecken und Enden zu entdecken, daß Luthers Exegese wichtiger Schriftstellen nicht zu halten ist. Die berühmtesten Beispiele sind etwa seine Auslegung von Röm 7 und seine überfordernde Interpretation des alttestamentlichen Gebotes »Du sollst nicht begehren«[25]. Dabei beruht

---

[24] Zu »Fleisch und Geist« vgl. Pesch, Theol. der Rechtfertigung, 81 f. (mit Lit.); Joest, Ontologie, 196–232; zum Verlassenheitsschrei Jesu und zu »Christus, für uns zur Sünde geworden«, vgl. a. a. O. 127 f.; die anderen Beispiele w. u. im 8. Kapitel. Zu den beiden genannten Themen vgl. auch das, freilich kritisch gewürdigte, Stellenmaterial bei Beer, Der fröhliche Wechsel, 275–281 (»Fleisch und Geist«), 217–223; 355–363 (Christus).
[25] Intensive Aufarbeitung des Textbefundes bei Luther durch Althaus, Paulus und Luther über den Menschen, bes. 50–54; 84–90; und bei Peters, Glaube und Werk, 166–183; für den Luther der Römerbriefvorlesung vgl. Kroeger, Rechtfertigung und Gesetz, 86–117; Grane, Modus loquendi; 52–62; 94–100.

nach verbreiteter Meinung der Forschung auf Luthers Auslegung des ersteren Textes seine These, der Christ sei »gerecht und Sünder zugleich«, auf der Auslegung des letzteren Textes seine Anschauung von der »Konkupiszenz« (Begierlichkeit) als der bleibenden Sünde – beides bekanntlich Kernthesen der Theologie Luthers[26].

Ist also Luther, was die Differenz zwischen seiner Theologie und dem wirklichen Sinn des Schriftbefundes betrifft, im Ergebnis soviel besser als die Schultheologie, die Luther eben dieser Differenz anklagt? Luthers Theologie müßte längst zu den Akten gelegt sein, wenn sie allein im Licht ihrer exegetischen Begründung betrachtet würde – also allein im Licht dessen, was Luthers erklärte theologische Absicht war. Auch an diesem Punkt also, wo wir bei Luther selbst die Absicht eines »theologischen Aufstandes« erkennen, müssen wir aus dem historischen Abstand urteilen, daß es auch hier, von Luther unbemerkt, in Wahrheit nicht um einen Aufstand geht, sondern um etwas anderes. Um was aber? Zwei Beobachtungen führen uns weiter.

1. Trotz nicht mehr haltbarer Schriftauslegungen im einzelnen hat die sich darauf gründende Theologie Luthers auch heute noch nach wie vor ihren großen Einfluß. Und das nicht nur bei denen, die um die exegetische Fragwürdigkeit mancher Positionen Luthers nicht wissen oder gar (auch das kommt vor) Luthers exegetische Auffassungen gegen alle Einsichten der modernen historisch-kritischen Bibelwissenschaft nach wie vor hochhalten, sondern auch bei solchen evangelischen Christen und Theologen, die unbefangen es beim Namen nennen, wo wir Luthers Auslegungen uns nicht mehr aneignen können. Offenbar erschöpfen sich also Eigenart und zum Verstehen bringende Kraft der Theologie Luthers nicht in der Korrektheit ihrer bibeltheologischen Urteile, stehen und fallen nicht mit ihnen, das heißt aber: Die Impulse dieser exegetisch nicht in allen Punkten belegbaren Theologie müssen wenigstens zum Teil anderswo herkommen, ob Luther das immer genau gewußt hat oder nicht. Der Schlußfolgerung ist nicht auszuweichen: Gerade das, was in Luthers Denken *nicht* auf der Linie des von ihm selbst beabsichtigten »Aufstandes« steht, sichert ihm seinen heute noch weitergehenden Einfluß.

2. Im interkonfessionellen theologischen Gespräch mehren sich beachtliche Stimmen – wenngleich von einem Konsens zu sprechen noch übereilt wäre –, in den entscheidenden Fragen der Theologie Luthers, die damals offenbar unvermeidlich zur Kirchenspaltung führten, sei man sich heute sachlich einig, und die nach wie vor bestehen bleibenden Unterschiede beschränkten sich auf einen Streit um mehr oder weniger sachgemäße Ausdrucksweise, gar auf einen »Streit um Worte«, sie seien theologischen Schulstreitigkeiten vergleichbar, die ihrerseits heute nicht noch einmal

[26] Vgl. w. u. das 11. Kapitel; zum Konkupiszenzbegriff auch Pesch, a. a. O. 93–97.

zur Spaltung der Kirche führen würden[27]. Dabei denken diese Theologen vor allem an die Lehre von der »Rechtfertigung des Sünders« durch die Gnade Gottes allein und allein aufgrund des Glaubens – der »articulus stantis et cadentis ecclesiae«, der »Artikel, mit dem die Kirche steht und fällt« –, und dieser »Artikel« ist keine einzelne Sonderlehre, sondern die formelhafte Zusammenfassung des gesamten Verständnisses Luthers vom Heil des Menschen vor Gott. Ich werde daher auf diese sogenannte »Rechtfertigungslehre« Luthers am Schluß dieses Buches eingehen, nachdem zuvor von den wichtigsten Einzelfragen ausführlich die Rede war. In dieser Frage der »Rechtfertigung des Sünders« also sei man sich sachlich einig – behaupten wichtige katholische und evangelische Theologen, die sich mit den Problemen ausführlich beschäftigt haben. Zwar pflegen evangelische Theologen bei solchen Feststellungen den Hinweis nicht zu unterlassen, Papsttum, Lehre vom »Meßopfer« und Mariologie seien nach wie vor Gegenstand der Kontroverse, bei der keine Einigung in Sicht sei – und streng genommen zeige sich gerade daran, daß auch der behauptete Konsens in der Rechtfertigungslehre eine Illusion sei, denn Luther habe ja Papsttum, Meßopfer und Marienkult aus keinen anderen denn aus Gründen seiner Rechtfertigungslehre abgelehnt. Ein Rechtfertigungsverständnis, das diese drei katholischen Auffassungen zulasse, könne darum nicht im Einklang mit dem lutherischen Rechtfertigungsverständnis sein[28].

Katholische Theologen werden diesen Einwand ernster nehmen müssen, als es gewöhnlich geschieht. Trotzdem wird man die evangelischen Gesprächspartner zurückfragen dürfen: Zählt denn die Kontroverse um Papsttum, Meßopferlehre und Marienfrömmigkeit wirklich mehr als die Übereinstimmung im Herzstück der Lehre vom Heilsweg des Menschen? Kann man nicht gerade glücklich sein, daß wir uns *nur noch* über den Papst, die Messe und Maria streiten? Wird man nicht – in Umkehrung des evangelischen Einwandes – hoffen dürfen, daß ein Konsens in der Rechtfertigungslehre langfristig auch auf die genannten verbleibenden Streitfragen sich auswirken und richtigstellen wird, was richtigzustellen ist?

Hier macht freilich der evangelische Gesprächspartner nicht selten einen fast »heimtückischen« Gegeneinwand: Eigentlich ging es bei Luther gar nicht um die Frage der »Rechtfertigung«, der Gnade, des Glaubens. Eigentlich ging es damals schon entscheidend um den Papst und das Kirchenverständnis. Daher war auch lange Zeit, allem Augenschein zum

---

[27] Darüber hatte ich mehrfach zu berichten, zuerst in: Zwanzig Jahre katholische Lutherforschung, 399 f., zuletzt in: »Ketzerfürst« und »Vater im Glauben«, 132; Gerechtfertigt aus Glauben, 1. Studie, II. 1; Katholiken lernen von Luther, II. 3.

[28] Vgl. Pesch, Gerechtfertigt aus Glauben, 1. Studie, II. 3; III. 2d.

Trotz, Einigung noch möglich. Erst das Erste Vatikanische Konzil habe mit dem Dogma vom Primat und dem unfehlbaren Lehramt des Papstes (1870) die Tür endgültig zugeschlagen[29].

Eine bestechende These – aber sie führt in die Irre, zumindest was die Beurteilung Luthers betrifft. So gewiß nämlich die *beiden* Vatikanischen Konzilien für das interkonfessionelle Gespräch neue Probleme geschaffen haben[30], so gewiß ist dieser Einwand eine Ausflucht. Luther selbst hat dann jedenfalls von der »wahren Tiefe« des Gegensatzes zur alten Kirche nichts gemerkt. »Wenn wir das erlangen«, schreibt Luther im großen Galaterkommentar von 1531, »daß allein Gott aus der reinen Gnade durch Christus rechtfertigt, dann wollen wir den Papst nicht nur auf den Händen tragen, sondern ihm auch die Füße küssen[31].« Soll man diese Bemerkung – *nach* dem Augsburger Reichstag von 1530, den Luther so pessimistisch beurteilt! – als pure Ironie ansehen? Ich ziehe es vor, Luther beim Wort zu nehmen, und dann besagt dieser Text, daß die Frage des Papsttums (und die Fragen nach ähnlichen Streitpunkten) zu den sekundären Problemen gehören, über die gelassen und sogar mit Konzessionsbereitschaft (»Füße küssen«) geredet werden kann, wenn man in den zentralen Fragen sachlich einig ist. Und welcher Papst würde heute wohl ernsthaft bestreiten, daß wir allein aus Gnaden durch Christus das Heil erlangen? In den Verhandlungen des Zweiten Vatikanischen Konzils ist Luther unter dem Beifall der Väter wörtlich und namentlich zitiert worden[32]. Als auf dem Ersten Vatikanischen Konzil dasselbe geschah, wurde der Redner vom Rednerpult verjagt und mit dem Ruf niedergeschrien: »Er ist ein neuer Luther[33].«

In dieser Situation neuer sachlicher Nähe von der Mitte der christlichen Botschaft her müssen evangelische Theologen und Lutherforscher überlegen, was sie tun, wenn sie das *Kirchenverständnis* zum »Artikel, mit dem die Kirche steht und fällt« machen und das auf Luther zurückprojizieren. Für Luther ist das Verständnis der *Rechtfertigung* dieser »Artikel, mit dem die Kirche steht und fällt«, nicht die Auffassung von der Kirche. Niemand wird den unlösbaren Zusammenhang von Rechtfertigungsverständnis und Kirchenverständnis bestreiten wollen – aber die Beschwörung dieses Zusammenhanges darf nicht den simplen historischen Tatbestand überdecken, daß es in den Augen Luthers der Zusammenhang

---

[29] Exemplarisch dazu Brunner, Reform – Reformation, bes. 180–183.
[30] Vgl. vor allem das kritische Buch von Maron, Kirche und Rechtfertigung.
[31] 40 I, 181,11. Vgl. damit 6, 436 f. (»Zum elften«)!
[32] In den *Verhandlungen* – nicht in den Texten! Ich gebe den Hinweis nach Jedin in: Forster (Hg.), Wandlungen des Lutherbildes, 97.
[33] Vgl. R. Aubert, Vaticanum I (= Geschichte der ökumenischen Konzilien XII), Mainz 1965, 220. Der niedergeschriene Redner war Bischof Stroßmayer – der hartnäckigste Gegner des Dogmas von der Unfehlbarkeit des päpstlichen Lehramtes.

zwischen dem Zentrum und den Ausstrahlungen des Zentrums geht, nicht aber um so etwas wie These und Gegenprobe.

Wir stehen also, dieses Urteil ist nicht unrealistisch, ziemlich nahe an einer Situation, in der die Rechtfertigungslehre Luthers, seine Interpretation der Existenz des Menschen vor Gott, die ihrem Urheber im 16. Jahrhundert die Verurteilung als Irrlehrer eintrug, in ihren zentralen Aussagen heute von ernstzunehmenden Theologen evangelischer *und* katholischer Konfession für sachlich richtig gehalten wird. Ja noch mehr: Die zentralen Impulse der Rechtfertigungslehre Luthers sind heute sozusagen gläubige Grundstimmung auch bei den katholischen Christen – man kann das sofort »testen«, wenn man die theologische Reflexionssprache der Rechtfertigunslehre in eine sachgemäße Verkündigungssprache übersetzt und in dieser Sprache die entsprechenden Fragen stellt. Eine solche Situation ist nun gleich gar nicht mehr mit dem Stichwort »Aufstand« allein zu erfassen. Was hat also Luther Zukunftsmächtiges in die Geschichte des christlichen Glaubens hineingebracht? Ich stelle dazu folgende mehrgliedrige These auf:

4. Eine vorläufige These

Das Evangelium von der bedingungslosen Gnade Gottes, die uns in Jesus Christus erschienen und zuteil geworden ist, bleibt es selbst nicht durch die wörtlich zitierende Wiederholung, sondern durch immer neue Phasen der Auslegung, in der der Glaube an das Evangelium sich je neu, aneignend und kritisch zugleich, in gewandelten und darum neuen Verstehensformen ausdrückt und sich in ihnen sprachlich und begrifflich gleichsam inkarniert. Luthers reformatorische Theologie ist eine solche neue Sprach- und Verstehensform des Glaubens an das Evangelium.

Weil diese neue Phase der Auslegung des Glaubens, wie Luthers Theologie sie darstellt, damals trotz aller Bindungen an die Tradition von *besonderer*, epochenscheidender Neuartigkeit war, haben die »altgläubigen« Zeitgenossen sie sachlich weitgehend zu Unrecht, aber geschichtlich (fast) zwangsläufig für ein Nein zu entscheidenden Grundlagen der überlieferten christlichen Botschaft gehalten.

Dadurch wurde die Kirchenspaltung unvermeidlich, obwohl sie es heute nicht mehr wäre, jedenfalls nicht mehr aus denselben Gründen wie im 16. Jahrhundert.

Dadurch wird erklärlich, daß katholische Christen und Theologen heute in wichtigen Aussagen Luthers nichts Irrgläubiges mehr finden können, die damals von den Vertretern der alten Kirche als irrgläubig verurteilt wurden, wie auch umgekehrt evangelische Christen heute katholische Auffassungen bedenkenswert, ja bejahenswert finden, deretwegen

44

Luther und seine Anhänger damals den Bruch mit der alten Kirche glaubten in Kauf nehmen zu müssen.

Alle in diesem Buch folgenden Überlegungen werden dem Aufweis dieser These und dem Bedenken ihrer Konsequenzen dienen. Hier bedarf der Sinn der These nur noch einer kleinen näheren Erläuterung. Sie besagt, kurz und lakonisch ausgedrückt, dies: Luthers Theologie – nicht nur ihr nach Jahrhunderten der Polemik wieder sichtbar gewordenes »katholisches Erbe« (Joseph Lortz), sondern auch und gerade die Aussagen, die dem Katholiken »weh tun«! – gäbe heute in der Kirche Anlaß zu kritischer Auseinandersetzung, brächte ihren Urheber aber nicht mehr in den großen Kirchenbann. Man muß sich nur einmal klar machen, welche der »Irrtümer Martin Luthers«, die Papst Leo X. 1520 in der Bannandrohungsbulle gegen Martin Luther namhaft gemacht hat[34], heute überhaupt noch als der Diskussion wert erscheinen, geschweige denn zu einer Verurteilung ausreichen würden, um jedenfalls den Tatbestand eines fundamentalen Urteilswandels ermessen zu können. Auf diesen Wandel kann man sich nicht nach altem Schema von Ja und Nein einen Reim machen, auch nicht allein durch ein paar selbstkritische Rückzieher. Das Problem dieses Wandels ist ernster und fordert eine tiefere Beurteilung. Darum versteht die These Luther und seine Theologie als eine Phase des unabschließbaren »hermeneutischen Prozesses«, also als eine neue Station jenes Geschehens, in dem der Glaube sich stets neu auf die Verstehensbedingungen der Zeit einläßt, in der er lebt; in dem der Glaube sich in Worten ausdrückt, die man gerade zu seiner Zeit versteht, weil die bloße Rezitation früher gefundener Worte und Formulierungen unter den gewandelten geistigen Bedingungen nichtssagend werden muß; als eine Station also jenes Geschehens, in dem die überlieferte Botschaft zusammen mit dem Kopf, der sie nur zu *seinen* Bedingungen hören kann, eine neue Gestalt christlicher Rede hervorbringt – die sich im übrigen auch durchaus kritisch gegen jene Verstehensbedingungen zurückwenden kann, denen sie sich verdankt.

Daß Luthers Theologie diese Bedeutung hat, hat sich ihr Autor, von einigen blitzartigen Einsichten, von denen noch zu reden sein wird, abgesehen, so wenig klarmachen können wie seine Gegner. Ein reflektiertes Bewußtsein von der Kirchen- und Theologiegeschichte als einem unabschließbaren auslegenden Überlieferungsgeschehen und einem überliefernden Auslegungsgeschehen des Evangeliums in immer neue Zeiten und Verstehensmöglichkeiten hinein, einem Geschehen, das man sich nicht nach dem Modell eines einlinigen Fortschritts oder einlinigen Niedergangs vorstellen darf, das vielmehr sowohl Pannen und Brüche als

[34] DS 1451–1492.

auch glückliche Fortschritte an Einsicht kennt, dieses Bewußtsein ist erst eine Errungenschaft unseres Jahrhunderts, jedenfalls in der Theologie. In früheren Zeiten hat man einen solchen Gedanken des blanken Relativismus verdächtigt, und gelegentlich tut man es heute noch[35]. Nicht nur die Kirche des 16. Jahrhunderts mußte daher ihre und Luthers Lehre wie Ja und Nein verstehen, auch Luther selbst konnte je länger desto mehr nur an ein Entweder–Oder denken. Erst heute können wir noch andere Möglichkeiten sehen und prüfen.

Genau dies ist der tiefste Grund dafür, daß es in unseren Jahrzehnten zu einer neuen Begegnung der konfessionellen Theologien mit Martin Luther kommen konnte. Man konnte heute nicht nur alte Mißverständnisse abbauen, man kann allen Ernstes der Meinung sein, selbst da, wo Grundgedanken der Theologie Luthers nicht mit dem Wortlaut bestimmter Lehrentscheidungen des Trienter Konzils zu vereinbaren sind, müsse das nicht bedeuten, Luthers Denken habe damit von vornherein kein Heimatrecht in der Kirche. Natürlich ist es dann nicht mehr damit getan, in der bestehenden katholischen Kirche und ihrer Theologie irgendeine bisher übersehene Schublade zu suchen, in die man Luthers Denken verlustlos hineinpacken könnte. Mit dem Denkmodell der »Integration« ist die neue katholische Frage nach Luther nicht zu bewältigen[36]. Es kann nur, um im Bilde zu bleiben, darum gehen, Luthers Theologie so an sich heranzulassen, daß sie der (katholischen) Kirche dazu verhilft, für sie einen neuen Schrank ins Haus zu stellen – und zu diesem Zweck das Haus zu erweitern. In dieser Form ist die Frage nicht etwa abwegig, sondern faßt das ganze erregende Problem einer heutigen katholischen »Hinführung zu Luther« zusammen: Kann Luthers theologisches Denken Kräfte frei setzen, die der Kirche zu einer größeren Möglichkeit ihrer selbst verhelfen?

5. Zur Durchführung der These

Wer den Überlegungen dieses Buches weiter folgen will, soll in den nächsten Kapiteln zunächst sich klar werden, wie es dahin kam, daß Luther eine Theologie entwickelte, die damals in der behaupteten Weise zwangsläufig zum Bruch mit der überlieferten Theologie und anschließend mit der überlieferten Gestalt der Kirche führte. Es ist dies ein Vorgang, in dem sich Zufälligkeiten und Zwänge, absichtliches Suchen

---

[35] So J. Lortz, Wert und Grenzen der katholischen Kontroverstheologie, 31: »Sie kanonisieren den Relativismus« – gemeint sind die »neuere(n) katholischen Elucubrationes«, die nach Meinung von Lortz auch noch gelten lassen wollen, wo Luther der wirklichen katholischen Lehre widersprach.

[36] Vgl. Pesch, Gerechtfertigt aus Glauben, 1. Studie, IV. 1c; auch 3. Studie.

und unvermutet geschenkte Einsichten, innere Impulse und Nötigung von außen, theologische Konsequenz und politische Rücksichten, Geistliches und Weltliches, Kirchliches und Politisches schier unentwirrlich verknäueln. Wer Luther und sein Denken gerecht beurteilen will, darf nicht vom skandalösen Endergebnis der Kirchenspaltung her alles, was sich zugetragen hat, für von vornherein beabsichtigt hinstellen, sondern muß nach den entscheidenden Motiven des Handelns Luthers in den Jahren 1517 bis etwa 1522 fragen. Es wird sich zeigen, daß Luther in diesen Jahren bei allem Neuen, was er zu sagen hatte, sich weitestgehend im Rahmen dessen hielt, was auch sonst diskutiert wurde und als offene Frage gelten durfte. Luther ist auch für seine eigene Situation nicht nur subjektiv, sondern objektiv weit mehr zu entlasten, als es die Zwänge, die schließlich zum Fehlschlag seiner Absichten und damit zur Kirchenspaltung führten, vermuten lassen.

Anschließend an diese mehr historisch ausgerichteten Kapitel gehen wir auf Sachthemen der Theologie Luthers ein und wiederholen dabei jeweils zunächst das Verfahren, indem wir nach den vielfältigen übersehenen Möglichkeiten fragen, die, wenn damals wahrgenommen, Luther vom Verdacht der Irrlehre befreit hätten. In einem jeweils zweiten Überlegungsschritt werden wir dann freilich jenen Wandel zu bedenken haben, der das, was damals für die eine Hälfte der westlichen Christenheit als unerträglich erschien, heute eher selbstverständlich gemacht hat. Wir werden, mit anderen Worten, bei diesen Themen Punkt für Punkt von der unbemerkten, aber höchst wirksamen Gegenwart Luthers im heutigen katholischen Denken zu sprechen haben. Die »Hinführung zu Luther« führt allermeist zu dem, was uns allen als Glaubenden längst bewußt ist.

3. KAPITEL

DIE REFORMATION BEGINNT IM HÖRSAAL

Luthers Beruf

Die Frage, welche entscheidenden Antriebe Luthers reformatorische Theologie auf den Weg bringen und ihn schließlich zum »Reformator« werden lassen, ist so alt wie die wissenschaftliche und vorwissenschaftliche Auseinandersetzung mit Luther selbst. Ebenso alt ist auch die Neigung, diesen entscheidenden Antrieb in der besonderen Eigenart und Größe der Persönlichkeit Luthers zu sehen. In der theologischen Verarbeitung der Reformation in der sogenannten »lutherischen Orthodoxie« (Ende des 16. bis Mitte des 18. Jahrhunderts) führt das – der eine Extremfall – dahin, daß man in Luthers Auftreten eine Art heilsgeschichtlichen Ereignisses sieht und in die Handbücher der lutherischen Dogmatik einen »Locus de vocatione Lutheri« (etwa: »Kapitel über die Berufung Luthers«) einbaut[1]. In der theologisch uninteressierten Betrachtungsweise der Aufklärung wird Luther nach dieser oder jener Richtung zum Genie, das Geschichte macht, eine Anschauung, deren pointierteste Formel wir in dem bekannten Wort Goethes vor uns haben: »Unter uns gesagt, ist an der ganzen Sache nichts interessant als Luthers Charakter, und es ist auch das einzige, was der Menge eigentlich imponiert. Alles übrige ist ein verworrener Quark, wie er uns noch täglich zur Last fällt[2].«

Auch die beginnende, ökumenisch gesinnte katholische Lutherforschung ist zunächst ganz dieser Sichtweise verpflichtet. »Die deutsche Reformation ist zu einem Großteil Martin Luther«, erklärt Joseph Lortz[3]. Und diese These von der Bindung des Geschehensablaufes an die Persönlichkeit Luthers wird, wie schon vermerkt[4], bei Lortz zur Auffassung von

---

[1] Vgl. Ebeling, Luther, 11. Vgl. auch F. Lau, Orthodoxie, altprotestantische, RGG IV, 1719–1730, 1719: Die wichtigste theologische Voraussetzung der Orthodoxie »ist die Kanonisierung der Reformatoren und ihrer Theologie. Luther ist allen luth. Orthodoxen der deutsche Prophet oder der Prophet Gottes für alle Zeiten. Daß er selbst etwas anderes lehren könne oder dürfe als Luther, kommt keinem luth. Theologen in den Sinn«. Vgl. Lohse, Luther, 213 f.

[2] Brief an Knebel vom 22. 8. 1817 (Nr. 7848): Goethes Werke, Weimar 1887 ff., IV, 28; 227,23 – hier zitiert nach Ebeling, a. a. O. 19 und Bornkamm, Luther im Spiegel der deutschen Geistesgeschichte, 134. Zum Ganzen Lohse, a. a. O. 219–224.

[3] Reformation in Deutschland, I, 147; vgl. Lortz – Iserloh, Kleine Reformationsgeschichte, 29.

[4] Vgl. w. o. S. 26.

Luthers individualistischem Subjektivismus weitergeführt, aus dem sich die Besonderheiten und auch Unerträglichkeiten seiner Theologie und des ihr verpflichteten reformatorischen Kirchentums ergeben hätten.

1. PROFESSOR DER HEILIGEN SCHRIFT

Und doch hatte schon ein Jahrzehnt vor Lortz, 1928, der Münsteraner lutherische Historiker Karl Bauer in seinem nach wie vor höchst lesenswerten Buch über die Wittenberger Universitätstheologie und die Anfänge der deutschen Reformation gegen diesen »Personenkult« um Luther in der einen oder anderen Richtung polemisiert und zum Leitfaden seiner Untersuchung die Frage gemacht, »ob nicht etwa sein Beruf als Universitätsprofessor ihn ganz unvermerkt auf die reformatorische Bahn geführt habe«[5].

Auf evangelischer Seite hat sich dieser Weg, die Reformation zu verstehen, längst durchgesetzt – der Stand der Diskussion um Luthers »reformatorische Wende«[6] ist ein Test darauf, und das schon erwähnte Buch von Heiko A. Oberman mit dem bezeichnenden Untertitel »Vom [theologischen] Wegestreit zum Glaubenskampf« ein jüngster, geradezu feierlicher Beleg[7]. Katholiken haben das bevorzugte Interesse für Luthers »Persönlichkeit« noch nicht ganz aufgegeben. Den Grund dafür kann man nur vermuten: Erkennt man die Reformation als ein von der Wurzel her theologisches, ja akademisches Geschehen an, dann ist es fürder nicht mehr möglich, den von ihr gestellten Sachfragen an Theologie und Kirche auszuweichen in eine halb bewundernde, halb verurteilende Betrachtung von Luthers Charakter, der, im Zusammenhang mit den Zeitumständen, nicht zuletzt den desolaten Zuständen in der Kirche, an allem Unheil schuld sei. Und doch ist beides, Luthers Werdegang zum Reformator und die Reformation selbst zu allererst ein wissenschaftlich-theologisches Geschehen und bleibt es auch, als Luther längst zum religiösen Volksführer und die Reformation zu einer religiösen Volksbewegung geworden waren. Der erste Schritt also, Luther zu verstehen, und die im 2. Kapitel aufgestellte These auszuweisen, ist demnach, sich auf Luthers Berufstätigkeit zu besinnen.

Luther war also Professor. Abgesehen von einem kurzen Intermezzo 1508/9, wo Luther schon einmal für ein Jahr mit einem Lehrauftrag der Philosophie bei gleichzeitigem eigenen Weiterstudium in Wittenberg tätig

---

[5] Bauer, Wittenberger Universitätstheologie, VI; vgl. 44; Grane, Modus loquendi theologicus, 129f.

[6] Vgl. w. u. 5. Kapitel.

[7] Vgl. w. o. S. 18; vgl. auch Oberman, Wittenbergs Zweifrontenkrieg gegen Prierias und Eck.

war und bei der Gelegenheit die üblichen Examina gemacht hatte (das »Bakkalaureat« – eine Art »Vordiplom« – in Heiliger Schrift und »Sentenzen«), war er seit 1512 Professor für die Heilige Schrift in Wittenberg, nachdem er eben dort zuvor den (damals noch seltenen und nicht einmal von allen akademischen Lehrern geforderten) Doktorgrad erworben hatte[8]. Zunächst war er Lehrer für die ganze Heilige Schrift. Als später, 1518, Philipp Melanchthon (1497–1560) zur Wittenberger Fakultät gestoßen war, überließ Luther diesem das Neue Testament und hielt selbst – mit Ausnahme des Großen Galaterkommentars von 1531 und einiger kleinerer neutestamentlicher Vorlesungen – nur noch Vorlesungen über das Alte Testament. Denn er konnte ausgezeichnet Hebräisch, aber weniger gut Griechisch als Melanchthon.

Mit seiner exegetischen Professur wurde Luther Nachfolger von Johann Staupitz (1468 [?] – 1524), der durch seine vielen Verpflichtungen und Reisen als Ordensoberer der deutschen Augustinereremiten in der Wahrnehmung seiner Lehrverpflichtungen stark gehindert war. Als Luthers Ordensoberer hat Staupitz Luther förmlich im Gehorsam gezwungen, das Doktorat zu machen und den biblischen Lehrstuhl zu übernehmen. Wir haben rührende Dokumente von Luthers Gegenwehr, aber sie war vergeblich. Erst einmal Doktor und Professor, hat Luther seine Aufgabe nicht nur ungeheuer ernst genommen, sein Doktoreid und Lehramt (4. und 19. Oktober 1512) wurden ihm auch der tragende Grund seiner Existenz und später seines reformatorischen Handelns, das, woran er sich auch festhielt, wenn Zweifel und Anfechtung ihn befielen. Spätere Rückblicke übertreiben nicht: »Ich…, Doktor Martinus, bin dazu berufen und gezwungen, daß ich mußte Doktor werden, ohne meinen Dank [= Willen], aus lauter Gehorsam, da habe ich das Doktoramt müssen annehmen und meiner aller liebsten Heiligen Schrift schwören und geloben, sie treulich und lauter zu predigen und lehren[9].« Und: »Ich hab's oft gesagt und sage es noch: Ich wollte nicht der Welt gut nehmen für mein Doktorat; denn ich müßte wahrlich zuletzt verzagen und verzweifeln in der großen, schweren Sache, so auf mir liegt, wo ich sie als ein Schleicher hätte ohne Beruf und Befehl angefangen. Aber nun muß Gott und alle Welt mit zeugen, daß ich es in meinem Doktoramt und Predigtamt öffentlich habe angefangen und bis daher geführt mit Gottes Gnade und Hilfe[10].« »Über solchem Lehren«, fährt Luther an der zuerst zitierten

---

[8] Zu den folgenden Hinweisen vgl. die Biographien, vor allem die jüngeren. Pars pro toto sei verwiesen auf Friedenthal, Luther, 65–152; Lohse, Luther, 39–41; Brecht, Luther, 88–172; v. Loewenich, Martin Luther, 61–102; Manns, Martin Luther, 57–90; und, unter dem theologiegeschichtlichen Aspekt, Ebeling, Luther, 18–99.
[9] 30 III, 386,14.
[10] 30 III, 522,2.

Stelle fort, »ist mir das Papsttum hinweggefallen.« So sieht Luther selbst die Zusammenhänge. Das weltgeschichtliche Ereignis der Reformation beginnt im Hörsaal. Man muß diese Selbstinterpretation Luthers zwingend widerlegen, oder man muß sie ihm abnehmen [6].

2. WITTENBERG

Über das Wittenberg, das Luther vorfand, ist nicht viel zu erwähnen, sehr viel dagegen ist zu sagen, was durch Luther daraus wurde. Die Universität war zehn Jahre alt, als Luther seine Professur antrat[11]. 200 Studenten mögen immatrikuliert gewesen sein, eine gute Anzahl von ihnen war um die zwölf, vierzehn oder fünfzehn Jahre alt. Luther hatte 1509, als er von seinem ersten Wittenberger Aufenthalt zurückkehrte, einige Mühe, seine Wittenberger Examina in der altehrwürdigen Universität Erfurt angerechnet zu bekommen. Zu kleinkariert war in der Tat in Wittenberg alles: eine Konkurrenzgründung Kurfürst Friedrichs des Weisen zur Landesuniversität Leipzig seines Vetters Georg. Man hat sehr am Etat gespart – und um nach dem Prinzip »do ut des« beim Kurfürsten etwas für die Augustinereremiten herauszuschlagen, stellte Staupitz dem Kurfürsten Luther kostenlos als Professor zur Verfügung.

Neben ihm stehen als ordentliche Professoren in der theologischen Fakultät je ein Vertreter des Thomismus, des Skotismus und der »via moderna«, also des Ockhamismus. Der Humanismus war auf verschiedenen Wegen, vor allem in der Artistenfakultät (= philosophische Fakultät) im Kommen, aber noch keine prägende Kraft. Dekan der theologischen Fakultät war Andreas Bodenstein von Karlstadt. Er hat Luther promoviert, war zuerst sein großer Gönner, später sein Anhänger und schließlich sein erbitterter Gegner – nicht nur, weil Luther sich wandelte, sondern auch und vor allem, weil er selbst sich ständig wandelte[12]. Im Anfang aber ist die Wittenberger Reformation, ist Luthers Werden und Denken nicht ohne die Zusammenarbeit mit Karlstadt zu denken.

Nun geschieht das Erstaunliche: Bald nach dem Beginn von Luthers Lehrtätigkeit schnellt die Zahl der Studenten in Wittenberg sprunghaft in die Höhe, auch schon vor 1517. Nach 1517 wird es eine wahre Springflut. Das 2000 Einwohner zählende Wittenberg kann sie gar nicht mehr unterbringen. Ende 1518 hat Melanchthon in seiner Griechisch-Vorle-

---

[11] Zu Wittenberg vgl. außer den in Anm. 8 verzeichneten Arbeiten Aland, Die Theologische Fakultät Wittenberg; Junghans, Wittenberg als Lutherstadt; Borth, Luthersache, 172–175.

[12] Hier taucht erstmals das Thema »Luther und die Radikalen« auf. Wir müssen es in diesem Buch übergehen. Jüngste weiterführende Literatur bei Lohse, a. a. O. 103f. (vgl. den Überblick a. a. O. 61–69); ders., Luther und der Radikalismus; und bei Wohlfeil, Einführung, 222f. (vgl. den Überblick a. a. O. 144–169).

sung die moderne Maßstäbe erreichende Zahl von 400 Hörern. 1520 sind es 500 bis 600. Sie kommen aus aller Herren Länder. Das ist zweifellos großenteils auch auf den Ruf Luthers als Professor zurückzuführen. Wir besitzen die Vorlesungsmanuskripte fast aller seiner frühen Vorlesungen und können aus ihnen auf die konzentrierte Vorbereitungsarbeit schließen. Für die Arbeit am Neuen Testament benutzt er den gerade von Erasmus von Rotterdam (1469–1536) herausgegebenen griechischen Urtext – was damals keineswegs allgemein üblich war und von manchen auch für überflüssig gehalten wurde. Er läßt für seine Studenten auf große Blätter den Psalter drucken mit weiten Zwischenräumen zwischen den Zeilen, damit die Studenten Platz für ihre Eintragungen aufgrund der Vorlesungen hatten. Der Gewohnheit entsprechend, kommentiert Luther in der zweigleisigen Methode von »Glossen« und »Scholien«: In einem ersten Durchgang wird der Text Wort für Wort und Zeile für Zeile mit kurzen Erläuterungen versehen, die man zwischen die Zeilen einfügen kann – zum Teil in der Form regelrechter grammatischer Einschübe in den Text. In der »Weimarer Ausgabe« ist dieses Verfahren dadurch veranschaulicht, daß der Bibeltext fettgedruckt, die, ursprünglich also zwischen die Zeilen geschriebenen, »Glossen« normal gedruckt sind. An die Glossen schließen sich in einem zweiten Durchgang die »Scholien« an, die, nach Art der »Exkurse« in modernen exegetischen Werken, wichtige Verse oder Textpartien systematisch behandeln und so das Schriftwort vom näheren oder weiteren Sinnzusammenhang her erklären.

Methodischer und didaktischer Einfallsreichtum also sind es zunächst, die dem jungen Professor eine wachsende Zahl von fasziniertem Hörern verschaffen. Dazu gewiß auch die offene Kritik, die er, vom Text ausgehend, schon damals an den Zuständen in der Kirche und am Verhalten der »Prälaten« übt – ohne die Kirche selbst und ihre Ämter im geringsten in Frage zu stellen. Bis heute vergnügt sich der Leser denn auch an den kräftigen, auch die lateinische Gelehrtensprache verlassenden und ins Deutsche überwechselnden Einwürfen, mit denen Luther seine Darlegungen würzt. »O stulti, o sawtheologen!«, ist solch ein gern zitierter Temperamentsausbruch, mit dem Luther in der Römerbriefvorlesung die zuvor attackierten theologischen Gegner bedenkt[13]. Von den feinen, kaum merkbaren Umorientierungen seines Denkens im Vergleich mit der Tradition, im späteren Rückblick mit viel Scharfsinn manchmal zu entdecken, hat ganz gewiß keiner seiner Schüler damals etwas gemerkt. Und doch hat gerade die Methode seines Umgangs mit dem Text ihn auf die Bahn des Reformators gebracht.

[13] 56, 274,14 (zu Röm 4,7).

3. Studienreform

Sehr bald aber ist es noch ein weiterer Faktor, der Studenten nach Wittenberg zieht, und er ist nicht mehr allein Sache Luthers. Es handelt sich um die zeitlich mit dem Amtsantritt Luthers zusammenfallende Reform des theologischen Studiums, und die betraf nicht nur die theologische Fakultät, sondern die ganze Universität. Scholastische Philosophie, das heißt die aristotelische Philosophie in der aus dem Mittelalter überkommenen Form und Interpretation, Kirchenrecht, also die Behandlung der seit Jahrhunderten vorliegenden und immer wieder ergänzten Sammlung päpstlicher Dekretalien, insbesondere des »Decretum« Gratians aus dem 12. Jahrhundert, des klassischen kirchenrechtlichen Handbuchs der mittelalterlichen Theologie, und schließlich die scholastische Theologie, das heißt die Kommentierung der »Vier Bücher der Sentenzen« (»Quatuor Libri Sententiarum«) des Petrus Lombardus, des bis in Luthers Zeit verpflichtenden dogmatischen Lehrbuchs, dessen Offenheit freilich allen alten und neuen Schulrichtungen gestattete, es in ihrem Sinne auszulegen – das alles steht in Wittenberg im Schußfeld. Diese Schulwerke nämlich waren der Schrift übergeordnet – jedenfalls faktisch und allem Augenschein nach. Man *stieg auf* vom »Baccalaureus biblicus« zum »Baccalaureus sententiarius« und schließlich zum Doktor der Theologie – im modernen Vergleich: vom biblischen Vordiplom zum dogmatischen Vordiplom und schließlich zum theologischen Doktorat.

Wie es nun äußerlich gekommen ist, weiß man nicht mehr genau. Jedenfalls ist für Wittenberg charakteristisch, daß der Lehrstuhl für die Heilige Schrift, auf dem Luther seinem Ordensoberen, Lehrer und Freund Staupitz nachfolgte, von Anfang an in einer nicht üblichen Weise als ordentliche Professur nur für die Heilige Schrift gedacht war, und Luther hat denn auch unentwegt nur Vorlesungen über biblische Bücher gehalten. Verbunden mit seinem Rückgriff auf Augustinus und andere nicht-spätscholastische Quellen – davon im nächsten Kapitel – gewinnen so seine biblischen Vorlesungen, gemessen an dem, was üblich war, besondere Autorität und zugleich Sprengkraft gegenüber dem herkömmlichen Studiengang, sobald Luther unter seinen Kollegen Gesinnungsgenossen findet. Und die findet er bald. Was daraufhin geschieht oder doch anläuft, drückt Luther 1518 in einem Brief an seinen einstigen (ockhamistischen) Lehrer Jodocus Trutvetter (1460–1519) in Erfurt (mit dem er sich inzwischen überworfen hatte) so aus: »Ich bin schlechterdings der Überzeugung, daß die Kirche unmöglich zu reformieren ist, wenn nicht von Grund auf die Canones, die Dekretalen, die scholastische Theologie, die Philosophie, die Logik, so wie sie jetzt betrieben werden, mit der Wurzel ausgerissen und andere Fächer unterrichtet werden. Und in dieser Überzeugung gehe ich so weit, täglich den Herrn zu bitten, es möchte doch sofort geschehen, daß das völlig gereinigte Studium der Bibel und der heiligen Väter wiederhergestellt werde[14].«

Der Text zeigt, daß man auch 1518 in Wittenberg noch nicht so weit ist, zeigt aber auch die in Gang befindliche Bewegung, vor allem, wenn man sich an den aus dem vorausgehenden Jahr stammenden Brief erinnert[15], wonach die Studenten in Wittenberg die Lehrveranstaltungen in den alten Fächern schon kaum noch besuchen. Das schon skizzierte Bild gewinnt also an Farbkraft: Die Reform der Kirche erhofft und erwartet man von einer Reform des Theologiestudiums. Und Luther versteht sich *durch* seine biblischen Lehrveranstaltungen als Vorkämpfer der Reform der Kirche.

Täglich hält er also seine exegetischen Vorlesungen. Die Wahl der zu behandelnden Bücher steht ihm frei. Er beginnt mit einer Genesis-Vorlesung (1512), die uns nicht erhalten ist. Dann greift er, für ihn als zum Chorgebet verpflichteten Mönch selbstverständlich, zu einer Auslegung der Psalmen, die »Erste Psalmenvorlesung«, auch »Dictata super Psalterium« genannt. Sie dauert vom Sommer 1513 bis Frühjahr 1515. Vom Frühjahr 1515 bis Herbst 1516 folgt eine Vorlesung über den Römerbrief, von Oktober 1516 bis März 1517 liest Luther über den Galaterbrief, und, nach üblicher Datierung, von Ostern 1517 bis Ostern 1518 nimmt er sich den Hebräerbrief vor, den er, wie damals üblich, für einen echten Brief des Apostels Paulus hält. In die Zeit dieser Vorlesung fällt der Beginn des Ablaßstreites. Bei dieser Gleichzeitigkeit von Hebräerbriefvorlesung und Ablaßstreit bleibt es auch, wenn sich die inhaltlich und historisch beachtenswert begründete These durchsetzen sollte, daß die in jedem Fall zweisemestrige Hebräerbriefvorlesung auf das Wintersemester 1517/1518 und das Sommersemester 1518 zu datieren ist. Es läßt sich dann allerdings kaum noch erklären, worüber Luther im Sommersemester 1517 doziert hat[16].

---

[14] Br 1, 170,33 (Nr. 74).

[15] Vgl. w. o. S. 39 (mit Anm. 22).

[16] Die neue Datierung der Hebräerbriefvorlesung bei Bayer, Promissio, 203–205. Sie ist verbunden mit Bayers eigener These zur Datierung und inhaltlichen Bestimmung der »reformatorischen Wende« (s. w. u. im 5. Kapitel). Darum Skepsis bei Grane, Modus loquendi theologicus, 152f.; vorsichtige Zustimmung bei Brecht, Luther, 130. Lohse, Luther, 40, geht auf diese Frage nicht ein und datiert auf »1517–18« – was für *beide* Datierungen gilt. – Könnte Luther im Sommersemester 1517 eine (nicht erhaltene) Vorlesung über den Titusbrief gehalten haben? Hirsch-Rückert in ihrer Edition der Hebräerbriefvorlesung (1929) halten es für möglich; vgl. a. a. O. XXV Anm. 1; dazu *könnte* eine Bemerkung in »Von den Konziliis und Kirchen« passen: 50, 519,22–31; allerdings, so mit Recht Aland, Weg zur Reformation, 55, ist nicht zu entscheiden, ob sich diese Bemerkung nicht auch auf die spätere Titus-Vorlesung von 1527 beziehen kann: 25, 6–69.

54

Außer zu den Vorlesungen ist Luther durch die Universitätssatzungen zum Disputieren verpflichtet[17]. Diese Satzungen hatten der verfallenen Institution der Disputationen neues Leben einhauchen wollen, und das Glück wollte es, daß Luther der Mann war, der das konnte. Verpflichtet ist Luther

– erstens abwechselnd mit seinen Kollegen einmal im Jahr eine feierliche Disputation scholastischen Stils abzuhalten; bei vier ordentlichen Professoren ergibt das also vier große Disputationen im Jahr;
– ferner zur Promotionsdisputation und sonstigen Examensdisputation mit seinen Schülern;
– endlich zur wöchentlichen Disputation, bei der reihum die Ordinarii Thema und Thesen aufstellen – daher der Name »Zirkulardisputation« – und die jeden Freitag »zwischen der ersten und der dritten Stunde« stattfindet, also allen Ernstes morgens zwischen 6 und 9 Uhr! Luther macht diese Praxis begeistert mit. Die Formen sind verschieden. Das eine Mal stellt der Professor die Thesen auf, die Schüler müssen sie verteidigen, während der Professor selbst angreift. Es kann auch umgekehrt geschehen, und Mischformen gibt es auch. Zwischen 1525 und 1533 verfiel die Disputation in Wittenberg. Nach 1533 hat man sie wieder belebt, wenn auch nicht in der alten Häufigkeit – und so besitzen wir aus den 30er Jahren die Dokumentation einer ganzen Serie von Disputationen Luthers[18].

Solange Luther lebt, geht es gut, später verfällt sie wieder. Luther selbst ist ein leidenschaftlicher Disputator und will bewußt auf diese Weise seine Schüler darin schulen, mit Argumenten und nicht nur mit Berufung auf große Autoritäten für ihre Sache einzustehen. »Wenn's aber zu disputieren gilt«, sagt Luther 1540 gutgelaunt in einer Tischrede, »komme einer in der Schule zu mir! Ich will ihm scharf genug machen und ihm antworten, er mach's wie kraus er will[19].« Und er lobt die Zirkulardisputation, »weil jene Vorübungen viel dazu beitragen, die Geister der jungen Leute in Schwung zu bringen«[20]. Und dabei behält er Augenmaß und ergreift Partei für die noch ungeschickten Studenten: »Und man führt die stolzen Gesellen unter die rüden (= ungebildeten), damit sie auf die Probe gestellt werden, was an ihnen dran ist. Darum lobe ich gegenüber den jungen

---

[17] Vgl. dazu Wolf, Zur wissenschaftsgeschichtlichen Bedeutung der Disputationen an der Wittenberger Universität im 16. Jahrhundert (= Peregrinatio II, 38–51); Lohse, Luther als Disputator.
[18] Abgedruckt in 39 I und 39 II. Mit Recht bedauert Lohse, Luther, 144, daß die Schulausgabe von Clemen keine Auswahl aus diesen Disputationen bringt, ausgenommen einen Auszug aus der zweiten Disputation gegen die Antinomer (Cl VII, 19–20).
[19] TR 4, Nr. 5047.
[20] »...quia illa progymnasmata multum valerent ad exercitanda ingenia adolescentium«: TR 4, Nr. 4153.

Leuten auch noch so ungeschickte Argumente, und es mißfällt mir Philipp Melanchthons scharfe Beweisführung, die die armen Gesellen so bald überrumpelt. Denn man muß Stufe für Stufe aufsteigen, auf einer Treppe zur nächsten Stufe, denn keiner wird auf einen Schlag der Größte[21]«.

Luthers akademisches Lehramt ist aber nur ein Teil seiner Arbeit. Er ist zugleich Prediger in seinem Konvent, bald auch täglich – täglich!– in der Pfarrkirche, Distriktsvikar (Provinzialoberer) für die Klöster in seinen Umkreis, was sehr viel Korrespondenz mit sich bringt, und noch weitere Aufgaben belasten ihn. In einem Brief an einen Freund aus dem Jahre 1516 hat Luther selbst den täglichen Streß mit der Sachlichkeit eines Terminkalenders aufgelistet: »Für meine Arbeit brauche ich zwei Schreiber oder Kanzlisten. Ich tue fast nichts am Tage als Briefe abfassen... bin Klosterprediger, Vorsteher bei Tische, werde täglich in die Pfarrkirche gerufen zum Predigen, bin Studienaufseher, Vikar, was soviel heißt wie Prior über elf Klöster, Kontrolleur unserer Fischteiche bei Litzkau, Anwalt in Sachen der Herzberger Mönche zu Torgau, lese über Paulus Kolleg, sammle Material über den Psalter und all das, wie schon gesagt, neben der Arbeit, die den größten Teil der Zeit beansprucht, dem Briefschreiben. Selten bleibt mir Zeit, meine Horen [= Tagzeiten des Chorgebetes] zu verrichten oder Messe zu lesen bei all diesen Versuchungen des Fleisches, der Welt und des Teufels. Da siehst du, wie müßig ich gehe[22].« À propos »Horen verrichten«: Was das konkret bedeutet, kann man heute, nach mehreren einschlägigen Reformen, also Erleichterungen, nur noch in ganz alten Zisterzienserklöstern strengster Observanz sich vor Augen führen. Es beläuft sich auf zwischen sechs und sieben Stunden Gottesdienst am Tag. Kein Wunder, daß Luther nur noch selten Zeit zur Teilnahme findet – und dennoch ein schlechtes Gewissen dabei hat. Der literarische Nachlaß dieser ungeheuren Arbeitsleistung in den Jahren bis 1518 beträgt sechs dicke Folianten[23].

In diesem Lebenszusammenhang, der ihm eine heute kaum mehr vorstellbare Konzentration abnötigt, beginnt jene Denkbewegung, die ihn zu dem eigenartigen Theologen macht, der er ist. Welchen Anlaß haben wir bis zum unwidersprechlichen Erweis des Gegenteils, daran zu zweifeln,

---

[21] TR 4, Nr. 4056. Der Text entfaltet nur in seinem Deutsch-Latein-Gemisch seinen ganzen Charme: »Vnd man furet die stoltzen gesellen vnter die ruden, ut experirentur, quales essent. Ideo ego adolescentibus laudo argumenta quamvis incomposita, et displicet mihi Philippi Melanchthonis exacta ratio, das die armen gesellen so bald vberrumpelt; nam oportet per gradus nos ascendere, auf einer treppen zur annder stuffen, nam nemo repente fit summus.«
[22] Br 1,72,4–13 (26. Oktober 1516 an Lang).
[23] Um genau zu sein: in der WA die Bände 1, 3, 4, 56; dazu den größten Teil von 57 (einschl. der halben Hebr-Vorlesung), Teile von 9 und Br 1.

daß ihm – wie er selbst sagt – *durch seine konzentrierte Arbeit* seine neuen Gedanken gekommen sind? Ist es so unwahrscheinlich, daß solch ein vielseitiger, begabter und seine Kraft bis zum Letzten einsetzender Schreibtsich-Arbeiter auch etwas entdeckt? Daß er originell wird? Wir werden dann natürlich erwarten, ermitteln zu können, wo die neuen Gedanken und Ansätze sich in dem, was aus dieser Zeit geschrieben vor uns liegt, bemerkbar machen. Stellen wir aber hier nicht sogleich die berühmte Frage nach der »reformatorischen Wende«, denn diese Frage, jetzt schon gestellt, würde dem gewählten Ansatz und der aufgestellten These nicht treu bleiben. Bleiben wir dabei, daß Luther Professor der Heiligen Schrift ist. Dann wird voraussichtlich zumindest *einer* der Impulse seiner theologischen Umorientierung in der Methode seiner exegetischen Arbeit liegen, in seiner biblischen »Hermeneutik«, wie man, nach dem engeren Sinn des Wortes, die Methodik der Bibelauslegung nennt. Die Erwartung trügt tatsächlich nicht.

4. Der »vierfache Schriftsinn«

In seiner ersten Psalmenvorlesung steht Luther noch ganz auf geebnetem Boden. Er benutzt nicht den Urtext, sondern die sogenannte »Vulgata«, die damals seit über tausend Jahren in der Kirche eingebürgerte, freilich sehr fehlerhafte und mit tausenden von unterschiedlichen Lesarten verbreitete lateinische Bibelübersetzung. Er arbeitet mit der überkommenen Methode des »vierfachen Schriftsinnes«. Nach dieser Methode beziehungsweise der ihr zugrundeliegenden Theorie hat das Wort der Schrift, vor allem das des Alten Testamentes, außer dem »Literalsinn«, dem sich aufdrängenden, grammatisch-philologisch erhebbaren Sachsinn noch einen dahinter oder darunter liegenden »tieferen«, oder »höheren«, einen »geistlichen« Sinn (»sensus spiritualis«). Dieser gliedert sich auf in drei Sinnrichtungen, den »allegorischen«, den »anagogischen« und den »tropologischen« oder »moralischen« Sinn. Der allegorische Sinn deutet das Schriftwort auf Jesus Christus oder auf die Kirche und ihren Glauben oder auf beides zugleich. Der anagogische Sinn deutet das Schriftwort auf das ewige Leben und die eschatologische Hoffnung des Christen, der tropologische und moralische Sinn deutet das Schriftwort auf das sittliche Leben und seine Anforderungen[24]. Seit der zweiten Hälfte des 13. Jahr-

---

[24] Zum »vierfachen Schriftsinn« vgl. Pesch, Das Gesetz, 682–716, mit weiterer Literatur, historischen Erläuterungen und einer Auseinandersetzung mit der einschlägigen Arbeit von Preus, From Shadow to Promise. Speziell zur Anwendung der »Quadriga« in Luthers erster Vorlesung vgl. Vogelsang, Die Anfänge von Luthers Christologie; Seeberg, Luthers Theologie II, 6–47; Ebeling, Evangelische Evangelienauslegung, 277–283; ders., Die Anfänge von Luthers Hermeneutik (= Lutherstudien I, 1–68), bes. 51–68; Hahn, Luthers Auslegungsgrundsätze; ders., Die Heilige Schrift als Problem der Auslegung, bes. 415–4210; Brandenburg, Gericht und Evangelium, 50–59.

hunderts ist diese Methode zusammengefaßt in dem hübschen Merkvers des Dominikaners Augustinus von Dänemark (Dacia):
Littera gesta docet, quid credas, allegoria,
Moralis, quid agas, quid speras, anagogia.
Der Buchstabe lehrt, was geschehen; was du glauben sollst,
die Allegorie;
der moralische [Sinn], was du tun sollst; was du hoffen sollst,
die Anagogie.

Jerusalem und Babylon sind zwei Städte, die eine in Palästina, die andere in Mesopotamien – und sie sind »buchstäblich« gemeint, wenn ihre Namen etwa in den Psalmen auftauchen. Im »allegorischen« Sinn bedeutet »Jerusalem« die Kirche, die Gläubigen, im »anagogischen« Sinn ist »Jerusalem« der Himmel und der Lohn der Gläubigen im Jenseits, im »tropologischen« Sinn verweist »Jerusalem« auf die Tugenden der Christen. Entsprechend bedeutet »Babylon« die Bösewichter, die ewige Verdammnis in der Hölle, die Laster.

Karl Bauer nennt das die Kunst, aus jedem alles zu machen[25], und er steht mit solch abwertendem Urteil nicht allein. Im Blick auf die Praxis, nicht nur zur Zeit Luthers, hat er leider recht. Festzuhalten bleibt dennoch, daß das Verfahren der Bibelauslegung im vierfachen Schriftsinn einer großen Idee entsprungen ist. Ihr Grundgedanke ist, daß die von Gott geführte Geschichte des Heiles im Ganzen wie im Detail Ergebnis eines weisheitsvollen Planes ist, der sich, weil er *Gottes* Plan ist, nicht jedem oberflächlichen Blick erschließt. Der Mensch kann immer nur einen begrenzten Zusammenhang überblicken und durchschauen. Gott aber durchschaut von vornherein das Ganze, und deshalb trägt der Anfang schon den Verweis auf den ganzen Weg, die Mitte und das Ende in sich. Die Theorie vom vierfachen Schriftsinn will verhindern, daß das Gottesbild Schaden nimmt durch einen nur oberflächlichen Blick, dem sich die biblische Geschichte als verworrenes Nebeneinander und Nacheinander zusammenhangloser Ereignisse darstellen muß. Nur wie auf einem Nebengleis dient die Methode auch einmal dazu, solchen Schriftstellen noch einen annehmbaren Sinn abzugewinnen, die mit den Instrumenten der damaligen Bibelinterpretation einfach unerklärlich waren. Der »geistliche« Sinn in seiner dreifachen Ausfaltung haftet daher auch nicht eigentlich am Schrift*wort*, sondern an der dadurch buchstäblich bezeichneten *Sache* – »res significat aliam rem« (»Die Sache bezeichnet eine andere Sache«), drückt Thomas von Aquin es ganz knapp aus und faßt damit die einhellige Meinung der Tradition in dieser Sache seit spätestens Augustinus zusammen[26].

[25] Bauer, Wittenberger Universitätstheologie, 18.
[26] Vgl. Thomas, STh I, 1,10 in corp.

Grundlegend für jeden »geistlichen Sinn« ist daher der »sensus litteralis«, denn dieser bringt ja die »Sache« vor den Blick, die ihrerseits Träger der tieferen geistlichen Bedeutung ist. Im theologischen Beweis, erst recht im theologischen Streit kann daher naturgemäß nur der buchstäbliche Schriftsinn zählen, denn für die verschiedenen »geistlichen« Bedeutungen kann ja kein wissenschaftliches Verfahren, sondern nur eine Art »Glaubenssinn« haften, der sich aufgrund langer Erfahrung des Glaubens in die Gedanken der Weisheit Gottes ahnend vortasten kann. Nicht einmal der biblische Schriftsteller selbst muß ja, nach traditioneller Überzeugung, um den jeweiligen geistlichen Sinn dessen wissen, was er schreibt. Umgekehrt folgt daraus das besondere Gewicht der Tradition bei der Findung des geistlichen Schriftsinns. Denn wenn die Entdeckung des geistlichen Sinnes von tieferer Glaubenserfahrung abhängt, dann steht den alten Heiligen und Kirchenvätern naturgemäß eher ein Vertrauensvorschuß zu, das Richtige getroffen zu haben, als dem jeweils gegenwärtigen Ausleger.

Die Geschichte der Bibelauslegung zeigt, daß die Nachteile, die die Handhabung des vierfachen Schriftsinnes durch jedermann mit sich brachte, größer waren als die Vorteile. Die strenge Bindung des geistlichen Sinnes an die *Sache* ging verloren oder wurde höchstens theoretisch hochgehalten und verlagerte sich faktisch auf das Schriftwort selbst – das Nebengleis wurde zur Hauptstrecke. Die Beseelung der Suche nach dem vierfachen Schriftsinn durch persönliche Glaubenserfahrung war ohnehin immer nur Sache der Großen im Glauben, der Heiligen. Die Berufung auf die Autoritäten gab dem geistlichen Sinn auf die Dauer das Gewicht, das auch sonst dem »Traditionsbeweis« zuerkannt wurde, und eben dadurch wurde der theoretisch hochgehaltene Vorrang des buchstäblichen Sinnes in der Praxis eingeebnet. Das Ende war ein bequem und sogar virtuos handhabbares Schema, das weder theologisch noch geistlich etwas abwarf.

Das hat nun nicht erst Luther gemerkt. Schon im 12. Jahrhundert hat etwa Hugo von St.-Victor († 1141) und mit ihm eine ganze Schar von Gesinnungsgenossen gegen den willkürlichen Umgang mit dem vierfachen Schriftsinn gewettert[27]. Im 16. Jahrhundert war seit 200 Jahren der große Franziskaner und Exeget Nikolaus von Lyra (= Lyrie in der Normandie) der große Protektor aller Kritik am »geistlichen Schriftsinn«. Nikolaus von Lyra (ca. 1270–1349) wendet sich entschlossen wieder dem Literalsinn zu. Den geistlichen Sinn erkennt er zwar an, aber er muß nicht bei jedem Bibelwort vermutet werden und vor allem: im theologischen Beweisverfahren hat er keine Geltung – womit Nikolaus nur die Tradition einschärft. Nach diesen Grundsätzen hat er einen Literalkommentar fast

---

[27] Vgl. Pesch, a. a. O. 694.

zur gesamten Heiligen Schrift geschrieben, die sogenannte »Postilla litteralis«, die zum exegetischen Standardwerk des ganzen Spätmittelalters wurde und die Luther vor sich auf dem Schreibtisch hatte. Aber – in der Ersten Psalmenvorlesung praktiziert Luther bis zum Überdruß den vierfachen Schriftsinn. Von Lyra hält er gar nichts – »Lyram contemnebam«, sagt er später über diese Zeit[28]. Ihm war der nüchterne Lyra ebenso zu »profan« und »rationalistisch« wie die Ansätze einer historisch-kritischen Methode bei Erasmus von Rotterdam. Von beiden befürchtete er, daß »viele sich dadurch eine Deckung verschaffen, um jenes buchstäbliche, das heißt tote Verständnis zu verteidigen, wovon der Kommentar des Lyra voll ist und fast alle nach Augustinus[29].« Nichts ist also bis jetzt schon wahr von jenem späteren geflügelten Wortspiel: »Si Lyra non lyrasset, Lutherus non saltasset« (»Wenn Lyra nicht auf der Leier gespielt hätte, hätte Luther nicht getanzt«)[30].

Und doch weist einiges an dieser frühen Vorlesung schon in die Zukunft[31]. Zweierlei nämlich ist eigenartig. Das eine: Luther versteht alle Psalmen buchstäblich von Christus. Da die Psalmen nun *vor* dem Auftreten Christi nicht historisch-buchstäblich von Christus reden können, tun sie es »prophetisch«, aber im *Literalsinn*, nicht erst im geistlichen Sinn. Man spricht deshalb in der Forschung vom »sensus litteralis propheticus« (»buchstäblich-prophetischer Sinn«), den Luther in den Psalmen sucht, *bevor* er nach dem geistlichen Sinn fragt. Diesen christologisch-hermeneutischen Grundsatz verdankt Luther nach wiederholten Äußerungen seinem Lehrer und geistlichen Führer Staupitz. Er hat diesen Grundsatz auch später nicht aufgegeben – freilich hat er ihn methodisch verwandelt.

Das Zweite verdankt er sowohl Staupitz als auch sich selbst, das heißt: Hier hat das Vorbild und die Unterweisung des Lehrers eine eigene Saite in Luthers Wesen zum Klingen gebracht: das dringende Interesse, den Bezug zwischen dem biblischen Wort und der eigenen Gegenwart im allgemeinen sowie der Glaubensexistenz im besonderen herzustellen. Eben deshalb erbrachte für sein Begreifen ein Lyra nur eine »mortua intelligentia« (»totes Verständnis«). Dem zu entgehen sieht der junge

---

[28] TR 1, 44,30 (Nr. 116).

[29] Br 1, 70,36.

[30] Zur Herkunft dieses auf Luther umgeprägten Sprichwortes vgl. Bauer, a. a. O. 19f. Im übrigen wird Lyra in der Forschung durchaus unterschiedlich beurteilt. Gegen die lutherische Hochschätzung seiner Hilfestellung für Luther bei der Abkehr vom vierfachen Schriftsinn stehen die Bedenken gegen Lyras Literalexegese bei de Lubac, Exégèse médiévale II/2, 344–363; dazu wieder beachtenswerte Gegenbedenken bei Preus, From Shadow to Promise, 62 Anm. 2.

[31] Seit den 30er Jahren findet sie darum das verstärkte Interesse der Forschung. Vgl. die in Anm. 24 verzeichneten Untersuchungen unter exegetischem und hermeneutischem Aspekt; zum Aspekt der Lehrentwicklung vgl. w. u. im 5. Kapitel.

Exeget nur eine Chance: durch den Rückgriff auf den vierfachen Schriftsinn. Nicht von ungefähr gewinnt daher der *tropologische* Sinn besonderes Gewicht. Er ist es ja, der den Bezug des Schriftwortes auf das praktische sittliche Leben eröffnet. Eben darüber aber geht Luther hinaus: Er verbindet den tropologischen Sinn mit dem buchstäblichprophetischen Sinn. Wo die klassische tropologische Auslegung auf das ethische Streben abzielt, zielt Luther auf den Glauben an den in den Psalmen prophetisch angesagten Christus ab. »Man muß dies alles tropologisch verstehen: Wahrheit, Weisheit, Kraft, Heil, Gerechtigkeit, das heißt: wodurch er uns stark, heil, gerecht, weise usw. macht. So (sind) die Werke Gottes, die Wege Gottes: Christus ist dies alles buchstäblich. Und der Glaube an ihn ist dies alles moralisch [= tropologisch].« Und ganz knapp wenig später: »Die Gerechtigkeit Gottes ... ist tropologisch der Glaube an Christus[32].« Wenn im Psalmtext Christus, der prophetisch im Psalm Gemeinde, angefochten wird und die Hölle durchmacht, dann gilt, daß Anfechtung zur christlichen Existenz gehört. Wenn Christus erhöht wird, aber verborgen, dann gilt, daß das christliche Leben verborgene Herrlichkeit ist usw. Wird der Psalm *so* ausgelegt und *so* dem Hörer zugesprochen, verkündet, dann wird also, im Medium der tropologischen Auslegung, Christus, sein Leben, Werk und Leiden, auf den Christen bezogen, dem Christen wird der Weg Christi eröffnet. Geht er ihn, so ist er vor Gott »richtig«, »gerecht«. Von später aus gesehen kann man schon hier ohne große Mühe entdecken, wie der am Schriftwort gewonnene und ganz auf Christus konzentrierte *Glaube* in den Vordergrund der Aufmerksamkeit rückt und zur Mitte christlicher Existenz wird.

Die historischen Fragen, ob der Vorrang der tropologischen Auslegung und ihrer eigenartigen Zuspitzung bei Luther ganz ohne Vorbild sind, sind immer noch nicht geklärt[33]. Bis jetzt besteht immer noch aller Anlaß, hier einen originellen und originären Zug in Luthers Denken zu sehen. Erst die jüngere Forschung ist darauf gestoßen, die ältere, auch Karl Bauer etwa, hält die »Dictata super Psalterium« für Makulatur und bestenfalls für die Erforschung von Luthers Werdegang von Belang. Die Lutherforschung der Gegenwart jedoch ist sich einig, hier gewiß noch nicht vor ausgebildeter »reformatorischer« Theologie, aber doch vor der Frühgestalt der Rechtfertigungslehre und – alles geschieht ja im *Wort* der

---

[32] 3, 458,8; 466,26; weitere prägnante Texte und Interpretation bei Ebeling, Die Anfänge, 61–68; Brandenburg, a. a. O. 50–59; geradezu programmatisch: 3, 167, 18ff.

[33] Bizer, Fides ex auditu, möchte die Methode der Psalmenauslegung in den »Dictata« für ganz traditionell halten und beruft sich an anderer Stelle auf de Lubac (EvTh 24, 1964, 6; ders. Theologie der Verheißung. Studien zur Theologie des jungen Melanchthon, Neukirchen 1964, 15). Aber gerade für den Vorrang der tropologischen Auslegung in der Art Luthers gibt es bei de Lubac keine Belege.

auslegenden Verkündigung – vor der Frühgestalt der Worttheologie Luthers zu stehen. Die tropologische Ineinssetzung von Christus und den Gläubigen entwickelt sich bald weiter zu der bekannten Lehre Luthers von der »imputatio« (»Anrechnung«) der Gerechtigkeit Christi, womit Luther die mittelalterliche Lehre von der Gnade als einer »qualitas« (»Eigenschaft«, nämlich der Seele) hinter sich läßt, und zur Lehre vom Wort als dem entscheidenden Heilsmittel [7].

5. Der buchstäbliche Schriftsinn

Diese Entwicklung wird dann in Gang kommen, wenn Luther aus irgendwelchen Gründen vom vierfachen Schriftsinn abrückt. Und dazu kommt es bald. Luther selbst bringt das später mit seiner Beschäftigung mit dem Römerbrief in Verbindung. »Durch den Brief an die Römer kam ich zu einer gewissen Erkenntnis Christi. Dort sah ich keine Allegorien, [die sagen,] was Christus bedeutet, sondern was Christus *sei*«, sagt er 1532 darüber in einer Tischrede[34]. Hinzu kommt Luthers wachsende philologische Bildung. Den Römerbrief legt er seinen Studenten zwar in der lateinischen Fassung vor, exegesiert sie aber nach der griechischen Ausgabe des Neuen Testamentes durch Erasmus. Plötzlich lesen wir sachlich-freundliche Anspielungen auf Nikolaus von Lyra innerhalb der Römerbriefvorlesung – er nimmt ihn jetzt ernst[35]. Es vergeht zwar noch eine gewisse Zeit der Unsicherheit, bis die Konzentration auf den buchstäblichen Sinn zum völligen Bruch mit der mittelalterlichen »Quadriga« führt. Allegorien begegnen nicht nur noch im Römerbriefkommentar, sondern ebenso in der Auslegung der sieben Bußpsalmen von 1517 (einer Art geistlicher Schriftlesung für das Volk), in der Zweiten Psalmenvorlesung, auch »Operationes in Psalmos«, genannt[36], und überhaupt treffen wir bis in Luthers letzte Jahre auf Auslegungen alttestamentlicher Texte nach dem geistlichen Sinn.

Aber solche Auslegungen sind eine Art Zierrat verglichen mit den Anfängen. Es versteht sich von selbst, daß Luther den geistlichen Sinn als Berufungsinstanz im Schriftbeweis nicht mehr gelten läßt. Als Johann Eck (1486–1543) ihm in der Leipziger Disputation im Juli 1519 mit einer allegorischen Deutung von Ps 104, 25: »Exivit homo ad opus suum et ad operationem suam usque ad vesperam« (»Es geht der Mensch an sein

---

[34] TR 1, Nr. 335.
[35] Vgl. 56, 67,19; 75,9f.; 181,9; 215,9; 439,12; 443,14. 19; vgl. auch 48, 691,16.
[36] Eine besonders schöne Stelle ist die allegorische Auslegung von Ps 19,2, wo die »Himmel«, die »die Ehre Gottes erzählen«, auf die Apostel und Bischöfe ausgelegt werden: 5,541,26ff. Zur Allegorese in Luthers späterem Werk vgl. auch Ebeling, Evangelische Evangelienauslegung, 48–89; 273–289.

Werk und an seine Arbeit bis zum Abend«), das Fegefeuer beweisen will, antwortet ihm Luther, er habe nichts gegen eine entsprechende Deutung des Verses, aber »genuino sensu et qui pugnet in contentione« (»dem eigentlichen Sinn nach, der auch im Streitfall sich durchsetzen muß«), besage er etwas anderes[37]. Desgleichen protestiert er gegen Bibelzitate, die einfach aus dem Zusammenhang gerissen sind.

Hand in Hand damit wächst bei Luther der Mut, die Schrift gegen die kirchliche Autorität zur Entscheidungsinstanz zu machen. Er hat diesen Mut schon immer gehabt – das sogenannte »Schriftprinzip« (»allein die Schrift« – entscheidet darüber, was kirchliche Lehre sein kann) ist keineswegs erst von Luther formuliert. Schon in seinen Randbemerkungen zu den »Sentenzen« des Petrus Lombardus, also im Jahre 1509, lesen wir von Luthers Hand die erstaunlichen Sätze: »Wenn auch viele berühmte Doktoren dieser Meinung sind, aber für sich nicht die Schrift, sondern nur menschliche Gründe haben, ich aber in dieser Meinung die Schrift auf meiner Seite habe, daß die Seele Gottes Ebenbild sei, so sage ich dennoch mit dem Apostel: Wenn ein Engel vom Himmel, das heißt ein Lehrer der Kirche etwas anderes lehrt, so sei er im Banne[38].« Im Rückblick auf die Leipziger Disputation schreibt Luther an Hieronymus Dungersheym (1465–1540), den Kollegen und Gesinnungsgenossen von Johannes Eck: »Dir und Eck ist es eigen, die Aussprüche aller zu akzeptieren und die Worte der Schrift durch die Worte der Väter abzuschwächen, als ob jene uns nicht mehr zur Schrift als zu sich selbst hinlenken wollten. Ich dagegen habe die Gewohnheit, dem Beispiel Augustins zu folgen, unter Wahrung der Ehrerbietung vor allen, doch den Bächen zur Quelle zu folgen... Es ist nämlich nötig, die Theologen mit einem einfachen und soliden Sinn gegen den Satan zu wappnen[39].« Und in der Zweiten Psalmenvorlesung, wo er nun konsequent nach den neuen hermeneutischen Errungenschaften verfährt, macht sich Luther demgemäß auch nicht mehr die Mühe, die exegetischen Meinungen der Väter alle zu registrieren. »Es ist nicht ratsam, die Erklärungen aller beizubringen, und auch in der großen Vielfalt, die ich auswählen möchte, bin ich nicht in allem sicher. Zu Allegorien bin ich nicht leicht geneigt, vor allem dann nicht, wenn ich den legitimen, eigentlichen und ursprünglichen Sinn suche, der im Streit zählt und die Unterweisung im Glauben festmacht[40].« Statt dessen heißt es jetzt: Zuerst den grammatischen Sinn, denn schon der ist theologisch bedeutsam. Anstelle der Väter kommen jetzt Erasmus und Lyra zu Wort. Bleibt eine Stelle unklar, dann weicht er nicht in

---

[37] 2, 331,38–332,2.
[38] 9, 46,16.
[39] Br 2, 602,42 (Nr. 255); vgl. auch 50, 520,3; 525,28.
[40] 5, 75,1.

»mystische« Auslegungen aus, sondern sagt: »Hic meam confiteor igno-
rantiam« (»Hier gestehe ich, daß ich es nicht weiß«)[41].
Dann wird der Grundgedanke eines Textes ermittelt, der »scopus«.
Dieser wird zur Gegenwart des Gläubigen in Bezug gesetzt. Das heißt:
Der Text selber ist aktuell und nicht erst wird, durch die Tropologie,
seine Gegenwartsbedeutung auf einer Ebene jenseits des Wortsinns
hergestellt.
Und wie steht es mit dem christologischen Bezug? Erinnern wir uns an
den Satz über die Bedeutung, die das Studium des Römerbriefes für
Luther hatte[42]. Von Paulus weiß er, was Christus *ist*, und *das* führt ihn zur
Konzentration auf den buchstäblichen Sinn. Da nun Christus in den
Psalmen dem buchstäblichen Sinn nach gewiß nicht zu entdecken ist, was
schafft *dann* den Bezug zu Christus? Die Verbindung kann nicht in der
Person Christi als solcher liegen, sondern in seiner Heilsbedeutung, also
in dem, was er über Gott offenbart und von ihm her wirklich sein läßt.
Aus dem Römerbrief lernt Luther, daß Gott dem Menschen gnädig ist
ohne Werk und Verdienst; daß er den Sünder ohne Gesetz rechtfertigt;
daß er im Kreuz Jesu seine bedingungslose Liebe geoffenbart hat. Wenn
dieser Gott auch der »Autor« der Psalmen, der ganzen Heiligen Schrift
ist, dann kann in der Schrift über ihn nichts anderes stehen als das, was im
Römerbrief so überdeutlich zu lesen steht. Und wenn doch, dann wäre
erwiesen, daß es sich nicht um die Heilige Schrift bzw. um ihre
eigentliche, Glauben beanspruchende Botschaft handelt. Jesus Christus
als der persongewordene Wille Gottes, den Menschen aus reinem Erbarmen zu retten – *das* ist nun der hermeneutische Schlüssel zur ganzen
Heiligen Schrift. Ohne daß wir Tag und Stunde festlegen müssen, ist
dieser »Paulinismus« Luthers der Grund für seinen neuen Umgang mit
der Schrift, und dieser wiederum ist die Wurzel seiner reformatorischen
Theologie. Diese aber entfaltet ihre kritische Sprengkraft im reformatorischen Handeln, sobald Luther durch den Fortgang der Ereignisse dazu
getrieben wird. So versteht sich auch Luthers berühmte Formel, Heilige
Schriften erkenne man daran, »ob sie Christum treiben«[43]. Auch die
Psalmen »treiben Christum« in diesem Sinne, wiewohl sie keine Silbe von
ihm sagen. Denn sie zeigen Gott, wie Christus ihn uns geoffenbart hat: als
gnädigen Gott. *Daraufhin* den Psalter befragen und auslegen heißt jetzt:
ihn christologisch interpretieren.

[41] 5, 98,12; vgl. Br. 1, 607,5 (an Spalatin, undatiert, 1519?).
[42] Vgl. oben Anm. 34.
[43] DB 7, 384,27 (Vorrede zum Jakobusbrief). Vgl. 18, 606,29: »Nimm Christus aus der
Schrift: was wirst du in ihr dann noch finden?« Und im Ernstfall noch schärfer: »Wir
bestehen auf Christus gegen die Schrift«: 39 I, 47,19; 40 I, 458 f. Vgl. auch TR 2, Nr. 2383:
Christus als »punctus mathematicus« der Schrift.

6. DIE FOLGEN

Was soll man zu all dem sagen? Ist es ein erster Schritt zur Erhärtung unserer These? Man versteht mühelos, daß wir hier bei Luthers – und nicht nur Luthers! – Prinzip »Allein die Schrift« (»Sola Scriptura«) stehen, sobald Luther nicht nur sagt, was er immer schon gesagt hat: Auch Kirchenväter können bei der Interpretation der Heiligen Schrift irren, sondern hinzufügt, was er erstmals in Augsburg gegenüber Kardinal Cajetan deutlich macht: Der Papst steht nicht über der Schrift, und dem bei der Leipziger Disputation gegenüber Johannes Eck die konsequente Ergänzung folgen läßt: Grundsätzlich können auch Konzilien irren. Auf die damit angerührten Probleme kommen wir noch zurück[44]. Vorerst stehen zwei Fragen an:
1. Was ist von Luthers Rückgriff auf die ausschließliche Geltung des Literalsinns zu halten?
2. Was ist von Luthers hermeneutischem Ansatz bei Paulus zu halten?

Zur ersten Frage ist zunächst festzuhalten: Nicht Luther, sondern Eck und vor ihm schon Cajetan waren im Unrecht, wenn sie meinten, bei ihrem Protest gegen Luthers Berufung auf den buchstäblichen Schriftsinn die kirchlich-theologische Überlieferung hinter sich zu haben. Denn daß im Streitfall nur der buchstäbliche Sinn zähle, war seit den Tagen Augustins trotz aller Wertschätzung des »geistlichen« Sinnes ungebrochene und einhellige hermeneutische Tradition[45]. Oder waren denn Augustinus, Thomas von Aquin, Nikolaus von Lyra etwa als Häretiker verurteilt? *Wenn* schon aus der Schrift bewiesen werden sollte, dann waren Cajetan und Eck den Beweis schuldig *für* das, was sie verteidigen wollten – Cajetan für den Ablaß, Eck für das Fegfeuer –, und beide mußten zugeben, daß die Schrift im Literalsinn nicht dafür stand. Es ist daher ohne Übertreibung eine theologische Tragödie mit kirchenge-schichtlichen Folgen zu nennen, daß es Luther mangels Kenntnis nicht möglich war, sich den Thomisten Cajetan und Eck gegenüber auf folgende Sätze des Thomas von Aquin berufen zu können, die den Konsens der Tradition in dieser Sache zusammenfassen: »Und so ergibt sich auch keinerlei Verwirrung in der Heiligen Schrift, da alle (ihre) Sinne auf dem einen gründen, nämlich dem buchstäblichen (Sinn), aus dem allein ein Beweisgrund gewonnen werden kann, nicht aber aus dem, was gemäß der Allegorie gesagt wird, wie Augustinus im Brief gegen den Donatisten Vincentius sagt. Dennoch erwächst daraus der Heiligen

---

[44] Vgl. w. u. im 6. und 12. Kapitel. Theoretische Proklamation des »Schriftprinzips« erstmals 7, 95 ff.
[45] Nachweise und Literatur bei Pesch, Das Gesetz, 685–701.

65

Schrift kein Mangel, weil nichts, was zum Glauben notwendig ist, unter dem geistlichen Sinn einbehalten ist, was die Schrift nicht irgendwo offenkundig (auch) im buchstäblichen Sinn überliefert[46].« Cajetan und Eck müssen diesen Text aus ihrem Gedächtnis regelrecht verdrängt haben, denn im Unterschied zu Luther haben sie ihn mit Sicherheit gelesen[47]. Und der theologischen Tragödie folgt insofern das Satyr-Spiel, als Cajetan später sich selber als Vorkämpfer für den Literalsinn exponierte, sogar Kanonkritik betrieb und – unterlag[48].

Damit ist das Problem natürlich nicht geklärt, sondern benannt. Muß denn alles, was sich in den fünfzehn Jahrhunderten der Kirche entwickelt hat, unmittelbar aus der Schrift begründet werden? Ist Luthers Pochen auf die Schrift, als sei sie die vom Himmel gefallene Glaubens- und Verfassungsurkunde der Kirche, über die hinaus nichts geschehen dürfe, nicht naiv? Ist die Bibel, auch das Neue Testament, nicht selber ein sehr uneinheitliches, oft auch unzulängliches Zeugnis von Christus und selber schon voll von weiterverarbeitender, weiterentwickelnder Tradition? Läuft nicht Luthers »Schriftprinzip« darauf hinaus, daß er sich selbst und sein exegetisches Können zum Maßstab der Schriftauslegung macht anstelle des vom Heiligen Geist geführten Lehramtes der Kirche, das sich innerhalb des geschichtlichen Lebens der Kirchengemeinschaft ausspricht?

Hier empfiehlt sich eine Zwischenbemerkung. Man hat Luther von katholischer Seite aus gern den Vorwurf gemacht, er erhebe zwar die Heilige Schrift zum absoluten Richter über die Kirche, verwerfe ihretwegen ein kirchliches Lehramt, gehe aber selbst sehr willkürlich, keineswegs einheitlich mit der Heiligen Schrift um und vor allem: wenn innerhalb seiner eigenen Bewegung jemand die Schrift anders auslegt als er, dann trete er dagegen genauso unduldsam auf wie gegenüber dem Lehramt des Papstes und gegenüber den Theologen, die die päpstliche Doktrin verteidigen. Mit anderen Worten: Luther lehnt das Lehramt ab, macht sich aber dafür selbst zum Lehramt[49]. Belege, die diesen Vorwurf stützen können, findet man allerdings in Mengen. Luther kann hemmungslos prahlen, er habe mehr gelesen und kenne sich in der Schrift besser aus als

---

[46] Thomas, STh I 1,10 ad 1. Das Augustinus-Zitat in Epist. 93 (48) 8,24: PL 33,334.

[47] In seinem Kommentar zu STh I 1,10 ad 1, abgedruckt in der ed. Leonina der STh, verliert Cajetan zu unserer Frage kein Wort.

[48] Vgl. dazu Horst, Der Streit um die Heilige Schrift.

[49] Vgl. z. B. Lortz, Reformation in Deutschland I, 399–409; Hacker, Das Ich im Glauben, 65–96; Kerlen, Assertio, 294; Bäumer, Das Zeitalter der Glaubensspaltung, 59. Der Vorwurf stammt im übrigen schon aus der Reformationszeit selber; vgl. Iserloh, Geschichte und Theologie der Reformation im Grundriß, 67 (zu Erasmus) und 95 (zur katholischen Kontroverstheologie im 16. Jahrhundert); Kerlen, a. a. O. 370–373 (zu Erasmus).

alle Papisten, ja als die Kirchenväter[49a]. Und gegen alle von seiner Schriftinterpretation abweichenden Auslegungen, etwa bei Zwingli oder bei den »Schwärmern« (die nur er so nennt!), ist er unerbittlich ebenso aufgetreten wie gegen die Anwälte der alten Kirche. Und doch geht der schadenfrohe Vorwurf des hochmütigen Selbstwiderspruches an der wahren Sachlage vorbei. Wir können Luthers Verhalten gerechterweise nur von *seiner* geschichtlichen Situation her verstehen. Diese Situation ist aber die eines geradezu schrankenlosen Optimismus hinsichtlich der Selbstbeglaubigung der Quellen. Seit man wieder die alten Sprachen konnte, sprachen doch, so glaubte man überzeugt sein zu dürfen, die Quellen des Glaubens für sich selbst und durch sich selbst, einer Interpretation bedurften sie nicht, und keine Behauptung war in den Augen Luthers absurder als die, die Heilige Schrift sei »dunkel«[50]. Luther nimmt es also keinem Kirchenvater und keinem Theologen der Vergangenheit übel, wenn er in Ermangelung dieser Quellenkenntnis zu falschen Auslegungen kam. Er nimmt es höchstens übel, wenn diese falschen Auslegungen verursacht wurden durch Einschaltung sachfremder Einflüsse, wie etwa der aristotelischen Philosophie – denn daß dies nicht anging, hätte man nach Meinung Luthers auch früher schon wissen können. Eines aber nimmt er sehr übel: wenn man jetzt, nachdem die »klare« Schrift, das »klare« Wort Gottes durch Gottes Vorsehung wieder an den Tag gekommen war (und dies nicht zuletzt durch die Arbeit von Lehrern der Heiligen Schrift, wie er einer war), immer noch unter Berufung auf die Väter und die Tradition an theologischen Thesen festhielt, die eindeutig dem Buchstaben und dem Geist der Schrift widersprachen.

Derselbe Optimismus, was die Klarheit der Schrift betrifft, steuert denn auch die Polemik gegen die neuen »Abweichler« im eigenen Lager. Luther kann sich einfach nicht vorstellen, daß jemand, der Hebräisch und Griechisch kann, die Schrift anders auslegt, als er es tut, weil doch, wie er meint, der philologische Befund ganz eindeutig und daher seine Auslegung korrekt ist. Luther hat selbst nie geglaubt, sich zum Lehramt der Kirche zu machen. Seine exegetische Unduldsamkeit bringt ihn daher an *seinem Ort* nicht in Widerspruch mit sich selbst. Der Optimismus hinsichtlich der Selbstinterpretation der Schrift macht vielmehr sein in unseren Augen oft so anmaßendes Verhalten für ihn geradezu selbstverständlich und zwingend. Luther kann nicht wissen, daß gerade das

---

[49a] Vgl. 15, 216, 6; 19, 350, 18.
[50] Vgl. die Polemik gegen Erasmus 18, 606–609. Zur »Klarheit der Schrift« vgl. Hermann, Von der Klarheit der Schrift; Beißer, Claritas scripturae bei Luther, Wolf, Über »Klarheit der Hl. Schrift«; Grane, Modus loquendi, 174–183; Mostert, Scriptura sacra sui ipsius interpres; und – engagiert auf seiten des Erasmus – Kerlen, a. a. O. 327–348.

Studium der Quellen bald den Optimismus des Schlachtrufes »Zurück zu den Quellen!« gehörig dämpfen wird. Er kann nicht wissen, daß man ein Jahrhundert später das, was man heute »historisch-kritische Methode« in der Bibelwissenschaft nennt, erfinden wird, um den Streit zwischen entgegengesetzten Bibelauslegungen, die alle im Zeichen des »Allein die Schrift« angetreten sind, zu schlichten – was sich noch einmal als vergebliche Hoffnung erweisen sollte.

Wir haben damit schon weit auf die Frage vorgegriffen, welche Bedeutung Luthers Verhältnis zur Lehrkompetenz der Kirche damals hatte und heute noch haben kann[51]. Aber wir sollten hier, an einem ersten neuralgischen Punkt des üblichen katholischen Urteils über Luther, ohne Verwirrung durch der Parteien Gunst und Haß feststellen: Auf dem damaligen theologischen Erkenntnisstand und gemessen an den damaligen, auch kirchlich anerkannten Verstehensvoraussetzungen war Luther im Recht, zumindest auf keinen Fall im Unrecht – und auch insoweit, von allem anderen ganz abgesehen, ist der Prozeß gegen ihn ein Skandal. Den Optimismus hinsichtlich der Selbstevidenz der Schrift aber teilt er mit allen kirchlich gebundenen Humanisten seiner Zeit, die sich um den Urtext der Bibel bemühen. *Wenn* man ihm einen Vorwurf machen will, könnte es höchstens der sein, daß er, der bei seinen Gegnern so hellwach die philologischen Ungereimtheiten und logischen Sprünge zu entdecken verstand, nicht angesichts der eigenen Schwankungen in der Interpretation auch brisanter Bibelstellen seine eigene exegetische Gewißheit relativiert hat[52].

Diese Erwägung aber führt mitten hinein in die zweite Frage nach Luthers »Paulinismus«. Die Helligkeit, die die Schrift bei genauer Quellenkenntnis ausstrahlt, ist nach Luther erst eine »äußere« Klarheit[53]. Viel wichtiger ist die innere Klarheit, die von dem hermeneutischen Schlüssel der paulinischen Rechtfertigungslehre kommt. Denn diese bringt den Gesamtsinn der Schrift zum Leuchten und läßt auch über Wichtiges und Unwichtiges, ja über Gerades und Schiefes urteilen. Ist aber nicht gerade dies die exegetische Ursünde Luthers: *einen* biblischen Schriftsteller zum Maß aller anderen zu machen? Ist die berühmte Frage nach der »Mitte der Schrift« nicht *die* typische Frage eines willkürlichen theologischen Subjektivismus?

Man darf unbefangen zugeben: In einem inhaltlichen Sinne ist Luther tatsächlich kein »Vollhörer der Schrift« (Joseph Lortz) mehr[54]. Die Aussagen etwa des Jakobusbriefes stehen für ihn in keiner Weise gleich-

---

[51] Vgl. w. u. im 6. und 12. Kapitel.
[52] Vgl. Althaus, Theol. Luthers, 357–371 (zur Auslegung von 1 Kor 13,2) und 372–385 (zu 1 Joh 4,17 a).
[53] 18, 609,4; vgl. 653,13–35.
[54] Lortz, Reformation in Deutschland I, 176.

rangig und gleichverbindlich neben den Aussagen des Römerbriefes und des Galaterbriefes. Aber: wer war denn je in *diesem* Sinne »Vollhörer der Schrift«? Es muß nicht immer Paulus sein, aber jedes bewußte, sich selbst bedenkende Christsein lebt von Schlüsselerlebnissen mit bestimmten biblischen Texten, in deren Licht alle anderen gelesen werden und die insofern für den Leser die »Mitte der Schrift« darstellen. Der »Profanhistoriker« Karl Bauer wagt daher in bezug auf Luther nur die »neutrale«, ganz ohne Bekenntnispathos getroffene Formulierung: Alles kam eben daher, daß Luther Paulus begegnete[55]. Wer Bibeltreue und persönliche Begegnung mit der Bibel nicht mit Biblizismus verwechselt, der jeden Satz ranggleich neben den anderen stellt, kann sich der Frage nach der »Mitte« der Schrift gar nicht verweigern.

Nun kommt alles darauf an, ob es mit rechten Dingen zugeht, diese Mitte der biblischen Botschaft bei Paulus zu suchen und zu finden. Es kann kein Zweifel sein, daß es unter den Büchern des Neuen Testamentes in der Kirche immer einen Vorrang des paulinischen Schrifttums gegeben hat. Seine Schriften, darüber gibt jede Einleitung in das Neue Testament Auskunft, hat man als erste gesammelt und zusammengestellt – lange, bevor man den Evangelien besondere Aufmerksamkeit widmete. Origenes, Augustinus, Thomas, ja selbst Pelagius, jeder große Theologe der Väterzeit und des Mittelalters, ist an Paulus Theologe geworden – von einem Jakobus-Kommentar des Thomas von Aquin ist nichts bekannt. Jedenfalls hat nie jemand in der Kirche zu bestreiten gewagt, daß die paulinische Verkündigung klarer Ausdruck des Evangeliums, reine Formulierung des christlichen Glaubens sei – um die seltenen außenseiterischen Stimmen, daß das paulinische Christentum das große Mißverständnis der Absichten des historischen Jesus sei, brauchen wir uns hier gewiß nicht zu kümmern. Wie will man es also Luther verübeln, wenn er beim Studium der Paulusbriefe den Eindruck gewinnt, daß ihn gerade hier die reine Luft des Evangeliums anweht?

Wir dürfen noch einen Schritt weitergehen. Das Evangelium gibt nicht immer alle Antworten auf alle *möglichen* Fragen, sondern auf die, die tatsächlich gestellt sind. Andernfalls würde es seine befreiende Kraft einbüßen, indem es sich als Denkzwang dort auferlegte, wo gar keine entsprechende Frage gestellt ist. Wenn man nun damals nach diesem nicht summierenden, sondern erschließenden Verfahren die Schrift liest, zudem mit der Gegenwartsbeflissenheit Luthers, kann, ja darf dann in der Zeit der Beichtbriefe, Meßstiftungen, des Meßpriesterproletariats, der Wallfahrten, des schwunghaften Reliquienhandels, kurzum: der unglaublichen Kommerzialisierung der Frömmigkeit etwas anderes herauskommen als die dann allerdings ganz neuartige Erkenntnis, daß der

---

[55] Bauer, Wittenberger Universitätstheologie, 29.

Mensch vor Gott »allein durch den Glauben ohne des Gesetzes Werke« sein Heil erlangt[56]? Darf dann also ein anderer als der Apostel der »herrlichen Freiheit der Kinder Gottes« (Röm 8,21) in dieser Zeit das Evangelium repräsentieren[57]?

Aber mit der neuen Herrschaft des »buchstäblichen Sinnes« der Heiligen Schrift stand ein herkömmliches Verständnis der kirchlichen Lehrautorität und ihrer Ausübung auf dem Spiel – ein Verständnis, das heute niemand mehr teilt. Und mit der Maßstäblichkeit des Römerbriefes stand die Frömmigkeitspraxis in Frage. So nahmen die Einsichten, die eine kritische Erneuerung der Theologie und von ihr her auch der kirchlichen Praxis werden sollten und hätten werden können, den Lauf einer epochalen Katastrophe. Weit über vier Jahrhunderte mußte es dauern, bis die westliche Christenheit in der Lage war, das damalige Geschehen allmählich besser zu begreifen[58]. Und wie lange mag es dauern, bis sie in der Lage sein wird, fällige Konsequenzen nicht länger zu vertragen?

[56] Wie Luther diese Kommerzialisierung der Frömmigkeit erlebte, kann man etwa 6, 512,10 (De captivitate Babylonica) oder 6, 417–427 (An den christlichen Adel, »Zum dritten«) oder 10 I 1,74, 22–75,18 (Weihnachtspostille, zum Evangelium in der Weihnacht) nachlesen – um nur diese drei Beispiele zu nennen.

[57] Die Feststellung, daß Luther in der *paulinischen Rechtfertigungslehre* die Mitte der Schrift gefunden hat, widerspricht nicht der anderen Feststellung, daß *Christus* die Mitte der Schrift ist (vgl. w. o. S. 64 mit Anm. 43), mithin das »Schriftprinzip« kein formales, sondern ein inhaltliches Prinzip und weit von dem Verdacht entfernt ist, willkürlich *einen* biblischen Schriftsteller zum Richter über alle anderen zu machen. Daß *Christus* die Mitte der Schrift ist, läßt sich, gerade auch im Sinne Luthers, noch an vielen anderen Büchern des NT festmachen. Aber daß Christus als Mitte der Schrift durch sich selbst die radikale Kritik an aller »gesetzlichen« Frömmigkeit ist, tritt nirgendwo so überdeutlich wie bei Paulus ans Licht. Vgl. auch die Überlegungen w. u. im 15. Kapitel.

[58] Vgl. dazu jetzt die unkonventionelle, aber »realitätsnahe« Studie von Oberman, Martin Luther – Vorläufer der Reformation.

4. KAPITEL

»...MIT ALLEN SCRIBENTEN, SO MAN HABEN KANN«

Luthers Bücherregal

Was der junge Professor für die Heilige Schrift bei der Vorbereitung seiner Vorlesungen an exegetischen Werken vor sich auf dem Schreibtisch liegen hat, sahen wir schon zum Teil: Es war schon die Rede von Nikolaus von Lyra. Bei der Vorbereitung auf die Psalmenvorlesung liegt außerdem auf Luthers Schreibtisch das fünfsprachige Psalterium (»Psalterium quincuplex«) des Faber Stapulensis (Jaques Lefévre d'Etaples, ca. 1450–1536), jenes hochgebildeten und reformeifrigen Kanonikers und Generalvikars der Diözese Meaux östlich von Paris, der um die Wende zum 16. Jahrhundert durch seine französische Ausgabe der Sonntagsepisteln, die er in den Kirchen seiner Diözese vorlesen ließ, und später durch eine fast vollständige französische Bibelübersetzung von sich reden machte. Wie es häufig geht, wurde er deshalb bald von den Gegnern Luthers als heimlicher Parteigänger des deutschen Reformators verfolgt und verdankte nur dem Schutz des französischen Königs Leben und Arbeitsmöglichkeit. An Kommentaren zu den Psalmen zieht Luther die Auslegung von Augustinus zu Rate, aber nicht nur ihn, sondern »alle scribenten, so man haben kann«, wie Luther später in einem kurzen Selbstbericht in der Schrift »Von den Konziliis und Kirchen« sich ausdrückt[1]. Einige der »scribenten« nennt Luther gleich selbst: Chrysostomus, Hieronymus, Ambrosius und Augustinus; andere hat man inzwischen ausfindig machen können, zum Beispiel Jakobus Perez von Valencia[2]. Beim Römerbrief-Kolleg liegt die Urtext-Ausgabe des Erasmus auf seinem Tisch, für den Hebräerbrief greift er zu Chrysostomus.

Aber was hat Luther im Bücherregal? Welche nicht-exegetischen Quellen haben und hatten schon vorher Luthers Denken bewässert?

1. WEGE ZU AUGUSTINUS

1501 kommt Luther als Student an die altehrwürdige Universität Erfurt, 18 Jahre alt. An ein Theologiestudium ist damals noch nicht gedacht,

---

[1] 50, 519,27.
[2] 50, 519,22–31. Zum Ganzen vgl. die Hinweise zum Frühschrifttum w. o. im 3. Kapitel sowie die Biographien. Zu Lefèvre d'Étaples vgl. Weier, Das Thema vom verborgenen Gott, 12–60; 131–170; Zu Jakobus Perez von Valencia vgl. Hamel, Der junge Luther und Augustin, 31 f.; 226 ff.; zu anderen, in ihrem Einfluß auf Luther umstrittenen »scribenten« die Hinweise bei Ebeling, RGG IV, 499.

vielmehr eignet er sich an der philosophischen Fakultät (»Artisten-Fakultät«) das an, was damals Voraussetzung *jedes* weiteren akademischen Studiums und heute zum Teil Sache der Gymnasialausbildung ist: Grammatik, Rhetorik, aristotelische Logik, Mathematik, aber auch Naturphilosophie, Metaphysik und Ethik. Auch die alten Klassiker studiert er – später, in seiner Schrift »De servo arbitrio« (»Vom versklavten Willen«), kann er seinem Gegner Erasmus mit »humanistischem Bildungsgut« aufwarten, um das ihn heute mancher Abiturient eines humanistischen Gymnasiums beneiden könnte –, aber ein Jünger der Humanisten im eigentlichen Sinne ist er zu dieser Zeit so wenig wie später.

Nach einem Jahr schon, 1502, macht er sein »Vordiplom«, er wird »Baccalaureus«, und 1505 macht er sein philosophisches Abschlußexamen, er wird »Magister artium«. Als es nun an das vom Vater geplante Jurastudium gehen soll, tritt er aus nie mehr ganz zu erhellenden, aber wahrscheinlich doch schon länger aufgetauchten Beweggründen in das Erfurter Kloster der Augustinereremiten ein. Planmäßig folgen 1506 die Ordensgelübde (»Profeß«) und 1507 auf Verfügung seiner Oberen die Priesterweihe. Statt Jura muß er nun Theologie studieren – *nach* der Priesterweihe. Was liest und studiert er jetzt?

Jedenfalls zunächst nicht Augustinus – obwohl er Augustinermönch ist. »Wir Mönche lasen nicht ihn, sondern Scotus«, erzählt er später[3]. »Scotus« ist auch nur bedingt richtig. Sein wichtigstes Lehrbuch ist der Sentenzenkommentar des Gabriel Biel (ca. 1410–1495), das sogenannte »Collectorium«, in dem der Tübinger Fraterherr, versöhnlich gestimmt, wie er ist, das Gedankengut des Ockhamismus, der »Via moderna«, in Gegenüberstellung und Harmonisierung mit den anderen Schulen zusammenfaßt.

Erst nach dem ersten Wittenberger Intermezzo, bevor er 1510 in Erfurt über die »Sentenzen« lesen muß, beginnt er, sich durch Originallektüre mit Augustinus zu beschäftigen. Die »Randbemerkungen zu Augustinus«, die wir aus dieser Zeit noch besitzen[4], also die Notizen, die er sich zur Vorbereitung seiner Lehrveranstaltung in sein eigenes Exemplar macht, zeigen zum ersten Mal etwas von der Gründlichkeit des künftigen Wissenschaftlers. Er liest »De trinitate« und »De civitate Dei«, und außerdem hat er eine Auswahlsammlung mit Augustinus-Schriften vor sich. Luther liest so aufmerksam und kritisch, daß er durch Stilvergleich bald entdeckt, einige Stücke dieser Augustinus-Auswahl müssen unecht sein. Folgenreich sind diese Studien nicht, denn die Schriften Augustins aus dem Streit mit Pelagius und den Pelagianern, die für Luther später so

---

[3] TR 4, 611,7 (Nr. 5009).
[4] 9, 5–15; 16–23; 24–27.

wichtig werden, finden sich in dieser Ausgabe nicht. Außerdem plagt er sich mit dem Versuch, die Äußerungen seines Ordensvaters mit denen der Meister der nominalistischen (ockhamistischen) Philosophie zu harmonisieren. In der Ersten Psalmenvorlesung wird denn auch, vom Psalmenkommentar abgesehen, Augustinus kaum zitiert. Neuerdings hat Bernhard Lohse für die späteren Partien der Ersten Psalmenvorlesung die Kenntnis einiger Grundgedanken von Augustins Buch »De spiritu et littera« (»Von Geist und Buchstabe«) nachgewiesen, jedoch kein wörtliches Zitat[5].

Aber die Römerbriefvorlesung, die sich an die Erste Psalmenvorlesung anschließt, ist von Anfang an gespickt mit Augustinuszitaten, allein mit 27 aus »De spiritu et littera«, dazu vielen aus anderen antipelagianischen Schriften[6]. Luther ist zufällig auf diese Bücher gestoßen – für ihn als Exegeten waren sie ja nicht seine erste Adresse. Den Hergang kennen wir: 1506 war in Basel eine elfbändige Augustinus-Ausgabe erschienen. Deren achter Band scheint Luther als erster zufällig in die Hände geraten zu sein. In diesem Band finden sich all jene Schriften Augustins, die Luther im Römerbriefkolleg zitiert. Von jetzt an sucht er sich von Augustinus zu beschaffen, was er sich nur beschaffen kann. »Anfangs verschlang ich Augustinus, ich las ihn nicht[7].« Was Luther zu »De spiritu et littera« greifen läßt, ist vermutlich die Erwartung, dort eine hermeneutische Hilfe für seine exegetische Vorarbeit am Römerbrief zu erhalten. Was er bekommt, ist viel mehr: eine systematisch-theologische Hilfe zum Verständnis des Römerbriefes und der paulinischen Theologie überhaupt. Wenn er es nicht schon vorher gewußt hat[8], so lernt er spätestens hier die »Gerechtigkeit Gottes« in Röm 1,16f. als diejenige verstehen, durch die Gott uns gerecht macht, und nicht als diejenige, durch die Gott in sich selbst gerecht ist und die Guten belohnt, die Bösen bestraft. Hier geht ihm auch zum ersten Mal mindestens in vorläufiger Form die später so beherrschende Unterscheidung zwischen »Gesetz und Evangelium« auf, denn »littera« und »spiritus« sind bei Augustinus schon »Gesetz« und »Evangelium« – das »Gesetz« freilich noch nicht im Sinne Luthers als das anklagende Gesetz, aus dem das Evangelium befreit, sondern als das Menschenkraft überfordernde Gesetz, zu dessen Erfüllung aber der Glaube an das Evangelium, der Geist, die Gnade Gottes die Kraft geben. In diesem Punkte hat Luther Augustinus »produktiv mißverstanden«[9],

[5] Lohse, Die Bedeutung Augustins für den jungen Luther, bes. 124–127.
[6] Auflistung und Analyse bei Lohse, a. a. O. 127–131.
[7] TR 1, 147,5 (Nr. 347).
[8] U. a. um dieses Problem geht es im folgenden Kapitel.
[9] Lohse, a. a. O. 131–135: Erst die *lutherisch* verstandene Schrift »De spiritu et littera« wird Luther zum Kronzeugen der reformatorischen Erkenntnis. Dies auch das durchgehende Urteil bei Grane, Modus loquendi.

freilich noch nicht im Römerbriefkolleg, das die spätere technische Unterscheidung von »Gesetz und Evangelium« noch nicht kennt.

2. Die Entdeckung der »deutschen Mystik«

Noch ein anderes, weniger umfangreiches Quellenmaterial fasziniert Luther in diesen Jahren: die sogenannte »deutsche Mystik«. Luthers Verhältnis zur Mystik ist ein bedeutsames Seitenthema der Lutherforschung[10]. Seine Beziehung zur spekulativen Mystik aus der Tradition des bis heute nicht »enttarnten« Neuplatonikers Ps.–Dionysius Areopagita ist bis heute umstritten. Klar aber zeigt sich der Forschung der zwar begrenzte, aber eindeutige Einfluß der »deutschen« Mystik. Der Vermittler ist wieder Staupitz, dessen praktische, biblisch orientierte Mystik der Wesensart Luthers sehr entgegenkam und von ihm auch zeitlebens dankbar bewundert wurde, noch lange, nachdem sich Staupitz von seinem berühmt und berüchtigt gewordenen Schüler abgesetzt hatte. Dann geraten Luther die Predigten des Dominikaners Johannes Tauler (um 1300–1361) in der Ausgabe von 1508 in die Hände, und er liest sie mit nachhaltigem Eindruck. In ihnen findet er eine »reine, solide, der alten höchst ähnliche Theologie«[11]. Wir erfahren auch von Luther selbst, warum ihn Tauler so fasziniert. In den »Resolutiones« zu den Ablaßthesen (1518) schreibt er: »Ich weiß zwar, daß dieser Lehrer in den Theologenschulen unbekannt ist und daher nichts gilt; ich aber habe bei ihm (obwohl sein Buch ganz in der Sprache der Deutschen geschrieben ist) mehr von solider und lauterer Theologie gefunden, als man bei allen scholastischen Lehrern aller Universitäten gefunden hat oder finden kann in ihren Sentenzen[12].« Und an Staupitz schreibt er im gleichen Jahre: »Im Gefolge der Theologie des Tauler lehre ich, daß die Menschen auf nichts anderes vertrauen sollen als allein auf Jesus Christus, nicht auf Gebete und Verdienste oder auf ihre Werke[13].«
Außer Tauler lernt Luther zufällig das Büchlein eines Frankfurter »Gottesfreundes vom vollkommenen Leben« kennen und gibt es 1516 teilweise, 1518 ganz heraus, so daß es durch diese (zweite) Ausgabe Luthers

---

[10] Die älteren Arbeiten sind verzeichnet bei Pesch, Theol. der Rechtfertigung, 241 f.; die wichtigsten neueren Beiträge sind: Oberman, Simul gemitus et raptus; Moeller, Luther und Tauler; Ozment, Homo spiritualis; Wicks, Man Yearning for Grace, bes. 143–152; zur Mühlen, Nos extra nos; Brecht, Randbemerkungen in Luthers Ausgaben der »Deutsch Theologia«; ders., Martin Luther, 137–144; auch Kroeger, Rechtfertigung und Gesetz, 237 f; Grane, Modus loquendi, 121–126; Benrath, Luther und die Mystik.
[11] Br 1, 79,58 (an Spalatin, 14. Dez. 1516).
[12] 1, 557,29.
[13] Br 1, 160,8 (31.3.März 1518). Vgl. 56, 378,13.

seitdem unter dem von Luther gewählten Titel »Ein deutsch Theologia«
bekannt ist[14]. »Daß ich nach meinem alten Narren rühm«, schreibt
Luther in der Vorrede zur zweiten Ausgabe, »ist mir nächst der Bibel und
St. Augustin nit vorkommen ein Buch, daraus ich mehr erlernet hab und
will, was Gott, Christus, Mensch und alle Dinge sein... ich dank Gott,
daß ich in deutscher Zungen meinen Gott also hör und find, als ich...
allher nit funden habe, weder in latinischer, griechischer noch hebräischer
Zungen. Gott geb, daß dieser Büchlein mehr an den Tag kommen, so
werden wir finden, daß die deutschen Theologen ohne Zweifel die besten
Theologen sein[15].« In diesem Traktat findet Luther übrigens besonders
reiche Belege für seine frühe Theologie der Demut – wovon noch zu reden
sein wird.

3. »GEGEN DIE SCHOLASTISCHE THEOLOGIE«

Mit diesem Schrifttum im Rücken begibt sich Luther mit wachsender
Streitlust in den Kampf gegen die »sawtheologen«[16], also gegen die
scholastischen Theologen aller Schulen in Vergangenheit und Gegenwart.
Die »Sophisten« nennt er sie in der Regel verächtlich. Deren eigentlicher
Verführer aber ist Aristoteles – was aber die Schuld der Verführten nicht
mindert! Luther hat schon zu der Zeit, wo er sich aus Berufspflicht mit
Aristoteles zu beschäftigen hatte, nie mit dem Stagiriten etwas anfangen
können. Er nennt ihn schon 1509 einen »fabulator« und einen »ranzigen
Philosphen«[17]. Und im gleichen Jahr, wo er sich bekanntlich mit den
Sentenzen des Petrus Lombardus abquält, wünscht er sich, so in einem
Brief an Johann Braun in Eisenach, diese Art von Theologie vertauschen
zu dürfen mit einer Theologie, die »den Kern der Nuß, das Mark des
Weizens und das Mark der Knochen« sucht[18]. 1517 arbeitet er an einem
(unvollendeten und nicht erhaltenen) Kommentar zum ersten Buch der
aristotelischen »Physik« zu dem einzigen Zweck, Aristoteles als Schau-
spieler zu entlarven, der die Welt zum Besten hielt[19]. Bedauernswert sind
für ihn die Brüder, die damit ihre Zeit verschwenden. Und mit unüber-
bietbarem Sarkasmus charakterisiert er später in einer Predigt den griechischen Philosophen: Die ganze Weisheit des Philosophen komme darauf
hinaus: »Ein Töpfer kann aus Ton einen Topf machen, das kann ein

---

[14] Kurzinformation zur »Theologia deutsch« in: LThK X, 61 f.
[15] 1, 378,21–379,12.
[16] 56, 274,15 (vgl. w. o. S. 52 Anm. 13).
[17] 9, 23,7; 43,5.
[18] Br 1, 17,40 (17. März 1509).
[19] Vgl. Br 1, 88,17 ff.

Schmied nicht, er lerne es denn. Wenn etwas Höheres in Aristoteles ist, so sollst du mir kein Wort glauben, und erbiete mich, das zu beweisen, wo ich soll[20].«

Eine Zwischenbemerkung: Wer sich auskennt, bemerkt in diesem Text den innersten Kern der Kritik Luthers an Aristoteles und der ihn verarbeitenden scholastischen Theologie – freilich auch, was die letztere angeht, das tiefste und folgenschwerste Mißverständnis. Die Veranschaulichung Luthers spielt an auf die aristotelische Lehre vom »Habitus«. Der eigentlich unübersetzbare Begriff wird im Deutschen gewöhnlich mit »Gehaben« wiedergegeben. Gemeint ist, in aller Kürze skizziert[21], jene zusätzliche Prägung und Vervollkommnung eines menschlichen Handlungsvermögens, die den Menschen in die Lage versetzt, nicht nur überhaupt zu handeln, sondern leicht, sicher, lustvoll und vollkommen zu handeln. Normalerweise erwirbt sich der Mensch eine solche Vervollkommnung durch Üben und häufiges Tun. Durch häufiges Zitherspielen wird der Zitherspieler ein Virtuose, erläutert schon Aristoteles[22]. Der Schmied, so Luther, kann keinen Topf machen, weil er es, im Unterschied zum Töpfer, nicht gelernt hat. Diese Lehre vom »Habitus« hat bekanntlich die Scholastik übernommen, um zu erklären, wie ein Mensch tugendhaft wird, ja wie es möglich ist, daß er auch im Verhältnis zu Gott leicht, sicher und mit Freude handelt – obwohl doch von Haus aus der Glaube und das ethische Bemühen eine Anstrengung sind. Das Kernproblem der Auseinandersetzung Luthers mit der Scholastik (und mit deren Ziehvater Aristoteles) besteht nun darin, daß Luther den Umformungsprozeß des Habitus-Begriffes nicht hinreichend bemerkt – und auch, daß die scholastischen Theologen, zumindest die zur Zeit Luthers, ihn nicht immer deutlich genug herausgearbeitet haben. Für die Deutung des menschlichen Gottesverhältnisses haben die Scholastiker nämlich immer nur auf das Element der Leichtigkeit, Spontaneität und Freude des Handelns im Habitus-Begriff zurückgegriffen, nicht aber auf das Element der langwierigen Übung. Bleibt dies aber unerkannt, dann muß sich – und das ist bei Luther und bis in die gegenwärtige lutherische Theologie hinein aktenkundig[23] – auf die Scholastik der für ihre christliche Authentizität allerdings tödliche Verdacht richten, Glaube, Hoffnung und Liebe sowie alle christlichen Verhaltensweisen kämen nicht aus reiner Gnade Gottes, sondern aus eigenmächtiger menschlicher Übung. Für einen Theologen *muß* dann allerdings das Ende eine sarkastische Kritik sein, wie wir sie hier (und nicht nur hier) bei Luther lesen.

[20] 10 I 2, 74,16.
[21] Vgl. Pesch, Die bleibende Bedeutung der thomanischen Tugendlehre, 366–377; ders., Das Gesetz, 641–653.
[22] Nikomachische Ethik II 1: 1103 a 14 – b 25.
[23] Vgl. w. u. im 9. Kapitel S. 154 (mit Anm. 2). Bei Luther vgl. 1, 364, Th. 25 f.

Nun ist dies alles nicht nur persönliche kritische Stellungnahme. Wir haben bereits erwähnt[24], wie in Wittenberg die Scholastikkritik im Zuge einer Universitätsreform institutionalisiert wird. An die Stelle der scholastischen Klassiker treten Augustinus »oder sonst ein Kirchenlehrer von Rang«. Luther als Promotor stellt schon 1516 antischolastische Thesen auf[25].

Der große Tag der Abrechnung aber ist der 4. September 1517. Da wird Franz Günther aus Nordhausen zum »Baccalaureus biblicus« promoviert. Luther stellt 99 Thesen für die Disputation auf, die unter dem Titel »Conclusiones contra Scholasticam theologiam« (»Schlußfolgerungen gegen die scholastische Theologie«) in die Geschichte eingehen[26]. Hauptangriffsziel ist hier die aristotelische Ethik in ihren verhängnisvollen Folgen für die Gnadenlehre. »Fast die ganze Ethik des Aristoteles ist höchst schlecht und Feindin der Gnade« (Th. 41). »Es ist ein Irrtum zu sagen, ohne Aristoteles wird kein Theologe« (Th. 43). »Im Gegenteil, ein Theologe wird nicht, es sei denn, er wird es ohne Aristoteles« (Th. 44). »Kurz gesagt, der ganze Aristoteles verhält sich zur Theologie wie die Finsternis zum Licht« (Th. 50). Und dann gegen die Jünger des Aristoteles in der Theologie: »Es ist wahr, daß der Mensch nur das Böse wollen und tun kann« (Th. 4). »... der freie Wille ist nicht frei, sondern gefangen« (Th. 5). »Gott über alles aus natürlicher Kraft zu lieben, das ist eine Einbildung« (Th. 18). »Die beste und unfehlbare und einzige Vorbereitung auf die Gnade ist die ewige Wahl und Vorherbestimmung Gottes. Von seiten des Menschen aber geht der Gnade nichts voraus als fehlende Vorbereitung und gar Widerstand gegen die Gnade« (Th. 29 u. 30). »Falsch ist jene [Lehre], zu tun, was in seinen Kräften stehe, beseitige die Hindernisse für die Gnade« (Th. 33). »Wir werden nicht gerecht, indem wir Gerechtes tun, sondern als Gerecht gemachte tun wir Gerechtes« (Th. 40). »Die Gnade Gottes existiert niemals als müssiges Ding, sondern sie ist lebendiger, bewegender und tätiger Geist« (Th. 55). »Jedes Werk des Gesetzes ohne Gnade erscheint äußerlich gut, ist aber innerlich Sünde« (Th. 76). Und so weiter!

Ist das alles schon Bruch mit der Kirche? Gewiß, die agressiven Sätze schrecken gewissermaßen den christlichen »common sense« auf. Und gewiß sind diese Thesen theologisch wesentlich herausfordernder als die vergleichsweise vorsichtigen Ablaßthesen, die die Reformationsereignisse auslösen. Und doch denkt Luther nicht im entferntesten an einen Bruch mit der Kirche. Und dies nicht nur, weil Disputationsthesen nicht als bare Münze zu nehmen sind, sondern bewußt, zur Anregung der Diskussion,

---

[24] Vgl. w. o. S. 53 f.
[25] 1, 145–151. Der ausdrückliche Vermerk »contra doctrinam Papae et Sophistarum« ist natürlich für 1516 anachronistisch und entstammt erst einer Druckausgabe von 1538; vgl. 1, 145, Anm. zu Z. 1–4.

überspitzt werden. Wir haben einen viel gewichtigeren Grund, Luther im September 1517 von jedem Verdacht freizusprechen: These 99 lautet: »Damit (nämlich mit den vorhergehenden Thesen) wollen wir nichts sagen und glauben wir nichts gesagt zu haben, was nicht mit der katholischen Kirche und den Kirchenlehrern übereinstimmt.« Woher dieser Optimismus nach so viel Agressivität? Aufschluß geben die ersten Thesen der Reihe: »Zu sagen, Augustinus habe gegen die Häretiker ›exzessiv‹ geredet, heißt sagen, Augustinus habe fast überall gelogen.« Luther will *Augustinist* sein, nichts weiter. Mag er ihn – wie etwa Bernhard Lohse meint – längst umgedeutet haben, er weiß es jedenfalls noch nicht und niemand sonst weiß oder bemerkt es. Es ist auch nicht gut möglich! Selbst für die harten Thesen über die Unfähigkeit des natürlichen Menschen zum Guten hat Luther einen ausgezeichneten Gewährsmann unter den (Spät-)Scholastikern selbst – den einzigen, den er von seinen Verdikten gegen die »Sophisten« ausnimmt: seinen Ordensmitbruder Gregor von Rimini († 1358). »Jeder Akt des Menschen ist entweder gut oder schlecht«, liest man bei ihm, und: »Die Tugenden werden unterschieden nach den Zielen, nicht nach den Beschäftigungen[27].« Luther kannte diese Sätze[28]. Sie besagen ohne scholastische Terminologie: Das Werk eines Menschen wird im Licht des Glaubens nicht nach seinem Sachgehalt beurteilt, nicht also nach dem, was getan wird, sondern nach der Grundorientierung der Person, die handelt. Wer Sünder ist, kann eben deshalb nichts Gutes tun – ein niemals vergessener Gedanke Augustins.

Es ist also nicht verboten, solches damals, acht Wochen vor Beginn des Ablaßstreites, zu sagen. Es ist nicht verboten oder suspekt, Kritik an der Scholastik zu üben. Luther ist sich seiner Sache völlig sicher. Noch am 31. März 1518 schreibt er an Staupitz, mit seiner Kritik an den Scholastikern folge er nur dem Vorbild, das sie selbst geben. »Wenn es dem Scotus, dem Gabriel (Biel) und anderen erlaubt ist, mit Thomas nicht übereinzustimmen, wenn es wiederum den Thomisten erlaubt ist, der ganzen Welt zu widersprechen, wenn schließlich unter den Scholastikern so viele Sekten sind, wie Köpfe, ja wie Haare auf jedem Kopf sind, warum

---

[26] 1, 224–228; Vgl. dazu Grane, Contra Gabrielem.
[27] Vgl. den zweiten Satz bei Gregor, In II Sent, dist. 26–28 q. 1, a. 1: ed. A. D. Trapp – V. Marcolino, Gregorii Ariminensis OESA lectura super primum et secundum Sententiarum, Berlin – New York 1979ff., t. VI (1980) (= Spätmittelalter und Reformation. Texte und Untersuchungen, Bd. 11), 31,13 (= Augustinus, Contra Julianum 4, 3,21: PL 44, 749). Der erste Satz findet sich in dieser allgemeinen Fassung dort nicht, ist aber der Sache nach Tenor des ganzen a. 1, a. a. O. 24–52.
[28] Vgl. 2, 399,10; 408,3; auch 288,1; Luthers weitere positive Urteile über Gregor etwa 2, 394,33–395,17. Dazu jetzt Grane, Gregor von Rimini und Luthers Leipziger Disputation; ders., Modus loquendi, 135–138; Oberman, Gregor von Rimini.

erlauben sie mir nicht dasselbe gegen sie?[29]« Wenn man also bis zum
Beginn des Ablaßstreites Luther nichts verübeln kann und auch nichts
verübelt, und wenn Luther selbst in den Anfängen das Ganze für den
Übergriff einer theologischen Schule gegen eine andere hält, was ist denn
dann der springende Punkt seiner Theologie, der Luther nach und nach
aus der Kirche führte? Eben dies ist die berühmte Frage nach Luthers
»reformatorischer Wende«.

---

[29] Br 1, 160,21.

5. KAPITEL

»NUN FÜHLTE ICH MICH NEUGEBOREN«

Die »reformatorische Wende«

Wenn man die gesamte Lutherforschung gelegentlich als Irrgarten empfinden mag[1], so sind dessen Schlingpflanzen am undurchdringlichsten, wo es um die Frage nach Luthers »reformatorischer Wende« geht. Man sollte meinen, die Debatte müßte eines Tages mindestens an Erschöpfung zu Ende gehen. Doch bis in die jüngste Zeit liefert die Lutherforschung immer wieder neue und immer wieder originelle Beiträge zu der uralten Frage. Das ist insofern verständlich, als es hier nicht nur um eine theologiegeschichtliche und biographische Frage geht, sondern, hervorgehoben oder nicht, um die theologische Rechtfertigung eines eigenen lutherischen Kirchentums[2]. Eine solche wäre von vornherein illusorisch, wenn von einer theologischen Wende bei Luther überhaupt keine Rede sein könnte, einer Wende wohlgemerkt, die *mehr* sein muß als die wissentliche und willentliche Annahme des zunächst ihm von außen aufgenötigten Konfliktes um die Ablässe.

Gottlob gibt es ausführliche Dokumentationen und Berichte, die es dem heutigen Interessenten fürs erste ersparen, sich vom Nullpunkt an in die Diskussion einarbeiten zu müssen – Berichte, die freilich nur mit einer Art wissenschaftlichen »Buschmessers« zu erstellen sind[3]. Dieses und das folgende Kapitel können und wollen zu dieser Diskussion keinen neuen Beitrag leisten, sondern auf der Basis dieser Diskussion ein Urteil vortragen und es zur Grundthese dieses Buches in Beziehung setzen. Deshalb werde ich im folgenden eher zusammenfassend berichten als im einzelnen belegen. Der Fachmann kennt die Belege ohnehin, für den Uneingeweihten aber würden nur ausgesuchte Einzelbelege eine wissenschaftliche Gewißheit und gar Einhelligkeit suggerieren, die es in dieser

---

[1] Vgl. w. o. S. 15 und w. u. S. 229.

[2] So ausdrücklich hervorgehoben bei Bayer, Die reformatorische Wende, 115 f. (»normative Funktion«, »kontroverstheologische Ursituation«); Brecht, Iustitia Christi, 223 (»normative theologische Bedeutung«); vgl. schon Kinder, Was ist eigentlich evangelisch?, bes. 20–42; 63–73; im negativen Spiegelbild auch Hacker, Das Ich im Glauben, 238–251.

[3] Dokumentation: Lohse (Hg.), Der Durchbruch der reformatorischen Erkenntnis; Berichte: Link, Das Ringen Luthers um die Freiheit der Theologie, 14–66; Pesch, Zur Frage nach Luthers reformatorischer Wende; ders., Neue Beiträge zur Frage nach Luthers reformatorischer Wende; die wichtigsten Beiträge nach 1966 (dem Schlußdatum von Lohses Dokumentation) sind die Arbeiten von Modalsli, Schäfer, Bayer, Brecht und Schwab (s. Literaturverzeichnis).

Diskussion (bislang) nicht gibt. Wer genauer informiert sein möchte, dem kann die Beschäftigung zumindest mit den vorliegenden Forschungsberichten auf keine Weise erspart werden.

1. Begriffserklärungen

Wir müssen mit einigen Begriffserklärungen beginnen. Unter »reformatorischer Wende« versteht man in der Forschung jenen Zeitpunkt in Luthers theologischer Entwicklung, an dem sich ihm eine neue theologische Einsicht erschließt, die, im Unterschied zu allem Neuen, das er bisher schon erarbeitet hat, im Rahmen der damals in der Kirche festgehaltenen Lehre nicht mehr vertretbar ist. Diese neue Einsicht drängt Luther in dem Maße aus der Kirche heraus, als ihre Konsequenzen fortschreitend bedacht und zur Wirkung gebracht werden, und führt schließlich zur Bildung eines eigenen lutherischen Kirchentums, das sich gegen die alte Kirche auch institutionell abgrenzt.

Diese »Wende« ist eine wirkliche *Wende*, die Luther frühere Auffassungen überwinden läßt und die darum nicht *nur* als organische Weiterentwicklung früherer Ansätze verstanden werden darf[4]. Anderseits kommt diese Wende nicht von heute auf morgen, vielmehr ist sie ein entscheidender neuer Schritt auf einem Wege, den Luther seit langem gegangen ist. Im Blick darauf spricht man auch vom »reformatorischen Durchbruch«.

Da Luther selbst in seinen späteren Jahren verschiedentlich diesen Durchbruch als plötzliches Aufgehen einer theologischen Erkenntnis beschreibt, die ihm auf seiner Studierstube im Turm des Wittenberger Augustinerklosters gekommen sei[5], nennt man den »Durchbruch« auch das »Turmerlebnis«.

»Reformatorische Wende«, »reformatorischer Durchbruch« und »Turmerlebnis« bedeuten also nach der üblichen Sprachregelung der Lutherforschung ein und dasselbe Ereignis, aber benannt unter verschiedenen Gesichtspunkten. Wodurch entsteht dabei nun ein Problem?

2. Das »grosse Selbstzeugnis« von 1545

1545 beginnen Freunde Luthers trotz seines Widerstrebens mit einer Gesamtausgabe seiner lateinischen Schriften – so wie man 1539 bereits mit einer Gesamtausgabe seiner deutschen Schriften begonnen hat. Luther

---

[4] So mit Recht Bayer, a. a. O. 117f.
[5] TR 3,228,14: »Diese Kunst [nämlich die Gerechtigkeit Gottes richtig zu verstehen] hat mir der Heilige Geist auf diesem Turm gegeben« (Nr. 3232a).

schreibt für den ersten Band, der seine Frühschriften enthält, eine Vorrede, in der er den Leser um Entschuldigung dafür bittet, daß die in diesem Band abgedruckten Schriften noch manches »Papistische« enthalten. Um diese Bitte zu begründen, schildert er den Gang der Ereignisse bis zum Jahr 1521 und kündigt am Schluß eine Fortsetzung für die Vorrede zu den anderen Bänden an, »so ich das Leben habe« – er hatte es bekanntlich nicht mehr. Im Blick auf Luthers Prozeß nennt Daniel Olivier diese Vorrede mit Recht »Das letzte Plädoyer«[6]. In diese Schilderung des äußeren Hergangs eingefügt ist eine Darstellung von Luthers theologischem Werdegang, die man das »große Selbstzeugnis« zu nennen pflegt und in der Luther offenkundig seine »reformatorische Wende« beschreiben will:

»Es war gewiß wunderbar, wie ich von einem hitzigen Eifer ergriffen gewesen war, Paulus im Briefe an die Römer kennen zu lernen; aber im Wege war mir bis dahin nicht die Kälte meines Herzens gestanden, sondern ein allereinziges Wort im ersten Kapitel: ›Die Gerechtigkeit Gottes wird im Evangelium offenbar‹. Ich haßte dieses Wort ›Gerechtigkeit Gottes‹, denn durch den Brauch und die Übung aller Doktoren war ich gelehrt worden, es philosophisch zu verstehen, von der sogenannten ›formalen‹ oder ›aktiven‹ Gerechtigkeit, durch die Gott gerecht ist und die Sünder und Ungerechten straft. Ich aber konnte den gerechten, den Sünder strafenden Gott nicht lieben, haßte ihn vielmehr; ... Soll es denn nicht genug sein, daß die elenden, durch die Erbsünde ewiglich verdammten Sünder mit allerlei Unheil bedrückt sind durch das Gesetz des Dekalogs? Muß denn Gott noch durch das Evangelium Leid an Leid fügen und uns auch durch das Evangelium mit seiner Gerechtigkeit und seinem Grimm bedrohen? ... Da erbarmte sich Gott meiner. Unablässig sann ich Tag und Nacht, bis ich auf den Zusammenhang der Worte merkte: nämlich: ›Die Gerechtigkeit Gottes wird im Evangelium offenbar, wie geschrieben steht: Der Gerechte lebt seines Glaubens‹. Da fing ich an, die Gerechtigkeit Gottes als eine solche Gerechtigkeit zu begreifen, durch die ›der Gerechte als durch Gottes Geschenk lebt‹, d. h. also ›aus Glauben‹, und merkte, daß dies so zu verstehen sei: ›Durch das Evangelium wird die Gerechtigkeit Gottes offenbar‹, nämlich die sogenannte passive, d. h. die, durch die uns Gott aus Gnaden und Barmherzigkeit rechtfertigt durch den Glauben... Nun fühlte ich mich ganz und gar neu geboren: die Tore hatten sich mir aufgetan: ich war in das Paradies selber eingegangen. Da zeigte mir sogleich auch die ganze Heilige Schrift ein anderes Gesicht. Von daher durchlief ich die Schriften, wie ich sie im Gedächtnis hatte, und fand auch an anderen Stellen den gleichen Sinn, z. B. ›Werk Gottes‹ bedeu-

---

[6] Olivier, Der Fall Luther, 221–229 (Abdruck des Textes).

tet: das Werk, das Gott wirkt, ›Kraft Gottes‹: die Kraft, damit er uns
kräftig macht, ›Weisheit Gottes‹: die Weisheit, durch die er uns weise
macht. Ebenso ist es mit ›Stärke Gottes‹, ›Heil Gottes‹, ›Herrlichkeit
Gottes‹. Wie ich zuvor das Wort ›Gerechtigkeit Gottes‹ mit allem Haß
haßte, so erhob ich nun mit heißer Liebe das gleiche Wort als süß und
lieblich über andere[7].«

Luther vermerkt anschließend, daß er »wider Erwarten« (»praeter spem«)
in Augustins Buch »De spiritu et littera« die gleiche Auslegung von Röm
1,17 gefunden habe, allerdings seine (Luthers) Lehre von der »angerech-
neten« Gerechtigkeit Christi dort noch nicht traf. Schließlich betont
Luther, daß er, durch diese Einsichten neu gestärkt, sich mit neuem Mut
an die zweite Auslegung des Psalters, also an die Zweite Psalmenvorlesung (1519–1521) gemacht habe.

Nichts scheint einleuchtender als diese Schilderung des Hergangs. Luther
will augenscheinlich seine reformatorische Grunderkenntnis von seiner
Ersten Psalmenvorlesung noch ausschließen und sie mit der Vorbereitung
seiner Römerbriefvorlesung (»Paulus im Briefe an die Römer kennenzulernen«) in Verbindung bringen. Später hat er dann die Bestätigung bei
Augustinus gefunden und daraufhin mit ganz neuen Grundeinsichten sich
wieder der Psalmenauslegung zugewandt. Folgt man diesen Eindrücken,
dann müßte die »reformatorische Wende« kurz vor Beginn der Römerbriefvorlesung, also Ende 1514 oder spätestens Anfang 1515 stattgefunden haben.

3. PROBLEME DER VORREDE

Aber schon 1906 konnte Heinrich Denifle schadenfroh feststellen: »Die
protestantischen Theologen sind bis heute weder über die Genesis von
Luthers nachmaligem Abfall noch über den Zeitpunkt desselben auch nur
irgendwie ins Reine gekommen[8].« Mit dieser Bemerkung, die ihrerseits
bereits das Fazit der Diskussion in der zweiten Hälfte des 19. Jahrhunderts zieht, setzt eine neue Diskussion ein, die immer noch nicht beendet
ist, geschweige denn ein allseits angenommenes Ergebnis gezeitigt hätte.
Sie hat vier klar unterscheidbare Phasen. Den Abschluß der ersten Phase
markiert der große Forschungsbericht von Wilhelm Link (1938) in seinem
Buch über Luthers Ringen um die Freiheit der Theologie von der
Philosophie[9]. Die zweite Phase ist die Zeit zwischen dem Buch von Link

---

[7] 54, 185,14–186,15 – hier gekürzt zitiert. Vollständiger deutscher Text der lateinisch
geschriebenen Vorrede in MA 1, 20–28.
[8] Denifle, Luther und Luthertum I/2, 392.
[9] S. Anm. 3.

und dem 1958 erschienenen Buch von Ernst Bizer über Luthers Entdeckung der Gerechtigkeit Gottes[10]. Die Diskussion hat in dieser Zeit eine ruhigere Gangart, und es fehlt nicht an pessimistischen Stimmen, die vorschlagen, die Diskussion einzustellen, weil sie zu keinem Ergebnis führt. Bizers Buch hat dann eine dritte, äußerst lebhafte Diskussionsphase zur Folge, deren Höhepunkt und (wiederum ergebnisloser) Abschluß die Diskussion auf einem speziell dafür eingerichteten Seminar auf dem internationalen Lutherforschungs-Kongreß in Järvenpää bei Helsinki 1966 ist. Die vierte Phase wird von den Unentwegten bestritten, die sich auch nach 1966 nicht an der Weiterarbeit an diesem Problem haben hindern lassen. Richten wir immerhin einige Blitzlichter auf diese Diskussion, damit wir ihre Probleme erahnen.

Zunächst erweisen sich die Datumsangaben und die sachlichen Einzelheiten des »Selbstzeugnisses« beim zweiten Blick als unklarer denn beim ersten. Es ist zum Beispiel vom Wortlaut her gar nicht so klar, ob Luther mit seinem Hinweis auf die Schwierigkeiten mit Röm 1,17 an die Arbeit an seiner Römerbriefvorlesung denkt. Es könnte sich gut und gern auch um eine frühere oder spätere Beschäftigung mit dem Römerbrief gehandelt haben. Es ist ferner nicht eindeutig, ob der Hinweis auf die Lektüre von »De spiritu et littera« des Augustinus eine erstmalige oder eine nochmalige Lektüre bedeutet – daß Luther nach eigener Aussage »wider Erwarten« sich dort bestätigt fand, muß nicht unbedingt an eine erste Lektüre denken lassen. Nun ist inzwischen sicher, daß Luther gegen Ende der Ersten Psalmenvorlesung »De spiritu et littera« aus persönlicher Lektüre bereits kennt[11], und es ist ebenfalls sicher, daß er Augustins Buch 1518 noch einmal gelesen hat[12]. Wann also hat er sein Neuverständnis von Röm 1,17 mit Augustinus verglichen? Es ist schließlich nicht einmal klar, ob Luther in der Vorrede überhaupt von einem punktuellen psychologischen Durchbruchserlebnis sprechen will oder ob er nicht eine allmähliche Entwicklung etwas dramatisierend zusammenzieht. Überhaupt ist anzumerken, daß die aus dem Abstand von 25–30 Jahren geschriebene Vorrede für einen kritisch arbeitenden Historiker keine erstklassige Quelle für die Erhebung des Geschehensablaufes sein kann. Jedenfalls muß die Zuverlässigkeit der Angaben der Vorrede, konkret also: das Bild, das sich bei einer unbefangenen ersten Lektüre aufdrängt, bewiesen und nicht vorausgesetzt werden. In diesem Sinne kann das »große Selbstzeugnis« für die Frage nach Luthers reformatorischer Wende nur – aber auch wirklich – eine »Arbeitshypothese« sein[13].

[10] Bizer, Fides ex auditu.
[11] Vgl. Lohse, Die Bedeutung Augustins; vgl. dazu w. o. im 4. Kapitel S. 72 f. (mit Anm. 5–9).
[12] Vgl. Br 1, 154,4 ff.; dazu Aland, Der Weg zur Reformation, 48 f.
[13] Darin ist Brecht, a. a. O. 187, zuzustimmen.

Noch schwieriger werden die Fragen, wenn man die Vorrede und ihre Angaben mit den frühen Schriften Luthers vergleicht, in denen sich ja Spuren des in der Vorrede Berichteten zeigen müssen, wenn Luther nicht einfach fantasiert haben soll. Nun ist es seit eh und je das Kreuz der Lutherforscher, daß man, je intensiver man die Frühschriften Luthers kennenlernte, zu der Einsicht kommt, daß sich in Luthers Frühwerk zwar eine ganze Reihe von Neuorientierungen zeigt – von einigen war im 3. und 4. Kapitel die Rede –, aber nicht die leiseste Spur eines dramatischen Durchbruchserlebnisses. In der Römerbriefvorlesung erklärt Luther den Vers Röm 1,17 durchaus im Sinne der »passiven« Gerechtigkeit Gottes, also so, wie im »großen Selbstzeugnis« beschrieben. Aber die Sache ist mit wenigen, sehr selbstverständlich hingeschriebenen Sätzen abgetan. Nichts weist darauf hin, was nach der Vorrede von 1545 für Luther an diesem Vers gehangen hat. Ist die reformatorische Erkenntnis zu Röm 1,17 also schon seit langem fester und selbstverständlicher Besitz? Liegt sie schon lange zurück, so daß die Psalmenauslegung, die Luther, durch Paulus gestärkt, in Angriff genommen haben will, nicht die Zweite, sondern die Erste Psalmenvorlesung ist? Die Fragen verschärfen sich dadurch, daß Luther schon in der Ersten Psalmenvorlesung jenes Verständnis von der Bedeutung des Genitivs hat, das er nach der Vorrede der Einsicht in Röm 1,17 verdankt: daß also beispielsweise »Weisheit Gottes« nicht die Eigenschaft Gottes meint (genitivus subiectivus), sondern die Weisheit, mit der er uns beschenkt (genitivus causativus). Aufgrund dieser und anderer Beobachtungen neigt die ältere Forschung durchweg zu der Ansicht, die Vorrede von 1545 enthalte einen Gedächtnisirrtum Luthers: Dieser wolle zwar die reformatorische Grunderkenntnis vor die Zweite Psalmenvorlesung verlegen, während sie in Wirklichkeit vor die Erste Psalmenvorlesung zu verlegen sei. Die »reformatorische Wende« sei daher historisch auf 1511 oder 1512 zu verlegen.

Aber mit dieser Auskunft kommt man nicht durch. Auch der vorsichtigste und kritischste Historiker wird einem Mann wie Luther nicht so leichtfertig einen Gedächtnisirrtum ausgerechnet in bezug auf das wichtigste Ereignis seines Lebens zutrauen dürfen. Vor allem aber kann sich der Vertrauensvorschuß gegenüber der Vorrede trotz des langen Abstandes auf Tatsachen stützen. Wenn alles Entscheidende schon vor der Ersten Psalmenvorlesung geschehen ist, warum schreibt Luther dann die Vorrede zu dem einzigen Zweck, sich für seine »papistischen« Äußerungen in den Schriften, die der Vorrede folgen, zu entschuldigen? Wenn die Erkenntnis zu Röm 1,17 für ihn tatsächlich soviel bedeutete, daß er sich »wie neu geboren« fühlte, warum hat es noch Jahre gedauert, bis er in der Lage war, nicht nur öffentlich mit reformatorischen Forderungen aufzutreten, sondern überhaupt sich innerlich von der Kirche, ihren Autoritäten, ihren Lebensformen zu lösen? Warum noch in der Römerbriefvorlesung Äußerungen des Gehorsams und der Unterwerfung unter die »Prälaten«, die an Loyalität nichts zu wünschen übrig lassen – und das trotz aller damals schon geäußerten Kritik an den kirchlichen Mißständen? Warum zu dieser Zeit sein völlig ungebrochenes Verhältnis zu seinem Klosterleben, wie es sich in den Briefen zeigt, die er als Ordensoberer an die ihm unterstellten Klöster und Mitbrüder schreibt[14]? Warum in den Frühschriften kaum eine Spur von jenen Anfechtungen, aus denen ihn laut Vorrede die Beschäftigung mit Paulus befreit hat? Warum verweist Luther ganz im Gegenteil in der Ersten Psalmenvorlesung unter Hinweis auf mangelnde eigene Erfahrungen zur Illustration auf die Bekehrung des Hl. Augustinus[15]? Alle psychologischen Einzelheiten, die die Vorrede mit der Beschreibung des reformatorischen Durchbruchs verbindet, passen viel besser in das Schrifttum des Jahres 1518, in dem zum ersten Mal die Absetzung nicht nur von der scholastischen Theologie, sondern von der alten *Kirche* sich abzeichnet; in dem zum ersten Mal Luther sich zu der Frage äußert, ob er möglicherweise ein Häretiker sei[16], und in dem zum ersten Mal, als vorsichtige *Frage,* das Wort vom Papst als dem »Antichrist« fällt[17].

Noch komplizierter wird das Problem, wenn man nicht mehr nur das »Selbstzeugnis« im frühen Schrifttum Luthers zu verifizieren sucht, sondern unabhängig von der Vorrede im Schrifttum Luthers zwischen 1513 und 1519 nach entscheidenden theologischen Neuansätzen im Vergleich zur Tradition sucht. Es ist gar nicht falsch, wenn man gesagt hat, fast alle »typisch lutherischen« Lehren, fast alle »typisch lutherischen« Gesichtspunkte und Perspektiven dieses Schrifttums fänden sich auch in der Tradition. Das bloße Verständnis von Röm 1,17 im Sinne der »passiven« Gerechtigkeit, also die reformatorische »Entdeckung«, soweit sie eine exegetische Einsicht ist, kann schon deswegen unmöglich das Ganze des »reformatorischen Durchbruchs« ausmachen, weil die gesamte exegetische Tradition diesen Vers ebenso auslegt. Das hat schon Denifle

---

[14] Zu Luthers Verhältnis zum Klosterleben vgl. Lohse, Mönchtum und Reformation; Esnault, Luther et le monachisme; Bacht, Luthers »Urteil über die Mönchsgelübde«; Pesch, Luthers Kritik am Mönchtum; auch Aland, a. a. O. 10–17 zu den frühen Briefen, und jetzt Manns, Martin Luther, 27–56; 60–81.

[15] 3, 549,26–32.

[16] Vgl. Br 1, 190,21 (28. August 1518 an Spalatin). Der Satz: »Ein Häretiker werde ich niemals sein« hat sicher *auch* taktischen Sinn: Luther möchte den Weg nach Rom vermeiden, wohin er vorgeladen ist; vgl. Aland, a. a. O. 16 f. Zur Sache und zu Luthers eindeutiger Haltung vgl. w. u. im 6. Kapitel S. 110 f. (mit Anm. 36).

[17] Br 1, 270,12 (18. Dezember 1518 an Link); vgl. 282,17–19 (21. Dezember 1518 an Spalatin); 359,29–31 (15. März 1519 an Spalatin).

seinerzeit mit einem erdrückenden Textmaterial nachgewiesen[18]. Man liefe also in alle offenen Messer seiner rabiaten Lutherkritik hinein, wenn man den *Inhalt* der reformatorischen »Entdeckung« auf das beschränkte, was Luther im »großen Selbstzeugnis« dazu sagt. Für einen Professor der Heiligen Schrift, der sich, wie schon gezeigt, sonst in den Quellen der Exegese so gut auskennt, ist es auch schlechterdings undenkbar, daß er diese durchaus traditionelle Exegese von Röm 1,17 nicht gekannt haben soll. Die »Doktoren«, die Luther laut Vorrede möglicherweise anders belehrt haben, waren ganz gewiß nicht die Exegeten, sondern – höchstens – gewisse systematische Theologen aus der ockhamistischen Schule. So haben denn auch schon seit Jahrzehnten lutherische Theologen, die über jeden Verdacht des »Katholisierens« erhaben sind, mit Nachdruck darauf hingewiesen, daß der Begriff der »passiven Gerechtigkeit« noch gar nicht das typisch lutherische Gnaden- und Rechtfertigungsverständnis zur Sprache bringt, wenn er nur besage, daß Gott die Gerechtigkeit schenkt[19]. Ein Augustinus und seine Schüler im Mittelalter konnten durchaus mit einer dementsprechenden Auslegung von Röm 1,17 einen ganz anderen Gnadenbegriff und sogar eine Verdienstlehre verbinden. Fazit: In der Auslegung von Röm 1,17 (in der Römerbriefvorlesung und auch sonst) ist Luther lediglich Augustinist, und das war, wie noch einmal betont werden muß, keineswegs verboten oder auch nur verdächtig. Und wie um das Maß der Verwirrung voll zu machen, hat man beobachtet, daß es schon vor Luther eine gewisse Stilform war, glückliche theologische Erkenntnisse so emphatisch zu charakterisieren (»... wie neugeboren« u. ä.), wie Luther es in der Vorrede tut. Was soll man also davon halten, daß die Auslegung von Röm 1,17 in den frühen Schriften Luthers gar kein sonderliches Ringen mit dem Problem zu erkennen gibt, Luther aber anderseits auch bei späteren Gelegenheiten nachweislich sich in ähnlich emphatischer Weise über *andere* Entdeckungen solcher Art geäußert hat[20]? Man wird also der Vorrede hinsichtlich der Zeitangaben einigermaßen trauen dürfen, im Blick auf den Inhalt der »reformatorischen Wende« schmilzt der Vertrauensvorschuß bei näherer Prüfung zusammen.

Es ist ja auch ebenfalls höchstens eine Wiederentdeckung in Frontstellung gegen den Ockhamismus, aber keine neue, originale Idee, wenn Luther

[18] Vgl. Denifle, Luther und Luthertum, Erg.-Bd. 1.
[19] Vgl. Elert, Morphologie des Luthertums I, 67f.; Bornkamm, Iustitia dei, 25; Ebeling, RGG IV, 498; Peters, Luthers Turmerlebnis, 207 = Lohse (Hg.), a. a. O. 249; Oberman, »Iustitia Christi«, bes. 435f.; Bayer, Die reformatorische Wende, 120; Brecht, Iustitia Christi, 221–223.
[20] Zur »Turmerlebnis-Tradition« vor Luther vgl. die Belege bei Oberman, a. a. O. 423f; zu emphatischen Äußerungen Luthers über *andere* Entdeckungen vgl. 22, 307,16; negativ: 1, 557,33–558,18. Diese Hinweise bei Stange, Der johanneische Typus der Heilslehre Luthers, 30f.; ders., Die Anfänge der Theologie Luthers, 13f.

schon früh die Werkgerechtigkeit, also das Vertrauen auf die eigenen frommen und guten Werke vor Gott verwirft. Keine klassische Gestalt der Lehre vom sogenannten »Verdienst«, weder bei Augustinus noch bei Thomas, noch bei Duns Scotus, hat dieses Lehrstück jemals so verstanden, als sei damit vom Menschen aus gegenüber Gott ein Anspruch angemeldet[21]. Aufgrund ganz bestimmter dogmatischer Konstruktionen der spätscholastischen Theologie[22] hat Luther das zwar gemeint, aber zu Unrecht. Wenn er sich demgegenüber dafür ausspricht, daß der Christ sein Heil vertrauensvoll und bedingungslos dem Erbarmen Gottes anheimzustellen habe, und wenn er sich dabei gegen die spätscholastische Theologie auf die deutsche Mystik beruft[23], so weiß er lediglich nicht, daß er in diesem Punkt mit der großen Tradition sogar des Thomismus einig ist. Tritt dann die Beobachtung hinzu, daß Luther selbst im Gebrauch des Verdienstbegriffes nicht nur weit differenzierter, sondern auch weit unbefangener ist, als es uns die evangelische Lutherforschung in aller Regel vor Augen führt[24], dann scheitert auch endgültig die Möglichkeit, den Inhalt der »reformatorischen Wende« dadurch zu bestimmen, daß man die Auslegung von Röm 1,17 mit der Ablehnung der Werkgerechtigkeit verbindet.

Auch ein anderer Zug in Luthers Denken, den Freunde und Gegner vielfach heute noch für einen originellen Gedanken Luthers halten, läßt sich schon in den Schriften Taulers, die Luther mit Begeisterung gelesen hat, belegen. Gemeint ist Luthers Forderung, daß der Glaubende die Tatsachen des Heilswerkes Christi, also Menschwerdung, Kreuzestod und Auferstehung, nicht nur *im allgemeinen* als Glaubenswahrheiten festhalten, sondern sie ganz persönlich und individuell auf die eigene Existenz beziehen, sich selbst heilvoll gesagt sein lassen müsse. Gemeint ist also Luthers berühmtes »pro me«, »pro nobis«, »für mich«, »für uns«, das den Glauben, im Gegensatz zum »bloß historischen« Glauben, erst zum *rechtfertigenden* und *rettenden* Glauben macht – wir kommen darauf zurück[25]. In der Tat schärft Luther diesen persönlichen Rückbezug des Glaubens im Zeitraum des reformatorischen Durchbruchs immer wieder ein, auch und besonders in der Unterweisung des Volkes[26]. Daher sehen

---

[21] Vgl. Durchblick und Literatur bei Pesch, Die Lehre vom Verdienst, 1873–1898; ders., Theol. der Rechtfertigung, 771–784.

[22] Näheres bei Pesch, Theol. der Rechtfertigung, 708–714; Pesch-Peters, Einführung, 110–118; dort die Spezialliteratur.

[23] Vgl. w. o. im 4. Kapitel S. 74 f.

[24] Vgl. dazu die in der Tat »verdienstvolle« Dokumentation in dem ansonsten problematischen Buch von Beer, Der fröhliche Wechsel, 145–161.

[25] Vgl. w. u. im 9. Kapitel S. 163–165.

[26] Vgl. die ebd. zitierten Texte; ferner die Einschärfung des »euch« (geboren, verkündet) in der Postille zum »Evangelium in der Christmeß«, 10 I 1, 71.

evangelische Forscher darin gern einen originär-reformatorischen Gedanken[27], während ein Gegner wie Paul Hacker in dieser »Reflexivität« des Glaubens Luthers eigentlichen Verrat am Wesen des christlichen Glaubens beschlossen sieht[28]. Aber wie man auch urteilt, das »pro me« hat spätmittelalterliche Wurzeln, und so erklärt es nicht den Inhalt von Luthers »reformatorischer Wende«, jedenfalls nicht für sich allein.

5. KREUZ UND DEMUT

Ein letzter Gedankenzug, mit dem Luthers Wurzeln tief ins Mittelalter hineinreichen, ist seine frühe Kreuzestheologie. Mit diesem Stichwort umschreibt man in der Forschung jenen Grundgedanken des jungen Luther, der schon in der Ersten Psalmenvorlesung belegbar ist, seine klassische und, von später her gesehen, im doppelten Sinne »abschließende« Formulierung aber in der Heidelberger Disputation von 1518 gefunden hat[29]: Der Mensch nach dem Sündenfall kann Gott nicht mehr aus der Schöpfung und auch nicht aus den Lichtseiten des Lebens auf dieser Erde erkennen, sondern einzig und allein im Leiden und durch die Selbstvernichtung hindurch, so wahr die rettende Antwort Gottes auf die Sünde des Menschen im Kreuzestod seines Sohnes erfolgte. Das Kreuz ist daher das Grundgesetz des Handelns Gottes in der Welt und damit auch das oberste Prinzip theologischen Erkennens[30]. Will daher der Mensch vor Gott leben, so muß er sich wie Christus von Gott buchstäblich vernichten lassen, im Leid, in der Selbstanklage, in der Annahme des göttlichen Gerichtes über die Sünde, mit einem Wort gesagt: in der Demut. Damit aber nimmt Luther einen Begriff aus der mittelalterlichen Mönchstheologie auf, und so spricht man auch von Luthers früher Demutstheologie. In der demütigen Selbstanklage wird der Mensch mit vollem Bewußtsein, was er vor Gott ist, nämlich Sünder. Eben dadurch aber wird er vor Gott wahr, »richtig«, also gerecht. Denn durch die Selbstanklage gibt er Gott die schuldige Ehre und kommt dadurch vor ihm in Ordnung. In äußerst pointierten Formulierungen kann daher der junge Luther sagen, daß das Evangelium das Gericht und der rechtferti-

[27] Vgl. pars pro toto Elert, Morphologie I, 60; Althaus, Theol. Luthers, 200; Bayer, Promissio, 274–297.
[28] Vgl. Hacker, Das Ich im Glauben, passim; neuerdings auch Baumann, Luthers Eid und Bann, 56–67; 181–190.
[29] 1, 361 f. Thesen 19–22 mit den Erläuterungen.
[30] Vgl. v. Loewenich, Luthers theologia crucis; Althaus, Theol. Luthers, 34–42; Lienhard, Christologie et humilité; ders., Luthers christologisches Zeugnis, 74–83 (siehe Register, Stw. Theologia crucis); Joest, Ontologie der Person, 118–130; Bornkamm, Die theologischen Thesen Luthers bei der Heidelberger Disputation 1518 (= Luther, 130–146); Grane, Modus loquendi, 67 f., 146–151; weitere Literatur bei Pesch, Theol. der Rechtfertigung, 147–150.

gende Glaube an das Evangelium die Selbstanklage sei[31]. Die Vertreter einer Spätdatierung der reformatorischen Wende weisen gerade auf diese traditionsgebundene Demutstheologie hin, um zu zeigen, daß der junge Luther noch nichts mit dem reformatorischen Luther gemeinsam habe, und es erklärt sich wohl auch nur aus systematisch-theologischen Vorentscheidungen, wenn ältere Lutherforscher allen Ernstes diese Demuts- und Kreuzestheologie für genuin »reformatorisch« halten konnten. Es ist freilich auch, ausweislich jüngerer Untersuchungen[32], kein Zweifel, daß diese Demutstheologie nicht mehr einfach identisch ist mit der spätmittelalterlichen Auffassung. Mit dieser hat denn doch nur noch die Wortwahl gemeinsam, wer die Demut nicht als »Verdemütigung«, sondern als Selbstanklage versteht, den Glauben nicht als Zustimmung zur Offenbarung Gottes, sondern als Eingeständnis der Sünde, und das Wort, an das der Glaube sich bindet, als verurteilende Offenbarung der Sünde.

6. Rückblick vom anderen Ufer

Soviel zu den »Problemen« – und noch einmal sei betont: Es handelt sich nur um eine Kostprobe aus dem Dschungel von Texten, Fakten und oft nur mikroskopisch sichtbar zu machenden Zusammenhängen, auf die die Forschung sich einen Reim machen muß. Da nun aber die üblichen Methoden biographischer und theologiehistorischer Verifikation nicht zu einem allseits überzeugenden Ergebnis geführt haben, hat man schon seit Jahrzehnten als besseren Weg zur Lösung dieser Frage – soweit sie überhaupt zu lösen ist – die sogenannte teleologische Methode vorgeschlagen[33]. Sie besteht darin, von der sicher geklärten und als solche allgemein anerkannten reformatorischen Theologie Luthers aus zurückzuschauen, um anhand dieses Kriteriums festzustellen, was sich an reformatorisch-theologischen Auffassungen bereits in Luthers Frühwerk zeigt. Dieses Verfahren bedeutet für die Frage nach Luthers reformatorischer Wende selbstverständlich die Niederlage der üblichen historischen Methode, die nicht beim Ende, sondern bei den Anfängen einsetzt. Jüngere Forscher mögen sich darum mit der teleologischen Methode nicht abfinden, kritisieren sie und versuchen erneut ihr Glück mit den üblichen Methoden[34]. Es ist nachgerade erstaunlich, daß man dabei immer noch

---

[31] Vgl. w. u. im 8. Kapitel S. 144 f.

[32] Vgl. vor allem die Arbeiten von Kroeger, Bayer, Grane und Brecht, Iustitia Christi, 191–212.

[33] Vgl. Iwand, Rechtfertigungslehre und Christusglaube, 123; Link, Das Ringen Luthers, 74–76.

[34] Direkte Kritik an der »teleologischen Methode« denn auch bei Kroeger, Rechtfertigung und Gesetz, 28–40; und bei Bayer, Die reformatorische Wende, 117 f.; indirekte Kritik bei Brecht, 179–182; vgl. 222.

neue, bisher nicht beschrittene Wege entdeckt – so etwa, wenn Bernhard Lohse die Entwicklung von Luthers theologischer Stellungnahme zum Mönchtum zum Leitfaden eines neuen Versuchs zur Klärung der alten Frage macht[35]. Dennoch verdient die teleologische Methode nur dann Kritik, wenn man sie überfrachtet – wozu allerdings schon ihr Name (von »telos« = »Ziel«, »inneres Gesetz«) verleiten könnte. Man *muß* sie aber nicht betreiben unter der Voraussetzung, daß die reformatorischen Positionen Luthers »nur« der Endpunkt einer konsequenten und organischen Entwicklung aus frühen Ansätzen sei[36]. Sie *muß* auch nicht den Blick nur auf Einheit und Kontinuität fixieren, die »Zwischenstufen« einebnen und vergleichgültigen und so das Verständnis des Frühwerkes aus seinem eigenen (spätscholastischen) Kontext behindern[37]. Sie *muß* darum auch nicht durch sich selbst schon – das ist begreiflicherweise auf lutherischer Seite der tiefste Verdacht[38] – die Normativität der reformatorischen Grunderkenntnis bedrohen, indem sie die »Wende« *als* Wende nicht ernst nimmt. Ohne solche Überfrachtung besagt »teleologische Methode« nur, daß ein bestimmter Textkomplex aus Luthers Schrifttum als *Kriterium* dafür angesehen und eingesetzt wird, was im übrigen Schrifttum Luthers, vor allem dem früheren, schon reformatorische Theologie formuliert, und was nicht[39].

So verstanden, zwingt die teleologische Methode aus logischen Gründen zu einer Dreiteilung im Schrifttum Luthers: Schriften, die die reformatorische Position Luthers eindeutig formulieren, Schriften, die dieser Zeit folgen, indem sie die reformatorischen Erkenntnisse Luthers in Konsequenzen verschiedener Art entfalten beziehungsweise sie gegen Gegner im eigenen Lager abzusichern suchen, und Schriften, die der Formulierung der reformatorischen Theologie Luthers vorausgehen. Über die Schriften der ersten Gruppe, die somit als Maßstab des Urteils über die Frühschriften ins Spiel zu bringen sind, herrscht in der Forschung Einigkeit: Es ist das Schrifttum – um zugleich ganz sichere und ganz globale Daten anzugeben – zwischen 1519 und 1522. Nach 1522 beginnt bereits die Auseinandersetzung mit Gegnern in der reformatorischen Bewegung, mit den von Luther später sogenannten »Schwärmern« oder »Schwarmgeistern«. Diese Abgrenzung schließt selbstverständlich spätere neue Selbstpräzisierungen Luthers nicht aus, nicht einmal solche, für die auch noch einmal der Name »Wende« in Erwägung zu ziehen

---

[35] Vgl. Anm. 14. Formal parallel Schwab, Entwicklung der Sakramententheologie.
[36] Dies gegen Bayer, a. a. O. 116–118.
[37] Dies gegen Kroeger, ebd.
[38] Vgl. Brecht, a. a. O. 179–183; 221–223; Bayer, a. a. O. 115–118.
[39] Insoweit also ganz mit Bayer, a. a. O. 117–122.

wäre[40], aber niemand kann bestreiten, daß Luther in den Schriften zwischen 1519 und 1522 Positionen einnahm, und zwar erstmals, die *damals* nach dem Urteil von Freund und Feind eine innerkirchliche Versöhnung ausschlossen[41]. Im Blick auf den Fortgang und die öffentliche Wirkung der Theologie Luthers besagt dies in der Tat eine »Wende«. Luther steht am anderen Ufer und gestattet den kritischen Rückblick. Wie stellt sich vom Schrifttum dieser vier entscheidenden Jahre aus das vorausgehende Schrifttum Luthers dar, und was folgt daraus für die Bestimmung der »reformatorischen Wende«? Aufgrund der Forschungslage kann folgendes mit Sicherheit festgestellt werden:
1. Noch in der Zeit, da Luther bereits bewußt in die Auseinandersetzung mit der Kirche eingetreten ist, also in den Schriften des Jahres 1518 und sogar noch später, kann Luther sogar in programmatischen, mit der Absicht auf Präzisierung seiner Auffassung formulierten Schriften noch ganz im herkömmlichen, kirchlich gebräuchlichen Stil denken und reden – etwa in seinen »Resolutiones« zu den Ablaßthesen, im »Sermo de duplici iustitia«[42], in der Hebräerbriefvorlesung[43], im Abendmahlssermon von 1519[44]. Überhaupt zeigen die Dokumente des Ablaßstreites, daß zwar Luthers Augustinismus und »Paulinismus« zum Kampf gegen die Ablässe vollauf ausreichte, im übrigen aber nach Beginn der Kontroverse und auch bei zunehmender Einsicht Luthers in seine eigene Bedeutung für deren Fortgang die theologische Entwicklung durchaus weitergeht und keineswegs schon von einem abgeschlossenen, alle Fragen beantwortenden theologischen Konzept die Rede sein kann. Der Luther von 1525 etwa hätte sich gewiß nicht mehr die Sorgen um eine Abklärung des guten und des falschen Sinnes der Ablässe gemacht, wie es der Luther von 1518 noch tut. Die reformatorische Theologie war also nicht schlagartig da, im Blick auf die Bewegung des Denkens ist die »Wende« kein punktuelles Ereignis, sondern ein Prozeß. Das geben selbst solche Forscher zu, die Luthers »reformatorische Wende« sozusagen bis auf den Tag genau festlegen wollen[45], und wenn Oswald Bayer dazu erklärt, das »erhellt die

---

[40] Am deutlichsten in der Christologie, in der Sakramentenlehre und im Verständnis der »zwei Reiche« – nicht von ungefähr haben alle drei Themen mit Luthers Auseinandersetzung mit den »Radikalen« zu tun.

[41] Dies gegen die Kritik von Pfnür, Einig in der Rechtfertigungslehre?, 389: Es bedeutet keinen Widerspruch, Luthers Hochschätzung der Schrift gegen Erasmus von 1525 ernst zu nehmen (vgl. auch w. u. im 10. Kapitel S. 176 f.) und gleichzeitig das Schrifttum von 1519–1522 zum Sachkriterium reformatorischer Theologie zu machen.

[42] 1, 525–628; 2,145–152.

[43] Einzelanalyse bei Kroeger, a. a. O. 164–217; 235–238; Bayer, a. a. O. 173–182; 206–225.

[44] 2, 742–758.

[45] Wie etwa Aland, Weg zur Reformation, 104 (zwischen dem 15. Februar und dem 28. März 1518); und Bayer, Die reformatorische Wende, 121–124 (zwischen den Resolutionen zur 7. und 38. Ablaßthese und den Thesen »Pro veritate inquirenda et timoratis conscientiis

geschichtliche und nicht mechanische Weise, in der sich der neue Ansatz überall Geltung verschafft«[46], so fragt sich, ob damit nicht der Begriff der »Wende« bereits soweit eingeschränkt ist, daß er zur Erhellung des Tatbestandes nicht mehr hilfreich ist.

2. Es trifft auch nicht zu, daß sich in den Frühschriften Luthers *gar nichts* von seiner späteren Theologie findet[47]. Die Akribie, mit der man in den letzten Jahrzehnten vor allem die frühen Vorlesungen Luthers erforscht hat, läßt keinen Zweifel mehr, daß gerade auch die vordergründig ganz traditionellen Elemente im Denken des jungen Luther – Psalterexegese, Demutstheologie, Augustinismus, Mystik – unter der Oberfläche bereits von einem Neuansatz beherrscht sind, von dem Luther zwar von Anfang an wußte, daß er nicht mehr auf der Linie der Theologie lag, die er gelernt hatte, dessen zukünftiges Potential damals aber ihm selbst und erst recht seinen Hörern noch verborgen blieb. Der Blick von *beiden* Ufern, dem der Scholastik und dem der durchdachten reformatorischen Theologie, erweist diese Frühtheologie gewiß als »eine eindrucksvolle letzte Ausgestaltung spätmittelalterlicher Theologie«[48]. Das bestätigt auf seine Weise sogar Paul Hacker, der Luther das Zeug zu einem der größten Theologen der Kirche zutraut, wenn er nur bei seiner Frühtheologie geblieben wäre[49]. Ebenso gewiß ist aber auch, daß *ohne* diese eigenartige Frühtheologie und ihre Neuansätze auch keine »reformatorische Wende« denkbar ist. In sich betrachtet, ist diese Frühtheologie gewiß noch offen nach mehreren Richtungen. Vom »anderen Ufer« aus gesehen zeigt sich aber, daß die reformatorische Theologie Luthers auf der »Fluchtlinie« des Frühwerkes liegt. Auch insofern also ist die »Wende« keine radikale »Kehre«. Wenn Oswald Bayer denen, die so urteilen, den ironischen Vorwurf macht, sie hielten Luther für eine »anima naturaliter reformata« (»eine natürlicherweise reformatorische Seele«)[50], so kann man nur zurückfragen: Warum denn nicht? An einer alles Frühere unter ein negatives Vorzeichen bringenden Kehre kann doch nur interessiert sein, wer aus Gründen der konfessionellen Selbstvergewisserung auf die absolute Normativität der reformatorischen Grunderkenntnis pocht[51].

---

consolandis«, also frühestens zweite Februarhälfte und spätestens Frühsommer 1518 – die Arbeit an der Endfassung der Resolutionen zog sich noch bis in den Mai hin, und die Thesen sind auf jeden Fall später als die Resolution zur 38. Ablaßthese).

[46] Bayer, a. a. O. 146.
[47] Dies gegen die überscharfe These von Bizer in: Fides ex auditu.
[48] Brecht, Iustitia Christi, 223.
[49] Hacker, Das Ich im Glauben, 97–151; man kann diese Analyse und Wertung der Texte Luthers, auch wenn man sie für falsch hält, nicht ohne Betroffenheit lesen – Betroffenheit über Luther ebenso wie über seinen Interpreten.
[50] Bayer, a. a. O. 115, gegen Brandenburg, Gericht und Evangelium, 18; 20.
[51] Die diesbezügliche diskrete, aber eindeutige Kritik an mir bei Brecht, a. a. O. 223, habe ich wohl verstanden, aber – siehe oben!

Das wird auch von einem katholischen »Luther-Sympathisanten« niemand erwarten, geschweige denn von jemandem, der aus wohlbedachten Gründen Luther »vorkonfessionell« zu lesen versucht. Im übrigen verstärkt sich das hier skizzierte Urteil über das Frühwerk durch weitere Einzelbeobachtungen:

3. Fragt man nämlich weiter nach einem charakteristischen Stichwort zur Kennzeichnung jenes Neuansatzes, der schon das Frühwerk beherrscht, so stößt man, wie früher schon beobachtet[52], auf ein eigenartiges Pathos des Glaubensbegriffes, dessen Pointe gerade in der strengen Relation zwischen Glaube und Wort, ja zwischen Glaube und Verheißung liegt. »Glaube und Verheißung beziehen sich aufeinander. Verschwindet demnach die Verheißung, so verschwindet auch der Glaube, und wird die Verheißung außer Kraft gesetzt, dann wird auch der Glaube entzogen[53].« Diesen berühmten Sätzen aus der Römerbriefvorlesung hört man nicht an, daß ihr Sinn noch nicht reformatorisch ist – man kann es nur durch eine minuziöse Untersuchung im ganzen Kontext der Vorlesung herausbringen[54]. Wo wir hinsichtlich des Demutsbegriffes und der Absage an die Werkgerechtigkeit die Themenvorgabe durch die Spätscholastik und die deutsche Mystik betonen mußten[55], da kreisen Interpretation und Begründung wieder um Wort und Glaube: Demut als Zustimmung zum Gerichtswort Gottes, werkloses Vertrauen als Zustimmung zum Verheißungswort Gottes in Christus – typisch frühlutherische Gedanken. Und wo die Scholastik selber gegen die Werkgerechtigkeit angeht, formuliert sie: Der Gerechte lebt nicht aus seinen Werken, sondern aus der *Gnade* Gottes; aber schon der junge Luther sagt: Der Gerechte lebt nicht aus seinen Werken, sondern aus dem *Glauben* – die Verbindung zur Frage nach dem Sinn von Röm 1,17 ist unübersehbar[56]. Auf dieser Grundlage kann und wird es weitergehen.

4. Ebenso auf einem anderen Grundpfeiler der Frühtheologie: der Antwort auf die Frage nach Gewißheit. Die heißdiskutierte Frage, ob Luther in der zweiten Hälfte der Römerbriefvorlesung die »Heilsgewißheit« im späteren reformatorischen Sinne lehre[57], muß wohl negativ beantwortet werden[58]. Alle Gewißheit besteht in einer »gerechten Unwissenheit«, das heißt: Gottes Gnade ist unter seinem Zorn verborgen und unerkennbar. Darum ist freilich eben diese Erfahrung des Zornes Gottes das Zeichen der Gnade, bei dem sich die Frage nach Gewißheit

---

[52] Vgl. w. o. im 3. Kapitel S. 60 f.
[53] 56, 45,15.
[54] Wie es Kroeger getan hat, a. a. O. 41–85.
[55] Vgl. w. o. im 4. Kapitel S. 74 f.
[56] Vgl. 56, 170–174, zu Röm 1,16 f.
[57] Vgl. dazu w. u. im 7. Kapitel.
[58] Mit Kroeger, a. a. O. 118–163.

beruhigen darf – in der Ersten Psalmenvorlesung festgemacht am Gerichtswort Gottes, in der Römerbriefvorlesung und bis zur Heidelberger Disputation festmacht am gekreuzigten Christus als Urbild der verborgenen Gnade Gottes für den Menschen. Auch auf dieser Grundlage kann und wird es weitergehen. Die Zeit der Römerbriefvorlesung und danach ist ausweislich der biographischen Dokumente auch die Zeit der vielzitierten »Anfechtungen« Luthers[59]. Solange das fraglose Leben in den institutionellen Formen der Kirche Halt bietet, lassen sich die Anfechtungen auf der Bahn der »gerechten Unwissenheit« bewältigen, zumindest ertragen. Was aber kommt danach?

5. Darum kristallisieren sich alle Neuorientierungen Luthers in seinem Verständnis vom Sakrament – sobald er sich dieses Thema vornimmt. Darin liegt das unbestreitbare Wahrheitsmoment der These von Ernst Bizer, die Oswald Bayer weitergeführt und jüngst von katholischer Seite auf überraschende Weise Wolfgang Schwab wieder aufgenommen hat[60]. Denn in Theorie und Praxis hatte Luther ein Sakramentsverständnis vor Augen, das sich geradezu als Gegenkonzept zur unlöslichen Beziehung von Wort und Glaube und aller darauf gründenden Gewißheit darbot: Das Sakrament »erspart« gewissermaßen die Anstrengung des Glaubens und ist darum der »sicherere« Weg[61]. Nicht von ungefähr ist darum dies eine der wenigen festverankerten Leuchtbojen in der uferlosen Diskussion um Luthers reformatorische Wende: die allgemeine Hervorhebung der Bedeutung der Hebräerbriefvorlesung, die ja mit den beginnenden reformatorischen Ereignissen zeitlich synchron läuft[62]. Und in dieser Vorlesung fällt zum ersten Mal die eindeutige Aussage Luthers, daß schon der Glaube die rechtfertigende Gnade ist[63]. »Daher kommt es, daß niemand die Gnade erlangt, weil er losgesprochen oder getauft wird oder die Kommunion empfängt oder gesalbt [= gefirmt] wird, sondern weil er *glaubt*, daß er die Gnade empfängt, wenn er solchermaßen losgesprochen, getauft wird, die Kommunion empfängt, gesalbt wird. Wahr ist nämlich jenes verbreitete und treffliche Wort: Nicht das Sakrament, sondern der Glaube an das Sakrament rechtfertigt[64].«

6. Man spürt in diesem Text förmlich, wie ein Erdbeben begonnen hat. Und doch glaubt sich Luther, wie die Schlußbemerkung zeigt, auch mit dieser Position noch im Einklang mit den allgemein verbreiteten Auffas-

[59] Zu den Anfechtungen vgl. jetzt Brecht, Martin Luther, 77–88; auch die Dokumentation in den Briefen bei Aland, a. a. O. 27–30; ganz anders Manns, Martin Luther, 82 f.
[60] Vgl. Bizer, Die Entdeckung des Sakramentes; Bayer, Promissio, 164–273; ders., Die reformatorische Wende, 122–143; Schwab, Entwicklung der Sakramententheologie.
[61] Näheres w. u. im 8. Kapitel S. 135–139.
[62] Vgl. w. o. im 3. Kapitel S. 54.
[63] 57 (Heb), 191,24.
[64] 57 (Heb), 169,23.

sungen – und das sogar mit Recht, denn es ist immer nur die gröblich
mißverstandene mittelalterliche Lehre, die zu der Annahme verleiten
kann, das Sakrament sei dazu da, den Glauben zu ersparen[65]. Jetzt, nach
Beginn des Ablaßstreites, ist es allerdings mit einer rein theoretischen
Sinndeutung der Sakramente vorbei. Der Ablaßstreit ist schließlich eine
Auseinandersetzung um die Bedeutung des Bußsakramentes, in dem der
Priester die »Absolution«, die Lossprechung von den Sünden im Namen
Gottes zu erteilen oder auch zu verweigern hat. Das Ablaßwesen –
jedenfalls in der Form, die Luther konkret vor Augen hat[66] – bedeutet
unter anderem eine beträchtliche Einschränkung der Lossprechungsvoll-
macht des Priesters, genauer: ihre Bindung an Bedingungen, die der Papst
festlegt. Der Papst, so die zugrunde liegende Theorie, hat die Vollmacht,
aus dem »Schatz« der »Verdienste« Christi und der Heiligen Erlaß der *vor*
Gott notwendigen Genugtuung für die Sünde zu gewähren, für die Toten
sogar unabhängig von Reue, Buße und Empfang des Bußsakramentes,
wie der Ablaßprediger Tetzel seinen Zuhörern klarmacht. Der Papst
verfügt nach eigenen Bedingungen, zum Beispiel gegen eine Spende für
den Bau der Peterskirche, über das Wirksamwerden der Gnade Gottes,
die Christus durch sein Heilswerk »verdient« hat – unerträglicher
Gedanke für einen Theologen, der von Paulus und Augustinus gelernt
hat, daß Gott *bedingungslos* dem Menschen gnädig ist. In den Ablaßthesen stellt Luther denn auch klar, daß der Papst nur Kirchenstrafen, nicht
aber die Strafe Gottes erlassen könne[67], und im übrigen stellt Luther
Fragen, die auch eine heutige, von Mißbräuchen gereinigte katholische
Ablaßlehre immer noch nicht befriedigend beantwortet hat, wie zum
Beispiel die, warum denn der Papst, wenn er denn schon den noch nicht
vollendeten und darum im »Fegfeuer« leidenden Seelen Ablaß von Gottes
Strafe gewähren könne, nicht aus Gründen christlicher Nächstenliebe
kraft seiner Verfügungsgewalt mit einem Schlag das ganze Fegfeuer
leere[68].

So geht es also nun nicht mehr um eine Theologie der Sakramente,
vielmehr steht die Bedeutung und Kompetenz des kirchlichen Amtes, ja
der Kirche überhaupt auf dem Spiel. Und – das kirchliche Amt strengt
gegen ihn den Ketzerprozeß an, verlangt von ihm in der zentralen Frage,
wem der Mensch das Heil verdankt, den Widerruf gegen die größten
Glaubenszeugen der Kirche, gegen Paulus und Augustinus. Der bisher
nur als origineller Exeget und Augustinist auffällige Professor Luther
steht nun plötzlich nicht nur gegen die anderen theologischen Schulen,

---

[65] Vgl. auch dazu w. u. im 8. Kapitel S. 138.
[66] Vgl. dazu Iserloh, Luther zwischen Reform und Reformation, 11–29; dort auch die
historische Spezialliteratur.
[67] Vgl. 1, 233 ff., Thesen 5, 20–22, 33 f., 36, 58, 61, 75.
[68] Vgl. ebd., These 82 f.; Iserloh, a. a. O. 87.

sondern gegen die *Kirche* in ihrer amtlichen Repräsentanz und muß sich mit der Frage auseinandersetzen, ob er ein Häretiker sei. Wenn Luther diese Auseinandersetzung annimmt, dann *kann* er das ruhigen Mutes nur durchhalten, weil die schon errungenen Einsichten in Wort und Glaube als Grund des Heils vor Gott sich nun in ihrer vollen Tragweite zeigen und weil die Gewißheitsfrage in der neuen Dimension der Anfechtung, die Luther nun erleidet, nicht mehr in der Geborgenheit des kirchlichen Lebens aufgehoben bleiben kann. Jetzt, da die Kirche als ganze auf der anderen Seite des Konfliktes steht, wird in voller Schwere deutlich, daß der Sünder allein durch das im vertrauenden Glauben ergriffene Wort von Christus gerecht wird, und dieses Wort allein, im Glauben allein, schafft denn auch nicht Furcht und Zittern, sondern Gewißheit und Freiheit gegenüber einer Kirche, die in ihren obersten Repräsentanten das Evangelium vom Heil aus bedingungsloser Gnade Gottes verkündigt und in ihrem Verhalten zugleich aufhebt.

Diese Erkenntnis, auf der Bahn völlig unangefochtenen theologischen Arbeitens unerwartet in eine Konfliktsituation mit der Kirche als ganzer geraten zu sein und dennoch vor seinem Gewissen und aus unwidersprechlicher theologischer Einsicht nicht mehr zurückzukönnen, vielmehr nun gefordert zu sein, kraft seines Amtes als Lehrer der Heiligen Schrift der Kirche zur Besinnung auf die Wahrheit ihrer Botschaft helfen und darum die Auseinandersetzung aufnehmen zu müssen – das ist der »reformatorische Durchbruch«. Die vielen direkten und indirekten Zeugnisse Luthers darüber legen nahe, lassen jedenfalls keinen vernünftigen Zweifel daran, daß es sich bei diesem »Durchbruch« um ein punktuelles psychologisches Erlebnis gehandelt hat – so, wie auch sonst ein Mensch blitzartig eine fundamentale Einsicht darüber gewinnt, wo er eigentlich steht und wer er eigentlich ist.

7. Das Durchbruchserlebnis ist jedoch eingebettet in ein noch lange weitergehendes Ringen um theologische Einsichten. Dabei kommt es selbstverständlich zu *neuen* Erkenntnissen – wie sollte man es sich auch anders vorstellen! –, in der Hauptsache aber handelt es sich um die neue Gewichtung und die volle Entfaltung der Konsequenzen *längst errungener* Einsichten im Blick auf die Tragweite des entstandenen Konfliktes.

Es muß freilich offenbleiben, ob man im Blick auf den komplexen Klärungsprozeß eine *einzige* dieser Einsichten, gar die Inhaltsbestimmung eines einzigen Wortes zum Kristallisationspunkt des Durchbruchs machen und dann anhand der Abfassungszeit der einschlägigen Texte geradezu nach dessen Datum fragen kann. Ob man nämlich, mit Ernst Bizer[69], das Wort als Heilsmittel zum Inhalt der reformatorischen

---

[69] Bizer, Fides ex auditu, bes. 165–171.

Erkenntnis erklärt, ob man, mit Kurt Aland[70] nach dem lückenlosen Beieinander der Elemente des »großen Selbstzeugnisses« fahndet und dann den »Sermo de duplici iustitia« (28. März 1518) zum spätestmöglichen Termin des »Durchbruchs« erklärt, ob man, mit Oswald Bayer[71], auf die Neufassung des Begriffes »promissio« (»Verheißung«) pocht und in diesem Zusammenhang die 50 Thesen der Zirkulardisputation »Pro veritate inquirenda et timoratis conscientiis consolandis« (»Über die Erforschung der Wahrheit und die Tröstung der furchtsamen Gewissen«) vom Frühsommer 1518 als Dokument der vollzogenen »Wende« hervorhebt – was insofern eine aufregende Entdeckung ist, als in diesen Thesen das Verständnis von Röm 1,17 im Sinne des »Selbstzeugnisses« und die Interpretation von Mt 16,19 und Joh 20,25 als *gegenwärtig geltendem Vergebungszuspruch* zusammengestellt sind, was den Zusammenhang von reformatorischem Durchbruch, Ablaßstreit und Neuverständnis des Bußsakramentes geradezu grell beleuchtet! –, oder ob man, mit Martin Brecht[72], das christologische Verständnis der Gottesgerechtigkeit (Gerechtigkeit Gottes = Gerechtigkeit aus Glauben = zugeeignete Gerechtigkeit Christi) als das Entscheidende und damit ebenfalls die Predigt über die »doppelte Gerechtigkeit« als äußersten Termin ansieht – all diese überpräzisen Thesen widersprechen sich, erstens, nicht, sondern interpretieren einander, wie nicht zuletzt Brecht sowohl ausdrücklich als auch durch die Formulierung seines Ergebnisses zugibt[73], und, zweitens, sind sie, wie abgesichert auch immer, abhängig von einer historischen oder systematischen Vorentscheidung über »das Reformatorische«, die immer umstreitbar bleibt. Was nämlich diese Vorentscheidungen betrifft, so ist manche scharfe Trennlinie, die zugunsten der Originalität Luthers zwischen seiner reformatorischen Grunderkenntnis und der bisherigen sowie der späteren katholischen Theologie gezogen wird, nur durchzuhalten, weil man entweder die mittelalterliche oder die moderne katholische Theologie oder beide nicht kennt oder sie in ihren Intentionen nicht ernst nimmt[74].

7. Eine These zur These

Wenn wir nun versuchen, die Fäden unserer Überlegungen zusammenzuziehen, so läßt sich dies unter zwei abschließenden Fragen tun:

[70] Aland, Weg zur Reformation, bes. 102–111.
[71] Bayer, Die reformatorische Wende, 122–143.
[72] Brecht. Iustitia Christi, bes. 213 ff.; ebenso schon Peters und Oberman (s. o. Anm. 19).
[73] Brecht, a. a. O. 219; 222.
[74] Dies ist eine Andeutung ohne Namensnennung. Aber hier ist ein Streitpunkt mit manchen – evangelischen *und* katholischen – Gesprächs- und Streitpartnern.

Die erste Frage: Welche Antwort ist auf die Frage nach der reformatorischen Wende Luthers zu geben?

Die zweite Frage: Was bedeutet diese Antwort für unsere im zweiten Kapitel aufgestellte These zur theologiegeschichtlichen und theologischen Gesamtbeurteilung Luthers?

Auf die erste Frage kann inzwischen aufgrund der Forschungslage eine Antwort gegeben werden, die kaum mehr bloß hypothetischen Charakter hat. Sie lautet: Wir müssen unterscheiden zwischen »reformatorischem Durchbruch« und »reformatorischer Wende«. Der »reformatorische *Durchbruch«,* das »Turmerlebnis« – dessen Tatsächlichkeit wir, wie schon gesagt, aufgrund der Selbstzeugnisse Luthers zu bestreiten keinen Anlaß haben – erfolgt in der ersten Jahreshälfte 1518, wobei eine noch genauere Datierung offenbleiben muß. Daß diese Spätdatierung in der jüngeren und jüngsten Forschung offenkundig und aus gewichtigen Gründen die Oberhand gewinnt, ist der auffälligste Unterschied zur Diskussionssituation auf dem Lutherforschungskongreß 1966, wo die Vertreter einer Frühdatierung das Feld beherrschten[75]. Aus dem Geflecht der vielfältigen Durchstöße wie auch der mißlungenen oder gar wieder halb zurückgenommenen Vorstöße dieses entscheidungsvollen Jahres einen einzigen als den entscheidenden und darum normativen herauszuheben und gleichsam zur Wende aller Wenden »in der an Wenden reichen Geschichte der Theologie Luthers«[76] zu erklären, dürfte aus den dargelegten Gründen und auch nach aller Erfahrung mit der Diskussion kaum auf allgemeine Zustimmung hoffen. Näher bei der historischen Realität bleibt man gewiß, wenn man den Vorgang begreift als die Abfolge der nächsten Schritte in einer weitläufigen Kurve – wobei, je nach Abstand, die Nachfolgenden irgendwann den Vorauseilenden einmal aus den Augen verlieren – wie auch der Vorauseilende selbst irgendwann einmal nicht mehr den ganzen zurückgelegten Weg überblickt. Ohne Bild: Inhaltlich zeigt der reformatorische Durchbruch die Präzisierung, weitere Entfaltung und, vor allem, konsequente Anwendung *aller* früher schon in Abgrenzung gegen die spätscholastische Tradition errungenen neuen Einsichten – nicht nur des Verständnisses von Röm 1,17 – auf die anstehenden Fragen und gibt, vor allem, den Mut zur Standfestigkeit und bald auch zum reformatorischen Handeln in der nun beginnenden zweiten Phase des Ablaßstreites.

Die »reformatorische *Wende«* ist der *Beginn* der über verschiedene Zwischenstufen 1518 zur vollen reflexen Bewußtheit gelangenden theologischen Umorientierung. Dieser Beginn ist zwar der Sache nach auch punktueller Natur, verliert sich aber chronologisch im Dunkel der

---

[75] Näheres bei Pesch, Neue Beiträge zur Frage nach Luthers reformatorischer Wende.
[76] Bayer, a. a. O. 121.

Anfänge Luthers und vor allem: er ist *kein* aus quälender Anfechtung befreiendes Durchbruchserlebnis, sondern ein unscheinbarer, keimhafter neuer Ansatz wahrscheinlich weniger inhaltlichen als hermeneutischen Charakters. Er ist auf jeden Fall vor der Ersten Psalmenvorlesung anzusetzen, denn er muß zu jener merkwürdigen »tropologischen Auslegung« geführt haben, die für die Vorlesung charakteristisch ist und für die man bis heute in der Tradition keine wirkliche Parallele gefunden hat[77].

Dieser Neuansatz führt schon in Luthers Frühschriften zu den beschriebenen Positionen, die noch nicht reformatorisch, jedoch im *doppelten* Sinne des Wortes »vor-reformatorisch« sind und als solche Luther bei niemandem verdächtig machen, weil sie immer noch als eigenartige Ausformungen der herrschenden spätscholastischen Theologie erscheinen.

Von der reformatorischen Wende ebenso wie vom reformatorischen Durchbruch beziehungsweise dem Turmerlebnis ist – darin sind sich alle Diskussionsteilnehmer einig – der »Anfang des Lutherisschen Lermens«[78] zu unterscheiden, das heißt der Beginn des Ablaßstreites im Oktober/November 1517, in dem Luther zeitlebens den Beginn der *Reformation,* nicht den seiner reformatorischen *Theologie* gesehen hat. Doch ist, wie gezeigt, die durch den Ablaßstreit entstandene radikale Konfliktsituation für Luther die Nötigung, längst errungene Einsichten noch einmal auf ihre Tragweite zu befragen. Die Antwort ist biographisch das »Turmerlebnis«, inhaltlich der anschließend beschleunigt einsetzende theologische Klärungsprozeß. Insoweit ist der Ablaßstreit eine zum reformatorischen Durchbruch treibende Kraft.

Diese These wird den drei deutlichsten Strängen in den verwirrenden autobiographischen Texten Luthers gerecht: Diese verweisen bald auf ein punktuelles Durchbruchserlebnis im Frühjahr 1518, bald sprechen sie von einer allmählichen Entwicklung und Ausreifung zunächst halbklarer, aber sehr früh ansetzender neuer Erkenntnisse, bald identifizieren sie den Anfang der reformatorischen Ereignisse mit dem Beginn des Ablaßstreites.

Von hier aus ergibt sich die Antwort auf die zweite Frage. Wenn wir alles Gesagte zusammennehmen, dann zeigt sich: Luther selbst ging es primär um (Reform der) Theologie – und auf dieser Grundlage um Reform der Kirche. Dabei bleibt es auch im Zusammenhang des reformatorischen Durchbruchs, sofern dessen *biographischer* Kern gerade die Frage ist, bis zu welchem Grade theologische Einsicht den Konflikt mit der Kirche aushalten und sich in ihm bewähren muß. Das aber heißt: *Luther selbst verstand sich im Sinne unserer These.* Er versteht sich als einen, der auf

---

[77] Vgl. w. o. im 3. Kapitel S. 61 (mit Anm. 33).
[78] 51, 541,7.

dem Gebiet der theologischen Wissenschaft die Dinge weitertreiben will – auf Bahnen, die keinem unbefangen Denkenden verdächtig scheinen können. Es ist ernst zu nehmen, wenn Luther später mehrfach beteuert, es hätte alles nicht so weit kommen müssen, wenn Rom statt seiner den Tetzel sofort verurteilt und den Ablaßhandel verboten hätte[79]. Es muß ihn daher wie ein Schlag getroffen haben, daß ausgerechnet er, der für jeden Punkt seiner Theologie zu Beginn des Ablaßstreites seine überragenden Gewährsmänner hatte, nun der sein sollte, der zu weit gegangen war. Man wage einmal den hypothetischen Gedanken, Rom wäre gegen Tetzel statt gegen Luther eingeschritten – wer käme selbst als Historiker auf den Gedanken, daß Luther im Frühjahr 1518 auch nur eine unkirchliche Position vertreten habe?

Erst durch die gegenteilige Einschaltung des kirchlichen Amtes wurde das Thema »Kirche und Amt« in die damit vorher nicht belastete Debatte hineingebracht und Luther vor die Frage nach Konsequenzen hinsichtlich des Zusammenhangs von »Kirche« und »Heil« gestellt, das heißt: vor die Frage nach dem letzten Grund der *Gewißheit* des Heils. Das zwang ihn, entweder zurückzuweichen oder seinen theologischen Einsichten das Recht zur kritischen Anfrage an die Kirche zuzugestehen. Die Teilwahrheit der früher schon referierten These[80], eigentlich sei es bei Luther nicht um die Rechtfertigung des Sünders aus Glauben allein, sondern um das Kirchenverständnis gegangen, liegt unbestreitbar darin, daß Luthers Theologie erst dadurch zur *reformatorischen* Theologie wurde – einschließlich der daraus folgenden weiteren Präzisierungen und Ausformungen, von denen niemand sagen kann, wie weit sie gediehen wären, wenn der Konflikt mit der Kirche nicht als ihr Motor fungiert hätte –, daß sie von außen auf ihre kirchenkritischen Konsequenzen befragt wurde und – daß Luther sie zog.

Daß wir es dabei nicht mit dem Aufstand eines Subjektivisten gegen die objektive Realität der Kirche zu tun haben, dürfte durch alles bisher Gesagte schon hinreichend deutlich sein. Eher handelt es sich hier um das alte und ewig junge Problem des Verhältnisses von wissenschaftlicher Theologie und ihrer kritischen Funktion einerseits und kirchlichem Amt sowie kirchlicher Lebenspraxis anderseits. Und es handelt sich, aus der Natur der Sache heraus, noch um etwas anderes: Die neue Schärfe der Gewißheitsfrage, in der Luther sich für seine Person nicht mehr auf den bergenden Rahmen der Kirche verlassen kann, weist in die Zukunft. Fürderhin wird für jeden Christen klar, daß er nur selber glauben kann, so wie er auch nur selber sterben kann[81]. Das gilt auch für diejenigen, die sich

---

[79] 54, 185,1ff.; 51, 542,13–543,12; 544,11–14; TR 5, Nr. 6453.
[80] Vgl. w. o. im 2. Kapitel S. 42f.
[81] Vgl. 10 II, 23,15; 90,21; 10 III, 1,7ff; 259,5ff.; 260,6ff.; 19, 648,19.

Luther nicht anschließen, sondern in der alten Kirche bleiben. Der Glaube als unbedingt vertrauende Hingabe an Gott ist unvertretbar. Damit hat Luther in der Tat, wie Paul Hacker meint, auf dem Gebiet der Theologie das philosophische Gewißheitsproblem des Descartes vorweggenommen, und insofern ist Luther der »Theologe der Neuzeit«, der die Frage des einzelnen Menschen nach sich selbst zum Schicksal geworden ist[82]. Wer damit allerdings die Sache Luthers schon von vornherein für *gegen* Luther entschieden hält, muß sich die Frage vorlegen, welche kirchenkritischen Thesen Luthers einerseits und welche Einzelheiten seiner ungemein reichhaltigen Interpretation christlicher Glaubensexistenz anderseits heute noch ernsthaft Anstoß erregen und ein »Anathema« provozieren. Selbstverständlich kann man hier nichts auf dem Vorwege dekretieren, und auch der »katholische Luther-Sympathisant« wird nicht zu behaupten wagen: gar keine! Wie wenige es aber sein dürften, davon sollen nicht zuletzt die folgenden Kapitel dieses Buches einen Eindruck geben.

---

[82] Vgl. Ebeling, Gewißheit und Zweifel. Die Situation des Glaubens im Zeitalter nach Luther und Descartes (= Wort und Glaube II, 138–183).

6. KAPITEL

»ICH WILL NICHT ZU EINEM KETZER WERDEN MIT DEM WIDERRUF DER MEINUNG, DURCH WELCHE ICH BIN ZU EINEM CHRISTEN WORDEN«

Luther vor Cajetan in Augsburg

Um die Jahreswende 1517/18 ist also der Streit um die Ablässe nicht mehr ein begrenzter Konflikt um die Auswüchse einer Praxis und auch nicht länger eine einfache Kontroverse zwischen einigen Theologen oder theologischen Schulen. Er hat sich ausgewachsen zu einem Konflikt zwischen dem Theologen Luther und der Kirche als Institution. Die Sache, um die es geht, bringt es mit sich, daß Luther dabei nicht allein steht, sondern getragen ist von der Zustimmung und den Sympathiegefühlen vieler anderer Theologen, Politiker und einfacher Christen – aber diese »lutherische Bewegung« hat zu dieser Zeit noch keinerlei institutionelle Form, ja nicht einmal die Absicht, es dahin zu bringen. In unserem Zusammenhang haben wir es nicht mit dem Fortgang der äußeren Ereignisse dieses Konfliktes als solchen zu tun, sondern mit dem, was sie von der Eigenart der Theologie Luthers an den Tag bringen.

So betrachtet, drängen sich unter den kirchlichen und politischen Ereignissen der nachfolgenden Jahre zunächst vier zu einer besonderen theologischen Betrachtung auf: die Heidelberger Disputation auf dem Ordenskapitel der Augustinereremiten vom 26. April 1518[1] – Luther führte den Vorsitz der Disputation und stellte auch die Thesen auf, was zeigt, wie wenig der nun schon sechs Monate dauernde Ablaßstreit seine Stellung im Orden geschwächt hatte –, die Disputation mit dem Kardinallegaten Cajetan vom 12. bis 14. Oktober 1518 in Augsburg[2], die Leipziger Disputation vom 27. Juni bis 16. Juli 1519[3] und die Verantwortung Luthers vor dem Reichstag zu Worms im April 1521 – mit der Verhängung der Reichsacht über den seit Januar 1521 exkommunizierten Professor[4].

Die Heidelberger Disputation atmet, was die Selbstpräzision Luthers angeht, noch ganz den Geist des frühen lutherischen Augustinismus – wie

---

[1] 1, 353–374.
[2] S. im Folgenden.
[3] 2, 254–383.
[4] Dokumente der Wormser Verhandlungen und der Verteidigung Luthers: 7, 608–613; 815–887; Br 2, 307–310; 314–317; 321–328; Rogge (Hg.), Luther in Worms. Vgl. ferner Borth, Luthersache, 99–168; Brecht, Martin Luther, 413–453; von Loewenich, Martin Luther, 179–188; Manns, Martin Luther, 123–126, sowie Lohse, Luthers Antwort in Worms.

Luther selbst im Vorwort zu den Thesen auch bewußt intendiert. Die Thematik, nämlich Gottes- und Gnadenlehre, berührt nicht das Feld, wo der Konflikt ausgebrochen ist, nämlich den Zusammenhang von Rechtfertigung und Kirche, genauer: von Gottes Vergebungswort und kirchlichem Bußverfahren. Im Hinblick auf die Klärung dessen, was der reformatorische Durchbruch Luthers ist und theologisch wie geschichtlich bedeutet, ist die Heidelberger Disputation – zwar öffentlich zugänglich und für Luther werbewirksam, aber doch ein ordensinternes Ereignis – nicht sehr ergiebig. So wird sie denn, trotz des reinen Ausdrucks, den Luthers frühe Kreuzestheologie in ihr gefunden hat[5], trotz der entschiedenen und später nicht mehr aufgegebenen Stellungnahme zum Freiheitsproblem[6], durchweg noch für »vorreformatorisch« gehalten, jedenfalls von den Vertretern einer Spätdatierung des reformatorischen Durchbruchs. Leipzig und Worms dagegen sind keine theologischen Neuansätze, sondern Konsequenzen, die aus bereits bezogenen neuen Positionen abgeleitet werden müssen, theologisch-ekklesiologische in Leipzig, persönliche und politische in Worms.

Von einzigartigem Rang für eine Veranschaulichung dessen, worum es im reformatorischen Durchbruch geht, ist das Augsburger Gespräch. Einmal wegen der Thematik, die unmittelbar die beiden Punkte berührt, um die sich der Konflikt kristallisiert und wo Luthers theologische Neuorientierungen sich bewähren müssen, zum anderen, weil hier nicht Mitbrüder wie in Heidelberg, nicht nur deutsche Theologen wie in Leipzig, nicht nur an Politik mehr als an Theologie interessierte Fürsten ihm gegenüberstehen wie in Worms, sondern der Repräsentant des Papstes selbst, in der Person des päpstlichen Legaten Kardinal Cajetan – zu allem Überfluß noch Mitglied (und ehemaliger Generaloberer) des Dominikanerordens, dem auch Luthers damaliger Hauptgegner Tetzel angehört. Der besondere Typus dieses Konfliktes, nämlich: wissenschaftliche Theologie gegen kirchliche Institution, persönliche Glaubensgewißheit gegen ungewisse kirchliche »Vermittlung«, erscheint hier am klarsten, die Folgen des »reformatorischen Durchbruchs« am deutlichsten[7].

1. Das Augsburger Streitgespräch

Vor noch nicht langer Zeit galt Cajetan evangelischen Forschern als diplomatischer Tolpatsch und theologischer Strohdrescher. Auch katholische Forscher hielten ihn für diplomatisch und theologisch überfordert.

---

[5] Th. 19–22; vgl. w. o. im 5. Kapitel S. 89f.
[6] Th. 13–15; vgl. w. u. im 10. Kapitel S. 180f.
[7] Deshalb hat der erste bewährende Vorblick auf Augsburg bei Bayer, Die reformatorische Wende, 123f., sein volles Recht.

Heute jedoch erscheint Cajetan, auf *beiden* Seiten, mehr und mehr als derjenige Theologe der alten Kirche, der durch sein diplomatisches Geschick und seine überragende theologische Intelligenz in exemplarischer Weise Luther dergestalt zur Formulierung und Präzision seiner reformatorischen Grundüberzeugungen genötigt hat, daß deren Unvereinbarkeit mit der damaligen offiziellen kirchlichen Lehre für jeden Kundigen offen zutage trat[8]. Katholische Forscher zitieren gern das berühmte Wort Cajetans aus dem zweiten der 15 »Traktate«, die Cajetan zur persönlichen Vorbereitung auf das Augsburger Treffen mit Luther geschrieben hat (und die Luther deswegen auch nicht kannte): »Das heißt eine neue Kirche bauen[9].« Hat Luther in Augsburg, als Konsequenz aus dem reformatorischen Durchbruch, eine »neue Kirche« zu bauen begonnen oder auch nur bauen wollen? Also in einem sehr realen Sinne und entgegen früheren Beobachtungen doch: »Aufstand von Kirche gegen Kirche«?

Die Darstellung der politischen Hintergründe dieses denkwürdigen Gespräches und die Schilderung seines äußeren Ablaufs müssen wir hier den Biographen überlassen – deren das Augsburger Gespräch betreffendes Kapitel aus Gründen der Sache selbst regelmäßig zur spannenden Novelle gerät[10]. Nur soviel: Die römischen Gegner wollten Luther am liebsten zu Prozeß und Aburteilung – im Klartext: zum Tod auf dem Scheiterhaufen – nach Rom schaffen. Das aber erwies sich als unmöglich, und zwar mit Rücksicht auf Luthers Landesherrn, Kurfürst Friedrich den Weisen, den man damals noch gegen eine Wahl Karls V. zum römischen König und damit faktisch zum künftigen Kaiser zu gewinnen hoffte. Dafür war man zu allen Konzessionen bereit, selbst zu der, Luther notfalls laufen zu lassen. Trotzdem sollte die Chance, im Zusammenhang des Augsburger Reichstags den »Fall Luther« im römischen Sinne zu bereinigen, nicht ungenutzt bleiben. Dann gab es aber nur einen Weg: Man mußte Luther zum freiwilligen Widerruf seiner Thesen gegen den Ablaß bringen. Dazu schien keiner besser geeignet als der päpstliche Legat selber, der gleichzeitig der größte Thomist und überhaupt einer der

<hr />

[8] Das alte evangelische Urteil etwa bei Boehmer, Der junge Luther, 186–202; Meissinger, Der katholische Luther, 206–221; ein entsprechender Unterton auch bei Friedenthal, Luther, 202–227; das alte katholische Urteil etwa bei Tüchle, GK III, 56; nachklingend noch bei Olivier, Der Fall Luther, 57–73. Das neue evangelische Urteil etwa bei Hennig, Cajetan und Luther; Selge, Die Augsburger Begegnung von Luther und Kardinal Cajetan; ders., Normen der Christenheit; Bayer, ebd.; Grane, Modus loquendi, 183–191; Brecht, a. a. O. 243–251; v. Loewenich, Martin Luther, 125–134, das neue katholische Urteil etwa bei Iserloh, HKG IV, 57 f. und jüngst bei Manns, Martin Luther, 115; zu Cajetan vgl. jetzt Horst, Thomas de Vio Cajetan; zur juristischen Problematik Borth, a. a. O. 29–53.
[9] Cajetan, Opuscula Omnia, Lyon 1575, 111,3 – hier zitiert nach Hennig, a. a. O. 56; Überblick über Cajetans Traktate a. a. O. 45–61.
[10] Also Friedenthal, ebd.; Olivier, ebd.; Loewenich, ebd.; Brecht, ebd.; Manns, ebd.

bedeutendsten Theologen seiner Zeit war. Das kirchenrechtliche Modell war das sogenannte »väterliche Verhör«, modern ausgedrückt: eine Art Vergleichsverfahren mit dem Ziel, prozessuale Auseinandersetzungen gegenstandslos zu machen. Es war darum naiv, wenn Luther erwartete, Cajetan werde ihm als Partner einer theologischen Disputation gegenübertreten. Von Rom aus war das Urteil über Luther ja gefällt – wenn auch noch nicht in einem juristisch aktenkundigen Sinne –, und Cajetan hatte, nach gründlichem Studium der Schriften Luthers, sich dieses Urteil theologisch zu eigen gemacht: Dieses Urteil war durchzuführende Order, nicht eine Disputationsthese. Luther dagegen nahm den berühmten Thomisten als Theologen. Es dauert den ersten (und im Grunde einzigen) Verhandlungstag – am 13. und 14. Oktober werden nur noch Erklärungen abgegeben –, bis Luther begreift, daß seine Erwartungen dem Auftrag Cajetans entgegen sind, so daß er, um Cajetan nicht bloßzustellen, mit der Bitte um Bedenkzeit reagiert. Cajetan begreift etwas schneller. Trotz formaler Verwahrungen, er habe keine Disputation zu führen, kommt er Luther bis an die äußersten Grenzen seines Auftrags entgegen, offensichtlich nicht allzu widerwillig, denn er ist schließlich ein leidenschaftlicher Theologe. Aber Auftrag ist zuletzt doch Auftrag, und so schließt auch der dritte Verhandlungstag, an dem Luther seine schriftliche Verantwortung vorträgt, wie der erste begonnen hat: mit der Aufforderung zum bedingungslosen Widerruf.

Bedauerlicherweise haben wir keine Diskussionsprotokolle von unabhängigen Zeugen. Alle Informationen, die wir besitzen, stammen aus folgenden Quellen: Fünf Briefe Luthers, die er während seines Augsburger Aufenthaltes schrieb und in denen er seine unmittelbaren Eindrücke wiedergibt; ein persönlicher Bericht, den Luther nach seiner Rückkehr nach Wittenberg drucken ließ, um befürchteten gegnerischen Entstellungen zuvorzukommen – die sogenannten »Acta Augustana«; der Brief Cajetans an den Kurfürsten mit Bericht und dem Ersuchen, Luther auszuliefern, und Luthers Rechtfertigungsschreiben an den Kurfürsten[11]. Die ausführlichste Schilderung sind die »Acta Augustana«. Natürlich sind sie, wie alle Quellen, nicht unparteiisch, aber sie informieren uns am ausführlichsten über den wirklichen Verlauf der Argumentation in der Debatte. Zudem sind sie noch deshalb sehr instruktiv, weil sie uns zwei wichtige Dokumente mitteilen: den vollständigen Text der ersten Order Roms an Cajetan, des Breve »Postquam ad aures«, in dem Luthers Verhaftung angeordnet wird, sowie Luthers schriftliche Verantwortung, die er am dritten Verhandlungstag vortrug und dem Legaten aushändigte.

---

[11] Br 1, 213–223 (Nr. 99–104); WA 2, 6–26; Br 1, 233–235; 236–246; vgl. Hennig, a. a. O. 61–63.

Außer diesen vier besitzen wir eine fünfte Quelle in Gestalt eines zusammenfassenden und tendenziösen Berichtes aus der Hand von Cajetans Sekretär[12]. Dennoch erlauben die verschiedenen Dokumente, die Debatte in verläßlicher Weise zu rekonstruieren[13]. Gewiß bleiben eine Menge Unklarheiten. Um so beachtlicher ist, daß die Quellen in der Schilderung vom Hergang und von den aufgegriffenen theologischen Streitfragen im wesentlichen übereinstimmen und erst im Urteil und in den bekundeten Sympathien auseinandergehen.

2. Papst und Schrift

Es lag nahe, daß die Auseinandersetzung mit der Ablaßfrage begann, die schließlich Gegenstand des ganzen Verfahrens gegen Luther war. Kernpunkt, von Cajetan scharfsinnig herausgehoben, ist Luthers 58. Ablaßthese: »Es (der Schatz der Kirche, aus dem der Papst die Ablässe austeilt) sind auch nicht die Verdienste Christi und der Heiligen, denn diese bewirken allezeit, *ohne Zutun des Papstes*, die Gnade des innerlichen Menschen...[14]«. Der Ablaß, den der Papst gewährt, beruht nicht auf den Verdiensten Christi, sondern auf der »Schlüsselgewalt« des Amtes und erläßt daher nur kirchliche Auflagen und Strafen[15]. Wir begreifen sofort die Zusammenhänge. Eine »Gnade des innerlichen Menschen«, die allen Ernstes an das »Zutun des Papstes« gebunden wäre, kann für den an Paulus und Augustinus zum Theologen gewordenen Luther kein Gegenstand einer Debatte mehr sein. Umgekehrt hing an der offiziellen Gegenthese praktisch das ganze Ablaßwesen. Ein Ablaß, der nur kirchliche Auflagen erläßt[16], war für die Mehrzahl der Christen des 16. Jahrhunderts obsolet: Kirchenstrafen, um deren Erlaß sie sich hätten kümmern müssen, hatten sie nicht, und für die Verstorbenen war das ohnehin bedeutungslos. Die Ablässe waren nur »attraktiv«, die Motivation für ein Ablaß-Almosen nur gewährleistet, wenn man ihnen einen *geistlichen* Nutzen, einen Wert unmittelbar für das persönliche Gottesverhältnis bzw. das der Verstorbenen zusprechen durfte. Das aber war nur möglich, wenn der Papst in der Tat in irgendeiner Weise Vollmacht über die Quelle allen Heils der Christen hatte, nämlich über das »Verdienst Christi«.

[12] Referat und ausführliche Zitate bei Hennig, ebd.
[13] Zum theologischen Ertrag vgl. vor allem die Arbeiten von Hennig und Selge; ferner Pesch, »Das heißt eine neue Kirche bauen«; Grane, ebd.
[14] 1, 236.
[15] 1, 233 ff., Thesen 5, 20–22, 33 f., 36, 58, 61, 75.
[16] Das war der ursprüngliche Sinn der Ablässe; vgl. Iserloh, Luther zwischen Reform und Reformation, 11–29; zur Situation im 16. Jahrhundert vgl. jetzt Manns, Martin Luther, 91–94; vgl. auch w. o. im 5. Kapitel, S. 96 f.

Cajetan beruft sich für seine Auffassung auf eine Bulle des Papstes Clemens VI. aus dem Jahre 1343 an den Erzbischof von Tarragona, die als Anhang (»Extravagans«, daher unter der Bezeichnung »Extravagante« geläufig) der Sammlung des Kirchenrechts, dem »Corpus iuris canonici«, beigefügt wurde[17]. Und Cajetan stellt überdies klar, daß seine eigene Interpretation dieses Textes die des regierenden Papstes sei, dem Luther sich doch unterwerfen wolle[18]. Darauf fordert Luther einen Schriftbeweis als Voraussetzung seines Widerrufs – und zwar eines Schriftbeweises im »buchstäblichen« Sinne, denn die »Extravagante« bringt, soweit überhaupt, nur Schriftbelege in allegorischer Auslegung an[19]. Unter Anspielung auf Lk 19,20 und Mt 13,44 heißt es, daß »dieser Schatz nicht im Schweißtuch abgelegt, nicht im Acker verborgen ist, daß vielmehr (Gott) ihn durch den seligen Petrus, den Schlüsselträger des Himmels, und seine Nachfolger, seine Stellvertreter auf Erden, angelegt hat, damit sie ihn den Gläubigen heilsam austeilen und ihn nach eigenen und vernünftigen Gründen bald zum völligen, bald zum teilweisen Erlaß zeitlicher Sündenstrafen, sei es allgemein, sei es im besonderen (wie sie es vor Gott als nützlich erkennen) denen barmherzig zuwenden, die wahrhafte Buße tun und beichten.« So wird aus dem Streit um die theologischen Grundlagen der Ablaßpraxis ein Streit um die Kompetenz des kirchlichen Amtes in Lehrfragen[20]. Formal scheint man sich zwar einig: Die Schrift ist Maß kirchlicher Lehre[21]. Aber für Cajetan ist eine Schriftinterpretation ohne Einschaltung der Auslegungskompetenz des Papstes undenkbar, erst recht eine Schriftauslegung *gegen* den Papst[22]. Luther dagegen ist arglos und zugleich wohlbegründet[23] der Meinung, selbstverständlich sei die Schrift jederzeit als kritische Instanz nicht gegen das Amt als solches, wohl aber gegen das Lehr- und Leitungsverhalten des Amtsträgers aufzurichten[24]. Er protestiert daher scharf gegen Cajetans These von der

---

[17] Teilabdruck in WA 2, 5; der volle Text bei C. Mirbt (– K. Aland) (Hg.), Quellen zur Geschichte des Papsttums und des römischen Katholizismus I, Tübingen [6]1967, Nr. 787, S. 501–503.

[18] Vgl. Br 1, 214,13.

[19] Vgl. 2, 8,5; 10,3; 16,19; 22,6ff.

[20] Dies wurde Luther schon klar, als er am 7. August 1518 die Vorladung nach Rom und dabei als Unterlage den »Dialog über die Macht des Papstes gegen Luthers Thesen« des »Magister Sacri Palatii« (des päpstlichen Hoftheologen) Silvester Prierias erhielt. Dieser »Dialog« spitzt gleich zu Beginn alles auf die Unfehlbarkeit des Papstes zu. Wer abweicht von der Autorität des römischen Bischofs »als der unfehlbaren Regel des Glaubens, von der auch die heilige Schrift ihre Kraft und Autorität bezieht (a qua etiam sacra Scriptura robur trahit et autoritatem), ist ein Häretiker« (Fundamentum III: Mirbt-Aland Nr. 760 S. 472).

[21] 2, 16,32; Br 1, 233,14.

[22] Nachweise bei Hennig, a. a. O. 25 f.; 93 ff.

[23] Vgl. w. o. im 3. Kapitel S. 65 f.

[24] Vgl. Anm. 19.

Oberhoheit (Superiorität) des Papstes über Schrift und Konzil[25] und findet es ungeheuerlich, daß man ihn auf eine solche These festlegen will, als sei es kirchliche Lehre, während sie in Wahrheit damals durchaus umstritten war, von der Pariser Universität z. B. nicht geteilt wurde[26] – und übrigens auch, wie hier schon betont sei, in dieser undifferenzierten Form nie kirchliche Lehre geworden ist.

Der Konflikt ist also unlösbar, denn auch die Position Cajetans ist weder leichtfertig noch rechthaberisch[27]. Verbindliche theologische und hermeneutische Tradition und kirchenamtlicher Durchsetzungswille prallen aufeinander. Die Augsburger Szene hätte genug der historischen Größe angesichts der exemplarischen Form, in der dieser Konflikt sich dank der Unerschrockenheit Luthers und dem theologischen Niveau des Legaten hier darstellt. Freilich, mit Verhaftung und Ketzerprozeß war der Konflikt nach Lage der Dinge nicht mehr zu beenden. Und außerdem ging es noch um mehr.

3. DIE BEDINGUNGSLOSE GNADE UND DIE UNBEDINGTE GEWISSHEIT

Cajetan stellt, wiederum scharfsinnig, die durch Luthers 7. Ablaßthese aufgeworfene Frage zur Debatte: Muß der Empfänger des Bußsakramentes glauben, daß *ihm* die Sünden vergeben sind, und ist dieser Glaube unerläßlich für die tatsächliche Vergebung durch das Sakrament[28]? Cajetan bestreitet das mit dem alten, gut thomistischen Argument, dies käme auf eine Gewißheit des Gnadenstandes hinaus, und die sei unmöglich[29]. Genau das aber ist für Luther – hier wie auch sonst – eine »Fabel des Thomas«[30].

Hatte man sich beim Streit um Papst und Schrift noch verstanden, wenn auch nicht geeinigt – hier versteht man sich nicht einmal mehr[31]. Für Cajetan ist es unverständlich, wie ein Christ mit der Gewißheit des Glaubens, das Bußsakrament teile göttliche Vergebung der Sünden mit, nicht zufrieden sein und präzise dessen gewiß werden will, ob *ihm*

---

[25] 2, 8,14; 22,16.

[26] 2, 8,10 ff; 10,7 ff.; 17,10 ff.; 22,14 ff. Nur weil diese Auffassung die offizielle These an der römischen Kurie war – siehe Prierias! –, konnte man Luther als notorischen Ketzer ansehen und den Prozeß gegen ihn beschleunigen, auch wenn die Ablaßlehre als solche noch gar nicht definitiv geklärt war.

[27] Vgl. Pesch, »Das heißt eine neue Kirche bauen«, 650–654, und w. u. im 12. Kapitel S. 206.

[28] Vgl. 1, 233; 539–545; 2, 13–16.

[29] Analyse der Texte Cajetans bei Hennig, a. a. O. 49–61. Vgl. bei Luther 2, 7,35.

[30] 2, 8,9; 16,32; Br 1, 214,23; vgl. auch im Kleinen Galaterkommentar von 1519: 2, 458,29. Zur Sache vgl. w. u. im 7. Kapitel.

[31] Mit Selge, Die Augsburger Begegnung, 43, gegen Hennig, a. a. O. 78, und Bayer, Die reformatorische Wende, 124. Notwendige kritische Bemerkungen zu dem Buch von Hennig bei Pesch, a. a. O. 655 f. Sie gelten, mutatis mutandis, auch gegen Grane, ebd.

persönlich vergeben ist. Solches Gewißheitsverlangen scheint doch nur aus unlauteren Motiven herzurühren: aus der vermessenen Sucht, das geheimnisvolle Wirken der Gnade Gottes zu durchschauen; aus dem für das ethische Streben gefährlichen Wunsch, eine Beruhigung gegen die eigene Labilität in die Hand zu bekommen[32]. Luther kann, umgekehrt, nicht verstehen, wie ein Christ sich mit dem allgemeinen Bekenntnis zur Wirksamkeit des Sakramentes zufrieden geben kann, wo doch alles auf die ganz persönliche Gewißheit aus dem Glauben ankomme[33].

Wir haben schon gesehen, aus welchen Gründen und Anlässen sich für Luther das Problem der Gewißheit in den Vordergrund schob, schieben *mußte*[34]. Die Frage, vor der Luther seit dem Frühjahr 1518 mit zunehmender Dringlichkeit stand, lautete: Durfte ihm die Kirche verbieten, mit Paulus und Augustinus Heil und Vergebung allein von Gottes bedingungsloser Gnade zu erwarten? Und wenn sie es ungeheuerlicherweise doch tat und ihn damit zur Entscheidung zwang, wem mehr zu gehorchen sei, mußte dann nicht die Frage entstehen: Wovon lebt denn der Mensch vor Gott wirklich, vom Gehorsam gegen die Kirche, selbst unter Mißachtung ihrer verbindlichen Glaubenszeugen, oder vom befreienden Zuspruch Gottes selbst, der gewiß nur in der Kirche, durch ihre Heilige Schrift hörbar wird, aber dadurch nicht Zuspruch der *Kirche* wird, sondern Zuspruch Gottes bleibt? Der im Ton immer bitterer werdende zweite Teil der »Acta Augustana« offenbart Luthers Unverständnis dafür, daß man, wenn es hart auf hart kommt, eigentlich anders denken kann als er[35]. Der Gehorsamskonflikt schlägt um in die Frage nach der Quelle der Heilsgewißheit. Da die Kirche als Sachwalterin des Heilswortes Gottes und des Glaubens als ganze, zumindest in ihren maßgebenden Repräsentanten, auf der einen Seite des Konfliktes steht, kann die Frage nach Gottes Wort und dem Glauben nicht mehr naiv unter bloßem Hinweis auf die Kirche gestellt und beantwortet werden. Der Glaube an das Wort gerät in eine kritische Diastase zur Kirche. Nicht mehr das selbstverständliche, auf Fragen verzichtende Mittun in der Kirche garantiert die heilvolle Gemeinschaft mit Gott, sondern das Wort Gottes selbst, das erwiesenermaßen *verläßlich* nur in der Schrift zu hören ist. Der Glaube *muß* sich als Heilsgewißheit verstehen, oder er ist in der entstandenen Lage der Dinge sinnlos. Was Luther damals bewegt, formuliert er in einem Brief an Karlstadt am Abend des dritten Verhandlungstages mit den erschütternden Sätzen, in denen ganz gewiß kein falscher Ton von Selbstherrlichkeit mitklingt: »Das weiß ich, daß ich der allerangenehmst

---

[32] Cajetan, Opuscula, 110–111; Zitate bei Hennig, a. a. O. 49–61.
[33] Vgl. 2, 8,16 (!) und 13,6ff., vor allem die Verwahrungen, er könne den angeführten Schriftzitaten einfach keinen anderen Sinn abgewinnen.
[34] Vgl. w. o. im 5. Kapitel S. 94–97.
[35] 2, 16–22, bes. 18,14ff.

und liebst wäre, wenn ich dies einig Wort spräche: ›revoco‹, das ist: ›Ich widerrufe‹. Aber ich will nicht zu einem Ketzer werden mit dem Widerruf der Meinung, durch welche ich bin zu einem Christen worden; eher will ich sterben, verbrannt, vertrieben und vermaledeit werden etc.[36]«
Durfte Luther widerrufen, *konnte* er es tun, ohne sein Gewissen zu verletzen? Wer antworten will, vor allem: wer im Sinne der alten Kirche antworten will, möge sich *genau* vergegenwärtigen, unter welchen theologischen und politischen Umständen dieser Widerruf gefordert wurde!

4. NOCH EINMAL: DER »REFORMATORISCHE DURCHBRUCH«

Das ergebnislose Augsburger Streitgespräch ist in jedem Fall ein entscheidendes Ereignis auf Luthers reformatorischem Weg und in der römischen Urteilsbildung über Luther. *Vor* Augsburg gab es noch Hoffnung auf eine Einigung – trotz des bereits eröffneten römischen Prozesses, trotz des bereits erfolgten »reformatorischen Durchbruchs« bei Luther. Diese Hoffnung war gegründet auf Luthers Bereitschaft, sich im Falle überzeugender theologischer Klärung dem Papst zu unterwerfen, wie er sie in dem Brief vom Mai 1518 an Papst Leo X. ausgedrückt hatte, den er der Übersendung der »Resolutiones« beilegte[37]. Die Hoffnung war ferner gegründet auf die politische Zurückhaltung der römischen Kurie gegenüber Kurfürst Friedrich. Sie war schließlich gegründet auf das diplomatische und theologische Geschick Cajetans – wir wissen, daß er sogar nachher die Hoffnung auf eine friedliche, das heißt theologische Beilegung des Konfliktes nicht aufgab[38]. *Nach* Augsburg konnte sich der Prozeß gegen Luther höchstens noch aus politischen Gründen verzögern – theologisch, daran bestand kein Zweifel, war die Konfrontation radikal.

War also nicht Augsburg der »reformatorische Durchbruch«? Müssen wir nicht so urteilen, gerade wenn wir das Entscheidende in Luthers Erkenntnis sehen, wo er inzwischen mit der Kirche stand und welche radikalisierte theologische Fragestellung sich damit für ihn auftat? Wir können diesen Eindruck in der Tat gewinnen, wenn wir den erwähnten Brief an den Papst lesen und ihn mit dem bitteren Ton vor allem im zweiten Teil der »Acta Augustana« vergleichen. Im Brief an den Papst ist Luther völlig optimistisch. Er denkt, daß seine Sache beim Papst selbst in guten Händen ist. Er betrachtet den ganzen Streit als einen Streit der

---

[36] Br 1, 217,59; vgl. WA 2, 16,6–21 (Schluß der schriftlichen Verantwortung).
[37] 1, 527–529 – bes. den Schluß.
[38] Vgl. dazu die Biographien über die Zeit zwischen Augsburg und der Bannandrohungsbulle, also Olivier, Der Fall Luther, 67–108; Brecht, Martin Luther, 253–261; 371–396; von Loewenich, Martin Luther, 134–168; Manns, Martin Luther, 115–122.

Thomisten gegen die Augustinisten. Er denkt, daß er nur zufällig in Opposition steht zu einigen Repräsentanten der deutschen Kirche, aber *nicht* zur Kirche im ganzen. Der Papst, der über den Parteien steht, wird zu seinen Gunsten entscheiden, und wenn er es nicht tut, so will Luther, wie er tollkühn beteuert, sich ihm unterwerfen. Das Augsburger Gespräch belehrt Luther, daß der Papst auf der Seite Cajetans steht – ohne daß dieser Argumente beibringen kann, die einen Theologen zu überzeugen vermögen, der aus lautersten Motiven und aus Gründen des Gewissens fragen muß. Jetzt erst reagiert Luther mit der Verwerfung der römischen Kirche im ganzen, soweit sie nicht auf die Schrift gegründet ist. Ist nicht dies genau das, was wir als den entscheidenden »reformatorischen Durchbruch« anzusehen uns genötigt sahen?

Und doch hält ein solches Urteil nicht stand. Schon deswegen nicht, weil kein einziges Selbstzeugnis Luthers den Augsburger Disput mit seinem Durchbruch in Verbindung bringt. Und das ist plausibel. Der entscheidende Punkt des reformatorischen Durchbruchs, so sahen wir, ist Luthers Erkenntnis, daß er genötigt ist, sich auf einen Konflikt einzulassen zwischen klarer theologischer Einsicht und einer kirchlichen Institution, die von ihm Widerruf ohne überzeugende Gründe und ohne Stütze durch einen allgemeinen theologischen Konsens fordert. Diese Erkenntnis ist das Resultat der ersten Zusammenstöße mit dem höheren Klerus der deutschen Kirche und ihren Theologen, vor allem mit Johannes Eck. Den hauptsächlichen römischen Gegner dieser Jahre, Silvestro Prierias (1456–1523), hat Luther nie ernst nehmen können. Nach dem Prinzip: »Das braucht man nicht zu widerlegen, das muß man nur zitieren«, hat er die Gegenschriften des Prierias gegen ihn einfach mit eigenen Randbemerkungen drucken lassen und verbreitet[39]. Zu seinem eigenen Schaden hat er freilich die kirchenpolitischen Einflußmöglichkeiten des Prierias am Hofe Leos X. unterschätzt. So war Luther, wie wir aus dem schon erwähnten Brief an Papst Leo X. vom Mai 1518 wissen, damals noch gewiß, bei der römischen Kurie recht zu bekommen. Was Augsburg dem reformatorischen Durchbruch hinzufügt und was endgültig die *Reformation* in Gang bringt, ist die Erkenntnis, daß der Kreis seiner Gegner viel weiter ist als vermutet, mit anderen Worten: daß auch die wichtigsten Repräsentanten Roms und damit der Kirche als ganzer auf der Seite seiner Gegner sind.

[39] Der »Dialogus« des Prierias ist vollständig zugänglich in Bd. 1 der alten Erlanger Luther-Ausgabe, Frankfurt–Erlangen 1865, 341–377; nur die Einleitung bei Mirbt-Aland (s. Anm. 17) Nr. 760; Antwort Luthers 1518: WA 1, 647–686; die »Replica« des Prierias druckt Luther 1519 mit einem Vorwort einfach ab: 2, 50–56; die »Epitoma« des Prierias – den vorgezogenen 3. Teil einer größeren, aber nicht mehr vollendeten Kampfschrift gegen Luther – druckt Luther ebenfalls mit Vorwort und Randbemerkungen (teilweise von Melanchthon?) sowie Schlußwort (von Melanchthon?) nach: 6, 328–348; zur »Quellenscheidung« bei dieser Ausgabe vgl. Brecht, Curavimus enim Babylonem; zum Ganzen Oberman, Wittenbergs Zweifrontenkrieg gegen Prierias und Eck.

Ohne Zweifel bedeutet das eine Eskalation des Konfliktes. Aber Augsburg schafft kein *neues* Problem mehr, schon gar nicht ein theologisches, der Streit mit Cajetan offenbart nur die wahre Größenordnung des Konfliktes, in den Luther bereits bewußt verwickelt ist. Zwei Monate später, im Dezember 1518, fragt Luther in einem Brief an seinen Mitbruder Wenzeslaus Linck zum ersten Mal und in aller Vorsicht, ob der Papst nicht der Antichrist sei und schlimmer als die Türken[40].

Freilich, noch in den »Acta Augustana« unterscheidet er zwischen der römischen Kurie und dem Papst, verteidigt den letzteren gegen die ersteren, appelliert an ihn gegen seinen Hof. Auch in den folgenden Jahren schöpft er alle Möglichkeiten aus durch Appellation an ein allgemeines Konzil, als ob noch realistische Chancen auf eine Einigung bestünden. Und 1520 schickt er an Papst Leo X. mit persönlicher Widmung eine lateinische Übersetzung seiner Schrift »Von der Freiheit eines Christenmenschen«. Man hat dies – wie schon den Brief an den Papst vom Mai 1518 – als nur zu durchsichtige taktische »Manöver« abtun wollen[41]. Evangelische Lutherforscher sollten nicht bestreiten, daß Luthers Verhalten und Äußerungen *objektiv* widersprüchlich sind – schwankend zwischen Bereitschaft zur »Unterwerfung« und, unter Umständen im selben Text, nicht mehr »verhandlungsfähiger« Überzeugung. Doch das Stichwort »taktisches Manöver« ist zu einfach und wird der Sachlage nicht gerecht. Welchen Gewissensgrund sollte denn Luther gehabt haben, die gegebenen kirchenrechtlichen Möglichkeiten einschließlich der Berufung an ein Konzil *nicht* auszuschöpfen? Außerdem ist ein Scheiterhaufen ein so außerordentlich unangenehmer Aufenthaltsort, daß jemand, der vor die Wahl zwischen Gewissenstreue mit solcher Todesfolge und bedingungsloser Unterwerfung gestellt ist, doch wohl auch »taktische« Wege gehen darf, um das eine wie das andere zu vermeiden. Und schließlich: wieviele gute, neue Gedanken, auf die die Kirche heute stolz ist, sind nicht anfänglich auch mit taktischem Kalkül durchgesetzt oder wenigstens vor der Verurteilung bewahrt worden! Es ist da nicht nur noch einmal an Augustinus und Thomas von Aquin zu erinnern[42], man könnte Beispiele aus Gegenwart und jüngster Vergangenheit aufzählen.

Richtig ist allerdings, daß Luthers sogenannte »Manöver« kaum noch Aussicht auf Erfolg hatten, wobei überhaupt nicht bestritten werden muß, daß auch er selbst durch sein Verhalten und seine Äußerungen dazu beitrug, diese Aussichten weiter zu vermindern. Kann man, was den

---

[40] S. w. o. im 5. Kapitel S. 86 (mit Anm. 17).

[41] So vor allem Bäumer in seinen verschiedenen Arbeiten über Luther und den Papst (s. Literaturverzeichnis); in der Sache ähnlich aber auch Iserloh, HKG IV, 61 f.; 75 f.

[42] Vgl. w. o. im 1. Kapitel S. 29.

Streit um die bedingungslose Gnade Gottes und die biblische Begründung der Ablaßpraxis angeht, Luther theologiegeschichtlich entlasten, indem man seinen Gegnern mit Fug und Recht vorhalten kann, daß sie ihre eigene theologische Tradition nicht kennen oder doch nicht ernst nehmen, so ist dies auf der neuen Stufe des Konfliktes, wie sie in Augsburg in aller Öffentlichkeit zutage tritt, nicht mehr möglich. Die Frage nach Gewißheit, wenn nötig *gegen* die Kirche, hat keine Tradition. So begann der Kampf. Und wenn wir an die politischen, sozialen und menschlichen Folgen denken, an das namenlose Leid, das diesem Kampf folgte – so namenlos, daß man die Spaltung der Kirche noch als das kleinste der Leiden bezeichnen muß –, wer kann dann den Mut haben zu sagen: Gott Dank, daß er begann?

Den historisch-biographischen Blick auf Luther können wir daher hier abbrechen. Wenn sich neue Möglichkeiten zeigen sollten, die damals innerhalb der einen Kirche unlösbar gewordenen Probleme heute neu aufzunehmen, dann deshalb, weil die damals von Luther erstmals erlebte Spannung zwischen Glaubensgewißheit und Kirchengemeinschaft heute geradezu als konstitutiv für bewußt gelebte Glaubensexistenz erachtet wird und werden muß. Ohne es selbst voll und ganz zu begreifen, hätte sich Luther damit als Theologe der Neuzeit erwiesen. Das freilich ist ein nicht mehr historisch, sondern systematisch-theologisch zu begründendes Urteil. Eben deshalb lenken wir nun hinüber zu ausgewählten, aber besonders charakteristischen Themen und Thesen der Theologie Luthers, die dieser auf der Grundlage seines neuen Glaubensverständnisses entfaltete, die darum als kennzeichnende Inhalte »reformatorischer« Theologie von der alten Kirche verurteilt wurden und die dennoch inzwischen ausweisbar auch zum katholischen Glaubensbewußtsein gehören.

Es versteht sich von selbst, daß die folgenden Kapitel weder eine »Theologie Luthers« *sind* noch eine solche *ersetzen*. Sie bleiben »Hinführung zu Luther« in dem in den beiden Eingangskapiteln dargelegten doppelten Sinn: Anleitung, Luther zu verstehen, gleichsam mit ihm mitzudenken; Argument für eine These zu seiner theologiegeschichtlichen und theologischen Würdigung. Die Abfolge der ausgewählten Themen und Thesen ist weder zufällig noch zwingend. Sie folgt in lockerer, also wiederum nicht zwingender, andere Möglichkeiten nicht ausschließender Form der Abfolge, in der sie sich Luther als Konsequenz seines reformatorischen Durchbruchs und im Zuge seines reformatorischen Handelns aufdrängten. Auf diese Weise können wir die schwierige Frage nach dem »richtigen« systematischen Aufbau einer »Theologie Luthers« pragmatisch ausklammern [8].

Nicht ausklammern können wir das Kriterium der Themenauswahl. Es handelt sich samt und sonders um solche Themen, die unbestritten

»reformatorisch« sind, dem katholischen Denken also »weh tun«, damals darum auch verurteilt, zumindest verdächtigt wurden. Der angenehme Ausweg, nachzuweisen, daß Luther, ihm selbst unbewußt, nur »katholisches Erbe« aus der Versunkenheit ans Licht gehoben, nur traditionelle, aber »vergessene Wahrheiten« wiederentdeckt hat, so daß der Streit im Kern auf tragischen Mißverständnissen beruht – dieser Ausweg ist bei *diesen* Themen ausgeschlossen, so sehr er bei anderen Themen hilfreich, klärend, sogar unverzichtbar ist. Wenn es daher gelänge, bei diesen Themen, die »weh tun«, ihre »katholische Möglichkeit«, ja eine inzwischen bereits eingetretene katholische Selbstverständlichkeit nachzuweisen, dann stünde das katholisch-lutherische Gespräch auf einem zukunftssicheren Boden.

7. KAPITEL

»WENN WIR ZWEIFELN, DANN LEUGNEN WIR ALLE SEINE WOHLTATEN«

Heilsgewißheit

Es liegt nahe, mit dem Thema einzusetzen, das den Durchbruch des Jahres 1518 beherrscht und steuert: »Heilsgewißheit«. In Augsburg, wir sahen es, ist es nicht nur das zweite Hauptthema, es ergibt sich logisch aus dem faktisch nicht zu klärenden Fragenkomplex um die Kompetenz des Papstes im Verhältnis zur Gnade Christi einerseits und zur sie ansagenden und zusagenden Schrift anderseits. Nun greifen wir dieses Thema – ebenso wie alle folgenden – nicht mehr nur im Blick auf den Werdegang Luthers, sondern im Blick auf seine voll ausgebildete Theologie auf.

1. Pro und Contra

Seit Jahrhunderten hatte die abendländische Theologie gelehrt, der Christ könne nicht gewiß sein, ob er im »Stande der Gnade« lebe. Begründet hatte man das so[1]: Die »Gnade« ist freies Geschenk Gottes an den Menschen, keiner kann sie von Gott einklagen. Sie ist außerdem völlig unsichtbar wie Gott selbst, denn »Gnade« bedeutet ja, daß dieser unsichtbare, menschlichem Kalkulieren entzogene Gott mit dem Menschen Gemeinschaft begründet, ihm Anteilhabe an seinem Leben gibt. Wenn also jemand seines »Gnadenstandes« gewiß sein will, bedeutet das nicht, vermessen Gott und sein freies Handeln am Menschen durchschauen zu wollen? Außerdem erachtete man die Folgen solcher Gewißheit der Gnade als gefährlich. Gesetzt den Fall, man wüßte um den

---

[1] Zur Entwicklung von Luthers Lehre von der Heilsgewißheit vgl. Gyllenkrok, Rechtfertigung und Heiligung, 65–77; Kroeger, Rechtfertigung und Gesetz, 61–64; 118–124; 134–163; 189–191; Bayer, Promissio, passim (s. Register, Stw. Gewißheit). – Zur ausgebildeten »reformatorischen« Lehre vgl. Althaus, Theol. Luthers, 105; 215; 247; Pinomaa, Sieg des Glaubens, 108–114; Beintker, Die Überwindung der Anfechtung, 117–131; 181–184; 192–195; Peters, Glaube und Werk, 77–83; zur Mühlen, Nos extra nos, 217–223. Die älteren Arbeiten sind verzeichnet bei Pesch, Theol. der Rechtfertigung, 262 Anm. 343. – Darstellung im kontroverstheologischen Zusammenhang: A. Stakemeier, Das Konzil von Trient über die Heilsgewißheit; Pfürtner, Thomas und Luther im Gespräch; Pesch, a. a. O., 262–283; 748–757; ders., Gottes Gnadenhandeln, 871–877; ders. in: Pesch – Peters, Einführung, 94–96; 195–199; Ebeling, Gewißheit und Zweifel (s. w. o. S. 102 Anm. 82).

eigenen Gnadenstand, müßte das nicht zum Leichtsinn ermuntern? Gerade die *Ungewißheit* des Gnadenstandes ist doch der Ansporn, »sein Heil mit Furcht und Zittern« zu wirken, wie die Schrift sagt (Phil 2,12). Die Lehre der Tradition hatte und hat also nichts mit einem Zweifel an der Treue Gottes zu seinen Verheißungen zu tun. Sie will nur ehrfürchtig die Grenze zwischen dem Geschöpf und dem absolut unanschaulichen und unbegreiflichen Schöpfer wahren und außerdem menschlichem Hochmut und Leichtsinn einen Riegel vorschieben[2]. In diesem Sinne lehrt dann auch das Konzil von Trient gegen die Reformatoren, der »Vertrauensglaube der Häretiker« sei »eitel«, es verweist zur Begründung auf die menschliche Schwäche und Labilität und verurteilt jeden, der zu behaupten wagt, es sei niemand gerechtfertigt, der nicht fest glaube, daß er gerechtfertigt sei[3]. Das Konzil gibt also dem (schon lange toten) Cajetan noch nachträglich Rückendeckung.

Luther hält diese These für eine Ausgeburt der Hölle. »Im Papsttum ist es unmöglich, daß jemand Gewißheit erlangt. Wenn auch alles in ihm heil wäre, so bliebe doch jenes Monstrum der Ungewißheit[4].« »Es sind Fabeln der scholastischen Meinungsmacher, daß der Mensch ungewiß sei, ob er im Stand des Heiles sei oder nicht[5].« Die Lehre von der Ungewißheit des Gnadenstandes ist ihm »diese pestbringende Meinung«[6]. Denn »Christus kam nämlich in diese Welt, damit er uns höchst sicher mache[7].« Jeder Christ ist durch seinen Glauben seines Heiles vor Gott und der Gnade Gottes gewiß und *muß* es sein.

2. Klärungen

Ist das Ja und Nein zur selben Frage? Da man sich beiderseits der gleichen Worte bediente, hat man es jahrhundertelang gemeint. Aber unter den gleichen Worten verbergen sich verschiedene Begriffe, und so hat man in Wahrheit jahrhundertelang in der Kontroverse aneinander vorbeigeredet. Wir müssen daher zunächst klären, was Luther – im Unterschied zu den traditionellen Fragen und Antworten – wirklich meint beziehungsweise wirklich ablehnt.

1. Das »Heil«, dessen Gewißheit Luther predigt, ist nicht primär, wie die katholische »Sprachregelung« nahelegt, das »ewige Heil«, also das ewige Leben als Gut der Zukunft, dessen sich der Mensch etwa jetzt schon

[2] Klassische Formulierung dieser Begründung bei Thomas, STh I–II 112,5.
[3] DS 1533f.; 1562–1564 = NR 804; 830–832.
[4] 40 I, 588,7.
[5] 2, 428,29.
[6] 40 I, 579,19.
[7] 43, 548,21.

vergewissern könnte. »Heil« ist das *jetzt* von Gott geschenkte Heil, die Vergebung der Sünde, die Gerechtigkeit, der Friede mit Gott, die Gnade. Ganz konkret – denken wir an schon Gesagtes zurück[8] –: die im Bußsakrament zugesprochene Gnade. Zum Verständnis der Lehre Luthers ist es daher entscheidend, zu beachten, was Luther unter dem Begriff »Gnade« und seinen damit austauschbaren Wechselbegriffen »Gerechtigkeit« und »Vergebung« versteht. Von der mittelalterlichen Tradition her war man auch im 16. Jahrhundert in allen theologischen Schulen gewohnt, die Gnade als eine Art über-natürliche »Beschaffenheit« (»qualitas«) zu verstehen, die der menschlichen Seele dadurch zuteil wird, daß die Heilsliebe Gottes den Menschen wahrhaft erreicht und seine Seele schöpferisch prägt. Selbstverständlich haben die Theologen mit Nachdruck den Geschenkcharakter dieser »qualitas« betont. Man sieht sich zu dieser Theorie überhaupt nur gezwungen, weil man die Liebe Gottes, wenn sie beim Menschen »ankommt«, sich nicht unschöpferisch und ohnmächtig denken kann. Darum ist diese »Beschaffenheit« auch nicht etwa, wie sonstige Beschaffenheiten, ein »Besitz« des Menschen, und schon gar nicht darf man sie, in grotesker Umkehrung des Gedankengefälles, als »Bedingung« für die Liebe Gottes auffassen[9]. Trotz solcher Absicherungen – die im übrigen erhebliche Gegensätze der theologischen Schulen und manchmal auch problematische Sonderthesen nicht ausschließen – war das Interesse der Theologen bei diesem Gnadenverständnis dies, besser zu verstehen, wie die schöpferische Liebe und Gnade Gottes den Menschen ergreift, ihn umgestaltet, etwas Neues aus ihm macht. Es war daher nur natürlich, wenn sie in langen Abhandlungen das Verhältnis dieser Gnaden-»Beschaffenheit« zu den »Tugenden« des Glaubens, der Hoffnung und der Liebe, zu den »Gaben des Heiligen Geistes«, zu den Sakramenten, zum ewigen Leben in der Anschauung Gottes untersuchten. Die gewaltigste Aussage, die die mittelalterliche Theologie in diesem Zusammenhang machte, war die, daß der Mensch durch das Geschenk der Gnade Gott ähnlich werde, »teilhaft der göttlichen Natur« und dadurch allererst des ewigen Lebens fähig[10].

Luther dagegen beschreibt das, was »Gnade« heißt, nicht als eine von Gott geschenkte, den Menschen auf das Niveau der göttlichen Natur erhebende und eben dadurch die Sünde austreibende »Beschaffenheit« im Menschen. Er beschreibt sie als personales Verhältnis *zwischen* Gott und Mensch, genauer gesagt: als Zuwendung Gottes zum Menschen oder, wie Luther auch gelegentlich formuliert (was dann später soviel Mißverständ-

---

[8] Vgl. w. o. im 5. Kapitel S. 96–98.
[9] Zu dieser Umkehrung vgl. Pesch, Theol. der Rechtfertigung, 708–714; Pesch – Peters, Einführung, 110–118; dort jeweils die Spezialliteratur.
[10] Vgl. die zusammenhängende Entwicklung der These bei Thomas, STh I–II 110, 1–4; Kommentierung und Spezialliteratur bei Pesch, a. a. O. 606–659.

nis gestiftet hat), als »Gunst Gottes« (»favor dei«) gegen den Menschen[11]. Denn Luther fand das Gnadenverständnis der mittelalterlichen Theologie nicht in der Schrift. Das ist auch kein Wunder, denn es handelt sich ja dabei um einen Versuch, unter ganz bestimmten Vorverständnissen und Verstehensbedingungen, vor Menschen, die anders waren und dachten als die Menschen des Neuen Testamentes, auszudrücken und verständlich zu machen, was »Gnade« ist. Doch schon lange vor Luther hat man die eigenartige Bewandtnis dieses Verstehensversuches nicht mehr verstanden, hat, genauer gesagt, übersehen, daß es sich mit der Theorie von der Gnade als einer innermenschlichen Beschaffenheit nur um eine Modellvorstellung handelt – »*quaedam* qualitas«, sagt Thomas[12] –, und gemeint, diese Lehre sei ein Stück der Glaubenslehre selber. Die Folge war – und das vor allem machte Luther dagegen so argwöhnisch –, daß die Theologie sich angewöhnt hatte, so interessiert über die Gnade Gottes *im* Menschen zu spekulieren, daß sie den gnädigen *Gott* dabei fast vergaß. Der Blick auf die *Wirkungen* der Gnade behinderte den Blick auf deren *Grund*. So kann Luther massive Vorwürfe gegen das herkömmliche Gnadenverständnis richten: Die kirchliche Lehre, meint er, betrachtet die Gnade Gottes als ein Ding, das dem Menschen in Verfügung gegeben sei, sie liege »in der Seele wie ein gemaltes Brett seine Farbe trägt«[13], sie dispensiere den Menschen davon, sich immer wieder vom Geiste Gottes persönlich treiben zu lassen, sie mache den Menschen sicher und beruhige ihn mit der Auskunft, es sei alles in Ordnung, wenn er im »Stande der heiligmachenden Gnade« sei, was auf den von der Kirche gewiesenen Wegen sicher gelinge, und sie habe dann freilich kein hilfreiches Wort mehr, wenn ein Mensch die Erfahrung mache, daß er sich über sein Stehen in der heiligmachenden Gnade *keine* Gewißheit erringen könne.

Wir können hier nicht darauf eingehen, wie falsch solche und andere Beurteilungen gegenüber der eigentlichen Absicht der traditionellen Lehre ist. Luther hat sie jedenfalls, ob begriffsstutzig oder nicht, so verstanden, und der Anblick der praktischen Konsequenzen in der Frömmigkeit seiner Zeit – man denke nur an die Ablässe – hat ihn auch nicht eines Besseren belehren können. So setzt Luther an die Stelle dieses Gnadenverständnisses ein neues Verständnis, das nicht nur mit den »Vokabeln« und Begriffen der Bibel im Einklang ist, sondern auch neu einzuschärfen erlaubt, daß Kern und Stern des Heils vor Gott im bedingungslosen Vertrauen auf ihn besteht. Kurzum: an die Stelle der

---

[11] Z. B. 8, 106,1; DB 7, 8, 10; vgl. zum »Gnadenbegriff« Luthers Pesch, a. a. O. 187–193; Iserloh, Gratia und Donum; zur Mühlen, Nos extra nos, 116–155; 185–195; Joest, Ontologie der Person, 232–353.
[12] STh I–II 110,2 in corp.
[13] Dieses drastische Bild 10 I 1, 114f., 20 – ein Zeichen, daß Luther mit vergröberten Vorstellungen von der qualitas-Theorie in den Köpfen seiner Zuhörer rechnete!

neuschaffenden »qualitas« tritt der Grundbegriff der Beziehung, des personalen Verhältnisses zwischen Gott und Mensch. »Unsere Heiligkeit gehört nicht zur Seinsweise der Substanz, sondern der Beziehung[14].« Natürlich hat diese Beziehung auch neuschöpferische Auswirkungen auf den Menschen und im Menschen. Aber es sind eben Auswirkungen, nicht die Sache selbst, Früchte der Gnade, nicht die Gnade selbst. Inhalt des Begriffes »Gnade« oder des Begriffes »Heil« oder des Begriffes »Vergebung der Sünde« ist diese Wirklichkeit neuer Beziehung zwischen Gott und Mensch.

Daraus folgt für die Lehre Luthers von der Heilsgewißheit eine erste wichtige Klärung: Die Frage nach der Heilsgewißheit ist für Luther direkt eine Frage nach *Gott,* nach seinem Verhalten gegenüber den Menschen, und nicht eine Frage nach bestimmter Beschaffenheit des Menschen, zum Beispiel nach seinem »Gnadenstand« – auch wenn diese traditionelle Frage *indirekt* ebenfalls eine Frage nach Gott war. Gerade das letztere, die Frage nach dem innermenschlichen Gnadenstand, hat man freilich immer wieder der Frage Luthers nach Heilsgewißheit unterstellt, hat also gemeint, Luther behaupte, daß der Mensch um sein Stehen im Gnadenstand, um die heiligmachende Gnade in seiner Seele wissen könne, während die katholische Lehre das ablehne. Diese unsachgemäße Vermengung der Fragen, die auch den Vätern auf dem Konzil von Trient unterlaufen ist, muß also zunächst aufgelöst werden, ehe man sich verstehen kann.

2. Luther macht eine Reihe von Aussagen, die seiner herausfordernden Predigt der Heilsgewißheit gleichsam die Balance halten – und zugleich jede *voreilige* katholische Kritik ins Unrecht setzen.

a) Einmal hat Luther sein Leben lang gegen den Gedanken und die praktische Haltung der »Sicherheit«, der »securitas« gekämpft und diese genau unterschieden wissen wollen von dem, was er mit Heilsgewißheit meint. In der Ausdrucksweise ist Luther, wie so oft, nicht einheitlich, in der Sache bleibt keine Unklarheit: Heilsgewißheit ist nicht Heilssicherheit, die da meint, sich den Kampf gegen die Sünde sparen und den Leichtsinn heiligsprechen zu können.

b) Luther lehnt ab, daß der Glaube, der die Heilsgewißheit verbürgt, seinerseits als sicherer Besitz angesehen werden dürfe. Es gibt die Gefährdung des Glaubens, die Möglichkeit des Glaubensverlustes, dem nicht mehr zu helfen ist. Damit aber ist die Heilsgewißheit selber gefährdet. Sie ist im strengen Sinne ungesicherte Gewißheit.

c) Luther weist die Meinung zurück, die Heilsgewißheit müsse sich als subjektives Trostgefühl äußern oder dürfe sich gar darauf stützen. Zwar wird dieser Vorwurf von katholischer Seite immer wieder erhoben – aber

---

[14] 40 II, 354,2.

zu Unrecht. Luther erklärt ausdrücklich, die Trosterfahrung könne schwinden, ohne daß Glaube und Gnade schwinden: »Die Gnade ist wahrhaft beständig und unveränderlich, obwohl sie dem Empfinden oder der Erfahrung nach zeitweise schwindet[15].« Und seine eigenen, viel berufenen Anfechtungen sind der sprechendste Beleg für das Unrecht, das man Luther antut, wenn man seine Theologie als Mittel zur Gewinnung persönlichen Seelentrostes ausgibt: *Gegen* seine eigene Trostlosigkeit, also *gegen* sein eigenes subjektives Erleben hat er sich und sein Heil allein auf Christus, auf Gottes Gnadenwort gegründet, sich auf sein Getauftsein gestellt und ist *so* seines Heiles gewiß geworden.

d) Luther wehrt sich schließlich dagegen, daß man die Heilsgewißheit, die er lehrt, mit »Prädestinationsgewißheit« verwechselt, also meint, Heilsgewißheit besage, daß der Mensch wie durch eine Hintertür Einschau nehmen könne in Gottes ewige, vorherbestimmende Gnadenwahl. Zwar läßt Luther keinen Zweifel daran, daß es diese ewige Gnadenwahl gibt und daß von aller Ewigkeit her vorherbestimmt ist, wer zum Heil kommt und wer nicht. Wenn von seiten der Lutherforschung immer wieder in Anspruch genommen wird, Luther lehre nicht, wie man von Calvin sagt, eine »doppelte Prädestination«, dann heißt das: er lehrt nicht eine gleichrangige doppelte Vorherbestimmung Gottes als oberste Aussage über Gott, aus der sich alles andere ergebe. Die Prädestinationslehre hat bei Luther den Zweck, in der Form einer theologischen *Grenzaussage*, die Freiheit der Gnade Gottes abzusichern. Außerhalb dieser einen Funktion wird sie mißbraucht. Aber das ist die Seite menschlicher *Lehre* von der Prädestination. Von seiten Gottes her kann an der Tatsache einer doppelten Vorherbestimmung nach Luther kein Zweifel sein. Was Luther ablehnt, ist nicht dieser theologische Sachverhalt als solcher, sondern eine bestimmte Art des Menschen, sich mit ihm zu beschäftigen. Aufgabe des Menschen ist nicht, dem unerforschlichen, wählenden Willen Gottes nachzugrübeln – das stürzt mit vollem Recht in die Verzweiflung –, sondern er hat sich an Christus zu halten, den Gott *jedem* Menschen zum Heil gegeben hat, in dem daher der göttliche Erwählungsratschluß für mich und für jeden Glaubenden geschichtlich durchgeführt wird, und im übrigen hat er den dahinter stehenden Gott im Geheimnis seiner Majestät anzubeten. Die theologiegeschichtlichen und sachlich-theologischen Probleme, die Luthers Prädestinationsauffassung aufgibt, können wir hier nicht weiter verfolgen[16]. Doch soviel ist deutlich: Heilsgewißheit bedeutet nach Luther in keinem Augenblick den vermessenen Versuch, wissen zu wollen, was Gott sich selber zu wissen vorbehalten hat, um womöglich fortan aller Anfechtung ledig zu sein.

[15] 42, 553,32.
[16] Vgl. Pesch, Theol. der Rechtfertigung, 269–274; 382–396. Näheres w. u. im 14. Kapitel S. 259–263.

3. Es muß auffallen, daß Luther zur Heilsgewißheit *mahnt*, darum zu *kämpfen* anhält. »Der Christ *muß* gewiß sein, daß Christus für ihn erschienen ist und sein hoher Priester ist vor Gott[17].« Und der schon zitierte Text von den »Fabeln der scholastischen Meinungsmacher« fährt fort: »Hüte du dich, daß du nicht eines Tages ungewiß seiest, sondern gewiß, daß du in dir selbst verloren bist. Es ist aber zu arbeiten, daß du gewiß und standfest bist in dem Glauben an Christus, der für deine Sünden hingegeben ist[18]« Und an einer anderen, viel zitierten Stelle aus dem großen Galaterkommentar von 1531 erklärt Luther: »Wir müssen also täglich mehr und mehr uns von der Ungewißheit zur Gewißheit durchkämpfen und uns Mühe geben, daß wir jene pestbringende Meinung (daß der Mensch nämlich nicht weiß, ob er in der Gnade sei), die die ganze Welt verschlungen hat, von Grund auf ausrotten. Wenn wir nämlich zweifeln, ob wir in der Gnade sind, ob wir Gott um Christi willen gefallen, dann leugnen wir, daß Christus uns erlöst hat, dann leugnen wir schlechthin alle seine Wohltaten[19].« Im Licht der traditionellen katholischen Frage nach der Gewißheit des Gnadenstandes ist diese Mahnung zur Heilsgewißheit ganz ungewöhnlich und unverständlich. Heilsgewißheit ist offenbar nicht Sache des rein theoretischen Erkennens. Der Christ stellt nach Luther nicht etwa wie in einer ärztlichen Diagnose fest, sein Heil sei gewiß. Vielmehr hat er stets neu darum zu ringen, seines Heiles gewiß zu sein – so wie er auch um seinen Glauben, um sittliche Erneuerung stets zu ringen hat. Das weist uns nun die entscheidende Spur.

3. Glaube und Gewissheit

Was des Heiles gewiß macht, das zeigen die zitierten Texte, ist nichts anderes als der Glaube selbst. Und zwar der Glaube *allein*, denn schon seit seinen vorreformatorischen Anfängen[20] weiß Luther und betont er gegen alle etwaigen Abschwächungen, daß allein der werklose vertrauende Glaube den Menschen vor Gott gerecht macht. Wäre zum Heil noch etwas anderes nötig als allein der Glaube, dann könnte der Glaube keine Heilsgewißheit schaffen, jedenfalls nicht er allein. Was darum für Luther sein berühmtes »sola fide«, »durch den Glauben allein«, begründet, begründet auch Heilsgewißheit. Die Heilsgewißheit gründet darum allein im Wort und in der Verheißung Gottes, die der Glaube annimmt. Sie

---

[17] 57 (Heb), 215,18.
[18] 2, 458,29.
[19] 40 I, 579,17.
[20] Vgl. w. o. im 3. Kapitel S. 60 f.; im 4. Kapitel S. 74; im 5. Kapitel S. 94.

gründet in Christus, dem alleinigen Grund meines Heiles. Und eben deshalb gründet sie nach Luther auch in der Unfreiheit des Willens, die ja, wie noch zu zeigen sein wird[21], nicht metaphysischen oder psychologischen Determinismus besagt, sondern reines Angewiesensein, reines Empfangen, reine Passivität des Menschen gegenüber dem Heilswirken Gottes. Was Luthers These von der Unfreiheit des Willens in bezug auf die Heilsgewißheit besagt, kommt in der berühmten Stelle aus der Schrift über den versklavten Willen (»De servo arbitrio«) heraus: »Aber nun, da Gott mein Heil meinem Willen entzogen und in seinen Willen aufgenommen hat und nicht auf mein Werk oder Laufen hin, sondern aus seiner Gnade und Barmherzigkeit verheißen hat, mich zu retten, bin ich sicher und gewiß, daß er treu ist und mir nicht lügen wird, außerdem mächtig und gewaltig ist, daß keine Dämonen und keine Widerwärtigkeiten imstande sein werden, ihn zu überwältigen oder mich ihm zu entreißen[22].« Luther ist über diese »Alleinwirksamkeit« Gottes und damit über seinen unfreien Willen gerade aus Gründen der Heilsgewißheit so glücklich, daß er sie um nichts in der Welt gegen einen freien Willen eintauschen möchte, weil das nur Rückfall in die Heilsungewißheit bedeuten könne.

Was also versteht Luther unter Heilsgewißheit? Wenn wir alle getroffenen Abgrenzungen zusammennehmen und durchhalten und außerdem im Auge behalten, daß allein der Glaube Heilsgewißheit schafft, dann müssen wir sagen: Heilsgewißheit und Glaube sind sachlich identisch. Meines Heiles werde ich gewiß, *indem* ich das Vergebungs- und Gemeinschaftswort Gottes, das er um Christi willen zusagt und kundmacht, ergreife – wobei dieses Ergreifen immer gefährdet, ungesichert bleibt, die Anfechtung niemals hinter sich läßt. Meines Heiles werde ich gewiß, indem ich das, was Gott in Christus getan hat, auf mich und meine Sünden beziehe, Gottes Vergebungs- und Gemeinschaftswort *mir* gesagt sein lasse. Man sieht: die Beschreibung dessen, was Heilsgewißheit begründet, und die Beschreibung dessen, was nach Luther »Glaube« heißt, sind exakt dieselbe. Die Heilsgewißheit steht und fällt mit dem je neuen Vollzug dieses Glaubens, sie überwindet ihre eigene Ungesichertheit und Gefährdung mit und im je neu seine Angefochtenheit überwindenden Glauben. Man könnte sagen: Heilsgewißheit ist die Erkenntnisseite des Glaubens, des Bewußtsein von dem, was im Glauben geschieht: die empfangende Annahme der rettenden Gemeinschaft mit Gott. Weil die Annahme der Gottesgemeinschaft im Glauben immer wieder neu geschehen muß und niemals einfach fertig ist, deshalb ist einerseits deutlich, daß ich über die Heilsgewißheit niemals eine Art Bescheinigung ausstellen, sie niemals

---

[21] Vgl. w. u. im 10. Kapitel.
[22] 18, 783,28.

»objektivieren«, mich ihrer nie noch einmal vergewissern kann. Anderseits ist klar: im Glauben, der das Heilswort Gottes annimmt und in die neue Gemeinschaft mit Gott eintritt, von Heils*un*gewißheit zu reden, heißt eben dadurch den Glauben und damit das Heil selbst aufheben, so daß man für Luther die Gleichung aufstellen kann: Heilsungewißheit ist Heilsverlust. Darum hat Luther so erbittert für die These von der Heilsgewißheit gestritten: In ihrer Leugnung mußte er das Heil der Christenheit bedroht sehen.

4. GEWISSHEIT IM TUN

Luthers Predigt von der Heilsgewißheit wäre nicht vollständig zusammengefaßt, wenn wir nicht noch dies hinzufügten: Die niemals objektivierbare, nur im Vollzug des Glaubens selbst gegebene Heilsgewißheit erfährt doch eine quasi-objektive Bekräftigung, nämlich in den guten Werken. Das gute Werk macht gewiß, daß der Glaube, der seinerseits die Heilsgewißheit verbürgt und ist, wirklich da und nicht nur, wie Luther es ausdrückt, »erdichteter«, »gefärbter« Glaube ist[23]. Wo keine guten Werke sind, da kann man nicht wissen, ob der Glaube recht sei, ja da ist sicher, daß gar kein Glaube da ist[24]. Gelegentlich kann Luther sogar ohne den »Umweg« über den Glauben von den Werken sofort auf das Stehen des Menschen im Heil schließen[25]. Die Werke bekommen bei Luther, wie er selber formuliert, zuweilen geradezu so etwas wie die Bewandtnis eines »Sakramentes«, vor allem das Werk der gegenseitigen Vergebung[26]. Luther entwickelt diese Gedanken vor allem in der Auslegung von vier Texten des Neuen Testamentes, nämlich 2 Petr 1,10: »Befleißigt euch, durch gute Werke eure Berufung und Erwählung festzumachen«; 1 Joh 3,14: »Wir wissen, daß wir aus dem Tode in das Leben gekommen sind, denn wir lieben die Brüder«; in der Auslegung der Begegnung Jesu mit der Sünderin Lk 7,36–50 und anhand der fünften Vater-unser-Bitte. Diese Gewißheit aus den Werken kann selbstverständlich die Heislgewißheit aus dem Glauben an das Wort nicht *ersetzen*. Aber sie gewinnt ihre bekräftigende Wirkung aus der Stimmigkeit zwischen dem Glauben selbst und den Werken, ohne die der Glaube nach Luther gar nicht sein kann[27].

[23] 47, 789,29.
[24] Vgl. 10 III, 287,20; 12, 289,29; 39 I, 46,20; 92,17; 106,24; 114,24; 39 II, 248,14.
[25] Vgl. 5, 179,27; 14, 627,9; 15, 500f., 28; 40 I, 577f.,7. 20.
[26] Vgl. 32, 423,12 – 424,34; vgl. Peters, Glaube und Werk, 109–112.
[27] Vgl. auch w. u. im 9. Kapitel S. 165–168.

Die ärgerlichen, ja verhängnisvollen Mißverständnisse in der Frage nach der Heilsgewißheit liegen offen zutage. Das Konzil von Trient hat der reformatorischen Theologie zumindest indirekt sogar die Behauptung einer Prädestinationsgewißheit unterstellt[28]. Es erwähnt als Gegenargument gegen die Reformatoren nur den Hinweis auf die menschliche Labilität[29]; das zentrale Argument der klassischen These bleibt dagegen unerwähnt, daß es nämlich hieße, Gott selbst zu begreifen, wenn man mit Gewißheit, das heißt: aus Einsicht in den Grund der Sache um Gottes Gnade wissen könne[30]. Umgekehrt kann es auch Luther nicht grundsätzlich unmöglich gewesen sein, die andere Fragestellung der Tradition zu bemerken, weil er ja schon früh sein Verständnis von »Gnade« von dem der Tradition ablöst, und zwar im vollen Bewußtsein dessen, was er tut. Aber gegenseitige Schuldzuweisungen sind jetzt müßig. Wie steht es *heute* um diese Frage, die damals einer der Gründe war, die reformatorische Theologie zu verurteilen? Ist die These von der Heilsgewißheit nach wie vor nichts weiter als der deutlichste Beleg für Luthers »Subjektivismus«, der alles auf sich selbst bezieht und persönlich erfahren will? Oder denken wir in Wirklichkeit längst alle genauso wie Luther, so daß das Thema »Heilsgewißheit« zum Baustein für die Untermauerung unserer Grundthese wird? Nun, die sachliche Übereinstimmung zwischen Luther und der heutigen katholischen Lehre zeigt sich unter folgenden Gesichtspunkten:

1. *Im Licht der kirchlichen Lehre.* Eine aufmerksame Lektüre der Texte des Konzils von Trient im Vergleich mit der richtig verstandenen Lehre Luthers ergibt, daß das Konzil genau das ablehnt, was auch Luther ablehnt: eine Gewißheit der Gnade *im* Menschen, eine Prädestinationsgewißheit, Trostgefühle als Kriterium, sittliche Ungebundenheit unter Berufung auf die Heilsgewißheit, Selbstüberschätzung... Das Konzil betont anderseits eben jene Gesichtspunkte die Luther wichtig sind: die Verläßlichkeit und Alleingenügsamkeit der Gnade Gottes in Christus, den menschlichen Wankelmut und die damit gegebene Gefährdung von Glaube und Heil. Das Konzil hat also, die Feststellung ist nicht zu umgehen, nicht Luthers wirkliche Lehre, sondern eine Mißdeutung getroffen, die schon zu Luthers Zeiten sich offenbar breitgemacht hatte: die Idee eines »Vertrauensglaubens« (»fiducia«), der in der Tat »eitel« ist.

2. *Im Licht der Tradition.* Das Konzil von Trient hat ein wichtiges Traditionszeugnis unbeachtet gelassen, das es ihm ermöglicht hätte,

---

[28] DS 1540; 1565 = NR 809; 833.
[29] DS 1534; 1563 = NR 804; 831.
[30] Vgl. Thomas, STh I–II 112,5 in corp. (erste Hälfte).

positiv auf Luthers Predigt von der Heilsgewißheit einzugehen, nämlich die scholastische Lehre von der *Gewißheit der Hoffnung.* Die jüngste Forschung hat, nicht zuletzt angeregt durch Luthers Lehre von der Heilsgewißheit, diese mittelalterliche Lehre näher untersucht und gezeigt, daß sie sich bis zur Übereinstimmung in der Sache mit Luthers Lehre von der Heilsgewißheit deckt. Denn die Gewißheit der Hoffnung stützt sich allein auf Gottes allmächtiges Erbarmen und auf nichts sonst. Und dabei weiß man, was man sagt, denn man formuliert es unter Ablehnung der Gegenthese des Petrus Lombardus, der die Meinung vertritt, außer auf Gottes Erbarmen verlasse sich die Gewißheit der Hoffnung auch auf die, selbstverständlich in der Gnade Gottes erworbenen, Verdienste des Menschen[31]. Zwar wendet man auf lutherischer Seite gegen den behaupteten sachlichen Konsens ein, die scholastische These schließe trotzdem Werke und gar »Verdienste« als Mit-Grund der Hoffnungsgewißheit nicht aus und verwässere so die reine Begründung der Heilsgewißheit im Verheißungswort durch den wohlbekannten scholastischen »Kooperationismus«[32]. Man argumentiert also ganz ähnlich wie schon in bezug auf den Begriff der »passiven Gerechtigkeit Gottes«[33]. Doch müssen wir inzwischen diesen Einwand nicht mehr gelten lassen. Weder lehrt die mittelalterliche Theologie eine heilsbedingende Funktion der Werke in dem Sinne, wie Luther sie ablehnt, auch und gerade nicht im Rahmen einer »Verdienstlehre«, noch bedarf das Heilswort Gottes nach scholastischer Lehre einer »Ergänzung«, um seine Heilskraft zu entfalten[34]. Am klaren Grund-Folge-Verhältnis von Wort, Glaube und Werk besteht für das Mittelalter kein Zweifel. Daß sich für Luther die gewißmachende Relation von Wort und Glaube in besonderer Zuspitzung heraushebt, hängt mit jener neuen persönlichen und geistesgeschichtlichen Situation zusammen, auf die die Generalthese dieses Buches hinaus will, die wir auch hier zu belegen suchen. Vergegenwärtigt man sich nun noch einmal, daß das, was den Inhalt der Hoffnungsgewißheit im scholastischen Sinne ausmacht, nämlich das unbedingte Trauen auf das allmächtige und gnädige Erbarmen Gottes, just das ist, was Luther unter jenem »Glauben« versteht, der die Heilsgewißheit bringt und ist, dann muß man Luthers Lehre für eine neue, kühne, auf die Fragen einer neuen Zeit antwortende Variante einer alten katholischen Lehre halten. Freilich, wie das Konzil von Trient diese Lehre vergessen hat, so hat Luther sich arglos – oder gar leichtfertig – ihre Auswertung verbaut. Ohne es auch nur an

---

[31] Vgl. Thomas, STh II–II 18,4 ad 2 und ad 3 mit Petrus Lombardus, Sent. III dist. 26; zur mittelalterlichen Diskussion vgl. Pfürtner, a. a. O., 45–49; 96–108; Pesch, a. a. O. 748–754.

[32] So vor allem Hennig, Cajetan und Luther, 168–171 (gegen Pfürtner).

[33] Vgl. w. o. im 5. Kapitel S. 87 (mit Anm. 19).

[34] Vgl. ebd. und w. u. im 9. Kapitel S. 154–158.

einem einzigen der großen Theologen des Mittelalters zu überprüfen, spricht er von »dem ganzen Schwarm der Theologen«, die die Hoffnung auf die Verdienste gründen[35].

3. *Im Licht eines vertieften Sachverständnisses.* Zwei Momente, die für eine Zustimmung zu Luthers Lehre von der Heilsgewißheit unerläßlich sind, bilden in heutiger katholischer Theologie und heutigem katholischem Glaubensbewußtsein kein Problem mehr: daß »Glaube« mehr ist als bloßes Für-wahr-Halten von Glaubenssätzen, und daß kein Mensch für seinen Glauben garantieren kann. Der »Glaube«, der Sätze und Tatsachen für wahr hält – Luther nennt ihn bekanntlich den bloß »historischen« Glauben –, geht zurück auf den abstrakt-formalisierten Glaubensbegriff der Scholastik, die, um unter der Nötigung eines Textes wie 1 Kor 13,13 exakt zwischen Glaube, Hoffnung und Liebe unterscheiden zu können, den Glauben als Zustimmung des Verstandes zur Offenbarung Gottes definiert[36]. Im Zuge des gegenreformatorischen Widerstandes gegen den »Vertrauensglauben« ist dieser »Für-wahr-halte-Glaube« zeitweilig zum alleinigen Inhalt des katholischen Glaubensbegriffes geworden – mit dem Höhepunkt in den einschlägigen Aussagen des Ersten Vatikanischen Konzils[37]. Heute ist das überwunden, und kein katholischer Theologe würde sich damit begnügen, auf die Frage »Was heißt glauben?« mit einem Zitat des Ersten Vatikanischen Konzils zu antworten. Ein umfassendes ganzmenschliches Verständnis von Glauben, wie wir es im biblischen Zeugnis antreffen und wie eine moderne, auch philosophisch-anthropologische Besinnung es neu verstehen gelehrt hat, ist zurückgewonnen[38].

Unter solchen Voraussetzungen kommt die Frage nach der Heilsgewißheit auf folgende Frage hinaus: Kann ich im genannten umfassenden Sinne »glauben« und *zugleich* sagen: Ich bin meines Heiles *nicht* gewiß? Die Antwort kann nur lauten: Nein! Andernfalls ergäbe sich, daß ich im Glaubensvollzug mein ganzes Heil vertrauend auf Gott gründe und *zugleich* sage: Gott ist kein zuverlässiger Grund meines Heiles. Gewiß kann im nächsten Augenblick die alte Ungewißheit wiederkehren – aber nur, indem ich aufhöre, im gekennzeichneten Sinne zu glauben. Damit stehen wir genau bei Luther: Heilsgewißheit ist immer nur *im* Vollzug des Glaubens, nie außerhalb als »objektive« Tatsache. Heilsgewißheit ist die *»subjektiv«*, als *mir* geltend erkannte und bekannte Verläßlichkeit Gottes und seines Heilswortes an mich. Heilsgewißheit ist, wie Paul Althaus

---

[35] 5, 163,32.
[36] Vgl. w. u. im 9. Kapitel S. 156.
[37] DS 3008 = NR 31.
[38] Wenige Titel für viele: Fries, glauben – wissen; ders., Zur Glaubensproblematik heute (= Glaube und Kirche auf dem Prüfstand, 9–111); Seckler, Glaube; Kasper, Einführung in den Glauben; MS I, 824–826.

treffend formuliert, nicht theoretische, sondern »existentielle« Gewißheit[39]. Darum ist sie auch die ständige, immer von der Anfechtung bedrohte neue Aufgabe, weil der existentielle Vollzug des Glaubens immer neue Aufgabe ist. »Objektiv« kann man völlig mit Recht, wie das Trienter Konzil es tut, die Verläßlichkeit Gottes und den Wankelmut des Menschen auseinanderhalten. Wer unter den Bedingungen des sich selbst unsicher werdenden Glaubens danach fragt, wie und worauf er sich verlassen kann[40], wird das nicht für das Wichtigste halten, wohl aber, ganz im Sinne Luthers, das tägliche Ringen darum, den gewißmachenden Glauben durchzuhalten. Das bleibt heute auch keinem Katholiken erspart, und jeder Katholik, der in der heutigen Welt bewußt zu glauben versucht, weiß das. In Sachen Heilsgewißheit sind die meisten Katholiken bis zur Stunde gute Lutheraner – und belegen so die (meist verborgene) Gegenwart Luthers im heutigen katholischen Denken.

6. GOTTESGEWISSHEIT UND GOTTESERFAHRUNG

Der Streit um die Heilsgewißheit hat sich erledigt, auch für die katholische Theologie, weil man inzwischen die Stützpunkte in der biblischen und kirchlichen Tradition wiederentdeckt hat, die, wären sie damals beiderseits hinreichend bekannt gewesen, schon damals eine positive Antwort auf die reformatorische Lehre möglich gemacht hätten. Die Frage nach der Heilsgewißheit ist, mit anderen Worten, damals und noch lange Zeit nachher schlicht nicht ausdiskutiert worden. Auf ein ähnliches Ergebnis werden wir noch öfter hinauskommen, wenn wir andere, damals von der katholischen Seite negativ entschiedene Streitfragen mit der Reformation bedenken.

Daß nun freilich die Entdeckungen in der Tradition möglich wurden, die es gestatten, die alte Streitfrage heute endlich positiv auszudiskutieren, ist keineswegs Ergebnis zufälliger wissenschaftlicher Neugier. Die einschlägigen Untersuchungen sowohl zu dieser Einzelfrage wie überhaupt zur ganzen, nach heimlichem Konsens fragenden »ökumenischen« Lutherforschung belegen ausdrücklich: Die Neuentdeckungen in der *Tradition* sind angetrieben von *heutigen* Erfahrungen, die in *damals verurteilten* Thesen Luthers ihre Vorformulierung wiedererkennen. Wir müssen daraus unvermeidlich den Schluß ziehen, daß Luthers Theologie, die sich auch in ihrer Neuartigkeit noch ganz im mittelalterlichen Kontext formuliert – in der Frage der Heilsgewißheit wie vielfach auch sonst –, in

---

[39] Althaus, Die Christliche Wahrheit, 612.
[40] Vgl. Pesch, Unsicherheit und Glaube; das kleine Buch verdankt sich ausdrücklich den Anregungen von Luthers Lehre von der Heilsgewißheit.

bestimmter Hinsicht ihre christliches Verstehen erschließende und christliche Existenz tragende Kraft voll und ganz erst viel später entfaltet, wenn man also will: erst Jahrhunderte später »zu sich selbst kommt«. Treue Lutheraner, die um den normativen Anspruch von Luthers Theologie fürchten, hören dies nicht gern[41] oder verdecken das Problem, indem sie die tiefe Eingebundenheit Luthers in das mittelalterliche Denken abblenden, *nur* die das Mittelalter überschreitenden Züge herauspräparieren und Luther auf diese Weise zu einem »modernen« Theologen hochstilisieren, der er nicht war[42]. Umgekehrt handeln sich solche lutherischen Theologen, die das hier benannte Problem ernst zu nehmen wünschen, von katholischer *und* evangelischer Seite gern den Vorwurf ein, sie seien nicht mehr am theologischen Anspruch von Luthers Denken, sondern nur noch an seiner »Wirkungsgeschichte« interessiert[43]. Wir können und dürfen uns hier aus diesem Streit heraushalten. Es ist jedenfalls ganz unstreitig, daß Luthers Fragen und seine Antworten über den Kontext und seine Selbstverständlichkeiten, innerhalb deren er sie stellt und gibt, hinausweisen. Indem wir diese tiefere Sinnspitze seines Denkens zur Begegnung mit unseren Erfahrungen bringen, verschaffen wir dem behaupteten neuen Konsens seine eigentliche Stärke und Überzeugungskraft und erweisen ein Stück weiter unsere These, daß Luthers Theologie eine epochale neue Phase in der Geschichte des christlichen Glaubensverständnisses darstellt.

Etwas davon ist, was das Thema »Heilsgewißheit« betrifft, schon angeklungen[44]. Wir haben es nun zu vertiefen, und zwar zunächst in bezug auf den Zusammenhang von Heilsgewißheit und Kirche. Wie erinnerlich, ergibt sich für Luther die Frage nach unmittelbarer Heilsgewißheit aus dem Wort der göttlichen »Verheißung« aufgrund der Tatsache, daß in einer theologisch eigentlich ganz klaren Sache, nämlich in bezug auf das biblische und traditionelle Zeugnis von der bedingungslosen Gnade Gottes, die Kirche am Fall der Ablaßpraxis als ganze, und nicht nur in einzelnen theologischen Schulen, auf die andere Seite des Konfliktes gerät. Aber welcher katholische Theologe, ja auch welcher einfache katholische Christ würde denn heute noch den Vorwurf Cajetans nachsprechen wollen, es heiße »eine neue Kirche bauen«, wenn jemand die Gewißheit, von Gott angenommen zu sein, allein auf die unbedingte

---

[41] Vgl. exemplarisch etwa Bayer, Die reformatorische Wende, 115f.; Brecht, Iustitia Christi, 179.

[42] Ich gestehe mit Freimut, daß dies mein entscheidendes Bedenken gegen die Lutherdeutung bei Gerhard Ebeling ist – die mich gleichwohl immer wieder herausfordert und von der ich unendlich viel gelernt habe.

[43] Vgl. etwa Bayer, Die reformatorische Wende, 126; Müller, Der fremde Luther; Manns, Das Lutherjubiläum, 305.

[44] Vgl. w. o. im 5. Kapitel S. 96f.

Verläßlichkeit der göttlichen Heilszusage gründet? Wir können hier nicht ins Einzelne gehen, kommen aber noch einmal darauf zurück[45]: Es hat sich im Zuge der nachreformatorischen Kirchen- und Theologiegeschichte, nicht zuletzt unter der bleibenden Herausforderung durch die reformatorische Anfrage, in der katholischen Theologie ein neues Bild von der Kirche und insbesondere von ihrem Zusammenhang mit dem persönlichen Glauben ergeben, dem man alle erdenklichen Vorwürfe machen kann und macht, nur nicht den, es erlaube eine Wiederholung des Cajetan'schen Satzes. Kirche ist die von Gott zusammengerufene und durch das Heilswerk Jesu Christi begründete Heilsgemeinde durch nichts anderes als dadurch, daß Menschen an Gott und seinen Christus glauben. Glauben aber kann nur jeder allein, auch wenn dieser Glaube durch sich selbst gemeinschaftsstiftend und gemeinschaftragend ist und somit seinerseits dazu beiträgt, jenes »Milieu« zu schaffen, in dem der persönliche Glaube sozusagen »gut aufgehoben« und damit auch gestärkt und entlastet ist. Dem persönlichen Glauben vorgeordnet ist die Kirche nur insofern, als man den Glauben nur von denen lernen kann, die vorher schon geglaubt haben, also in einem Kommunikations- und Überlieferungsgeschehen. Die vielberufene »Vermittlungsfunktion« der Kirche mit ihrer angeblichen Unterbrechung der Unmittelbarkeit des Einzelnen zu Gott macht die Kirche nicht zur »Mittlerin der Gnade«, sondern beschränkt sich, theoretisch wie praktisch-faktisch, auf die »Mitteilung« des Wortes von Gottes Heilshandeln und auf die Hilfestellung bei der Inganghaltung jenes Kommunikations- und Überlieferungsgeschehens. Eben dieses aber wird inzwischen auch, in deutlicher Überschreitung früherer lutherischer Grundpositionen, von evangelischer Seite als Wesen von Kirche begriffen[46]. Die Vorbehalte gegenüber dem katholischen Kirchenverständnis betreffen nicht dieses Wesen, sondern dessen Reflexion in bestimmten, für unsachgemäß gehaltenen Begriffen, betreffen Mitinhalte, Konsequenzen und praktische Äußerungsformen. Aber auch der umstrittenste Gedanke moderner katholischer Ekklesiologie, daß nämlich die Kirche die »Repräsentation« Christi als der unwiderruflichen Gnadenzusage Gottes an die Welt sei, die, mit Karl Rahner gesagt, »siegreiche Gegenwart der Gnade Gottes«[47], der Gedanke also, mit der sich die Kirche Gottfried Maron[48] zufolge am unerträglichsten an die Stelle Christi und zwischen Gott und den Einzelnen setzt, kann doch, auf seinen Sachgehalt geprüft, nichts anderes besagen als dies, daß es das in der Glaubensgemeinschaft weitergehende Kommunikationsgeschehen

[45] W. u. im 12. und 13. Kapitel.
[46] Vgl. besonders Ebeling, Dogmatik III, 331 (und der ganze § 36); Thielicke, Theologie des Geistes, 268–271.
[47] Vgl. Rahner, Grundkurs des Glaubens, 396–398.
[48] Vgl. Maron, Kirche und Rechtfertigung, 47–51; 192–215; 249–267.

ist, das immer neu und immer unverdient Menschen zu Christen macht und mit ihnen ein Stück Anbeginn erlöster Welt schafft. Auch die Christus »repräsentierende« Kirche *ist* nicht das »Reich Gottes«, sondern geleitet die, die glaubend darauf hoffen und dahin unterwegs sind[49].

Wir haben vorgegriffen – und uns dabei doch in Sprache und Gedankenführung immer noch im Rahmen von Selbstverständlichkeiten bewegt, die es nicht mehr sind, die vielmehr auch da, wo Luther es noch nicht für möglich hielt, in die Spannung zwischen Unsicherheit und Gewißheit hineingefallen sind, mit der Luther schon grundsätzlich seine Erfahrung gemacht hatte. Dies und damit eine nochmalige Tiefenstufe der Frage nach Heilsgewißheit wird deutlich, wenn wir etwa folgendes bedenken. Luther sagt: Heils*un*gewißheit ist Zweifel am erlösenden Handeln des Gottmenschen Jesus Christus. Aber wie werden wir dessen gewiß, was für Luther feststeht: daß Jesus Christus der Gottmensch und Erlöser ist? Luther sagt: Heils*un*gewißheit ist Mißtrauen gegen Gott. Aber wie werden wir der Wirklichkeit Gottes gewiß, die für Luther außerhalb eines Zweifels steht? Luther sagt: Der Glaube selbst *ist* die Heilsgewißheit. Aber wie wird uns heute der Glaube erschwinglich, und wie wird uns erschwinglich, daß der Glaube Glaube ist – und nicht vielmehr die Ausgeburt unserer unerfüllten Wünsche und Sehnsüchte, die »Projektion« der Ausweglosigkeiten menschlichen Existierens auf einen selbstgemachten »Gott«? In der Anfechtung schrieb Luther, wie man sich erzählt, auf einen Tisch: »Ich bin getauft« – das war *seine* Form, sich auf Gottes Verheißung zu gründen, zu glauben und die Anfechtung zu durchbrechen. Aber wieviel haben uns heute Psychologie, Soziologie und Medizin gelehrt, als daß wir uns nicht auch angesichts eines solch bewußten Glaubensvollzuges noch fragen müßten: Ist das eindeutig Glaube oder nicht vielmehr ein entschlossener Fluchtversuch vor dem heimlich längst *brüchig* gewordenen Glauben? Man könnte an dieser Stelle geradezu auf den Gedanken kommen, daß die frühe Demutstheologie Luthers, die die Erfahrung eigener Unsicherheit »resignierend« im Geheimnis des unbefragbar handelnden Gottes birgt, unseren Erfahrungen viel näher steht als das »trotzige« heilsgewisse Pochen auf Gottes Heilswort, das uns der reformatorische Luther so nachdrücklich empfiehlt.

Aber soviel wird klar: Der Kristallisationspunkt der Gewißheitsfrage ist im Kontext unserer Welterfahrung nicht die Heilsgesinnung eines Gottes, dessen Wirklichkeit nicht in Frage steht, sondern die Wirklichkeit Gottes überhaupt, nicht der »gnädige« Gott, sondern Gott. Wäre es anders, so würde heute nicht jede theologische »Lehre von Gott« zuerst und zuletzt als Auseinandersetzung mit dem Atheismus entfaltet[50]. Nun hat zwar

---

[49] Vgl. Pesch, Gerechtfertigt aus Glauben, 93 f.

[50] Es kann hier nur summarisch auf die jüngeren und jüngsten Arbeiten zur Gottesfrage und zum Atheismus hingewiesen werden. Vgl. w. u. im 9. Kapitel Anm. 67.

auch dazu Luther wiederum vieles vorausgeahnt und »vorausformuliert«[51]. In unserem Zusammenhang wichtig ist aber, daß sich dabei die Sinnspitze der Frage *nicht* gewandelt hat: Die Gottesfrage ist nach wie vor Frage nach dem menschlichen Heil, die Frage nach Heilsgewißheit formuliert sich als Frage nach der Gewißheit Gottes. Keine der Teilfragen Luthers geht dabei verloren, aber alle bekommen eine neue Zuordnung, und in der neuen Zuordnung leuchtet die Grundstruktur der Frage Luthers in einer neuen Variation auf, der freilich ihre frühere konfessionsspezifische Färbung ganz abhanden gekommen zu sein scheint. Denn nach Gott fragt der Mensch, der heutige Welterfahrung verinnerlicht hat, nicht mehr als nach der letzten, überschreitenden Denkmöglichkeit am Ende philosophischer Weltbetrachtung, er fragt vielmehr sogleich nach dem »Gott für uns«, und ob wir an ihn glauben können – und philosophische Gotteserkenntnis überschreitet nur insoweit den Gegenstandsbereich bloßer Expertenneugier, als sie zur Erlaubtheit solchen Glaubens hilfreich sein kann. So nach Gott zu fragen schließt ein, daß menschliches Leben tatsächlich frag-würdig ist und menschliches Erkennen dieser Frage zuletzt nicht abhelfen kann – mithin die Nachricht von einem »Gott für uns« nicht machen, erarbeiten, erobern, sondern nur hören, empfangen, entgegennehmen kann. Der Streit mit dem Atheismus um den Gottesglauben wird letztlich darum geführt, ob es denn tatsächlich dabei sein Bewenden haben müsse, ja dürfe, daß der Mensch in bezug auf Grund und Sinn seines Daseins nichts als reiner Empfänger sei – »außerhalb seiner selbst« gestellt, wie Luther schon formuliert. Dem modernen Gottsucher begegnet Jesus Christus in Wort und Lebensschicksal als derjenige, an dem die mögliche Antwort des Glaubens ihren Haftpunkt hat.

Wer unter der vollen Beirrung moderner Welterfahrung und der geistigen Auseinandersetzung um ihre Bewältigung »seines Heiles gewiß« werden will, kann es nur auf den Spuren solcher Fragen. Er wird es dann in einem Vorgang, dessen existentielle Strukturen ganz nahe bei Luther sind und dessen inhaltliche »Füllung« zugleich den Abstand von Luthers Weise, die gleiche Frage zu stellen, deutlich macht. Im Eingeständnis radikaler Angewiesenheit, das für ihn die atheistische »Selbstbescheidung« als heimliche Selbstüberhebung entlarvt, wird er im Blick auf Jesus Christus der gründenden und rettenden Nähe Gottes gewiß, indem er sich auf diesen Gott verläßt und im Leben davon ausgeht. Außerhalb des Glaubens ist solche Gewißheit nicht erschwinglich. Im Glauben ist sie unbezweifelbar.

An dieser Stelle ist abschließend noch einmal zurückzukommen auf Luthers Lehre von der indirekten Heilsgewißheit in den »guten Werken«.

[51] Vgl. w. u. im 14. Kapitel S. 248 f.

Auch sie hat noch einmal eine eigentümliche Parallele in der Tradition. Nachdem nämlich Thomas von Aquin[52] die Möglichkeit einer theoretischen Gewißheit des Gnadenstandes ausgeschlossen hat, betont er wie im Gegenzug, daß es eine »konjekturale« Gewißheit des Heils gibt, nämlich eine solche aufgrund gewisser »Anzeichen« wie etwa Freude an Gott und den Dingen des Glaubens, Distanz von der Verführungsmacht der Welt, das Gewissensurteil, keiner aktuellen schweren Sünde schuldig zu sein. Das sind gewiß andere »Werke«, als Luther sie nennt, aber die Problemstruktur ist gleich, und sie übergreift den Unterschied der geistesgeschichtlichen Situationen: Es gibt eine unreflexe (und durch Reflexion sofort in die Gefahr der Perversion geratende) *praktische* Heils- und Gottesgewißheit dessen, der aus dem Glauben lebt, der gut zu sein versucht, sich nicht selbst vor allem durchzusetzen bestrebt ist, Zuversicht auch in der Verzweiflung bewahrt, trotz mancherlei Traurigkeit aus einer tiefen Freude lebt... Bedenkt man, daß sowohl Luther als auch Thomas die genannten »Werke« als *Beispiele,* nicht als erschöpfende Aufzählung anführen, und versucht man, moderne »Parallelen« zu diesen »Werken« aufzufinden – wir haben durch unsere »modernisierende« Formulierung indirekt schon Hinweise dazu gegeben –, dann zeigt sich, daß die Frage nach Heilsgewißheit nicht nur auf der Ebene abstrakt bleibender theologischer Argumente beantwortet werden kann. Was Heilsgewißheit bedeutet und wert ist, zeigt sich in der gelebten christlichen Existenz. In dieser gelebten christlichen Existenz gibt es, das ist nach getaner Arbeit theologischer Absicherung unbestreitbar, *Erfahrung* des Heils, Erfahrung der Gnade, Erfahrung *Gottes.* Diese Erfahrung überschreitet heute vollends alle Konfessionsgrenzen. Wem würde es heute noch einfallen, die Frage nach heutiger Gotteserfahrung, die nachweislich eine ihrer Wurzeln bei Luther hat, dadurch blockieren zu lassen, daß man noch vor einigen Jahrzehnten die unbändige Suche nach persönlicher, »subjektiver« Erfahrung der Heilswirklichkeit als Kern und Wurzel aller späteren »unkatholischen« Lehren Luthers glaubte ansehen zu müssen?

---

[52] STh I–II 112,5 in corp. (zweite Hälfte).

8. KAPITEL

»ALLEIN DIE OHREN SIND DIE ORGANE EINES CHRISTENMENSCHEN«

Wort, Glaube, Sakrament

In der Einleitung zu dem von ihm herausgegebenen Buch mit dem anzüglichen Titel »Luther für Katholiken« hat Karl Gerhard Steck mit Recht gesagt, die stärkste Leidenschaft in Luthers Polemik gegen die alte Kirche sei dort im Spiel, wo er von den Sakramenten handelt[1]. Das ist nicht zufällig, sondern naheliegend, und zwar biographisch und sachlich naheliegend zugleich, denn der öffentliche Konflikt Luthers mit der Kirche und damit der letzte Anstoß zu seinem reformatorischen Durchbruch entstand ja an einer Einzelfrage der Sakramentenlehre – der Frage nach den Ablässen und damit nach der Bedeutung des Bußsakramentes –, die aber in der Sache zu einer aufs Ganze gehenden Frage nach der wirklichen Bedeutung der Sakramente im christlichen Leben war. Darum ist das Sakramentsverständnis der nächstgelegene Punkt, an dem sachnotwendig ans Licht kommen muß, welche theologischen und praktischen Konsequenzen Luthers reformatorischer Durchbruch hat. Und umgekehrt: wenn Luther die Ausschließlichkeit des Glaubens als Weg zu Heil und Heilsgewißheit durchhalten will, dann muß er eben deshalb gegen ein ganz bestimmtes Verständnis der Sakramente und ihrer Bedeutung für den Weg des Christen zu Gott angehen, das er zu seiner Zeit und in seiner Umgebung handgreiflich beobachtete. Es war eine Sakramentenfrömmigkeit, die, mit welchem Maß an theologischer Bewußtheit auch immer, die Sakramente als Zusatz zum Glauben oder gar als einen Heilsweg des Menschen ansah, der an der Forderung persönlichen Glaubens vorbeiführte. Dies schien durch die kirchlichen Strukturen gedeckt, und die kirchlichen Amtsträger reagierten höchst empfindlich gegen jede Kritik

---

[1] Steck, Einleitung, 22. – Zur Entwicklung der Sakramentslehre Luthers im Zusammenhang der Relation von Wort und Glaube vgl. die w. o. im 7. Kapitel S. 116 Anm. 1 verzeichneten Arbeiten. – Zur ausgebildeten Sakramentslehre Luthers vgl. Peters, Realpräsenz; Kinder, Zur Sakramentslehre; Althaus, Theol. Luthers, 297–338; Joest, Ontologie der Person, 354–436. – Zur Sakramentslehre im kontroverstheologischen Zusammenhang vgl. Pesch, Theol. der Rechtfertigung, 326–353; 793–822; ders., Besinnung auf die Sakramente; Lortz, Sakramentales Denken beim jungen Luther; Pfnür, Einig in der Rechtfertigungslehre, 213–221; Schwab, Entwicklung der Sakramententheologie; und jüngst Finkenzeller, HDG IV 1 b, 2–13, der sich ganz auf die Untersuchungen von Schwab stützt. – Weitere Spezialliteratur, bes. zu den innerreformatorischen Kontroversen, in den angegebenen Arbeiten.

vor allem an den praktischen Auswirkungen dieses Verständnisses. So ist neben der Auffassung von der Vollmacht des kirchlichen Amtes das Sakramentsverständnis in besonderer Weise der Zielpunkt von Luthers Angriffen in der Frühzeit der Reformation. Gelegentlich wird daher auch nicht ganz ohne Recht die »Entdeckung des Sakramentes« als Inhalt, zumindest als entscheidender Mit-Inhalt des »reformatorischen Durchbruchs« angesehen[2]. Daß hier überdies eine enge Beziehung zur Frage nach der »Heilsgewißheit« besteht, ergibt sich schon daraus, daß die Antwort Luthers zu beiden Fragenkreisen entscheidend vom (nun gefundenen) reformatorischen Sinn des Begriffs »Verheißung« (»promissio«) abhängt[3]. Aber wie konnte es zu solchem Verfall des Sakramentes kommen, der Luther bis zu maßlos übersteigerter Polemik erbittert?

1. »SAKRAMENTE«: WAHRHEIT UND KARIKATUR IM 16. JAHRHUNDERT

Für den der Dogmen- und Theologiegeschichte Kundigen ist es stets erneut ein Alptraum, sich zu vergegenwärtigen, welch großartige Ideen der Kirchenväter und des Hochmittelalters auf dem Weg ins 16. Jahrhundert so verkommen konnten[4]. Von einem allgemeinen »Sakramentsbegriff«, das ist eine Binsenwahrheit, kann im Neuen Testament noch keine Rede sein. Das Heil, die Gerechtigkeit, die Versöhnung, die Gott in Jesus Christus geschaffen hat, wird zugesprochen im »Evangelium«, im »Wort der Versöhnung« und der selbstverständliche, auf seine *besondere* Bedeutung gar nicht weiter bedachte Rahmen dafür sind Taufe und Herrenmahl, in denen auf je ihre Weise die Heilsereignisse von Tod und Auferweckung Jesu erinnert, vergegenwärtigt und gefeiert werden. Auf Wort und vergegenwärtigende Feier antwortet der Christ durch Glaube, Umkehr und ein neues Leben, das die »Früchte des Geistes« bringt. Der »kultische« Charakter von Taufe und Herrenmahl wird im Neuen

[2] So etwa bei Bizer, Die Entdeckung des Sakraments durch Luther; ders., Fides ex auditu, 80–91; Schwab, a. a. O. 77–168, dem sich Jorissen, Die Bußlehre der CA, 58–64, anschließt.
[3] Man kann daher die Frage stellen, ob es nicht sachgemäßer wäre, die Sakramentsfrage als erstes der ausgewählten Sachthemen aufzunehmen. Für die Priorität des Themas »Heilsgewißheit« sprach und spricht, daß damit von dem Sachthema, das zugleich für Luther das persönlichste war, zu den anderen Sachthemen hinübergelenkt wird.
[4] Einzelheiten zur Theologie der Sakramente in den Handbüchern der Dogmengeschichte, zur Praxis in den kirchengeschichtlichen Darstellungen; stellvertretend sei verwiesen auf Finkenzeller, HDG IV 1a; Neunheuser, HDG IV 2; Vorgrimler, HDG IV 3; Neunheuser, HDG IV 4a und 4b; Iserloh, HKG III, 676–740; und schon Lortz, Reformation in Deutschland I, 69–138. – Spezieller: Pratzner, Messe und Kreuzesopfer; Iserloh, Der Kampf um die Messe; auch Iserloh – Vajta in: Meyer – Schütte, Confessio Augustana; Pesch, Besinnung auf die Sakramente, 275–292; 299–309.

Testament schon deswegen weder bedacht noch entwickelt, weil sich der »neue Gottesdienst« der Christen geziemend abzuheben hat sowohl gegen den Tempelgottesdienst Israels wie auch gegen die heidnischen Kultmysterien.

Je mehr freilich der christliche Glaube in der antiken Welt Wurzeln schlägt und Breitenwirkung gewinnt, desto unbefangener reichern sich Taufe und Herrenmahl mit »kultischen« Formelementen an. Aus den schlichten, stark an den Formen des Synagogengottesdienstes orientierten Feiern der neutestamentlichen Zeit wird die »himmlische Liturgie«, in der die entzogene Welt Gottes in die sichtbare Welt der Menschen einbricht und die Menschen einen scheuen Blick tun dürfen in die Herrlichkeit des Gottesdienstes, der im Himmel vor Gott von Ewigkeit zu Ewigkeit stattfindet. Nicht von ungefähr hat schon hier, vor allem im ostkirchlichen Bereich, der Akzent auf dem Schauen des verborgenen »Mysteriums« den biblisch-jüdischen Akzent auf dem Wort, das den Menschen anruft und Gemeinschaft mit Gott begründet, abgelöst – eine völlig legitime und unumgängliche Folge der »Fleischwerdung« des Evangeliums im hellenistischen Denk- und Sprachraum. Außerdem gliedern sich im Zuge der kultischen Ausformung weitere »Sakramente« aus den biblischen »Ursakramenten« aus – und mit ihnen bestimmte Einzelfunktionen aus dem einen neutestamentlichen Amt, beides freilich ohne unwiderrufliche Festlegungen.

Schon die abendländisch-lateinischen Kirchenväter nehmen dieses Verständnis von den »Sakramenten« als »Mysteriengegenwart« nicht mehr voll auf. Seit Tertullian die Taufe als »sacramentum« bezeichnet und darunter, dem ursprünglichen Wortsinn entsprechend, eine Art »Fahneneid« des »Soldaten Christi« versteht, tritt ein juridisches Element in das Sakramentsverständnis ein. Es wird freilich für lange Zeit in der Balance gehalten durch den Grundgedanken Augustins von den Sakramenten als »Zeichen« (»signum«). Dieses Sakrament als »Zeichen« ist freilich nicht mehr der geöffnete Himmel nach ostkirchlichem Verständnis, es ist, unbeschadet seiner göttlichen Stiftung, nur ein schwaches Abbild dessen, was dem Menschen hier auf Erden für immer verborgen bleibt. Freilich bleibt der Gedanke auf dem Weg über die neuplatonisch-philosophische Prägung des augustinischen Denkens insoweit mit den ostkirchlichen Gedanken verbunden, als *alle* sichtbare Wirklichkeit grundsätzlich nur, aber auch wirklich eine Abschattung der überirdischen Wirklichkeit Gottes ist. In den sakramentalen Zeichen – die nach Zahl und Bedeutung so wenig festgelegt sind wie im Osten – verdichtet sich also die verborgene Heilswirklichkeit Gottes zur verborgenen, für den Glauben aber transparenten Gegenwart auf der Erde.

Bis hierhin ist dies alles der staunenswerte Vorgang, wie das ursprünglich »jüdisch« formulierte und auch ansatzweise (Paulus!) schon durchdachte

Evangelium sich in einem Denken buchstäblich »inkarniert«, das dem jüdischen Denken von Haus aus so fremd wie nur möglich ist – und ohne dessen Verstehenshilfe das Evangelium doch nie über die Umwelt Palästinas hinaus geschichtsmächtig geworden wäre. Dieses Urteil gilt auch dann, wenn im einzelnen manches nicht unbedenklich verläuft, zum Beispiel die rigorose, ja in der Tat erbarmungslose Ausformung des kichlichen Bußwesens, die die altkirchliche Form des »Bußsakramentes« praktisch zum Sakrament der Todesvorbereitung macht und, was noch bedenklicher ist, bis dahin gegebenenfalls den Ausschluß von der Eucharistie nach sich zieht. Die entscheidende Wendung von der Wahrheit zur Karikatur geschieht aber an einem anderen Punkt. Auch für Augustinus und die lateinischen Kirchenväter überhaupt ist völlig selbstverständlich, daß die Sakramente Gottesdienste der Gemeinde sind und nur in diesem Zusammenhang, wo Wortverkündigung, Zeichenhandlung und Glaubensvollzug in der Gemeinde beieinander sind, ihren Sinn und ihre Heilswirkung entfalten. Das wird in dem Augenblick anders, als die Liturgie im Zuge der Germanenmission nicht mehr in deren Muttersprache übersetzt wird, sondern lateinisch und damit unverstanden bleibt. Schon im frühen Mittelalter entwickelt sich die Liturgie zum Klerikergottesdienst, dem das »Volk« nur von ferne und ohne Verstehen beiwohnt, abgetrennt durch die alle Sicht auf den Altar versperrende lange Treppe zum Hochchor oder später durch den Lettner. Der Sakramentsgottesdienst löst sich damit aus dem Gemeindebezug, und wen wundert es, daß in der Frühscholastik das Sakrament zum isolierten »Heilmittel« (»remedium«) schrumpft, was um so einleuchtender wirken muß, als für das ungebildete Volk faktisch nicht etwa die Eucharistie, sondern das inzwischen mit einer perfektionistischen seelsorglichen Systematik sondergleichen ausgestaltete Bußsakrament das Hauptsakrament ist: die Ausgangssituation der Reformation bereitet sich vor.

Das Hochmittelalter, insbesondere Thomas von Aquin und seine großen Kollegen unter den Scholastikern, reißen theologisch das Ruder noch einmal herum, belehrt und angeregt nicht zuletzt durch neue umfängliche Originallektüre der Kirchenväter. Der Begriff des »Zeichens« gewinnt wieder den Vorrang vor dem des »Heilmittels«. Hinzu tritt eine verstärkte Besinnung auf die »Wirksamkeit« oder, wie man damals sagte, die »Ursächlichkeit« der Sakramente, wobei der entscheidende theologische Antrieb der ist, die neutestamentlichen Sakramente von denen des Alten Bundes nachhaltig abzugrenzen, und der Hauptgesichtspunkt bei dieser Abgrenzung ist wiederum der, die Zäsur, die das Christusereignis als Begründung des Neuen Bundes darstellt, nur ja deutlich genug zur Geltung zu bringen. Die neutestamentlichen Sakramente »müssen« das Heil, das sie versinnbilden, wirklich auch dem Empfänger mitteilen, denn nur so überbieten sie eindeutig die Sakramente des Alten Bundes, die das

Christusheil nur ankündigen und vorausbilden. Welches theologische Potential in dieser originell erneuerten Kirchenvätertheologie drinsteckt, zeigt sich, wenn man etwa das Gewicht der Aussage des Thomas von Aquin zu ermessen sucht, im Sakrament werde die vergangene Heilstat Christi erinnert, ihre gegenwärtige Heilswirkung gefeiert und ausgeteilt, die ewige Vollendung erahnt und im »Angeld« vorweggenommen[5]. Im übrigen hat sich seit Beginn des 13. Jahrhunderts die Siebenzahl der Sakramente im Abendland endgültig durchgesetzt, und die Sakramentenlehre des Thomas tut das Ihre, sie für die Zukunft als verbindliche Glaubenslehre festzuschreiben, wobei schon Thomas sich im klaren ist, daß sie nicht alle sieben aus dem Text des Neuen Testamentes begründet werden können, ihre historische Stiftung durch Jesus Christus aber aufgrund der nicht mehr diskutierbaren kirchlichen Tradition postuliert, weil es für ihn undenkbar ist, daß erst die Apostel, zu schweigen von der späteren Kirche, die Vollmacht gehabt hätten, ein in der beschriebenen Weise heilswirksames Sakrament einzusetzen.

Keine Rede kann davon sein, daß in der mittelalterlichen Sakramentenlehre die Bedeutung des Glaubens übersehen wäre. Der Glaube gehört vielmehr ebenso wie das wirksame Wort in die Wesensbestimmung des Sakramentes hinein. Denn die Zeichenhandlung als solche ist mehrdeutig. Erst das mit der Zeichenhandlung verbundene Wort, das konkret das neutestamentliche Stiftungswort ist, soweit es dort vorliegt, macht die mehrdeutige Zeichenhandlung zum eindeutigen sakramentalen Zeichen. Dieses den Sinn der Handlung zum Verstehen bringende Wort aber nimmt allein der Glaube an, so daß letztlich er es ist, der die Heilsmacht des Sakramentes zur Auswirkung kommen läßt, obwohl nicht der Glaube, sondern Gott dem Sakrament seine Heilsmacht eingestiftet hat. In diesem Sinne kann Thomas mit einem Augustinuszitat erklären, das Wort im Sakrament wirke »nicht, weil es gesprochen, sondern weil es geglaubt wird«[6].

Freilich: dieses ganze, großartige Konzept wird völlig abseits der konkreten Gemeindewirklichkeit entwickelt und bleibt daher im Blick auf den kirchlichen Zusammenhang völlig abstrakt. Schon für die kleineren Geister unter den Theologen, zu schweigen vom »Kirchenvolk«, bleibt daher in der gegebenen Situation nur noch eine grobe Vorstellung übrig, daß die Sakramente »wirken«. Das Unheil solcher Verkürzung verstärkt sich durch zwei, abstrakt-theoretisch unanfechtbare Zusatzthesen, die aber nach Lage der Dinge in der Praxis nur noch mißverstanden werden können. Die eine These: Um die Unzerstörbarkeit der göttlichen Stiftung

---

[5] Thomas, STh III 60,1–3.
[6] Thomas, STh III 60,7 ad 1; vgl. Augustinus, Tractatus in Iohannis evangelium 80,3 (zu 15,3): PL 35, 1840.

des Sakramentes hervorzuheben und gleichzeitig dem Sakramentenempfänger die Sorge vor der Beeinträchtigung des Sakramentes durch einen unwürdigen Spender zu nehmen, prägt man die Formel, daß die Sakramente »durch den Vollzug selbst« (»ex opere operato«) ihre Heilswirkung dem Empfänger mitteilen. Und um dem Empfänger die Sorge zu nehmen, er könne sich nicht ausreichend auf den Empfang des Sakramentes vorbereitet haben, erleichtert man ihm sein Gewissensurteil durch eine negative Umkehrformel über die Bedingung des rechten Sakramentenempfangs: das Sakrament teile dem die Gnade Christi mit, der dem »keinen Riegel vorschiebt« (»non ponit obicem«), was soviel heißt: wer es nicht zum Schein, sondern mit dem Willen empfängt, eben das Sakrament zu empfangen. Aber wie soll ein einfacher Christ des 14. und 15. und beginnenden 16. Jahrhunderts, dem solche Formulierungen in der Predigt nahe gebracht werden, *nicht* auf die Vorstellung verfallen, das Sakrament vermittle das Heil, wenn man nur nichts ausdrücklich dagegen tue? Wie sollte er auf eine andere Vorstellung verfallen, wenn gleichzeitig bei dem Sakrament, das im Mittelpunkt seines kirchlichen Lebens steht, bei der Buße, von weiteren persönlichen Voraussetzungen geschwiegen, dafür aber um so mehr die äußeren, bequem abzählbaren und hinsichtlich ihrer Erfüllung überprüfbaren Bedingungen aufgelistet werden[7]? Es wundert nicht einmal, daß selbst heutige lutherische Theologie sich schwer tut, das zum Vorwurf gewendete Mißverständnis dieser Formeln endgültig in den Papierkorb der Theologiegeschichte zu werfen[8]. Und damit stehen wir wieder bei Luther.

2. DAS WORT ALS HEILSMITTEL

Diese Skizze der Entwicklung des Sakramentenverständnisses kann nicht mehr sein als ein grober Holzschnitt. Aber er reicht aus, verständlich zu machen, daß Luther die herkömmliche Sakramentslehre und noch mehr die zeitgenössische Sakramentspraxis als Heilsweg *neben* dem Glauben, ja unter *Umgehung* des Glaubens ansehen mußte. Mit der Kirche als ganzer gerät dies nun im Zuge des reformatorischen Durchbruchs auf die andere Seite des Konfliktes und fordert von Luther einen Neuansatz im Sakramentsverständnis. Dabei kann es bei Luther in keinem Augenblick darum gehen, die Sakramente etwa, wie es später die radikalen Reformatoren –

---

[7] Zu Herkunft und Sinn der beiden zitierten Formeln, die Thomas von Aquin übrigens nur in seinem Frühwerk (und auch da nur selten), nicht aber in der STh verwendet, vgl. Deutsche Thomas-Ausgabe Bd. 31, 465–468; ausführlicher Schillebeeckx, De sacramentele heilseconomie, 588 Anm. 132; 641–646; zur Schuldogmatik die Hinweise und Literaturangaben bei Pesch, Das katholische Sakramentsverständnis, 321.
[8] Vgl. Pesch, ebd.

Luther nennt sie die »Schwärmer« – tun, als ein im Grunde beliebiges zeichenhaftes Glaubensbekenntnis *des Christen* anzusehen. Er hat vielmehr mit steigender Erbitterung in diesem Punkt auf dem Gehorsam gegen die Stiftung Christi bestanden, wie es für eine breite Leserschaft vor allem in seinen Katechismen zum Ausdruck kommt. Wohl aber steht und fällt für Luther alles mit einem richtigen *Verständnis* des Sakramentes. Um dieses zu entfalten, geht Luther aus und müssen auch wir ausgehen von dem, was ihm nun endgültig klargeworden ist: von der Grundrelation von Wort und Glaube, in der alles Heil des Menschen beschlossen ist. Zunächst eine Kostprobe der schier unerschöpflichen Vielfalt, in der Luther von dieser Grundrelation spricht[9].

1. Das Wort, immer verstanden als Wort Gottes, ist *Gegenstand* des Glaubens. »Der Glaube weidet sich aber nicht denn allein von dem Worte Gottes[10].« »In dem Glauben muß man alle Dinge aus den Augen tun außer dem Wort Gottes... Der Glaube hängt allein dem Worte bloß und lauter an, wendet die Augen nicht davon, sieht kein anderes Ding an[11].« »Nicht eher und nicht weiter sollst du glauben, du habest denn Gottes Wort. Denn das Wesen und die Natur des Glaubens ist, daß er auf Gottes Wort sich baue und verlasse, und wo nicht Gottes Wort ist, da mag und soll kein Glaube sein[12].« Und schon in der Hebräerbriefvorlesung, dem wichtigen Dokument aus der Zeit des reformatorischen Durchbruchs, prägt Luther die nachgerade klassische Formulierung: »Allein die Ohren sind die Organe eines Christenmenschen« (zu Hebr 10,5)[13]. Alles andere, worauf der Glaube sich bezieht und wovon wir eigentlich hier handeln müßten, ist allein durch das Wort vermittelt: der Bezug des Glaubens auf Gottes Gottheit, auf Gottes Handeln im Gegensatz, auf Christus und sein Heilswerk, auf das Wort von Christus. Bei genauer Analyse der Texte muß man sogar sagen: Der Bezug des Glaubens auf das Wort ist der *unmittelbare* Grund, warum die »Gerechtigkeit« »durch den Glauben allein« (»sola fide«) ergriffen wird. Die anderen Stichworte, die mit der berühmten »particula exclusiva« verbunden werden: Gott allein, Christus allein, das Kreuz allein, die Gnade allein u.ä., sind der *entfernte* und *fundamentale* Grund für das »sola fide«; erst dadurch, daß sie im Wort zur Geltung gebracht werden, gehen sie den Glauben tatsächlich an[14]. Wenn Luther so auf der Heilsbedeutung des Wortes besteht, dann natürlich nur deshalb, weil für ihn das Wort mehr ist als nur theoretische

---

[9] Vgl. ausführlicher Pesch, Theol. der Rechtfertigung, 198–262 und Bornkamm, Das Wort Gottes bei Luther (= Luther, 147–186).
[10] 6, 363,28.
[11] 10 III, 423,17.
[12] 10 I 1, 616,2.
[13] 57 (Heb), 222,7.
[14] Vgl. Pesch ebd. und ders., Gottes Gnadenhandeln, 859–871.

»Mitteilung von...«, mehr als bloße Information. Gott, Christus, seine »Gerechtigkeit« ist *im* Wort gegenwärtig und kommt nur so heilschaffend zum Menschen. »Danke du, daß du mein Wort hast und durchs Wort mich selbst«, läßt Luther Gott den Menschen anreden[15]. Und in bezug auf Christus: »Wie haben wir denn nun Christum? Denn er sitzt im Himmel zur Rechten des Vaters, er würde nie zu uns herabsteigen in unser Haus. Nein, das tut er auch nicht. Wie erlange und habe ich ihn aber? Ei, den magst du nicht anders haben denn im Evangelio, darinnen er dir verheißen wird... Und also kommt Christus durch das Evangelium in unser Herz, der muß auch mit dem Herzen angenommen werden. So ich nun glaube, daß er im Evangelio sei, so empfange und habe ich ihn schön[16].« »So kommt er zu uns durch das Evangelium. Ja, es ist viel besser, daß er kommt durchs Evangelium, denn wenn er jetzt zur Tür reinginge, du kennest ihn doch nicht, ob er schon reinginge, glaubst du, so hast du, glaubst du nicht, so hast du nicht[17].« Und einer der berühmtesten Texte: »Wären hunderttausend Christus gekreuzigt und niemand hätte von ihnen geredet, was hätte dann das Faktum ›ans Kreuz überliefert‹ noch genützt[18]?« Luther kann geradezu die Heilstatsachen, Menschwerdung und Kreuz, »abwerten« zugunsten des Wortes: »Gott hat mehr aufs Evangelium und diese öffentliche Zukunft durchs Wort denn auf die leibliche Geburt oder Zukunft [= Ankunft] in die Menschheit acht gehabt. Es ist ihm um das Evangelium und unseren Glauben zu tun gewesen, darum hat er seinen Sohn dazu lassen Mensch werden, daß das Evangelium von ihm möchte gepredigt werden und also sein Heil durchs öffentliche Wort zu aller Welt sich nahen und kommen[19].«

Von daher verwundert es nicht, wenn Luther die Sprachregelungen der Sakramentenlehre auf das Wort anwendet: »Christus hat durch *ein* Werk die Erlösung vollbracht; aber er *teilt es aus, eignet es zu* (›applicat‹), macht es bekannt durch das Zeugnis[20].« Wie er die Terminologie der Sakramentenlehre auf das Wort von Christus anwendet, so wendet er die Terminologie der Schöpfungslehre auf die Gegenwart Gottes im Wort an. Gott ist verhüllt im Wort, er wird greifbar im Wort, er macht sich kund im Wort, er wirkt im Wort: »Es ist fanatisch, ohne das Wort und eine Einhüllung von Gott und der göttlichen Natur disputieren zu wollen... Wer außerhalb von dieser Einhüllung Gott berühren will, der will ohne Leitern (das heißt ohne das Wort) zum Himmel aufsteigen, folglich wird er, erdrückt von der Majestät, die er als unverhüllte zum umfangen trachtet, zugrunde

[15] 31 I, 456,1.
[16] 10 III, 349,17.
[17] 10 III, 92,11.
[18] 26, 40,10.
[19] 10 I 2, 7,12.
[20] 26, 40,22.

gehen[21].« »Wie er wohl überall ist in allen Kreaturen und ich möchte ihn im Stein, im Feuer, im Wasser oder auch im Strick finden, wie er denn gewißlich da ist, will er doch nicht, daß ich ihn da suche ohne das Wort und mich ins Feuer oder Wasser werfe oder an den Strick hänge. Überall ist er, er will aber nicht, daß du überall nach ihm tappest, sondern wo das Wort ist, da tappe nach, so ergreifst du ihn recht[22].«

2. Das Wort ist nicht nur Gegenstand, es ist auch *Ursache* des Glaubens. Sachlich kann das nicht mehr unverständlich sein. Wenn Gott im Wort ist und wirkt, dann schafft Gott eben durch das Wort auch den Glauben, der sich auf das Wort stützt. Gott »ist es, der uns täglich herzuholt durch das Wort, und den Glauben gibt, mehrt und stärkt durch dasselbige Wort und Vergebung der Sünde[23].« Wenn Luther von der Glauben schaffenden Macht Gottes im Wort spricht, verweist er in der Regel auf den Geist, der im Wort wirkt, Der Geist schreibt ins Herz, was äußerlich gepredigt wird. Er tritt zum gepredigten Wort hinzu und gibt ihm die Kraft, daß es »kleben bleibt«[24]. Daher macht auch das mit dem Wort verbundene Zeugnis des Heiligen Geistes den Hörer gewiß, daß es das Evangelium ist[25].

In der Lutherforschung hat man daher, um alle Fäden der Gedanken Luthers zusammenzuziehen, formuliert, der Glaube sei nichts anderes als die »applikative Seite« des Wortes[26], in dem Gott, Christus, der Geist gegenwärtig sind und den Menschen im vorhinein zu all seiner persönlichen Bemühung zum Glauben bringen. Man könne streng genommen nicht einmal sagen, daß das Wort den Glauben »weckt«, man könne nur richtig formulieren, das Wort *schaffe* den Glauben. Solchen Formulierungen ist zuzustimmen, soweit es die auf nichts weiteres zurückführbare Grundrelation von Wort und Glaube betrifft. Problematisch sind sie nur, und darauf ist zurückzukommen[27], wenn sie eine *Totalbeschreibung* dessen sein wollen, was konkret Glaube heißt.

Hinzuzufügen bleibt, daß die Zusammengehörigkeit von Wort und Geist auch umgekehrt gilt: das Wort wirkt nichts ohne den Geist, aber der Geist wirkt auch nicht außerhalb des Wortes. Das muß Luther im zweiten Jahrzehnt reformatorischer Theologie vor allem gegen die Schwärmer

---

[21] 42, 11,19.
[22] 19, 492,19.
[23] 30 I, 191,22; vgl. schon 2, 112,35.
[24] 17 II, 460,1.
[25] Vgl. 30 II, 687,31 – 688,4; 10 I 1, 130,14; vgl. Althaus, Theol. Luthers, 32–62; weitere Literatur zu dieser Frage bei Pesch, Theol. der Rechtfertigung, 260 Anm. 325 f. und w. o. im 3. Kapitel Anm. 50.
[26] Wolf, Sola gratia? Erwägungen zu einer kontroverstheologischen Formel (= Peregrinatio I, 113–134), 124.
[27] Vgl. w. u. das 9. Kapitel.

und ihre Vorstellungen von der Geistunmittelbarkeit des Menschen betonen. Der berühmteste Text dazu sei zitiert – er stammt aus den »Schmalkaldischen Artikeln«, also aus einem Text, der in die Bekenntnisschriften der lutherischen Kirche aufgenommen wurde: »Und in diesen Stücken, so das mündlich, äußerliche Wort betreffen, ist fest darauf zu bleiben, daß Gott niemand seinen Geist oder Gnade gibt ohn durch oder mit dem vorgehend äußerlichem Wort, damit wir uns bewahren vor den Enthusiasten, das ist Geistern, so sich rühmen, ohn und vor dem Wort den Geist zu haben, und darnach die Schrift oder mündlich Wort richten, deuten und dehnen ihres Gefallens...[28].«

3. Gründe und Zusammenhänge

Warum stellt Luther alles auf diese »Korrelation« von Wort und Glaube ab? Unsere bisherigen Überlegungen haben alles zusammengetragen, was nötig ist, die Gründe und Zusammenhänge historisch wie sachlich zu verstehen.

1. Der erste (und historische) Grund ist ein exegetischer: die starke Wort-Emphase der Schrift. Luther ist Exeget. Er weiß von berufswegen darum, wie Gott nach biblischem Zeugnis durch das Wort handelt. Er weiß es von Anfang an. Die tropologische Auslegung der Psalmen in seiner ersten Vorlesung dient ja gerade dazu, durch Aktualisierung des Schriftwortes auf den Hörer hin jene Identität von Christus und Christusglaube aufzuzeigen und einzuleiten, die das Heil bedeutet und bringt. Er weiß jedenfalls schon damals, daß, wenn je der Glaube suchen muß, wo er in der Krise vor Anker gehen kann, es nur das Wort ist, das Halt gibt. Daß dem eine Art natürlicher Leidenschaft für das Wort, ein ursprünglicher »prädikatorischer Impuls« entgegenkommt, wie Albert Brandenburg meint und mit interessanten Textbeobachtungen zu belegen weiß[29], mag sein und sich fördernd auswirken, festzuhalten bleibt dennoch, daß es ausreicht, im Unterschied zu anderen Kollegen und anderen Ausbildungsgängen berufsmäßig mit der Heiligen Schrift zu tun zu haben, um dem Wort als Heilsmittel ein anderes Gewicht beizumessen als in der herkömmlichen Theologie.

2. Ein sachlicher Grund tritt hinzu. Gegen die Verdinglichungstendenzen im Gnadenverständnis, die Luther in der Theologie seiner Zeit brandmarkt und die im Sakramentsverständnis und in der Sakramentenpraxis besonders kraß herauskommen, setzt Luther einen personalistischen Gnadenbegriff[30]. »Gnade« ist nichts *im* oder *am* Menschen, sondern die

---

[28] 50, 245,1 = BSLK 453,16.
[29] Vgl. Brandenburg, Gericht und Evangelium, 18–21.
[30] Vgl. w. o. im 7. Kapitel S. 118–120.

Situation des ganzen Menschen vor Gott aufgrund der rettenden Zuwendung Gottes in Christus, die der Glaube annimmt. Was anders soll eine solche neue Situation des Menschen vor Gott herbeiführen als das, was auch sonst Situationen unter Personen schafft, nämlich das Wort?

3. Schließlich: die Gerechtigkeit vor Gott kommt nicht durch Werke. Sie kommt also nicht aus den Möglichkeiten des Menschen, sondern »von außen«, als Geschenk. Und sie *bleibt* außen, als neue Beziehung *Gottes* zum Menschen. Jede andere Weise der Heilsvermittlung als die durch das Wort, das seinerseits nur von außen kommen kann, müße daher nach Luther die reine Externität des Heiles bedrohen und ist deshalb auszuschließen. Die beiden sachlichen Gründe für Luthers »Wortemphase« sichern also das Gottesverhältnis des Menschen einerseits gegen jeden verdinglichenden Sakramentalismus und anderseits gegen jede auch noch so subtile Form von Werkgerechtigkeit. Angesichts der geschilderten Ausgangslage von Luthers Arbeit war seine unerbittliche Betonung der Korrelation von Wort und Glaube zumindest historisch eine notwendige Korrektur. War sie es auch sachlich – im Sinne unserer Generalthese? Dazu müssen wir noch einige weitere Aspekte zusammentragen.

4. »GESETZ UND EVANGELIUM«

Wir hätten die Korrelation von Wort und Glaube bei Luther nicht voll erfaßt, wenn wir uns an dieser Stelle nicht noch einmal gezielt daran erinnerten, daß sie im Zusammenhang der Frage nach dem Bußsakrament erarbeitet wurde. Das Wort als Heilsmittel, das Luther so unerschöpflich zu beschreiben versteht, ist immer und wesentlich Wort an den *Sünder*. Von Anfang an hat das Wort, auf das der Glaube sich richtet, eine Doppelfunktion: Es überführt der Sünde, und es spricht von ihr frei. Es überführt *zuerst*, bevor es freispricht. Anders ausgedrückt: das Wort ist zuerst *Gericht* und *Verurteilung*, bevor es Freispruch wird. Nicht umsonst spielt, wie Albert Brandenburg nachgewiesen hat[31], in der Ersten Psalmenvorlesung das Wort »iudicium«, »Gericht«, »Urteil«, eine solch herausragende Rolle. Im Rahmen der frühlutherischen »Demutstheologie«, davon war schon die Rede[32], fällt dieses »iudicium« mit dem »evangelium« zusammen. Indem sich der Mensch vom verurteilenden Gerichtswort Gottes buchstäblich vernichten läßt, wird er vor Gott wahr und »richtig« und kann leben. Die frühe Psalmenvorlesung spitzt den Zusammenfall von Gericht und Evangelium in geradezu unerträglichen

---

[31] Vgl. Brandenburg, a. a. O., bes. 33–42; 86–88; 128–130.
[32] Vgl. w. o. im 5. Kapitel S. 89 f.

Formulierungen zu, wonach das Evangelium selbst Gottes Gericht ist, den Zorn Gottes predigt, Härten aller Art ankündigt und daher zutreffend eine »eiserne Rute« genannt wird[33]. »Und so wird Gerechtigkeit[34].« Dabei fühlt Luther sich bestätigt durch Schriftworte wie 1 Sam 2,6: »Der Herr macht tot und lebendig, er führt zum Totenreich hinab und führt auch herauf[35].« Für denselben Grundgedanken tritt in der Römerbriefvorlesung ein anderes Schriftwort als Kronzeuge auf: Ps 51,6: »... damit du gerechtfertigt werdest in deinen Worten.« Gemeint ist, daß der Sünder Gottes verurteilendem Wort recht gibt[36]. In Anknüpfung an diesen Psalmenvers kann Luther das Rechtfertigungsgeschehen zugespitzt in einer Weise darstellen, die die spätere Sprachregelung von der »passiven Gerechtigkeit« auf den Kopf stellt: »Und jene passive Rechtfertigung Gottes, durch die er von uns gerechtfertigt wird, ist eben die Rechtfertigung, die Gott aktiv an uns vollzieht[37].«

Für die Frage nach Wort und Glaube ergibt sich daraus, daß erstes Thema des Glaubens die eigene Sünde ist, von der Luther in seiner Frühzeit genauso wie von Gottes Vergebungswort sagt: »Sola fide credendum est« – »sie muß im Glauben allein geglaubt werden«, wie man wörtlich, aber ungeschickt übersetzen muß[38]. Der Streit darum, ob diese frühe Fassung der Rechtfertigungslehre Luthers, die Anklage durch das Wort und Rettung durch das Wort in eins fallen läßt, schon »reformatorisch« ist, darf, wir sahen es schon[39], auf dem heutigen Stand der Forschung als entschieden gelten: Diese Rechtfertigungslehre ist nicht mehr spätmittelalterlich, aber auch noch nicht reformatorisch im Sinne der Präzisierungen der Jahre nach 1518. Es geht bei diesem Streit nicht darum, daß die Sünde allein dem Worte Gottes geglaubt werden kann – das hat Luther nie wieder aufgegeben, und *insofern* hat Luther sein ganzes Leben an seiner frühen »Demutstheologie« festgehalten[40]. Es geht auch nicht darum, daß von hier aus ein direkter und kurzer Weg zu Luthers Auffassung vom »Handeln Gottes im Gegensatz« führt, mit der Luther heutigen Erfahrungen so nahe steht – auch diese Auffassung hat Luther nie wieder aufgegeben[41]. Es geht allein um die Frage, ob der *Zusammenfall* von

---

[33] 3, 462,34; 463,13; 4, 310,15. – 3, 174,17; 211,34; 336,25; 375,20; 4, 7,8–16; 50,27. – 3, 32,2. 5 ff.; 462.5.

[34] 3, 462,37.

[35] Vgl. 3, 432,32; oder die Jesaja-Zitate in der Auslegung von Ps 71, 3, 464 ff.

[36] 56, 31,4; 212,26; 217,21. 26; 218,13. 15; 219,6; 220,9; 221,15; 225,10 ff.; 226,1; 227,18; 269,11; 296,10; aber auch schon 3, 289,16–292,7.

[37] 56, 226,24.

[38] 56, 231,9.

[39] Vgl. w. o. im 5. Kapitel S. 89 f.; 99 f.

[40] Belege und Interpretation bei Pesch, Theol. der Rechtfertigung, 208–223. Kleines äußeres Indiz der Kontinuität: das Zitat 1 Sam 2,6 in 18, 633,13 (vgl. Anm. 35).

[41] Vgl. w. u. das 14. Kapitel.

»Gericht und Evangelium« (Albert Brandenburg) als wahrhaft »reformatorisch« anzusehen ist.

Die Entscheidung fällt an der genauen Bestimmung des Begriffes »promissio«, »Verheißung« oder, was gleichbedeutend ist, »Evangelium«. Nach dem reformatorischen Durchbruch – also spätestens seit Mitte 1518 – ist »promissio« immer der *Gegenbegriff* zum anklagenden, verurteilenden Wort Gottes. Nicht mehr ein und dasselbe Wort Gottes leistet *beides,* vielmehr ist ein anderes, neues Wort Gottes, besser: eine neue Gestalt des Wortes Gottes[42], die aus dem ersten Wort, aus der Anklage befreit. Von dieser Zeit an präzisiert Luther, daß sich der Glaube als *Heils*glaube nicht auf irgendein Gotteswort, sondern auf das heilschaffende *Verheißungswort* bezieht. »Wo nicht Zusagung Gottes ist, da ist kein Glaube[43].« »Der Glaube muß ganz gewiß sein, ... da er die feste Zustimmung ist zu Gottes Wort oder zu der Gnadenverheißung, das heißt der Sündenvergebung um Christi willen[44].« Der erste Text stammt aus dem Jahre 1520, der zweite von 1538 – man sieht: der Gedanke ist jetzt eine Konstante in Luthers Denken. Daß die spätere begriffliche Trennung von Gerichts- und Verheißungswort mehr ist als eine didaktische und methodische Präzisierung einer der Sache nach schon gleichlautenden Lehre[45], ja daß selbst Texte, die schon genau so klingen wie die späteren, noch nicht den späteren Sinn haben[46], dafür gibt es eine bemerkenswerte Gegenprobe: Der »promissio«-Begriff des Frühwerkes geht noch ausgezeichnet zusammen mit Äußerungen höchster Loyalität gegenüber den »Prälaten«: ihnen in allem sich zu unterwerfen ist hier noch höchster Erweis der Demut, die sich unter Gott selber beugt[47]. Als aber Luther im Zusammenhang mit dem Ablaßstreit unter Berufung auf das bedingungslos geltende göttliche Verheißungswort den Sakramentsbegriff als erstes Thema der traditionellen Theologie neu durchfragt und umgestaltet und

---

[42] Mit der Spannung: »ein neues Wort Gottes – eine neue Gestalt des Wortes Gottes« ist auf den innerlutherischen Streit um die totale Entgegensetzung zweier einander im Anspruch auf die ganze Menschheit widerstreitender Worte Gottes vor allem bei W. Elert angespielt. Diese radikale Position ist als *Lutherinterpretation* von der Forschung kaum angenommen worden; vgl. die Hinweise bei Pesch, a. a. O. 74 Anm. 36 und jetzt die ausführliche Darstellung bei Peters, Gesetz und Evangelium, 166–187.

[43] 6, 364,8.

[44] 39 I, 561 f.,22.

[45] So z. B. Bornkamm, Zur Frage der iustitia dei beim jungen Luther (= Lohse [Hg.], Der Durchbruch der reformatorischen Erkenntnis, 289–383), II, 20f.; 57 (= Lohse, a. a. O. 332; 381); Ebeling, Luther, 120f.; ders., Die Anfänge von Luthers Hermeneutik (= Lutherstudien I, 1–68), 42–51, bes. 49ff.; und schon Boehmer, Der junge Luther, 119.

[46] Vgl. w. o. im 5. Kapitel S. 94.

[47] Vgl. 56, 249,24ff.; 251,12ff.; 252,17ff.; 253,16ff.; 256,11ff.; 258,3ff.; 446,11ff.; Hacker, Das Ich im Glauben, 238–245, stellt diesen Texten solche aus dem großen Galaterkommentar von 1531 gegenüber. Man muß Hackers Urteil nicht teilen – doch die historische Redlichkeit gebietet, sich dem Gegensatz dieser Texte zu stellen!

nun aufgefordert wird, die ekklesiologischen Konsequenzen zu widerrufen, da schreibt er den schon zitierten Satz, der deshalb so erschütternd ist, weil er nicht nur das Lebensschicksal dieses Mannes zusammenfaßt, sondern exemplarisch den Konflikt aller Zeiten zwischen unvertretbarem, einsamem Glaubenswagnis und institutioneller Glaubensgemeinschaft ausspricht: »Ich will nicht zu einem Ketzer werden mit dem Widerruf der Meinung, durch welche ich bin zu einem Christen worden[48].«

Aus der Trennung von »promissio« und Gerichtswort entwickelt sich nun die Unterscheidung, von »Gesetz« und »Evangelium« – nein: sie *ist* diese Unterscheidung. Dem Wortlaut nach findet sich diese Unterscheidung bereits in der zweiten Hälfte der Römerbriefvorlesung und in der (anschließenden) Galaterbriefvorlesung von 1516/17 – aber noch nicht im späteren »reformatorischen« Sinne[49]. Der Sachsinn ist erreicht in der Hebräerbriefvorlesung, vor allem in dem berühmten zweiten Scholion zu Hebr 5,1[50]. Nun, nach den Entwicklungen des Jahres 1518, wird die alte Formel mit dem neuen Sinn zu einer stehenden Redewendung, in der Luther seine ganze Theologie zusammenfassen kann, übrigens nicht nur vor Theologen, sondern auch in der Predigt vor dem einfachen Volk. »Nahezu die ganze Schrift und das Verstehen der gesamten Theologie hängen am rechten Verstehen von Gesetz und Evangelium«, formuliert Luther 1521 – in einer *Predigt*[51]. Und 1532 prägt er – wiederum in einer Predigt – die berühmte Formulierung, die Unterscheidung von Gesetz und Evangelium sei »die höchste Kunst in der Christenheit«[52]. Wer, wie etwa Erasmus, diese Unterscheidung nicht beherzigt, der mag sich noch so lange mit der Heiligen Schrift beschäftigen, er versteht gleichwohl nichts von ihr[53].

[48] Vgl. w. o. im 6. Kapitel S. 110f. (mit Anm. 36).

[49] Vgl. 56,424–426 (Scholion zu Röm 10,5); 57 (Gal), 59f. (Scholion zu Gal 1,11); vgl. dazu Kroeger, Rechtfertigung und Gesetz, 158–160; 234f.

[50] Vgl. 57 (Heb), 169–171. Vgl. dazu Kroeger, a. a. O. 166–176; Bayer, Promissio, 206–212. Aus diesem Scholion stammt der w. o. im 5. Kapitel S. 95 (mit Anm. 64) zitierte Satz.

[51] 7, 502,34.

[52] 36, 9,28.

[53] 18, 693,5; vgl. 680,28; 40 I, 207,17; 486,26. – Zur Entwicklung der Unterscheidung von »Gesetz und Evangelium« vgl. die Arbeiten von Bornkamm und Ebeling w. o. in Anm. 45 und dazu die kritischen jüngeren Äußerungen von Kroeger und Bayer in Anm. 49 und 50. – Zur voll ausgebildeten Lehre Luthers vgl. Joest, Gesetz und Freiheit; Hermann, Zum Streit um die Überwindung des Gesetzes; Ebeling, Zur Lehre vom triplex usus legis in der reformatorischen Theologie; ders., Erwägungen zur Lehre vom Gesetz (= Wort und Glaube I, 50–68; 255–293); Wolf, Habere Christum omnia Mosi. Bemerkungen zum Problem »Gesetz und Evangelium« (= Peregrinatio I, 22–37); Heintze, Luthers Predigt von Gesetz und Evangelium; Peters, Glaube und Werk, 59–183; ders., Gesetz und Evangelium, 27–57; Modalsli, Das Gericht nach den Werken. – Zur Lehre Luthers im kontrovers-

Die Unterscheidung von Gesetz und Evangelium sichert auf der einen Seite, daß das Evangelium immer Befreiung ist, immer schenkt und nie fordernd sagt: Du sollst! Andernfalls wird das Evangelium in sein Gegenteil verkehrt und bringt alle alte Verzweiflung erneut über den Menschen, wie Luther bekanntlich in seinem großen Rückblick von 1545 noch einmal einschärft[54]. Und doch ist das Evangelium nur Evangelium vor dem Hintergrund seines Widerparts, des verurteilenden Gesetzes. So bleibt es lebenslang mit dem Gesetz in der Unterscheidung beisammen. Damit ist für immer verhindert, daß das Wort Gottes, an dem der Glaube »hangt«, als billiges »Trostmittel« mißzuverstehen ist, sondern als Beanspruchung des *Sünders,* der sich mit dem ganzen Ernst seiner nichtigen Lage, deren das Gesetz ihn überführt, unter Gott stellt. Nicht den, der immer strebend sich bemüht, kann Gott nach Luther erlösen, sondern nur den, der Sünder »wird«, indem er die Sünde, die immer schon sein Leben beherrscht hat, als solche sieht und anerkennt.

Macht man sich klar, daß die Unterscheidung von Gesetz und Evangelium nur den Inhalt des reformatorischen Durchbruchs auf den Begriff bringt, und ferner, daß die Inhaltlichkeit dieses Durchbruchs nichts als die kirchenkritisch weitertreibende Präzisierung einer seit Jahren in Gang gekommenen theologischen Umorientierung ist, dann wird klar, daß die Unterscheidung von Gesetz und Evangelium für Luther die »Grundformel theologischen Verstehens«[55] ist. Sie liefert die Grundstruktur von Luthers gesamter Theologie. Alle durchgehenden Spannungsverhältnisse, die christliche Existenz in der Sicht Luthers bestimmen, lassen sich von hierher erhellen, lassen sich auf die Beanspruchung des Menschen durch Gesetz und Evangelium zurückführen: die Spannung zwischen Gericht und Freispruch, Gerechtigkeit und bleibender Sünde, Unsicherheit und Gewißheit, Glaube und Liebe, Freiheit und Knechtschaft, Reich Gottes und Reich der Welt, Verborgenheit und Offenbarung Gottes. Wenn wir es hier bei diesen Hinweisen bewenden lassen und auf ein eigenes Kapitel zu diesem Thema verzichten, so vor allem deshalb, weil wir überall dort, wo wir die alle christliche Existenz durchziehende Spannung auf den Spuren Luthers bedenken, sachnotwendig die Unter-

---

theologischen Kontext vgl. Söhngen, Gesetz und Evangelium; ders., Gesetz und Evangelium (Cath); Schlink, Gesetz und Evangelium als kontroverstheologisches Problem (= Der kommende Christus und die kirchlichen Traditionen, 126–159); Kühn, Via caritatis, bes. 225–272; Pesch, Theol. der Rechtfertigung, 31–76; 399–467; ders., Das Gesetz, 664–680; ders., Gerechtfertigt aus Glauben, 56–94. – Dokumentation und Bibliographie der neuzeitlichen Diskussion dieses Themas bei Kinder – Haendler (Hg.), Gesetz und Evangelium.

[54] Vgl. w. o. im 5. Kapitel S. 82f.

[55] Ebeling, RGG IV, 507; ähnliche Äußerungen bei Pesch, Theol. der Rechtfertigung, 31 Anm. 5; und jüngst wieder Lohse, Martin Luther, 165.

scheidung von Gesetz und Evangelium zur Geltung bringen. Die Kraft einer Lichtquelle ermißt man am besten, indem man sich dem zuwendet, was sie beleuchtet[56]. Im historischen Zusammenhang fällt das Licht zuerst und scharf auf den Sakramentsbegriff.

5. WORT UND SAKRAMENT

Es ist bekannt, daß die Sakramentslehre in Luthers Denken bis 1517 so gut wie keine Rolle spielt[57]. Es hat die Forscher anderseits immer wieder in Erstaunen versetzt, daß in der Hebräerbriefvorlesung bei Gelegenheit der Auslegung von Hebr 5,1 die Sakramentsfrage mit einer Dringlichkeit aufbricht, die vom Bibeltext selbst her an dieser Stelle gar nicht veranlaßt sein kann. Die jüngere Forschung sieht hier bekanntlich einen unmittelbaren Zusammenhang mit dem reformatorischen Durchbruch[58]. Aber auch die älteren Vertreter der »Frühdatierung« verkennen nicht, daß hier (dann) noch einmal eine Wende geschieht. Sie betrifft das Sakramentsverständnis. Endgültig ausformuliert ist dieses neue Sakramentsverständnis – nach mehreren umstrittenen Vorstufen[59] – in der Schrift »De captivitate Babylonica ecclesiae« (»Von der babylonischen Gefangenschaft der Kirche«) von 1520. Freund und Gegner werten daher diese Schrift als *die* eigentlich reformatorische Hauptschrift Luthers, durch die dieser sich von der Kirche getrennt habe[60]. Die, nun nicht mehr unverständliche, Grundthese der Schrift lautet: Auch und gerade das Sakrament ist *Evangelium*. Es ist nicht länger als wortloses »Werkzeug« des Heils anzusehen, sondern als Gestalt des Wortes, präzise: des Verheißungswortes. Das Sakrament ist in bestimmtem Sinne »mehr« als das Wort: es ist die

[56] Ausführlicher habe ich mich an den in Anm. 53 verzeichneten Stellen geäußert.
[57] Die auch schon beim jungen Luther häufige Formel »sacramentum et exemplum« betrifft nicht die »Sakramentenlehre«. Vgl. dazu Iserloh, Sacramentum et exemplum; dagegen – aus ganz verschiedenen Richtungen – kritisch Bayer, Promissio, 78–114; 274–297; Beer, Der fröhliche Wechsel und Streit, 37–63.
[58] Vgl. Anm. 50.
[59] Vgl. Bayer, Die reformatorische Wende, 143–150. Bayer ist u. a. der Meinung, der Abendmahlssermon von 1519 (2, 742–758) sei, weil er das Sakramentsverständnis des reformatorischen Durchbruchs nicht aufnehme, als »gescheitert« zu betrachten – während andere Beurteiler, wie etwa Althaus, Theol. Luthers, 278, es als Verengung und Verarmung der lutherischen Abendmahlslehre ansehen, daß der für den Sermon von 1519 typische (und ganz augustinische!) Gedanke der »communio« nach 1524 unter dem Druck der Kontroversen um die Realpräsenz zurücktritt. Der Meinung von Althaus schließe ich mich an und erlaube mir gegen Bayer die Meinung, daß Luthers Konzentration des Sakramentsverständnisses auf die Relation von promissio und fides gerade heute ihre ganze erneuernde Kraft auch zugunsten der katholischen Eucharistielehre zu entfalten vermöchte, wenn er sie mit dem Gedanken der »communio« zu verbinden gewußt hätte. Vgl. auch w. u. S. 208f.
[60] 6, 497–573. Für die »Freunde« stehe Bayer, a. a. O. 116f., für die »Gegner« Iserloh, HKG IV, 72; ders., Geschichte und Theologie der Reformation, 38f.

ins sichtbare Zeichen gekleidete Verheißung, ohne Element ist das Wort »nuda promissio«, »nackte Verheißung«[61]. Aber das Sakrament *überbietet* nicht das Wort, denn es gibt nichts anderes und nicht mehr, als das Wort zu geben hat. »Damit nämlich das Sakrament zustandekommt, bedarf es vor allem des Wortes der göttlichen Verheißung, durch das der Glaube sich üben soll... Wir sagen, jedes Sakrament enthalte das Wort der göttlichen Verheißung, der derjenige glauben muß, der das Zeichen empfängt, und es kann nicht das Zeichen allein das Sakrament sein[62].« Wird daher Spitze auf Knopf gefragt, muß Luther antworten: Im Grunde hat das Sakrament empfangen, wer glaubend das (Stiftungs-)Wort gehört hat[63]. Daß sich Verheißung und Element zum Sakrament verbinden, kann darum seinen Grund nicht auf seiten der Gabe des Sakramentes haben, als füge es dieser Gabe des Wortes noch etwas hinzu, sondern ausschließlich auf seiten des Empfängers der Gabe, sofern das Sakrament die alles beherrschende Relation von Wort und Glaube im Subjekt verdeutlicht und intensiviert. Mit anderen Worten: Das Sakrament hat seinen Sinn darin, daß das Zeichen dem Glauben an das Wort Stütze gibt, seine Gewißheit bestärkt, indem Gott selbst im Zeichen gleichsam ein Siegel unter seine Verheißung setzt[64]. Die Taufe ist die Zusage Gottes, lebenslang dem Menschen die Sünde zu verzeihen und ihn endlich für ewig aus ihr zu erretten[65]. Das Abendmahl ist die Testamentseröffnung des für uns in den Tod gegebenen Gottessohnes zugunsten des Sünders[66]. Von daher sofort die praktisch-liturgischen Konsequenzen. Wie kann man nur aus den Sakramenten »Werke« machen, Veranstaltungen, die den Eindruck erwecken, als werde hier Gott eine Leistung dargebracht[67]! Wie kann man sie geradezu zu käuflicher Ware machen[68]! Wie kann man die Messe als »Opfer« verstehen, wo sie doch die Austeilung der Gabe des Opfers Christi ist[69]! Wie kann man die entscheidenden Worte, die Verheißung,

[61] 6, 572,11.

[62] 6, 550,9. 25. Weitere Stellen aus anderen Schriften Luthers im gleichen Sinne bei Pesch, Theol. der Rechtfertigung, 328 ff.

[63] 6, 518,13, unter Berufung auf Augustins Wort: »Glaube, und du hast gegessen«: PL 38, 615 (Sermo 112,5). Dasselbe Wort zitiert Luther auch schon im Abendmahlssermon von 1519: 2, 742,28.

[64] 6, 529,36; vgl. 7, 323,4 (»Zeichen oder Siegel seiner Wort«); 10 III, 142,8 (»sein Wort mit Zeichen als einem Siegel, damit...wir ja nicht zweifelten«). Vgl. 2, 686,17; 692,30. 37; 694, 17.

[65] 6, 535,15; 2, 729,30; 731,36; 732,9; 734,3; 7,35,2; 8, 93,1. 8; 96,6. Weitere Stellen und Literatur bei Pesch, a. a. O. 342–348.

[66] 6, 513,14–515,26.

[67] 6, 512,9; 513,13.

[68] 6, 512,11.

[69] Wie Anm. 67. Auf Luthers Urteil über den »Opfercharakter« der Messe können wir hier nicht eingehen. Zu den notwendigen Richtigstellungen vgl. aber Manns, Amt und Eucharistie, 94–99; 148f. (Anm. 147). Zur gegenwärtigen Diskussion die Hinweise w. u. im 12. Kapitel Anm. 69.

zu deren Verkündigung die Sakramente überhaupt da sind, in einer unverständlichen Sprache und zudem noch lautlos sprechen[70]!

6. »LUTHER HAT SEIN KONZIL GEFUNDEN«

Die weitere Entwicklung der Sakramentenlehre Luthers gibt noch einige Probleme und auch Streitfragen auf. Doch können wir sie hier übergehen[71]. Auf jeden Fall liegt die eigentliche Herausforderung, an der sich auch unsere These zu bewähren hat, in der frühreformatorischen Konzentration des Sakramentsverständnisses auf Verheißung und Glaube. In bezug eben darauf hat man allen Ernstes zu sagen gewagt, Luther habe – auf dem Zweiten Vatikanum – »sein Konzil gefunden«[72]. Es wäre eine Vorab-Bestätigung unserer These, aber darf man soweit gehen? Über die liturgisch-praktischen Konsequenzen, die Luther gezogen hat, braucht man unter katholischen Christen heute kein Wort mehr zu verlieren – von kleinen Restposten eines unseligen Erbes vielleicht abgesehen. Aber wir haben auf weit Wichtigeres hinzuweisen. Die erneuerte katholische Sakramentenlehre unserer Jahrzehnte[73] hat etwas im Grunde ganz Einfaches getan: Sie hat ein erneuertes Gemeindeverständnis und darin eine erneuerte Sakramentspraxis wieder zusammengebracht mit der Sakramententheologie des Mittelalters und der Kirchenväter. Sie hat, mit anderen Worten, der erneuerten Gemeinde die ihr

---

[70] 6, 516,18. Bekanntlich galt diese Vorschrift, die Einsetzungsworte flüsternd zu sprechen, und zwar »unter Sünde«, bis zur Liturgiereform des Zweiten Vatikanischen Konzils bzw. bis zur Freigabe der Muttersprache auch für den Kanon der Messe.

[71] Auslösender Faktor ist vor allem die Auseinandersetzung mit den »Schwärmern« und mit Zwingli. In bezug auf die Sakramente überhaupt führt sie zu einer »positivistischen« Begründung der Sakramente als den im Gehorsam anzunehmenden »Christusstiftungen des geistlichen Regiments« (A. Peters), in bezug auf das Abendmahl zur Konzentration auf die Frage der Realpräsenz, in bezug auf die Taufe zum Streit um die Kindertaufe. Strittig bleibt die *besondere* Sakramentalität der Buße – nicht aber ihre biblische Begründung und ihre Eigenart als Rückkehr in die Taufe. Vgl. zu all dem die beiden jüngsten Aufarbeitungen von Grötzinger, Luther und Zwingli; Schwab, Entwicklung der Sakramententheologie. Durchblick und die ältere Literatur bei Pesch, Theol. der Rechtfertigung, 326–353; dagegen A. Peters in seiner Rezension, LR 18 (1968) 300–306: 301 unter Hinweis auf »Von den Konziliis und Kirchen« und »Wider Hans Worst«; meine Antwort in: Besinnung auf die Sakramente, 290 f. Anm. 59.

[72] Brandenburg, Martin Luther gegenwärtig, 146; ähnlich Meinhold, Das Grundanliegen Luthers, bes. 154 f.

[73] Statt einer hier fälligen endlosen Bibliographie sei summarisch hingewiesen auf die sakramententheologischen Beiträge von Rahner in den Bänden seiner Schriften zur Theologie; ferner auf Schillebeeckx, Die eucharistische Gegenwart; Gerken, Theologie der Eucharistie; Schneider, Zeichen der Nähe Gottes; ders., Deinen Tod verkünden wir; und den Durchblick bei Pesch, Das katholische Sakramentsverständnis.

angemessene Theologie und dieser die ihr zugehörige Gemeindesituation vermittelt. Das alles hat lange vor dem Zweiten Vatikanischen Konzil begonnen, gefördert durch die liturgische und die Bibelbewegung seit dem Anfang dieses Jahrhunderts. Das Konzil hat in dieser Hinsicht praktisch nachvollzogen, was längst überfällig war. Man stellt so etwas nicht mit Stolz fest, wenn man bedenkt, daß es so lange gedauert hat, bis Luther »sein Konzil gefunden« hat. Doch ist es nun endlich dahin gekommen, daß auch ein katholischer Christ das Sakrament ganz selbstverständlich als Verkündigungshandlung begreift und vom Wort her versteht – weit entfernt von allen halbmagischen Vorstellungen eines quasi-»automatisch« wirkenden Heilsmittels; daß sich auch der katholische Christ vom Sakrament nur etwas verspricht, wenn er es in gläubigem Vertrauen empfängt – und nicht nur «keinen Riegel vorschiebt». Selbst die Zahl der Sakramente ist heute wieder ein offenes Problem, nachdem heute katholische *und* evangelische Theologen im gemeinsamen Wissen um einige exegetische und kirchengeschichtliche Probleme in dieser Frage im gleichen Boot sitzen[74].

Man darf sogar sagen, daß die katholische Theologie gewisse Schwächen des evangelischen Sakramentsverständnisses inzwischen besser bewältigt. Da der Streit um das Sakramentsverständnis am Fall des Bußsakramentes ausbrach und da Luther aus exegetischen Gründen die Zahl der Sakramente auf Taufe und Herrenmahl beschränkte, war eine starke Konzentration auf die im Sakrament zugesprochene Sündenvergebung die Folge. Die Sakramentslehre ist ausschließlich auf das Rechtfertigungsgeschehen bezogen. Darunter leidet die lutherische Theologie, wie mir scheint, bis heute, einschließlich einer gewissen Abstraktheit in der äußeren Form des Sakramentsgottesdienstes. Man darf insoweit – ganz ohne jeden Tadel – von einem verengten Sakramentsverständnis sprechen, dessen Beachtung in der Kontroverse unerläßlich ist. Die katholische Sakramentenlehre dagegen hat sich zwar die Anfragen des lutherischen Sakramentsverständnisses zu Herzen genommen, gewiß auch noch nicht in allem überzeugend beantwortet – man denke nur an die Diskussion um die Gründe für und wider einen Eucharistieausschluß –, den traditionell weiteren Sakramentsbegriff aber nie aufgegeben. Zu erinnern ist hier etwa an die theologisch zwar nicht unbedenklichen, in der Praxis aber hilfreichen

---

[74] Zum katholischen Diskussionsstand vgl. Rahner, Kirche und Sakramente, 37–67; ders., Grundkurs des Glaubens, 396–412; Finkenzeller, Die Zählung und die Zahl der Sakramente; ders., die einschlägigen Abschnitte in HDG IV 1 a und 1 b; Seybold, Die Siebenzahl der Sakramente; Schneider, Zeichen der Nähe Gottes, 49–54. Zum evangelischen Diskussionsstand vgl. Ebeling, Worthafte und sakramentale Existenz (= Wort Gottes und Tradition, 197–216), 198; 201 f.; ders., Erwägungen zum evangelischen Sakramentsverständnis (= a. a. O. 217–226), 225; ders., RGG IV, 504; ders., Dogmatik III, 308–314; 416 f.; Thielicke, Theol. des Geistes, 336–347; Jüngel, Das Sakrament. Vgl. auch den Durchblick bei Pesch, Das katholische Sakramentsverständnis, 322–324.

Unterscheidungen zwischen den »Sakramenten der Toten« und den »Sakramenten der Lebenden« sowie zwischen »individuellen« und »sozialen« Sakramenten[75]. Das gab und gibt die Möglichkeit, die Interpretation der »Verkündigungshandlung« einzubeziehen in die umfassendere Perspektive der »Feier des Glaubens«[76]. Jüngste Äußerungen aus evangelischer Feder zeigen, daß das evangelische Defizit erkannt wird und man sich in Theorie und Praxis um seine Überwindung bemüht[77].

Hat Luther also nicht tatsächlich »sein Konzil gefunden«? Es ist undenkbar, daß Luther nach dem Besuch einer ganz »normalen« sonntäglichen Eucharistiefeier in einer lebendigen katholischen Gemeinde von heute seine Schrift »Von der babylonischen Gefangenschaft der Kirche« noch so hätte schreiben können, wie prophetischer Zorn sie ihm damals eingab. Freilich: der Begriff der »Feier« als Oberbegriff des Sakramentsgottesdienstes lenkt den Blick deutlich auf die menschliche Aktivität im Gottesdienst. Eine Feier will vorbereitet, gestaltet, »mitgemacht« werden. Das »reine Empfangen« des Glaubens ist eingebettet in ein gemeinsames sinnbildliches Tun mit verteilten Rollen. Sakramente sind gemeinschaftsstiftende und gemeinschaftsgetragene Realsymbole – nennen wir es beim Namen: *kirchliche* Ereignisse. Baut sich hier also nicht doch wieder der Mensch zum Mittäter seines Heils auf? Vergißt er wieder, daß »allein die Ohren die Organe eines Christenmenschen« sind? Es ist denn auch aktenkundig, daß die Erneuerung der katholischen Sakramentenlehre die alten lutherischen Vorbehalte in keiner Weise ausgeräumt, ja eher noch verstärkt hat[78]. Welches Recht diese Zurückhaltung (um es vorsichtig auszudrücken) hat, läßt sich nicht in zwei Sätzen klären. Es muß sich mitbeantworten durch das, was in den folgenden Kapiteln zu sagen ist.

---

[75] Unter »Sakramenten der Toten« versteht die katholische Schuldogmatik die Sakramente, die – nach schwerer Sünde – die Rechtfertigungsgnade mitteilen, also Taufe, Buße, gegebenenfalls Krankensalbung; »Sakramente der Lebenden« sind die übrigen, sofern sie ihrem Wesen nach den »Stand der Gnade« voraussetzen und ihn vertiefen sollen. »Individuelle« Sakramente sind alle, die dem persönlichen Heilsstand des Empfängers gelten, »soziale« Sakramente sind solche, die Gnade in spezieller Ausrichtung auf die Erfüllung einer Aufgabe gegenüber anderen Menschen mitteilen, also Weihe und Ehe. – Es ist deutlich, daß nach Luther alle Sakramente »individuelle« und »Sakramente der Toten« sind.

[76] Vgl. dazu jüngst Ratzinger, Das Fest des Glaubens; aber auch schon Pesch, Sprechender Glaube, 69–80; ders., Das Gebet, 68–83; ders., Besinnung auf die Sakramente, 311–321; ders., NGB, 375–392; Küng, Gottesdienst – warum?

[77] Soweit ich sehe, unter dem Stichwort der »Feier«, in der »der Glaube sich selbst verständlich wird«, erstmals bei Jüngel, a. a. O. 36–40; 50–61; vgl. Thielicke, a. a. O. 342 f. Vgl. ferner Lotz, Das Mahl der Gemeinschaft; Gemeinsame römisch-katholische evangelisch-lutherische Kommission, Das Herrenmahl, bes. 44–46; 105–114; und die energischen Vorstöße von Cornehl, Gottesdienst; ders., Theorie des Gottesdienstes; ders., Christen feiern Feste.

[78] Vgl. Pesch, Das katholische Sakramentsverständnis, bes. 325–336.

9. KAPITEL

»EIN LEBENDIG, SCHÄFTIG, TÄTIG, MÄCHTIG DING«

Glaube und Liebe

Gegen den Vorwurf der »Werkgerechtigkeit«, der »Werkheiligkeit«, den Luther gegen seine Gegner erhebt, muß sich ein katholischer Christ und Theologe heute nicht mehr verteidigen. »Die Selbstgerechten (›iustitiarii‹) wollen Gnade und ewiges Leben nicht umsonst von ihm (Gott) annehmen, sondern sie durch ihre Werke verdienen«[1] – solche grobschlächtigen Urteile Luthers darf man heute getrost überlesen. Auch die aktenkundigen Urteile älterer Lutherforscher, nach mittelalterlicher Lehre habe sich der Mensch Glaube und Gnade durch Übung zu erwerben[2], kann heute kein lutherischer Theologe nachsprechen, ohne sich zu blamieren. Und doch kann das Thema »Glaube und Liebe« oder, was für Luther auf dasselbe hinauskommt, »Glaube und Werke« nicht zu den Akten gelegt werden. Es ist zwar hauptsächlich ein großes Mißverständnis zu klären – aber das hat es »in sich«. Wir müssen unseren Blick zuerst wieder auf das Mittelalter richten.

1. »FIDES CARITATE FORMATA«

Luther findet in der Theologie seiner Zeit die klassische, allen theologischen Schulen seit langem gemeinsame Formel von der »fides caritate formata«, vom »durch die Liebe geformten Glauben« vor, die These also, daß der Glaube erst durch die Liebe seine rechtfertigende, seine Heilskraft erhalte. Was diese These in der Tradition bedeutet, und wieso sie unter deren eigenen Voraussetzungen zwingend ist, das ist nur zu verstehen, wenn wir uns, wie schon einmal angeklungen[3], auf den scholastischen Glaubensbegriff besinnen. In der scholastischen Theologie und übrigens

---

[1] 40 I, 224,30; vgl. 1, 364 Th. 25f.
[2] Z.B. Iwand, Glaubensgerechtigkeit nach Luthers Lehre, 50f. (= Neuaufl. 97f.); Schwarz, Fides, spes und caritas, 1f. Indirekt klingt der Vorwurf noch viel häufiger durch. Vgl. Pesch, Die bleibende Bedeutung der thomanischen Tugendlehre, 363 Anm. 11; dazu inzwischen auch Ebeling, Das Leben – Fragment; Müller, Rechtfertigungslehre, 47f.; und – unbegreiflicherweise – auch wieder zur Mühlen, Nos extra nos, 201.
[3] Vgl. w. o. im 7. Kapitel S. 122f. – Zur Entwicklung der Lehre Luthers von Glaube und Werk vgl. Meissinger, Der katholische Luther, 91–112; Beintker, Glaube und Handeln; Grane, Contra Gabrielem; Schwarz, a. a. O.; Kroeger, Rechtfertigung und Gesetz, 86–117; 204–217; Bayer, Promissio, 274–297. – Zu Luthers ausgebildeter Lehre vgl. Althaus, Theol. Luthers, 195–218; ders., Ethik Luthers, 11–31; Pinomaa, Sieg des Glaubens,

auf katholischer Seite weithin bis in die jüngste Vergangenheit versteht man unter »Glaube« präzis den Akt der Zustimmung des Verstandes zur Offenbarung Gottes[4]. Zwar kommt dieser Zustimmungsakt nicht zustande ohne einen Antrieb des Willens, der, von der Gnade bewegt, den Verstand dazu neigt, seine Zustimmung zu einer Wahrheit zu geben, die er in ihrem Sachgehalt nicht einsieht, sondern allein aufgrund der Autorität des offenbarenden Gottes als Wahrheit ergreift[5]. Aber es bleibt dabei: formell und präzis gesprochen ist »Glaube« jener Akt des *Verstandes* (»intellectus«, sagt Thomas von Aquin bezeichnenderweise, nicht »ratio«). Er ist also ein *Erkenntnis*akt besonderer Art, und nicht etwa der ihn bedingende, »befehlende« Akt des *Willens*.

Daß man den Glauben im Mittelalter so versteht und geradezu verstehen muß, hat eine lange Vorgeschichte, aus der wir für unseren Zusammenhang drei Fäden bloßlegen müssen. Der eine Faden ist eine bestimmte Linie des neutestamentlichen Glaubensverständnisses selbst. Es kann ja niemand bestreiten, daß der Glaube nach zentralen Aussagen des Neuen Testamentes nicht nur Vertrauen und Hingabe ist, sondern auch Erkenntnis gewährt[6]. Es ist zwar eine Erkenntnis »wie durch einen Spiegel auf ein Rätselbild«[7] – darin besteht das Besondere, Unabgeschlossene und Vorläufige dieser Erkenntnis –, aber es ist doch *Erkenntnis:* Wissensgewinn über Gott und seine verborgenen Heilsabsichten mit der Welt und mit den Menschen; Wissen um Jesus Christus als seinen »Sohn«; Wissen um das Ziel, zu dem der Mensch unterwegs ist, und Wissen um den Weg. Selbstverständlich ist das nicht der *ganze* Glaubensbegriff des Neuen Testamentes, aber es handelt sich gewiß auch nicht nur um Nebenlinien des Glaubensverständnisses. Und vor allem: Im Zuge der Auslegung des Neuen Testamentes durch die griechischen und lateinischen Kirchenväter, also im Zuge der Einwurzelung des Evangeliums im Erdreich des

90–107; 159–165; Peters, Glaube und Werk, 59–113; 183–266; Modalsli, Gericht nach den Werken, 17–96; Ebeling, Luther, 157–197. – Zur katholischen Tradition und zu Luthers Lehre im kontroverstheologischen Kontext vgl. Utz, Grundlagen der menschlichen Handlung; ders., Glaube als Tugend; Christmann, Die Liebe; Seckler, Instinkt und Glaubenswille; ders., Glaube; Lortz, Luthers Römerbriefvorlesung; Manns, Fides absoluta – fides incarnata; Pesch, Theol. der Rechtfertigung, 288–322; 719–737; 758–789; ders., Gottes Gnadenhandeln, 859–871; 878–885; ders., Die bleibende Bedeutung der thomanischen Tugendlehre; ders., Das Gesetz, 640–664; Iserloh, Gratia und Donum; Pfnür, Einig in der Rechtfertigungslehre?, passim; Ebeling, Das Leben – Fragment; ders., Lutherstudien II; Pesch – Peters, Einführung, 64–209 passim.

[4] Vgl. Thomas, STh II–II 1,1–2.
[5] Vgl. Thomas, STh II–II 2,2. 9; 4,1–3. 5. 7.
[6] Z. B. Apg 6,7; Gal 1,23; 3,2.5; 5,7; 6,10; Röm 1,5; 6,9; 10,8.16; 12,6; 16,26; 1 Kor 4,14; 2 Thess 1,8; 1 Tim 3,9; 4,1.6; Tit 1,4. Vgl. zu diesem Thema Kuss, Der Römerbrief, 1. Lieferung, 135–137; 145 f. = Der Glaube in den Paulinischen Hauptbriefen (= Auslegung und Verkündigung I, 187–212), 193–196; 205 f.
[7] 1 Kor 13,12 in der Übersetzung von Ulrich Wilckens.

griechischen und lateinischen Geistes, ist diese Erkenntnisseite des Glaubens in der Tradition besonders lebendig geworden und zum Tragen gekommen. Bei der Mühe, die sich die mittelalterlichen Theologen von Anfang an gegeben haben, die Lehre der Kirchenväter kennenzulernen und getreulich aufzunehmen[8], kann es nicht verwundern, daß der starke Akzent auf der Erkenntnisdimension des Glaubens für sie zum zentralen Definitionsmoment des Glaubensbegriffes wurde.

Der zweite Faden, es kann nicht genug betont werden, ist die unbedingte Bibelgebundenheit der mittelalterlichen Theologie[9]. Wobei man sich freilich mangels unserer heutigen historisch-kritischen Kenntnisse die Bibel nicht nur als Wort für Wort von Gott eingegeben denkt, sondern die biblischen Schriftsteller überdies als Professoren für systematische Theologie sich vorstellt. Im Ergebnis ist die Bibel gewissermaßen Gottes eigene Theologie – und um so verpflichtender sind die Denkanweisungen, die diese Theologie dem ihr nachdenkenden menschlichen Theologen vorgibt. Steht es aber so, dann kann ein mittelalterlicher Theologe gar nicht anders als einem Text wie 1 Kor 13,13: »Für jetzt aber bleiben Glaube, Hoffnung und Liebe, diese drei: die Liebe aber ist die größte unter ihnen«, den Auftrag entnehmen, die gegenseitige Abgrenzung und Beziehung von Glaube, Hoffnung und Liebe zu durchdenken und dabei auch noch einen Primat der Liebe durchzuhalten. Kurzum: die Frage nach dem Wesen des Glaubens fügt sich ein in die umfassendere Frage nach den drei sogenannten »theologischen Tugenden«. Bei Thomas von Aquin hat die lange Geschichte dieses Lehrstücks ihren Höhepunkt und Abschluß erreicht[10] – von da an wird sie »klassisch«, das heißt, zum nicht mehr hinterfragten Eckpfeiler theologischer Anthropologie und Ethik, seit dem 16. Jahrhundert doppelt zementiert in Reaktion auf den reformatorischen Angriff.

Den dritten Faden legt Aristoteles. Mit dem Moment, wo die aristotelische Anthropologie sich als philosophisches Vorverständnis vom Menschen auch in der Theologie durchsetzt, jene Anthropologie also, die den Menschen nach der Zweiheit von Leib und Geistseele versteht und in der Geistseele noch einmal die beiden Grundvermögen von Intellekt und Wille unterscheidet, müssen die »drei theologischen Tugenden« gewissermaßen auf Intellekt und Wille »verteilt« werden. Es kann bei dieser

---

[8] Vgl. dazu Chenu, La théologie au XIIᵉ siècle; ders., Das Werk des hl. Thomas, 18–68; 138–173; 298–315.

[9] Vgl. die schon erwähnten Arbeiten von de Lubac, Exégèse médiévele; Chenu, La théologie au XIIᵉ siècle, bes. 225–273; 323–350; ders., Das Werk des hl. Thomas, 39–46; 263–297; Pesch, Das Gesetz, 682–710. Dort jeweils Hinweise auf die Spezialliteratur.

[10] Vgl. Thomas, STh I–II 62,1–4; vgl. 51,4; II–II 4,3; 17,5–8; 23,8; I–II 100,9–10. Eine Monographie zur Geschichte der Lehre von den »drei theologischen Tugenden« fehlt bislang.

Problemstellung keinem Zweifel unterliegen, auf welche Seite der Glaube gehört: selbstverständlich auf die Seite des Verstandes, als Akt »sui generis«. Die Liebe gehört dem Bereich des Willens zu. Die Zuordnung der Hoffnung bildet, unschwer verständlich, ein chronisches Problem. Thomas löst es dadurch, daß er auch die Hoffnung dem Willen zuordnet, aber dem Willen in seiner strebenden, »sich (auf etwas) hinspannenden« (»intendierenden«) Funktion, während die Liebe dem Willen in seiner passiven Funktion, in seiner Fähigkeit, sich anziehen, faszinieren und mit dem geliebten »Gegenstand« einen zu lassen, zugeordnet wird, die nach mittelalterlicher Auffassung das eigentliche Wesen des Willens ausmacht[11].

Im Rahmen dieser begrifflichen Analyse läßt sich nun verstehen, was »fides caritate formata« heißt. Vom Glauben, der nun die erste der drei theologischen Tugenden ist, wird ja unübersehbar im Neuen Testament ebenfalls gesagt, daß er und er allein dem Menschen das Heil bringt. Man muß nicht mehr Werke des Gesetzes vollbringen, man muß nur, wie Abraham, den Verheißungen Gottes glauben, das wird zur Gerechtigkeit angerechnet (vgl. Röm 4,1–25; Gal 3,6–18). Sollen solche starken Worte von dem bloßen Zustimmungsakt des Verstandes gelten? Einen solchen bringen doch unter Umständen auch noch die Sünder, ja nach mittelalterlicher Auffassung und übrigens auch nach der Meinung Luthers sogar die Dämonen auf, ohne daß die einen wie die anderen dadurch zum Heil gelangen[12]. Man muß also offenbar einen Unterschied zwischen Glaube und Glaube machen, zwischen einem Glauben, der rechtfertigt, und einem »Glauben«, der nichts weiter ist als Zustimmung des Verstandes. Will man dieses Problem lösen, so muß zum Glauben etwas hinzutreten, was ihm erst seine rechtfertigende Kraft gibt. Dieses, was hinzutreten muß, ist selbstverständlich kein »Werk«, damit hätte man dem Zeugnis des Neuen Testamentes klar widersprochen. »Selbstverständlich kein Werk« – daß man dies tatsächlich genau weiß, zeigt sich dort, wo man außerhalb des »Theorierahmens«, nämlich in der Auslegung einschlägiger Schriftstellen, auf diesen Sachverhalt zu sprechen kommt[13]. Innerhalb des

---

[11] Vgl. Thomas, STh II–II 4,2; 18,1; 24,1. Zum Verständnis des »Willens« bei Thomas vgl. Pfürtner, Luther und Thomas im Gespräch, 61–63 – dort die Nachweise und Literatur.
[12] Vgl. bei Thomas STh II–II 5,2 und bei Luther 10 I 2, 220,9; 39 I, 45,9.
[13] Vgl. In Rom 4,5: lectio 1, ed. Marietti (Turin 1953) N. 329–331. Die entscheidenden Sätze lauten: »…›der Glaube wird ihm angerechnet‹, nämlich allein, ohne äußere Werke, ›zur Gerechtigkeit‹, das heißt: daß er durch sie gerecht genannt wird und den Lohn der Gerechtigkeit empfängt, als hätte er Werke der Gerechtigkeit getan…Und dies ›nach dem Vorsatz der Gnade Gottes‹ [= Zusatz im lateinischen Bibeltext, den Thomas vor sich hat!], das heißt: insofern Gott beschlossen hat, aus seiner Gnade die Menschen zu retten.« »Und daher sagt der Apostel, daß diese Anrechnung nicht statthätte, wenn die Gerechtigkeit aus den Werken wäre; sie hat vielmehr allein statt, insofern sie aus Glauben ist.« Vgl. zu diesem Text Pesch, Der Professor unter den Aposteln, 57 f.

Theorierahmens aber ist das »Hinzutretende« einfach die Hinwendung des *ganzen* Menschen zu Gott, in der die Zustimmung des Verstandes zum Worte Gottes zwar ein wesentliches, aber doch nur ein Teilmoment bildet.

Diese Hinwendung des *ganzen* Menschen zu Gott, die alle Teilmomente umgreift, ist nach mittelalterlicher Auffassung die Liebe, die »caritas«, verstanden als Liebe zu *Gott,* noch genauer und mit Thomas formuliert: als *Freundschaft* Gottes mit dem Menschen, die auf der Mitteilung des ewigen Lebens durch Gott beruht[14]. Dabei hat man nicht nur Augustinus ganz auf seiner Seite, der den Glauben geradezu als Frucht der Liebe definiert[15], sondern ebenfalls starke Worte des Neuen Testamentes, die den starken Worten über die Heilsbedeutung des Glaubens durchaus die Waage halten[16]. Der Vorrang der Liebe im Sinne von 1 Kor 13,13 ist in den Augen eines mittelalterlichen Theologen mit dieser Theorie einleuchtend durchgehalten. Und daß der Mensch sich diese Freundschaft mit Gott selbst verschaffen könne, steht außerhalb jeder Diskussion: die »caritas« ist Frucht der Gnade, sie erfüllt den Menschen, wenn die Liebe Gottes als schöpferische Wirklichkeit in der Seele des Menschen »ankommt«[17], ja nach der durchgängigen Auffassung der Franziskanertheologie ist die Gnade sogar mit der Liebe identisch[18]. Will man also unter diesen Denkvoraussetzungen des Mittelalters sagen, daß der Glaube als Hinkehr des ganzen Menschen zu Gott rettet und aus der Sünde befreit, dann *muß* man eine Theorie von der »fides caritate formata« machen, dann *muß* man sagen, daß die Liebe die »Form aller Tugenden« und insofern dem Glauben und der Hoffnung vorweg ist[19].

2. »FIDES FORMA CARITATIS«

Luther hat gegen diese Theorie zeitlebens erbittert angekämpft. »Verflucht sei die caritas«, ruft er in der großen Galaterbriefvorlesung von 1531 aus[20] – ein ungeheuerliches Wort angesichts von 1500 Jahren christlichen Nachdenkens über Gottes- und Nächstenliebe. Man zitiert es nur mit Hemmung, aber es steht da. Was bewegt Luther zu solch einem ungeheuerlichen Wort?

[14] Vgl. Thomas, STh II–II 23, 1.8; ferner I–II 62,4; 65,2–5; 66,6; II–II 4,3; 17,8. Zur Sache vgl. Pesch, Das Gesetz, 653–661.
[15] Vgl. z. B. Tract. in Ioannem 29,6: PL 35, 1631; De moribus ecclesiasticis 1, 17,31: PL 32, 1324. Zur Interpretation Aubert, Le problème de l'acte de foi, 21–30.
[16] Vgl. Mk 12,29–31; Mt 22, 37–39; Lk 10, 26–28; im Hintergrund steht Dtn 6,4f.
[17] Vgl. Thomas, STh I–II 110, 3–4 in Verbindung mit 1.
[18] Vgl. dazu Auer, Die Entwicklung der Gnadenlehre I, 124–173 – immer noch der umfassendste Durchblick durch das Textmaterial.
[19] Vgl. die Stellen in Anm. 14.
[20] 40 II, 47,26; vgl. 40 I, 239,23.

Den ersten und allgemeineren Grund kennen wir schon[21]. Luther ist Doktor der Heiligen Schrift. Und in der Schrift, besonders bei Paulus, findet er nichts von einem Glauben, der erst nach Ergänzung durch Werke der Liebe rechtfertigt. Erst recht findet er nichts von einem Begriff der »fides caritate formata«, der ihn so sehr an den vermaledeiten Aristoteles erinnert. Hier wie auch sonst will Luther daher der Theologie die Anleihen bei philosophischer Begrifflichkeit abgewöhnen. Sein Schriftstudium führt ihn also – anfangsweise schon im Frühwerk – über den formalisierten, auf die Erkenntnisfunktion eingeschränkten Glaubensbegriff der Scholastik hinaus. Er kann bald nicht mehr verstehen, wieso man bei dem Wort »Glaube« noch etwas hinzusetzen muß, um sich klarzumachen, daß an ihm und ihm allein das ganze Heil des Menschen hängt. Luther verwendet also den Glaubensbegriff wieder in seiner das Ganze des Menschen und das Ganze des Heilsgeschehens zwischen Gott und Mensch erfassenden Totalität, er versteht ihn, wie man formulieren könnte, als Grundvorgang zwischen Gott und Mensch[22]. Niemand kann ihm das Recht dazu bestreiten, das wissen wir mindestens heute sehr genau. Damals aber mußte ein solches Unterfangen jahrhundertelang eingeschliffene Denkfiguren und, was schwerer wiegt, Gewohnheiten des kirchlichen Lebens aufsprengen. Was konnte man mit einem solchen Glaubensbegriff nicht alles als eigentlich zum Heile überflüssig zur Diskussion stellen! Man denke nur an den Ablaßstreit und die Auseinandersetzung um das Bußsakrament, und es wird klar, was vor solch einem Glaubensverständnis wie Nebel im Wind zerstieben muß. Und wie muß man erst über die Verbindlichkeit von Konzilsaussagen, dogmatischen Entscheidungen oder gar von päpstlichen Äußerungen unterhalb der Entscheidungsebene denken, wenn der Glaube nicht mehr zuerst Zustimmung zu geoffenbarten und von der Kirche vorgelegten Lehrsätzen ist, sondern bedingungslose Hingabe an den Gott, der uns bedingungslos um Jesu Christi willen rettet? Wir hätten vor solchen Auswirkungen eines neuen theologischen Ansatzes heute keine solche Angst, aber damals hätten sie Luther beinahe auf den Scheiterhaufen gebracht.

Zum allgemeineren Grund kommt ein sehr spezieller. Luther bekommt den wirklichen Sinn der Formel von der »fides caritate formata« weder in

<hr>

[21] Vgl. w. o. im 2. Kapitel S. 38 f. und im 3. Kapitel S. 50 f.
[22] Vgl. dazu besonders die einschlägigen Arbeiten von Ebeling: Luther, 280–309; »Was heißt ein Gott haben oder was ist Gott?« (= Wort und Glaube II, 287–304). Die von Luther her entwickelten Einsichten prägen deutlich erkennbar auch die systematischen Äußerungen Ebelings zur Sache; vgl. Jesus und Glaube (= Wort und Glaube I, 203–254), bes. 208–219; 238–254; Gott und Wort (= Wort und Glaube II, 396–432); Was heißt glauben? (= Wort und Glaube III, 225–235); Was heißt: Ich glaube an Jesus Christus? (= a. a. O. 270–308), 291–296; Das Wesen des christlichen Glaubens, 15–30; 149–178; Dogmatik I, 80–89; II, 510–515.

seiner Ausbildung noch in der damaligen kirchlichen Praxis überhaupt noch zu Gesicht. Statt dessen bekommt er, nicht zuletzt bei seinem Handbuchautor Gabriel Biel, eine Theorie vorgelegt, derzufolge jeder Mensch, also auch und gerade der Sünder, es dahin bringen könne und müsse, wenigstens für einen Augenblick Gott über alles zu lieben. Nicht dazu bedürfe es schon der Hilfe der Gnade Gottes, sondern erst dazu, diese für einen Augenblick erreichte Gottesliebe auch durchhalten zu können[23]. Zu allem Überfluß bezeichnete man diesen für einen Augenblick erreichten Akt der »Gottesliebe über alles« als »Angemessenheitsverdienst« (»meritum de congruo«), woraufhin Gott seine Gnade nicht verweigern und »angemessen« mit der Rechtfertigung des Sünders antworten werde. Man kann sich demnach also zumindest in einem abgeschwächten Sinne die Rechtfertigung »verdienen« – durch einen Akt der Gottesliebe! Man muß sogar, zum Beispiel als Prediger, vor die Leute treten und ihnen sagen: Strengt euch an, Gott wenigstens für einen Augenblick über alles zu lieben – nur dann dürft ihr Gottes Gnade erwarten!

Ja, wenn *das* mit der »Formung« des Glaubens durch die Liebe gemeint ist! In ihrem eigenen Theorierahmen ist diese spätscholastische Lehre durchaus vom Verdacht des »Pelagianismus« und der »Werkgerechtigkeit« zu entlasten[24]. Anderseits braucht man nur, wie zum Beispiel Gregor von Rimini, spätscholastischer Augustinist zu sein, um dieser Theorie entschieden zu widersprechen[25]. Was Wunder, wenn der reformatorische Luther von ihr gleich gar nichts mehr hält?

So kommt, mit dieser Theorie, für Luther von Anfang an das Thema der Gottesliebe ziemlich aus dem Blick: in der Lutherforschung ist das unumwunden zugegeben[26]. Die Gottesliebe ist für ihn, den Augustini-

---

[23] Vgl. vor allem Oberman, Spätscholastik und Reformation I, 115–175; Grane, Contra Gabrielem, 149–261, bes. 214–256; und jetzt auch Manns, Martin Luther, 52 f.; 83–87. Kurzinformation und weitere Spezialliteratur bei Pesch, Theol. der Rechtfertigung, 711–714; Pesch-Peters, Einführung, 115–118.

[24] So ausdrücklich die in Anm. 23 genannten Autoren.

[25] Vgl. den bei Grane. a. a. O. 207 f. Anm. 9 zitierten Text, in dem Gregor die ockhamistische Anthropologie als pelagianisch bezeichnet; vgl. auch die w. o. im 4. Kapitel S. 78 gegebenen Hinweise zu Gregor von Rimini.

[26] Begreiflicherweise vor allem in der katholischen Lutherforschung; vgl. Manns, Fides absoluta, 294–312; Lortz, Luthers Römerbriefvorlesung, 238–247, bes. 239. Von evangelischer Seite, soweit ich sehe, zuerst U. Kühn, Natur und Gnade in der deutschen katholischen Theologie seit 1918, Berlin 1961, 170 Anm. 89, kontroverstheologisch gewürdigt in der Besprechung von M. Raske, Cath 17 (1963) 129–157: 147; 156; ferner Grane, Modus loquendi, 97 f.; und jüngst wieder Kühn, Kirche, 23. Manns, Martin Luther, ebd., widerspricht scheinbar diesem Urteil – kommt aber in der Sache zu keinem anderen Ergebnis: in der negativen Bewertung der Fähigkeit des Menschen zur Gottesliebe durch Luther. Bei Luther vgl. etwa 56, 275,11; 1, 67,10; 7, 339,14 ff.; 40 II, 84,23; 39 I, 118,8 ff.

sten, von vornherein die durch die Sünde unmöglich gewordene Gottesliebe, denn die Sünde, das heißt: die bleibende Selbstsucht, die den Menschen gefangen hält, läßt für eine wirkliche Gottesliebe über alles keinen Raum. »Liebe« ist für Luther daher hauptsächlich die Nächstenliebe. Hört man in diesem Sinne die Formel von dem »durch die Liebe geformten Glauben«, dann besagt das, der Glaube bedürfe zu seiner Ergänzung eines Werkes der Liebe – bei Gefahr, sonst »toter Glaube« zu sein, wie man unter Hinweis auf Jak 2,24–26 hinzufügt. Denn Nächstenliebe vollzieht sich im Werk. So verstanden, befindet man sich mit dieser Formel nicht nur im Gegensatz zur mittelalterlichen Theologie, sondern zum Neuen Testament selbst, zur zentralen Botschaft des Evangeliums, das Werke nicht mehr als Bedingung des Heils fordert, sondern als Frucht des Heils erwartet. Dieses Heil aber kommt »sola fide«, »allein aus Glauben«.

So setzt Luther gegen die in Theorie und Praxis entartete mittelalterliche Formel in unzähligen Variationen seine Gegenformeln: Nicht deshalb wird die Person gut, weil sie gute Werke vollbringt, vielmehr vollbringt die Person gute Werke, weil sie zuvor selbst gut gemacht wurde, nämlich von Gott[27]. Die Liebe und ihre Werke sind wie die Frucht am Baum, sie sind nur gut, wenn der Baum gut ist[28]. Und in einer späteren Disputation stellt Luther provozierend die scholastische Formel auf den Kopf, wobei er unfreiwillig das totale Mißverständnis ihres wahren Sinnes offenbart, ohne daß man ihm das ernsthaft anlasten dürfte: »Der Glaube seinerseits ist die Form und der erste Akt, das heißt die Entelechie der Liebe. Die Liebe aber ist die Frucht des Glaubens[29].« So hält man Aristoteles, der nach Luther die Welt zum Narren gehalten hat, selbst zum Narren.

Man hat natürlich damals schon Luther einige dornige Schriftworte entgegengehalten, die seiner These vom werklosen Glauben und seiner Polemik gegen die »fides caritate formata« ihrem Wortlaut nach zuwiderzulaufen scheinen, etwa wie 1 Kor 13,2: »... und hätte ich Glauben, so daß ich Berge versetzen könnte, hätte aber die Liebe nicht, so wäre ich nichts.« Oder 1 Joh 4,17: »Darin ist die Liebe Gottes in uns vollkommen, daß wir Zuversicht haben am Tage des Gerichtes.« Oder nicht zuletzt den schon erwähnten Text aus dem Jakobusbrief, wo wörtlich steht: »Ihr seht, daß der Mensch aufgrund seiner *Taten* gerechtfertigt wird, nicht durch Glauben allein... Denn wie der Körper ohne den Geist tot ist, so ist auch der Glaube tot ohne die Taten.« Luthers Exegese der beiden ersten Texte hat oft geschwankt, bis er zu seinen abschließenden Auslegungen

---

[27] Vgl. 4, 3,28 ff.; 56, 3,13 f.; 4,11; 172,8; 268,4 ff.; 30 II, 658,29; 38, 646,20; 39 I, 282,8; 283,9.

[28] Vgl. z. B. 6, 95,15–18; 7, 32,4; 10 III, 278,1; 39 I, 46,28 ff.

[29] 39 I, 318,16.

gekommen ist. Es würde viel zu weit führen, dem Gang der exegetischen Bemühungen Luthers an diesen Texten nachzugehen[30]. 1 Kor 13,2 legt er schließlich auf einen »Glauben« aus, der zwar Wunder wirkt, aber trotzdem nicht Heilsglaube, sondern erworbener, falscher, heuchlerischer Glaube ist. Und die »Zuversicht«, die die Liebe nach 1 Joh 4,17 im Gericht gewährt, ist die Zuversicht nicht gegenüber Gott – die gibt allein der Glaube,–, sondern die Zuversicht vor den Menschen gegenüber den Anklagen des Satans, denn in der Liebe hat sich der Glaube selbst als echter Glaube erwiesen[31]. Die exegetische Haltbarkeit dieser Auslegungen stellt man in der Lutherforschung heute durchaus dahin. Die Lösungen, die eine heutige Exegese aus ihrer Einsicht in die Pluralität neutestamentlicher Theologien und neutestamentlicher Verkündigungssituationen hier bereithält, standen Luther ja noch nicht zur Verfügung. Gegenüber dem Text aus dem Jakobusbrief kann Luther sich bekanntlich letztlich nur durch das Wort von der »strohernen Epistel« retten[32] – und durch eine Auslegung des Briefes als »Gesetzespredigt«, was freilich nach Luthers Meinung auch zur Folge hat, daß man diesen Brief aus inneren Gründen nicht einem Apostel zuschreiben dürfe, denn Aufgabe eines Apostels sei es, das bedingungslose Heil durch Tod und Auferweckung Jesu zu verkünden[33].

3. DIE ÜBERFLÜSSIGSTE ALLER STREITFRAGEN

Trotz der verfahrenen Lage, in der Luther ebenso wie seine Gegner nur noch stur auf ein Entweder-Oder erkennen zu können glaubten, war der Streit um Glaube und Liebe, Glaube und gute Werke in der Sache der überflüssigste von allen – und zwar schon im 16. Jahrhundert. Man urteilt nicht zu hart, wenn man sagt: Mit ein wenig Augenmaß und Klarsicht auf *beiden* Seiten hätte man das Dossier der stets haarscharf daneben treffenden polemischen Spitzenthesen vom Tisch bringen können. Auf beiden Seiten hätte man wissen können, daß man die Auffassung des anderen, statt sie von ihren Voraussetzungen aus zu verstehen, zum Popanz machte, um sie »abschießen« zu können. Zunächst zu Luther:

1. Luther wußte schon aus der theologischen Arbeit seiner Anfangszeit, daß die Theologie, die er gelernt hatte, also auch jene problematische These über die »Gottesliebe über alles«, von der wir gesprochen haben, nicht die ganze kirchlich-theologische Tradition repräsentierte. Er wußte aus der exegetischen Tradition, daß Gott die Gerechtigkeit *schenkt;* daß

[30] Aufarbeitung bei Althaus, Theol. Luthers, 357–385.
[31] Vgl. w. o. im 7. Kapitel S. 124.
[32] DB 6, 10,33.
[33] Vgl. die Vorrede zum Jakobusbrief: DB 7, 384 f.

eben dies den Unterschied zum Leben unter dem Gesetz ausmacht[34]. Er wußte als Augustinus-Jünger und als Entdecker der »deutschen Mystik« um die radikale Angewiesenheit des verlorenen Menschen auf Gott[35]. Er wußte, daß selbst unter den spätscholastischen Theologen nicht alle so dachten wie Gabriel Biel[36]. Und in der Tat hat er in seiner Frühzeit und noch lange gemeint, er betreibe nichts anderes als eine Aufwertung der älteren und gesunden kirchlichen Tradition gegenüber den Verfallserscheinungen der »modernen« theologischen Schulen. »Augustinus totus meus est« – »Augustinus ist ganz (wörtlich: als ganzer) der meine«[37]: dieses stolze Wort bezeugt sein Selbstverständnis.

2. Nach den ersten Schreckschüssen gegen die »Werkgerechtigkeit« und ihre Äußerungsformen haben ihn die Gegner mit Belegen darauf aufmerksam gemacht, daß jedenfalls die hochmittelalterliche Theologie in keinem Augenblick daran gedacht hat, die Gerechtigkeit vor Gott an zuerst zu leistende Werke zu binden[38]. Vielmehr war auch hier die Nächstenliebe die notwendige und eigentlich selbstverständliche *Konsequenz* aus der Gottesliebe, die Gott allein schenkt und die ihrerseits als Inbegriff des ganzen menschlichen Gottesverhältnisses den Zustimmungsakt des Verstandes – das, was die Tradition im formellen Sinn »Glaube« nennt – einschloß. In der Betonung des unumkehrbaren Grund-Folge-Verhältnisses von geschenkter Gottesgemeinschaft und Nächstenliebe besteht prinzipiell kein Unterschied zwischen scholastischer und reformatorischer Auffassung. Aber Luther hat sich nicht belehren lassen.

3. Zwischen Luthers eigenem Glaubensverständnis und der klassischen These von der »fides caritate formata« besteht eine sachliche Parallelität, die Luther eigenartigerweise nicht bemerkt hat, obwohl sie sich geradezu aufdrängt. Denn wie die Scholastik ist auch Luther gezwungen, zwischen Glaube und »Glaube« zu unterscheiden. Wie schon erwähnt[39], gibt es nach Luther einen »Glauben«, der sich darauf beschränkt, die in der Bibel berichteten Heilsereignisse »objektiv« für wahr zu halten, die »Historien« nicht zu bestreiten. Er nennt darum diesen Glauben »fides historica[40]«. Nach den ausdrücklichen, zum Teil polemisch formulierten

---

[34] Vgl. w. o. im 5. Kapitel S. 82; 86 f.

[35] Vgl. w. o. im 4. Kapitel S. 74–77.

[36] Vgl. w. o. im 4. Kapitel S. 78.

[37] 18, 640,9 (1525!). Zum Urteil über Augustinus in der Frühzeit im Vergleich mit später vgl. Aland, Der Weg zur Reformation, 30–32; 81–83; vgl. auch w. o. im 4. Kapitel S. 78.

[38] Vgl. Lortz, Reformation in Deutschland II, 177 f.; Pfnür, Einig in der Rechtfertigungslehre?, 324–368, bes. 329 f.; 350; Müller – Pfnür, in: Meyer – Schütte, Confessio Augustana, 110–114; 126–129.

[39] Vgl. w. o. im 5. Kapitel S. 88 f.

[40] Der Ausdruck z. B. 39 I 45,23. 31. 38; 7, 58,31; 10 I 1, 71,3; 73,14; 10 I 2, 24,2; 71,3; 12, 518,11; 21, 488,11; 37, 45,27; 40 I, 285,20.

Feststellungen Luthers rechtfertigt dieser »historische Glaube« *nicht*, schon gar nicht »allein«. Denn ihn bringen ja sogar die Dämonen auf, wie Luther unter Hinweis auf Jak 2,19 (»Auch die Dämonen glauben es und zittern«) und auf die Bekenntnisse der Dämonen, denen Jesus Schweigen gebietet (zum Beispiel Mk 5,7), begründet, bei denen von Rechtfertigung keine Rede sein kann[41]. Nun ist aber der »historische Glaube« bei Luther sachlich dasselbe wie die verstandesmäßige Zustimmung zum Worte Gottes nach mittelalterlichem Verständnis. Sogar der biblische Bezugspunkt, der es, von allem anderen abgesehen, zwingend macht, von einem nicht-rechtfertigenden Glauben zu reden, ist derselbe: der Dämonenglaube[42]. Auch nach Luther muß also zum »Für-wahr-halte-Glauben« noch etwas »hinzutreten«, damit er rechtfertigender Glaube wird, nämlich der bewußte Rückbezug der geglaubten Heilsereignisse auf die eigene sündige Existenz, der bewußt gedachte und zur Lebensperspektive gemachte Gedanke, daß dies alles »pro me«, »für mich« geschehen ist. Eine der schönsten Formulierungen, die Luther dazu gelungen sind, steht in der »Adventspostille« von 1522 (zu Mt 21,1–9): »Das ist der Glaube, welcher auch allein der christliche Glaube heißt, wenn du glaubst ohn alles wanken, Christus sei nicht allein s. Petro und den Heiligen ein solcher Mann, sondern auch dir selbst, ja dir selbst mehr denn allen anderen. Es liegt deine Seligkeit nicht daran, daß du glaubst, Christus sei den Frommen ein Christus, sondern daß er dir ein Christus und dein sei. Dieser Glaube macht, daß dir Christus lieblich gefällt und süß im Herzen schmeckt, da folgen nach Lieb und gute Werk ungezwungen[43].« Und zum Vergleich ein Text aus einer Disputation von 1535: »Der erworbene Glaube beziehungsweise der ›eingegossene‹ der Sophisten sagt von Christus: Ich glaube, daß der Sohn Gottes gelitten hat und auferweckt wurde. Und hier hört er auf. Der wahre Glaube aber sagt: Ich glaube zwar, daß der Sohn Gottes gelitten hat und auferweckt wurde, aber dies ganz und gar für mich, für meine Sünden, dessen bin ich gewiß... Wenn also jenes ›für mich‹ oder ›für uns‹ geglaubt wird, bewirkt es diesen wahren Glauben und grenzt ihn ab von allem anderen Glauben, der lediglich die geschehenen Ereignisse hört[44].« Und schon in der Hebräerbriefvorlesung von 1517/18, in dem berühmten Scholion zu Hebr 5,1, bemerkt Luther: »Zu glauben, Christus sei für die Menschen bestellt, ist für den Christen nicht genug, wenn er nicht glaubt, daß auch er einer von ihnen ist[45].«

---

[41] 39 I, 45,5; 10 I 2, 214,12. Zur negativen Bewertung vgl. auch die folgenden Stellen.
[42] Nämlich Jak 2,19; vgl. w. o. Anm. 12.
[43] 10 I 2, 24,28; vgl. 24,2–13.
[44] 39 I, 45,31; 46,7.
[45] 57 (Heb), 169,10. – Weitere charakteristische Stellen: 2, 140,30; 458,20; 689,30; 10 I 2, 220,9; 10 III, 125,23; 12, 518,11; 31 II, 432,17; 34 II, 509,4; 40 I, 299,9; 448,2. Weitere Stellen bei Pesch, Theol. der Rechtfertigung, 238 Anm. 217.

Hier schlägt also wirklich das Herz des lutherischen Glaubensverständnisses. Doch statt hier, wie Paul Hacker es tut[46], eine »Reflexivität« des Glaubens anzuklagen, die seinem Wesen fremd sei, wäre es fruchtbarer, die gedankliche Parallele zur klassischen Lehre genau zu betrachten. Das »pro me« als festes Vertrauen auf die unbedingte Geltung des Christusereignisses für den je heute Glaubenden entspricht genau der ganzmenschlichen Hinkehr des Menschen zu Gott in Liebe und Hoffnung – wobei man im scholastischen Theorierahmen der Liebe das Moment der Unbedingtheit und das Moment des »egoistischen« Rückbezuges der Hoffnung zuordnen müßte[46a]. In beiden Fällen ist das Ergebnis, daß nur ein Glaube »allein« rechtfertigt, der zugleich – von Gott geschenkte! – Hinkehr des ganzen Menschen zu Gott ist. Der Unterschied zwischen Luther und der Tradition besteht also allein darin, daß die Totalität des Gottesverhältnisses als solche das eine Mal mit dem Begriff der »Liebe«, das andere Mal mit »Glaube« ausgesagt wird. Das ist nun alles andere als unbedeutend, und es wird gleich noch darauf zurückzukommen sein. Aber an der unumkehrbaren Abfolge von Glaube und guten Werken der Nächstenliebe ändert das nichts.

Daß die Frage nach Glaube und Liebe die überflüssigste aller Streitfragen war, erscheint aber genauso mit Blick auf die katholischen Gegner Luthers.

1. Von Anfang an haben die Gegner unterstellt, Luthers Lehre von der Rechtfertigung durch Glauben allein stelle die Notwendigkeit guter Werke und des sittlichen Bemühens in Frage. Von Anfang an hat Luther sich dagegen verwahrt. »Daher kommts, wenn ich den Glauben so hoch anziehe und solch ungläubige Werk verwerfe, beschuldigen sie mich, ich verbiete gute Werk, so ich doch gerne wollte recht gute Werk des Glaubens lehren[47]«, erklärt Luther schon im »Sermon von den guten Werken« 1519, also in einer Schrift nicht für die Gelehrten, sondern gerade für das möglichen Mißverständnissen zugeneigte Kirchenvolk. Und wenig später in der »Weihnachtspostille« 1522: »Wer hat denn gute Werk je verworfen? Wir verwerfen nur die falschen, scheinenden [= scheinbaren] guten Werk[48].« Der Vorwurf der Luthergegner hatte, wie zeitgenössische Zeugnisse ausdrücklich belegen[49], einen Haftpunkt in

---

[46] Vgl. Hacker, Das Ich im Glauben, passim.
[46a] Und dabei überraschend mit Luther einig wäre! Vgl. Manns, Fides absoluta, 279–288; vgl. Iserloh, Gratia und Donum, 153–156. Anders natürlich zur Mühlen, Nos extra nos, 195–198: das vertraute Klischee.
[47] 6, 205,11.
[48] 10 I 1, 410,14; vgl. auch 56, 233,20; 268,7.
[49] Vgl. die Hinweise in Anm. 38. Schon Döllinger hatte in seiner negativen Würdigung der Reformation solche Zeugnisse gesammelt; vgl. dazu Bornkamm, Luther im Spiegel der deutschen Geistesgeschichte, 86 f.; 333–337; und jetzt Schulin, Die Lutherauffassungen in der deutschen Geschichtsschreibung.

konkreten Vorkommnissen und Ausschreitungen, und man war sich wohl bewußt, daß man dies nicht alles der Lehre selbst anlasten konnte. Aber daraufhin gemeinsam mit der reformatorischen Bewegung für eine der richtigen Lehre entsprechende richtige Praxis einzutreten, dazu hat selbstkritische Gelassenheit nicht ausgereicht.

2. In den Verhandlungen des Augsburger Reichstages von 1530 haben Vorwurf und Verwahrung noch einmal hochoffiziell zur Debatte gestanden. »Zu Unrecht«, schreibt Melanchthon ins »Augsburger Bekenntnis«, »werden die Unsrigen angeklagt, daß sie gute Werke verbieten.« Und er weist diesen Vorwurf unter Hinweis auf das Schrifttum Luthers über die guten Werke und die Zehn Gebote zurück[50]. In den Augsburger Verhandlungen ist auch von erklärten Luthergegnern, unter anderem von Johannes Eck, ausdrücklich festgestellt worden, daß die reformatorische Lehre von Glaube und Werk im wesentlichen korrekt, höchstens, unter seelsorglichem Betracht, gelegentlich unklug formuliert sei[51]. Trotzdem wurde der Vorwurf weiter erhoben. Das Konzil von Trient verurteilt etwa in canon 19 des Rechtfertigungsdekretes die Lehre, »nichts sei im Evangelium geboten, außer der Glaube, alles übrige sei gleichgültig, weder geboten noch verboten, sondern frei, oder die Zehn Gebote gingen die Christen nichts an«[52]. Als ob das je einer der Reformatoren gelehrt hätte! Aber die nachfolgende Konzilsinterpretation bleibt dabei, die lutherische Rechtfertigungslehre besage, »daß die Sakramente nichts bewirkten, die guten Werke überflüssig seien und der Glaube durch nichts gefährdet werden könne«[53]. Von dort hat sich der Vorwurf nachweislich und mit nur wenigen Ausnahmen bis in die Handbücher der katholischen Dogmatik gehalten, die noch bis vor kurzem zahllosen katholischen Theologiestudenten die Erstinformation über reformatorische Rechtfertigungslehre lieferten[54].

3. Gewiß, wenn suggestiv gefragt wird, ob denn im Gericht auch ein Glaube rette, wenn gar keine Werke da seien, bleibt Luther die Antwort nicht schuldig: »Wenn dir schon die Werke fehlen, so soll doch nicht der Glaube fehlen[55].« Aber diese Auskunft weicht nicht die Spur ab von dem, was auch in den Zeiten vollkommener konfessioneller Erstarrung jedem

[50] CA 20,1–2: BSLK 75,13–76,1.
[51] Vgl. Pfnür, Einig in der Rechtfertigungslehre?, 253 Anm. 255; 256 Anm. 273; 262–264; 269; 385–399; ferner Müller – Pfnür, a. a. O. 129 und die ebd. Anm. 100 verzeichneten weiteren Arbeiten von Pfnür. Über die ganze Kompliziertheit dieser Verhandlungen und Gespräche unterrichtet jetzt Müller (Hg.), Die Religionsgespräche der Reformationszeit, darin bes. Müller, Zwischen Konflikt und Verständigung.
[52] DS 1569 = NR 837.
[53] Müller – Pfnür, a. a. O. 127, mit Bezug auf Domingo de Soto.
[54] Vgl. Hasler, Luther in der katholischen Dogmatik, bes. 77f.; 85f.; 96; 98.
[55] 20, 716,29.

katholischen Schulkind beigebracht wurde: Auch nach einem völlig verpfuschten Leben darf ein Mensch auf das Erbarmen Gottes hoffen, selbst wenn er erst in der Todesstunde darum bittet (»Mein Jesus, Barmherzigkeit!«). Ansonsten aber betont Luther in einer Weise die Notwendigkeit der Liebe und der guten Werke, die alles hinter sich läßt, was seine Nachfolger aus lauter Sorge um die Reinerhaltung des »sola fide« darüber zu sagen wagten. Wenn aus dem Glauben keine guten Werke folgen, so besteht nach zahllosen Texten der dringende Verdacht, ja so ist es erwiesen, daß solcher Glaube gar kein Glaube ist[56]. Der Glaube übt sich, ja »inkarniert« sich in den Werken, wie die göttliche Natur Christi in der menschlichen Fleisch angenommen hat[57]. Der Glaube fragt gar nicht, »ob gute Werke zu tun sind, sondern ehe er fragt, hat er sie schon getan, und ist immer im Tun«[58]. Und 1520 formuliert Luther in einer Thesenreihe auf seine bekannte paradoxe Art in einer Doppelthese: »Wenn der Glaube nicht ohne alle, auch die geringsten Werke ist, so rechtfertigt er nicht, ja, so ist er gar nicht Glaube. Es ist aber unmöglich, daß der Glaube ohne eifrige, zahlreiche und große Werke ist[59].« Und nahezu unvermeidlich ist hier auch der berühmte Satz aus der Vorrede zum Römerbrief in der Deutschen Bibel zu zitieren: »Oh, es ist ein lebendig, schäftig, tätig, mächtig Ding um den Glauben, daß es unmöglich ist, daß er nicht ohne Unterlaß sollte Gutes wirken[60].«

Niemand, der seinen Thomas kennt, hätte eigentlich übersehen können und dürfen, daß die spontane Fruchtbarkeit des *Glaubens* in guten Werken genau dem entspricht, was die mittelalterliche Theologie von der Spontaneität der *Liebe* erwartet[61]. Auf alle Fälle scheitert der Vorwurf, Luthers Rechtfertigungslehre nehme die guten Werke und das sittliche Bemühen nicht ernst, einfach an solchen Texten. Im Gegenteil, vor Äußerungen eines solchen Optimismus hinsichtlich der Vitalität und Fruchtbarkeit des Glaubens im Engagement der Nächstenliebe kann der katholische ebenso wie der evangelische Christ seine Unzulänglichkeit nur genauso eingestehen wie gegenüber dem Optimismus, der sich in der mittelalterlichen Theologie mit dem Begriff der caritas und ihrer Lebendigkeit, Freudigkeit und Fruchtbarkeit verbindet. Insoweit wäre es an der Zeit, den Schlagabtausch über die überflüssigste aller Streitfragen zu

---

[56] Besonders charakteristisch: 12, 289,29; 10 III, 225,35; 39 I, 93,13; 96,11; vgl. ferner 10 I 1, 100,8; 10 I 2, 38,2; 11,221,32; 17 I, 98,11; zahlreiche weitere Texte bei Althaus, Theol. Luthers, 213–218; Modalsli, Gericht nach den Werken, 17–27; 39–44; Pesch, Theol. der Rechtfertigung, 280–283; 308–314.

[57] Vgl. Manns, Fides absoluta, mit den Nachweisen aus dem Großen Galaterkommentar.

[58] DB 7, 11,10; 10 I 2, 44,23; 17 II, 165,10.

[59] 7, 231,7.

[60] DB 7, 10,6; vgl. 11,17. 30; ähnlich 2, 146,32; 10 I 1, 269,19; 30 II, 621,13; 40 I, 447,22.

[61] Vgl. Thomas, STh II–II 28–33.

beenden, wie es schon etwas salomonisch vor Jahrzehnten Karl August Meissinger getan hat: Die Lutheraner leugnen nicht die Notwendigkeit guter Werke, die Katholiken nicht den Primat der Gnade[62]. Der Rest, die weitere gedankliche Durchdringung, kann nicht zum Unterscheidungskriterium des christlichen Glaubens gemacht werden.

4. Eine nicht überflüssige Warnung

Wir können trotzdem einer evangelischen Lutherforschung nicht völlig unrecht geben, wenn sie das Problem der Werkgerechtigkeit weder damals für überflüssig noch heute für völlig ausgestanden hält. Denn es ist einzuräumen:

1. Die spätscholastische These, auf die Luthers Polemik sich bezieht, war zu seiner Zeit und noch lange danach weder verboten noch unwirksam. Man könnte sogar sagen, daß sie bis an die Schwelle unserer »ökumenischen« Jahrzehnte weitergewirkt hat in der Schule des sogenannten »Molinismus« mit ihrer starken Betonung der menschlichen Freiheit Gott *gegenüber*[63]. Auch hat es einen Gelehrtenstreit darüber gegeben, ob nicht bestimmte Formulierungen des Trienter Konzils absichtlich diese spätscholastische These offenhalten sollten[64].

2. Noch schwerer fällt ins Gewicht, daß das Trienter Konzil an einer entscheidenden Stelle tatsächlich gewissermaßen Paulus durch Jakobus interpretiert: »Denn der Glaube eint nicht vollkommen mit Christus und macht nicht zum lebendigen Glied seines Leibes, wenn nicht Hoffnung und Liebe *dazutreten*. Deshalb heißt es mit Fug und Recht: ›Ohne Werke ist der Glaube tot‹ (Jak 2,17) und müßig; und: ›In Christus Jesus gilt weder Beschnittensein noch Unbeschnittensein etwas, sondern der Glaube, der in der Liebe wirkt‹ (Gal 5,6). Diesen Glauben erbitten die Täuflinge nach der apostolischen Überlieferung vor dem Taufsakrament von der Kirche, wenn sie um *den* Glauben bitten, der das ewige Leben verleiht, welches ohne Hoffnung und Liebe der Glaube nicht verleihen kann.« Welche »Liebe« ist hier gemeint? Die Fortsetzung des Textes läßt keinen Zweifel: »Deshalb vernehmen sie auch sogleich das Wort Christi: ›Wenn du zum Leben eingehen willst, so halte die Gebote‹ (Mt 19,17). Wenn so die Neugetauften die wahre und christliche Gerechtigkeit empfingen, verlangt man von ihnen, daß sie diese als ihr Festkleid (Lk

[62] Vgl. Meissinger, Der katholische Luther, 101–103.
[63] Vgl. dazu Pesch – Peters, Einführung, 213–219 – dort weitere Literatur.
[64] Vgl. Oberman, Das tridentinische Rechtfertigungsdekret; Schillebeeckx, Das tridentinische Rechtfertigungsdekret; Rückert, Promereri. Eine Studie zum tridentinischen Rechtfertigungsdekret als Antwort an H. A. Oberman (= Vorträge und Aufsätze, 264–294); Oberman, Werden und Wertung, 135–139. Kurzer Bericht darüber bei Pesch – Peters, Einführung, 206–208.

15,22), das ihnen durch Christus Jesus statt des durch Adams Ungehorsam ihm und uns verlorenen geschenkt wurde, weiß und makellos bewahren, um es vor den Richterstuhl Jesu Christi unseres Herrn zu bringen und das ewige Leben zu erhalten[65].« Es kann diesen Text für den, der mit den Augen Luthers liest, nicht entlasten, daß unmittelbar zuvor gesagt wird, Glaube, Hoffnung und Liebe würden dem Menschen zusammen mit der rechtfertigenden Gnade *zugleich* geschenkt – womit immerhin die Liebe und ihre Werke nicht mehr als Vorbedingung der Gnade angesehen werden können. Entscheidend ist, daß die Liebe, die hier zusammen mit der Hoffnung zum Glauben »dazutritt«, nicht die gnadengeschenkte Gottesfreundschaft ist, sondern das »Gebote-Halten«, also Werke. Und daß die Liebe mit diesen Werken die Verantwortung für die Makellosigkeit des »Festkleides« im Jüngsten Gericht zu übernehmen hat. Mit dem Sinn der mittelalterlichen Lehre hat das nur dem Wortlaut nach noch zu tun. Heißt es also nicht alle Vorbehalte Luthers gegen die »fides caritate formata« bestätigen?

3. Und endlich: Bestimmte Entwicklungen in der nachlutherischen katholischen Theologie haben das Mißverständnis der hochscholastischen Formel, das den Trienter Vätern *vielleicht* noch halb ahnungslos unterlaufen sein mag, festgeschrieben. Dies geschah sicherlich im Rahmen unvermeidlicher Zwänge, deren wichtigster die Trennung einer eigenen »Moraltheologie« beziehungsweise »Theologischen Ethik« von der »Dogmatik« war, eine Fächertrennung, der auch die evangelische Theologie in der gleichen Zeit nicht entgehen konnte. Anderseits hat dabei auf katholischer Seite aber kein waches Feingefühl für den Ernst der reformatorischen Anfrage dafür gesorgt, daß diese Trennung ohne Schaden verlief. Bald war es jedenfalls so, daß die Dogmatik in der Gnadenlehre sich um den Zusammenhang mit der Ethik nicht mehr kümmerte und umgekehrt die Moraltheologie sich nur noch um Inhalt und Verpflichtungsgrad der Gebote sorgte und dabei die Rechtfertigungsgnade als Grund der Möglichkeit zu ihrer Erfüllung einfach voraussetzte. Was man also der mittelalterlichen Gnadenlehre und deren Zusammenhang mit der Ethik nur unter Mißverständnissen vorwerfen kann, wird in der nachlutherischen katholischen Theologie zum Grundkonzept: Erkräftigt durch die ihm geschenkte »heiligmachende Gnade«, unterwiesen durch die Lehre der Kirche, wird der Mensch zum »Täter seiner selbst« (Gerhard Ebeling), der die Verantwortung für sein ewiges Heil übernimmt und sie auch tragen kann[66].

Nicht von ungefähr hat erst das neuaufgenommene ökumenische Gespräch seit der Mitte dieses Jahrhunderts die Selbstverständlichkeit

---

[65] DS 1531 = NR 802.
[66] Vgl. dazu Pesch, Gesetz und Gnade, 42–45 – dort weitere Literatur.

dieses Konzeptes in Frage gestellt, so daß sich heute die theologische Ethik wieder um ihre dogmatischen Grundlagen und die Dogmatik wieder um ihre ethischen Konsequenzen kümmert. Dies alles ist aber noch so jung, daß die Warnung alles andere als überflüssig erscheint. In einer Zeit, in der die Auseinandersetzung mit dem Atheismus unter anderem anhand der These geführt wird, es gebe entweder Gott nicht, oder der Mensch sei nicht frei[67], in einer Zeit, in der die Einschaltung der Theologie in die ethische Grundlagendiskussion um Frage und Begriff einer »gottgeschenkten Autonomie«[68] kreist, ist es nötig, sich ständig daran zu erinnern, wo die wahre Quelle menschlicher Freiheit liegt, und darüber zu wachen, daß die »gottgeschenkte Autonomie« nicht zur Anbiederung an den Zeitgeist wird, der am Ende das »gottgeschenkt« zur bloßen Kathechismuserinnerung herabstuft.

5. Das leise Wort von der Liebe

Aber nicht nur in der noch immer unerläßlichen Warnung ist Luthers Stunde, was Glaube und Liebe betrifft, noch nicht abgelaufen. Wer vielmehr in gegenwärtiges katholisches Glaubensbewußtsein hinein-

[67] Aus der unübersehbaren Literatur hier folgende ausgewählte Titel: W. Pannenberg, Typen des Atheismus und ihre theologische Bedeutung (= Grundfragen systematischer Theologie I, 347–360); ders., Die Frage nach Gott (= a. a. O. 361–386); ders., Gottesgedanke und menschliche Freiheit; H. J. Schultz (Hg.), Wer ist das eigentlich – Gott?, München 1969; R. Lay, Zukunft ohne Religion. Die Welt vermenschlichen? Ein Problem für den Marxismus und das Christentum, Olten – Freiburg i. Br. 1970; H. Fries, Abschied von Gott? Eine Herausforderung – ein Theologe antwortet, Freiburg i. Br. 1972; J. Blank u. a., Gottfrage und moderner Atheismus, Regensburg 1972 (²1974); J. Ratzinger (Hg.), Die Frage nach Gott, Freiburg i. Br. 1973; Y. Ledure, Nietzsche et la religion de l'incroyance, Paris 1973; J. Splett, Reden aus Glauben. Zum christlichen Sprechen von Gott, Frankfurt a. M. 1973; ders., Konturen der Freiheit. Zum christlichen Sprechen vom Menschen, Frankfurt a. M. 1974; H. Küng, Christsein, München 1974, 48–81; ders., Existiert Gott? Antwort auf die Gottesfrage der Neuzeit, München 1978; G. Ebeling, Die Botschaft von Gott an das Zeitalter des Atheismus (= Wort und Glaube II, 372–395); ders., Gott und Wort (= a. a. O. 396–432); E. Jüngel, Gott als Geheimnis der Welt, Tübingen 1977; H. Döring, Abwesenheit Gottes. Fragen und Antworten heutiger Theologie, Paderborn 1977; J. Figl, Atheismus als theologisches Problem. Modelle der Auseinandersetzung in der Theologie der Gegenwart, Mainz 1977; A. K. Wucherer-Huldenfeld – J. Figl – S. Mühlberger (Hg.), Weltphänomen Atheismus, Wien 1979; W. Kasper, Glaube und Geschichte, 9–158; ders., Gottes Glaube im Angesicht von säkularisierter und atheistischer Umwelt; ders., Der Gott Jesu Christi, 29–67.

[68] Vgl. pars pro toto Böckle, Fundamentalmoral, 48–92; ders., Werte und Normbegründung, in: CGG 12 (1981) 37–89; W. Kern – Chr. Link, Autonomie und Geschöpflichkeit, in: CGG 18 (1982) 101–148; T. Rendtorff, Emanzipation und christliche Freiheit, a. a. O. 149–179.

schaut, entdeckt mühelos, wie Luther auch, was Glaube und Liebe betrifft, wieder einmal in überraschender Weise moderne Erfahrungen vorweggenommen hat. Denn gerade, wenn in der Sache der Streit um Glaube und Liebe eigentlich überflüssig ist, bleibt erst recht die Frage offen, wie es denn kommt und welche Gründe es hat, daß der eine ganzmenschliche Akt der Heilsannahme von Gott im Mittelalter im Begriff der Liebe, bei Luther im Begriff des Glaubens ausgedrückt und angesagt wird, wo doch beide ihren Paulus gründlich studiert haben. Einem modernen Leser erscheinen die mittelalterlichen Ausführungen über die Gottesliebe – etwa bei Thomas von Aquin[69] – als »naiv«. Angemessener würde man sagen: selbstvergessen. Hier wird die reine Struktur des Handelns Gottes am Menschen und dessen, was im Menschen daraus werden kann und soll, geschildert. Die Theologie will verstehen, wie Gott alles in der Schöpfung und in der Heilsgeschichte tut und wirkt[70]. Sie sieht alle Geschöpfe und darunter auch den Menschen aus der Hand Gottes hervorgehen und zu ihm als dem Endziel ihres Daseins heimkehren. Motor dieser Heimkehr ist eine Art von »Liebe« in allen Geschöpfen je nach ihrer Art. Auch beim Menschen ist die Liebe der Motor der Heimkehr zu Gott. Nur ist seine Liebe anders als die der übrigen Geschöpfe: sie ist frei und verstehend, nicht dunkler, blinder Drang. Solche freie und verstehende Liebe, die in vollkommener Lebensgemeinschaft mit Gott enden soll, ist Grundberufung des Menschen von seiner Erschaffung an. Will man also mit *einem* Wort kennzeichnen, worin der totale Selbstvollzug des Menschen auf Gott hin, die totale »Be-Kehrung« des Menschen durch Gott zu Gott besteht und worauf es also in der christlichen, ja menschlichen Existenz entscheidend ankommt, dann kann man es nicht prägnanter ausdrücken als durch das Wort »caritas«, die gleichsam problemlos, staunend, willig und freudig auf die von Gott geführte Bewegung aller Kreatur einschwingt. Was verschlägt es, daß menschlicher Eigensinn diese reine Struktur der Sache nie ungetrübt zum Zuge kommen läßt und dadurch geradezu unglaubhaft macht? In einer selbstvergessenen Betrachtung der Werke Gottes hat davon keine Rede zu sein.

---

[69] Vgl. Thomas, STh II–II 23–33; Kommentar bei Christmann, Die Liebe; vgl. auch I–II 110,1–4 in Verbindung mit 68–70 – wie überhaupt die mit virtuoser Systematik bis in die Einzelheiten durchgehaltene Verbindung der Tugenden mit den »Gaben des Heiligen Geistes«, den »Seligkeiten« der Bergpredigt und den »Früchten des Geistes« nach Gal 5,22; vgl. dazu Pesch, Die bleibende Bedeutung der thomanischen Tugendlehre, bes. 380–388.
[70] Vgl. dazu ausführlicher Pesch, Theol. der Rechtfertigung, 919–948; ders., Existentielle und sapientiale Theologie, bes. 737f.; ders., Die Frage nach Gott, bes. 5–11; ders., Die Weisheit ist das irdische Heil; ders., Das Gesetz, 600–612; Pesch – Peters, Einführung, 68–79.

Wie nun aber, wenn ein Mensch nicht mehr so problemlos und selbstvergessen über Gott nachdenken kann? Wenn ihm Gott mehr zum Fürchten als zum Staunen und Lieben erscheint? Wenn er sich selbst in der Frage nach Gott gerade *nicht* aus dem Spiel lassen kann? Dann werden sich die Akzente des Gottesverhältnisses verschieben. Nicht freudiges Einschwingen in Gottes Handeln bestimmt die Erfahrung des eigenen Lebens vor Gott, sondern das Erlebnis unverdienter Rettung aus Nichtigkeit und Sünde. Seit Paulus kommt das vorrangig im Begriff »Glaube« zum Ausdruck. Und *hier* knüpft Luther an, weil er von solcher anderen Erfahrung herkommt. Obwohl sachlich alles beisammen ist, um was es auch der scholastischen Tehologie geht und umgekehrt, so ist doch gleichsam die Reihenfolge und Gewichtung der einzelnen Elemente eine andere. Es ist – im Sinne unserer These – eine neue Phase der Glaubensgeschichte, beruhend auf neuen Erfahrungen, wenn man, wie Luther, Scheu hat, das Wort von der alles ergreifenden Gottesliebe in den Mund zu nehmen und stattdessen vom Glauben reden möchte, also von einem Grundbegriff des Gottesverhältnisses, bei dem dem Menschen schneller als beim Wort »Liebe« einfällt, daß er zuerst und zuletzt vom *Erbarmen* Gottes lebt und von eigener vorbehaltloser Liebe zu Gott weit entfernt ist.

Und gerade hier ist Luthers »Spiritualität« in nahezu unheimlicher Weise aktuell. Ein bekanntes katholisches Kirchenlied[71] lautet in seiner 1. Strophe: »Ich will dich lieben, meine Stärke, ich will dich lieben, meine Zier, ich will dich lieben mit dem Werke und immerwährender Begier; ich will dich lieben, schönstes Licht, bis mir das Herze bricht.« Verfaßt hat es der katholische Mystiker Johann Scheffler, genannt Angelus Silesius, im Jahre 1657. Das Lied, dessen weitere Strophen auf denselben Ton gestimmt sind, liest sich wie ein Gegenprogramm gegen die lutherische Spiritualität des Glaubens. Es wird auch heute noch im katholischen Gottesdienst gesungen – aber immer seltener und von feinfühligen Katholiken immer weniger gern, weil sie wissen, daß unsere Liebe oft mehr Widerwille als Hingabe ist. Umgekehrt reden heutige katholische Theologen vom Glauben, trotz aller Wertschätzung, kaum noch wie die Scholastik, wohl aber wie Luther es tat: Sie betonen, daß alle Glaubens*er*kenntnis allein auf dem Boden der Glaubens*an*erkenntnis wachsen kann, also erst *nachdem* das Eigentliche des Glaubens geschehen ist, die zuversichtliche und tapfere Hingabe an Gott gegen allen Widerspruch, den Welterfahrung und Selbsterfahrung beständig dagegen anmelden. Sie betonen, daß die Anfechtung zum Wesen des Glaubens überhaupt gehört

---

[71] Gotteslob. Katholisches Gebet- und Gesangbuch (= Einheitsgebet- und Gesangbuch für die deutschsprachigen Diözesen), hg. von den Bischöfen Deutschlands und Österreichs und der Bistümer Bozen-Brixen und Lüttich, Stuttgart 1975, Nr. 558.

und nicht etwa der Ausnahmefall ist. Sie verstehen besser als früher, daß Gott verborgen ist und auch dem Glauben unauflösbare Rätsel aufgibt. Sie verstehen auch sehr gut, daß die Kirche als Glaubensgemeinschaft dem persönlichen Glauben Heimat bietet, zumindest bieten soll, aber mit keinen Mitteln der Welt den Glauben auch nur *eines* Menschen »machen« kann. Und sie vergißt in unseren Tagen in aller Regel auch nicht, daß »Werke« nicht die Person gut machen, sondern nur umgekehrt. Im Klartext: daß »Werke« zwar Ausdrucksform und Konkretisierung des Glaubens sein können und sogar müssen, aber niemals der Ersatz für den Glauben, in den man womöglich vor der Zumutung und Anstrengung des Glaubens flieht[72].

Anderseits kann die geschilderte Gegenwärtigkeit Luthers heute auch eine bestimmte, damals unvermeidliche Engführung der Gedanken Luthers über Glaube und Liebe auflösen, ohne seinem Grundansatz untreu zu werden. Lutherische Theologie hat inzwischen begriffen, daß Luthers Fragestellung in seiner Situation unvermeidlich geprägt war von einer Konzentration auf den Einzelnen vor Gott. Das ist weder individualistisch noch gemeinschaftsfeindlich gemeint, aber unter dem Überdruck der kirchlichen und gesellschaftlichen Vereinnahmung des persönlichen Glaubens damals kam alles darauf an, zunächst einmal zu sagen: Jeder kann nur selbst und allein glauben – und *alles* andere, wirklich *alles, folgt* daraus. In der Welt von heute aber ist der Einzelne in einer ganz neuartigen, mit dem 16. Jahrhundert unvergleichbaren Weise verflochten und manchmal verstrickt in das Schicksal letztlich der ganzen Menschheit. Mit Recht entdeckt darum nicht nur die katholische Theologie heute die »Welthaftigkeit« der Gnade. Sie entdeckt, daß das Evangelium Heil für die ganze Menschheit verheißt und nur so auch für den einzelnen Menschen[73]. Weniger denn je kann daher – nachdem über das Verhältnis von Grund und Folge keine Unklarheit mehr besteht – der Glaube von der

---

[72] Vgl. vor allem die zahlreichen Aufsätze zur gegenwärtigen Glaubensproblematik von K. Rahner in seinen Schriften zur Theologie; und ders., Grundkurs des Glaubens, bes. 35–142; ferner die einschlägigen Bücher von H. Fries, glauben – wissen; Herausgeforderter Glaube; Glaube und Kirche auf dem Prüfstand; Glaube und Kirche als Angebot; Dienst am Glauben. Aus der unabsehbaren weiteren Literatur folgende ausgewählte Hinweise: Ratzinger, Einführung in das Christentum, bes. 17–69; Kasper, Einführung in den Glauben, bes. 71–133; NGB, bes. 72–100; 291–392; Weß, Befreit von Angst und Einsamkeit; Küng, Christsein, bes. 454–544; Göllner – Görtz – Kienzler, Einladung zum Glauben; Zulehner, Kirche als Anwalt des Menschen; vgl. auch Pesch, Rechenschaft über den Glauben, bes. 12–66; 126–178; ders., Unsicherheit und Glaube.

[73] Information und die charakteristischsten jüngsten katholischen Äußerungen bei Pesch – Peters, Einführung, 381–394; vgl. auch die a. a. O. 366 Anm. 1 verzeichneten Forschungsberichte; dazu jetzt Martin-Palma, HDG III 5b, 170–199; MS, Erg.-Bd., 355–363 (Chr. Schütz). Zur evangelischen Theologie vgl. den Überblick bei Pesch – Peters, 331–334; ferner Lohff – Walther (Hg.), Rechtfertigung im neuzeitlichen Lebenszusammenhang.

Liebe getrennt werden. Ein Glaube, der *nur* für sich persönlich die Gemeinschaft mit Gott ergreifen wollte und gleichzeitig das Unheil der Menschheit, zu der er gehört, vergessen zu dürfen meinte, ist kein christlicher Glaube – und auch niemals der Glaube, von dem Luther spricht. »Es ist unmöglich, daß der Glaube ohne eifrige, zahlreiche und große Werke ist[74]« – dieser Satz Luthers gilt heute wie im 16. Jahrhundert. Aber die Werke, die sich der Glaube heute angelegen sein lassen muß, haben sich gewandelt.

An genau dieser Stelle kann die katholische Tradition, nachdem auch sie ihre antireformatorischen Engführungen überwunden hat, einer gewissen Abstraktheit im Glaubensverständnis Luthers (oder oft nur einer einseitigen Akzentuierung seitens heutiger Lutherforscher) aufhelfen. Zunächst: mit schon erwähnten Formulierungen wie der vom Glauben als ausschließlich »applikativer Seite« des Wortes oder der vom Glauben als »reinem Empfangen«[75] ist zwar die voraussetzungslose Bindung des Glaubens an das Wort gebührend herausgestellt, nicht aber die konkrete Erscheinungs- und Vollzugsform des Glaubens. Diese ist doch unstreitig ein solch komplexer Vorgang, daß ein einfaches Grund-Folge-Schema zu seiner Beschreibung nicht ausreicht. Der Glaube, der in der Tat »reines Empfangen« ist, ist gleichzeitig zumindest ein seelisches Geschehen im Menschen, um nicht zu sagen: eine psychische Aktivität, und zwar eine sehr energische, denn sie hat allerhand Widerstand und Widerspruch von innen und außen zu überwinden. Und diese Aktivität ist eingebettet in eine Fülle anderer – vorausgehender, begleitender, nachfolgender – seelischer Geschehnisse und womöglich äußerer Handlungen. Das Mindeste, was geschehen muß, wenn Wort und Glaube zusammenkommen sollen, ist ja noch, daß ich mich entschließen muß, einem Verkünder zuzuhören, mich also in eine Kirche oder in einen Vortragssaal zu begeben, den Rundfunkempfänger einzuschalten oder ein Buch zu lesen. Will man bei alldem nun eilig zwischen dem Glauben selbst und seinen psychischen und äußeren Erscheinungsformen unterscheiden und abgrenzen, dann nimmt man den Glauben aus dem Zusammenhang der menschlichen Realität heraus und verflüchtigt ihn leicht zu einer abstrakten Größe. Um die Liebe vor der Werkgerechtigkeit zu bewahren, scheint das heute nicht mehr nötig.

Und damit sind wir bei der anderen Konkretisierung: Der Glaube kann sich heute nicht mehr damit begnügen (falls er es je konnte), die mitmenschliche Liebe über Nachbars Zaun hinweg zu üben mit dem

---

[74] 7, 231,8; vgl. w. o. S. 167 mit Anm. 59.
[75] Vgl. Wolf, Sola gratia? Erwägungen zu einer kontroverstheologischen Formel (= Peregrinatio I, 113–134), 124; Althaus, Christliche Wahrheit, 604; ders., Theol. Luthers, 202; 374 u. ö. Zum Folgenden vgl. Pesch, Gottes Gnadenhandeln, 865–871; Kühn, in: NGB, 560–570.

»Handzeug«, das Gott dem Menschen gegeben hat in Begabung und Beruf[76]. Er muß heute weltweit Verantwortung übernehmen. Je unbefangener die lutherischen Kirchen sich dieser Verantwortung annehmen – etwa im Rahmen des Ökumenischen Rates der Kirchen –, desto mehr bleiben sie in der Frage nach Glaube und Liebe der Gegenwart Luthers im heutigen christlichen Denken treu. Denn gerade dabei kommt ja die kritische, unterscheidende Funktion des Glaubens zum Zuge. Er verhindert, daß wir die Begrenztheit auch unserer größten Möglichkeiten, das Fragmentarische unserer Liebe vor lauter »Aktivität« übersehen. Er läßt uns froh sein, wenn mitten in der zunehmenden Unmenschlichkeit unserer Welt wenigstens Oasen der Menschlichkeit gesichert werden können. Weil der Glaube, der um Gottes Vergebung weiß, der »Täter« der Liebe ist, gibt er auch den Mut, unsere verschlissene, alltägliche, immer zu kurz greifende Liebe den Menschen zuzumuten – und überhaupt durchzuhalten. Und nur der Glaube, der um Gottes unbegreifliche Liebe weiß, kann den Mut haben, die um Nachsicht zu bitten, denen wir mit einer Liebe dienen müssen, die immer zu klein und zu ohnmächtig ist.

In genau diesem Sinne und vor allem: in genau diesen Grenzen gilt für Luther ebenso wie für den heutigen katholischen Christen der Satz: Der Glaube ist Kraft zur Liebe. Er ist *nicht nur* Kraft zur Liebe und auch nicht *meine* Kraft zur Liebe, sondern Gottes Kraft zur Liebe in uns – aber Kraft zur Liebe. Das sollte man nicht als eine Formulierung beargwöhnen, die nicht ganz auf der Höhe des eigentlichen Gedankens Luthers sei[77]. Wer sich vergegenwärtigt, wie nachdrücklich und in der besten Tradition der christlichen »Ermahnung« Luther die Werke des Glaubens buchstäblich »anmahnt«, noch mehr: wie sehr er zum starken, zuversichtlichen, alle Zweifel abwerfenden *Glauben* mahnen kann, als wäre er selbst ein gutes Werk, der wird solchen Argwohn für lutherischer als Luther selbst halten dürfen.

---

[76] Vgl. bei Luther 32, 495,29. Der Zusammenhang solcher und vieler ähnlicher Worte ist Luthers Lehre vom (weltlichen) Beruf; dazu die schon klassische Arbeit von Wingren, Luthers Lehre vom Beruf; vgl. auch Althaus, Theol. Luthers, 121–124; Peters, Glaube und Werk, 102–106; weitere Literatur bei Pesch, Theol. der Rechtfertigung, 315f. Anm. 164.
[77] So Ebeling, Luther, 187–197.

10. KAPITEL

»EIN FREIER HERR ALLER DINGE – UND JEDERMANN UNTERTAN«

Von der »Freiheit eines Christenmenschen«

Keine Schrift Luthers ist so populär – schon damals bis zum Mißbrauch populär – wie die 1520 entstandene Abhandlung »Von der Freiheit eines Christenmenschen«. Auch wer Luther nur dem Namen nach kennt, aber keine Zeile von ihm gelesen hat, kennt für gewöhnlich diesen schon sprichwörtlichen Titel. Luther selbst hat diese Schrift für so ausgereift gehalten, daß er mit ihr noch einmal einen (letzten) Versöhnungsversuch mit seinen Gegnern gewagt hat: Er hat die auf deutsch verfaßte Schrift gleichzeitig selbst ins Lateinische übersetzt und sie mit einem friedlich gehaltenem Begleitschreiben an Papst Leo X. geschickt[1]. Zusammen mit den beiden anderen, ebenfalls 1520 geschriebenen Abhandlungen »An den christlichen Adel deutscher Nation von des christlichen Standes Besserung« und »De captivate babylonica Ecclesiae«[2] zählt sie zu den sogenannten »reformatorischen Hauptschriften« Luthers.

Mit keiner anderen Schrift aber hat Luther so sehr seine letzten Freunde außerhalb der Schar seiner unmittelbaren Anhänger verprellt, vor allem unter den Humanisten, wie mit der fünf Jahre später entstandenen Abhandlung »De servo arbitrio«[3] – deren Grundthesen Luther aber bereits 1518 unmißverständlich vertreten hat, zwei Jahre vor der »Freiheit eines Christenmenschen«. Keine Schrift Luthers ist seitdem den Lesern, und zwar auch überzeugten lutherischen Theologen, unheimlicher geblieben als diese Schrift. Gewöhnlich verharmlost man bei der deutschen Wiedergabe bereits den Titel, indem man »Vom unfreien Willen« übersetzt statt, wie es korrekt wäre, »Vom versklavten Willen«. Da trifft die alte, von Luthers Freund Justus Jonas besorgte deutsche Übersetzung die Sache ungleich besser, wenn sie den Titel formuliert: »Daß der freie Wille nichts sei[4].« Zu allem Überfluß hat Luther später einmal, und zwar nicht in Bierlaune, sondern in einer ernstzunehmenden Äußerung,

---

[1] Die deutsche Fassung des »Sendbriefs an Papst Leo X.« und der Freiheitsschrift: 7, 3–11; 20–38; die gleichzeitig erarbeitete, aber etwas später erschienene und im Traktat etwas längere lateinische Fassung: 7, 42–49; 49–73. Zum kirchenpolitischen Zusammenhang (Verbreitung der Bannandrohungsbulle durch Eck, diplomatische Bemühungen des Karl von Miltitz) vgl. die Biographien sowie Olivier, Der Fall Luther, 135–156.

[2] 6, 404–469; 497–573.

[3] 18, 600–787.

[4] So denn auch der Titel der deutschen Übersetzung in MA, Erg.-Bd. 1.

gesagt, es sei ihm am liebsten, wenn man alle seine Schriften verbrenne, ausgenommen die Schrift über den versklavten Willen[5]. Darum können wir in einer »Hinführung zu Luther« das Freiheitsthema gar nicht übergehen. Es wäre, wie wenn man ein Buch über Beethoven schriebe, ohne seine 9. Sinfonie zu erwähnen. Wir können das Thema »Freiheit« um so weniger übergehen, als die beiden genannten Schriften, je auf ihre Art, zu den systematisch am besten durchgearbeiteten und am konzentriertesten geschriebenen Werken Luthers gehören: Sie könnten als Grundriß einer »Systematischen Theologie« gelten, die Luther, der notorische Gelegenheitsschriftsteller, nicht geschrieben hat. Anderseits können wir, ähnlich wie im Kapitel über den »reformatorischen Durchbruch«, nur sehr knapp und summarisch zu den beiden Freiheitsschriften »hinführen«. Denn wir geraten mit ihnen in solch verwickelte theologiegeschichtliche und sachliche Zusammenhänge und damit vor derart komplizierte Probleme der Lutherforschung, daß diese »Hinführung« aus allen Fugen geraten müßte, wollten wir ausführlich werden. Wir müssen also zusammenfassen, uns auf die Bloßlegung der entscheidenden Gedankenlinien beschränken und für alles weitergehende Interesse auf die Literatur verweisen, wozu es glücklicherweise aus jüngster Zeit gute Duchblicke gibt[6]. Im übrigen verstärkt sich die Erlaubtheit solch knapper Zusammenfassung dadurch, daß sich, wie sich zeigen wird, die Erörterung des Freiheitsthemas bei Luther als absichernde Hintergrundreflexion zu dem·erweist, was wir in den vorausgehenden Kapiteln von Luthers reformatorischer Theologie schon kennengelernt haben.

[5] Br 8, 99 f., 43 (an Wolfgang Capito, 9. Juli 1537): »Ich bin der Meinung, daß keines meiner Bücher lohnend ist mit Ausnahme vielleicht von De servo arbitrio und dem Katechismus«. Mit »Katechismus« meint Luther hier seine *beiden* Katechismen zusammen; vgl. McSorley, a. a. O. (s. Anm. 6), 18 Anm. 7.

[6] Die folgenden Hinweise beziehen sich des unlösbaren Sachzusammenhangs wegen zugleich auf das 14. Kapitel (vgl. w. u. S. 248). Zur Entwicklung von Luthers Lehre vgl. Maurer, Von der Freiheit eines Christenmenschen; Pannenberg, Der Einfluß der Anfechtungserfahrung; Bandt, Luthers Lehre vom verborgenen Gott; Weier, Das Thema vom verborgenen Gott; McSorley, Luthers Lehre vom unfreien Willen; Kohls, Die Theologie des Erasmus; ders., Luther oder Erasmus; Dörries, Erasmus oder Luther; Kerlen, Assertio. – Zur ausgebildeten Lehre Luthers, bes. in »De servo arbitrio« vgl. Iwand, Erläuterungen; Althaus, Theol. Luthers, 105 f.; 140 f.; 232–248; Ebeling, Luther, 239–309; Lohse, Lutherdeutung heute, 47–60; ders., Marginalien; ders., Dogma und Bekenntnis, 33–39; Schwarzwäller, Sibboleth; ders., Theologia crucis; Maurer, Offenbarung und Skepsis; Jüngel, Quae supra nos, nihil ad nos; ders., Zur Freiheit eines Christenmenschen; Brosché, Luther on Predestination. – Zur katholischen Tradition und zu Luthers Lehre im kontroverstheologischen und aktuellen Kontext vgl. außer den genannten Arbeiten von McSorley, Weier und Kerlen v. a. Vorster, Das Freiheitsverständnis; Pesch, Freiheitsbegriff und Freiheitslehre; ders., Theol. der Rechtfertigung, 106–109; 377–396; 510–516; 659–670; 679–686; 840–881; Bayer, Umstrittene Freiheit. – Weitere, vor allem ältere Literatur vor allem in den Arbeiten von Pesch, McSorley, Kerlen und bei Lohse, Dogma und Bekenntnis, sowie ders., Martin Luther, 104 f.

1. Freiheit und Dienst

Es ist wahrlich »Originalton Luther«, wenn er die Schrift von 1520 mit der schon »klassischen« antithetischen Doppelthese einleitet: »Ein Christenmensch ist ein freier Herr über alle Dinge und niemand untertan. Ein Christenmensch ist ein dienstbarer Knecht aller Dinge und jedermann untertan[7].« Und diese original-lutherische Formulierung soll doch nach seiner eigenen Meinung nichts anderes sein als eine Variation von Schrifttexten wie 1 Kor 9,19, Röm 13,8 und Gal 4,4[8]. Die ganze nachfolgende, in 30 kurze Abschnitte eingeteilte Schrift will denn in ganz einfachen Gedankenschritten, ohne alle theologische Reflexionssprache, die Rechtfertigung aus Glauben allein und das daraus hervorgehende ethische Handeln des Christen darstellen. Es bedarf hier kaum noch eines Kommentars, wenn Luther (»Zum dreißigsten«) schließt: »Aus dem allem folgt der Beschluß, daß ein Christenmensch lebt nicht in sich selbst, sondern in Christo und seinem Nächsten, in Christo durch den Glauben, im Nächsten durch die Liebe; durch den Glauben fähret er über sich in Gott, aus Gott fähret er wieder unter sich durch die Liebe, und bleibt doch immer in Gott und göttlicher Liebe... Siehe, das ist die rechte, geistliche, christliche Freiheit, die das Herz frei macht von allen Sünden, Gesetzen und Geboten, welche alle andere Freiheit übertrifft wie der Himmel die Erde[9].«

Damit ist schon klar, was hier »Freiheit« meint. Es ist die unüberbietbare Freiheit dessen, der sich in der Liebe Gottes geborgen weiß. Es ist darum die Freiheit von der Sünde. Gleichviel, ob sie als Widerwilligkeit des Herzens gegen Gott dem Menschen immer noch zu schaffen macht und ihm daher nie erlaubt, sich selbst von sich selbst her als »gerecht« zu betrachten: im Glauben an die Liebe Gottes in Christus darf er sie vergessen. Weil solchermaßen Freiheit von der Sünde, ist sie Freiheit von der Sorge um das eigene Heil. Der Mensch muß ja nicht mehr durch seine eigenen Leistungen die Haftung für sein eigenes Heil übernehmen, er bekommt es geschenkt. Darum hat er nun Augen, Herz und Hände frei, die Werke wahrzunehmen und zu tun, die *wirklich* »gut« sind – die nämlich, die der Not des Nächsten aufhelfen. In diesem Sinne ist Luthers Bemerkung zu verstehen, das Herz sei nun frei von Gesetzen und Geboten. Das gilt, sofern »Gesetze und Gebote« zu der Vorstellung verleiten, der Mensch müsse sich durch ihre lückenlose Befolgung das Heil verdienen. Es handelt sich aber auf keinen Fall um Freiheit von ethischem Anspruch. Im Gegenteil, der ist nun um so »anspruchsvoller«,

---

[7] 7, 21,1.
[8] Vgl. 7, 21,5.
[9] 7, 38,6.

sofern er eine Aufteilung der Energien: zur Hälfte für das eigene Heil, zur Hälfte für den Mitmenschen, ausschließt. Um aber die ethische Verpflichtung gegenüber dem Mitmenschen zu erkennen und zu beherzigen, bedarf es keiner Gebote. Alles ergibt sich buchstäblich zwanglos, wenn die geschenkte Freiheit eines Christenmenschen zusammentrifft mit der Wahrnehmung dessen, was der Nächste von mir braucht.

Um den konkreten »Sitz im Leben« ganz zu verstehen, müssen wir wiederum uns erinnern, wie sehr viele Christen der damaligen Zeit in der Vorstellung gefangen waren, sie müßten möglichst gründlich für ihr eigenes Heil, also für den »Stand der heiligmachenden Gnade«[10] und nach diesem Leben für den Einlaß in den »Himmel« Sorge tragen durch Werke, die kirchliches Herkommen, kirchliche Empfehlungen und gar Gebote vorschrieben. Die eigentliche Pointe der Freiheitsschrift liegt darin, diese Werke im Namen der Rechtfertigung aus Glauben allein für überflüssig zu erklären mit der präzisen doppelten Begründung, sie beruhten auf einem Fehlverständnis vom Wesen des rechtfertigenden Glaubens und überdies seien sie dem Mitmenschen, dem doch alle christliche Liebe zu gelten habe, nicht von Nutzen. Überaus milde, wie sonst kaum noch einmal, aber auch unwidersprechlich klar formuliert Luther diesen Vorbehalt und beleuchtet damit die Grundlage christlicher Ethik ebenso wie deren notwendige kirchenkritische Spitze (»Zum neunundzwanzigsten«): »Hieraus mag ein jeglicher ein gewisses Urteil und Unterscheidung nehmen unter allen Werken und Geboten, auch welches blinde, tolle oder rechtgesinnte Prälaten seien. Denn welches Werk nicht dahin ausgerichtet ist, dem andern zu dienen oder seinen Willen zu leiden, sofern er nicht zwingt, wider Gott zu tun, so ist's nicht gut christliches Werk. Daher kommt's, daß ich sorge, wenige Stifte, Kirchen, Klöster, Altäre, Messen, Testamente seien christlich, dazu auch die Fasten und Gebete, zu etlichen Heiligen besonders getan. Denn ich fürchte, daß in dem allesamt ein jeglicher nur das Seine sucht, vermeinend, damit seine Sünden zu büßen und selig zu werden, welches alles kommt aus Unwissenheit des Glaubens und christlicher Freiheit; und etliche blinde Prälaten die Leute dahin treiben und solch Wesen preisen, mit Ablaß schmücken und den Glauben nimmer mehr lehren. Ich rate dir aber, willst du etwas stiften, beten, fasten, so tu es nicht in der Meinung, du wollest dir etwas Gutes tun, sondern gib's dahin frei, daß andere Leute desselben genießen mögen, und tu es ihnen zu gute, so bist du ein rechter Christ. Was sollen dir deine Güter und guten Werke, die dir übrig sind, deinen Leib zu regieren und versorgen, so du genug hast am Glauben, darin dir Gott alle Dinge gegeben hat? Siehe, also müssen Gottes Güter fließen aus einem in den andern und gemein werden, daß ein jeglicher sich seines Nächsten

[10] Vgl. w. o. im 7. Kapitel S. 118 f.

also annehme, als wäre er's selbst. Aus Christo fließen sie in uns, der sich unser hat angenommen in seinem Leben, als wäre er das gewesen, was wir sind. Aus uns sollen sie fließen in die, so ihrer bedürfen...[11]« Hätte es 1520 schon eine Sammlung für die Hilfswerke »Misereor« und »Brot für die Welt« gegeben, man hätte den Aufruf nicht ernster formulieren können!

2. FREIHEIT UND KNECHTSCHAFT

Wie aber geht es zu, wenn man unfrei ist und frei wird? Frei oder unfrei ist der Mensch durch die Möglichkeiten oder Unmöglichkeiten seines Willens. Bei Rückfrage kommt man nicht umhin, die »Freiheit eines Christenmenschen« auf den menschlichen Willen zu beziehen und also etwa zu fragen: Ist es Sache des Willens, die »Freiheit eines Christenmenschen« anzunehmen? Ist er selbst dabei frei und entscheidungsmächtig? Sind die guten Werke, die aus der Freiheit des Christen hervorgehen, Werke des *Menschen* kraft der freien Entscheidung seines Willens? So wird aus der Frage nach der Freiheit (»libertas«) die Frage nach dem freien Willen (»liberum arbitrium«). Die Frage *muß* gestellt werden – und zwar nicht nur in den Augen Luthers! –, denn nur durch ihre Beantwortung kann sich entscheiden, ob nicht am Ende auch die »Freiheit eines Christenmenschen« wieder zum »Werk« und damit zu einer zu leistenden Vorbedingung der Rechtfertigung des Sünders durch Gott wird. Man erkennt, wie sich die Hintergrundreflexion zu allen bisher erörterten Themen aufzwingt.

Ist nun der Wille frei? Kann der Mensch durch ihn über sein Leben und Handeln frei entscheiden? Die Frage stellen heißt seit alters her und bis heute: sie bejahen. Man diskutierte in der alten Kirche und im Mittelalter – philosophisch und theologisch – die Reichweite der Freiheit, seit Wilhelm von Ockham auch ihre philosophische Beweisbarkeit, doch nie bestritt man ernsthaft ihre Wirklichkeit. So ist es bis heute geblieben, auch wenn uns die Humanwissenschaften auf früher ungeahnte Weise über konkrete Einschränkungen menschlichen Freiheitsgebrauchs inzwischen belehrt haben[12]. Um so neuartiger wirkt damals schon Luthers Frage, um so schockierender bis heute seine Antwort. »Freier Wille ist nach dem Sündenfall nur eine Sache bloßen Namens (›res de solo titulo‹), und wenn er tut, soviel an ihm ist, begeht er Todsünde[13].« Als Rom in der Bannandrohungsbulle diesen Satz unter den »Irrtümern Martin Luthers«

---

[11] 7, 37,16.
[12] Vgl. Pesch, Freiheit (HWPh). Was Problemanalyse und Urteil angeht, knüpfe ich im Folgenden an meine Ausführungen in: Gottes Gnadenhandeln, 852–859, an.
[13] 1, 354, Th.13.

aufzählt[14], setzt Luther auf einen Schelmen anderthalbe und verschärft die frühere Formulierung, der freie Wille sei »eine Sache bloßen Namens, ja sogar ein Name ohne Sache« (»immo titulus sine re«)[15]. Dies sind Formulierungen von 1518 bis 1520 – *vor* der Freiheitsschrift. Und 1525 betont Luther gegenüber Erasmus ausdrücklich, daß er zu diesen früheren Formulierungen voll und ganz stehe[16]. Mehr noch: die Unfreiheit des Willens ist für ihn, ganz im Unterschied zu dem, womit man in der Öffentlichkeit seinen Namen und sein Wirken verbindet, der »Angelpunkt der Sache« (»cardo rerum«)[17]. Für die Gnade Gottes kämpfen heißt gegen die Entscheidungsfreiheit des Willens kämpfen[18]. Bis heute sind denn auch Theologen, die Luther unbedingt verpflichtet bleiben wollen, der Überzeugung, daß sich das Schicksal der reformatorischen Rechtfertigungslehre an der Stellungnahme zum Freiheitsproblem entscheidet[19]. Im »günstigsten« Fall hält man sie für eine durch die Streitsituation bedingte (und so auch später nicht wiederholte), aber in diesem Zusammenhang auch voll berechtigte pointierte Präzisierung der Rechtfertigungslehre[20]. Was soll man davon halten? Zunächst einige Klärungen, die zugleich Luthers Lehre zusammenfassen.

1. Die Unfreiheitslehre Luthers hat nichts mit (philosophischem oder gar psychologischem) Determinismus zu tun. Sie will nur in ihrem eigenen Zusammenhang die Passivität des Menschen gegenüber dem Heilshandeln Gottes herausstellen, sie projiziert also gleichsam die Rechtfertigungslehre und das »sola fide« in den Kontext der traditionellen philosophisch-theologischen Auffassungen von der Fähigkeit des menschlichen Willensvermögens. Luther leugnet menschliche Freiheit im Gottesverhältnis, bestreitet also, daß der Mensch sich selbst kraft eigener Entscheidung in das »richtige«, gerecht machende Verhältnis zu Gott versetzen könne. Das ist nicht mehr und nicht weniger provozierend als Luthers Rechtfertigungslehre überhaupt damals provozierend war und heute ist.

2. Luther bestreitet nicht die Entscheidungsfreiheit des Menschen in weltlichen Dingen. Der Begriff »freier Wille« ist in dem Sinne zu gebrauchen, »daß dem Menschen der freie Wille nicht im Hinblick auf das, was höher, sondern nur auf das, was niedriger ist als er, zugestanden wird, das heißt, daß er weiß, daß er in Sachen seines Geldes und seines

[14] DS 1486 = NR 789.
[15] 7, 146,3.
[16] 18, 756,1–8.
[17] 18, 786,30.
[18] 18, 661,28.
[19] Vgl. Iwand, Erläuterungen, 255–260; ders., Um den rechten Glauben, 14f.; 22–24; 33–36; 37–46; 253f.; ebenso Ebeling, a. a. O. (s. Anm. 6).
[20] So etwa Lohse, Dogma und Bekenntnis, 39; Martin Luther, 77.

Besitzes das Recht hat, zu gebrauchen, zu tun, zu lassen nach freiem Willen...[21]« Dort also, wo der Mensch seine alltäglichen Freiheitserfahrungen macht, muß er sie nicht für unwirklich und bloßen Schein halten, wenngleich Luther hinzufügt, daß »auch eben das durch den freien Willen Gottes allein gelenkt wird, wohin auch immer es ihm gefallen mag[22]«. Desgleichen leugnet Luther keineswegs, daß der Mensch dem rechtfertigenden Gott *antwortet,* und zwar *im* Geschehen der Rechtfertigung selbst. Was anderes soll denn der Glaube sein, wenn nicht Antwort auf das ihm zugesagte Wort? Im Umkreis des Freiheitsthemas spiegelt sich das in den langen Ausführungen Luthers zur »Willentlichkeit« des Menschen Gott gegenüber, die Luther sorgsam vom Begriff des »freien Willens« zu unterscheiden auffordert[23].

3. Und schließlich bestreitet Luther nicht nur nicht, sondern stellt mit überraschendem Nachdruck heraus, daß der von Gott befreite menschliche Wille von sich aus, »freiwillig« mit Gott »mitwirkt« beim Aufbau seines Reiches in der Welt[24].

Halten wir dies alles im Auge, dann treten Aussageabsicht und Problematik der Auffassung Luthers genau heraus in den dichten Sätzen, mit dem Luther am Schluß seines Buches seine Ausführungen zusammenfaßt: »Wenn wir nämlich glauben, daß es wahr ist, daß Gott alles vorher weiß und vorher ordnet, dann kann er in seiner Präszienz und Prädestination sich nicht täuschen noch daran gehindert werden, sodann auch nichts geschehen kann, es sei denn nach seinem Willen; etwas, was selbst die Vernunft gezwungen ist zuzugeben, indem zugleich eben die Vernunft bezeugt, daß kein freier Wille im Menschen oder in einem Engel oder in irgendeiner Kreatur sein kann. So, wenn wir glauben, daß der Satan der Fürst der Welt ist, der dem Reich Christi mit ganzer Kraft beständig nachstellt und es bekämpft, um die gefangenen Menschen nicht loszulassen, wenn er nicht durch die göttliche Kraft des Geistes zum Weichen gebracht wird, so ist es abermals offenbar, daß kein freier Wille sein kann... Aber im Ganzen: Wenn wir glauben, daß Christus die Menschen durch sein Blut erlöst hat, so werden wir zu dem Eingeständnis gezwungen, daß der ganze Mensch verloren gewesen ist; andernfalls wir Christus entweder unnötig oder zum Erlöser des minderwertigsten Teiles machen, was gotteslästerlich und gottlos wäre[25].« Zur Veranschaulichung seiner Gedanken greift Luther schon am Anfang seiner Schrift ein altes Bild auf und wandelt es im Sinne seiner These ab: »So ist der menschliche Wille in

[21] 18, 638,5; vgl. 672,8; 752,7; 781,8.
[22] 18, 638,8.
[23] Vgl. 18, 634,14–635,22; 720,28–722,29.
[24] Vgl. 18, 695,29; 754,1–17; zur »cooperatio« bei Luther vgl. Seils, Der Gedanke vom Zusammenwirken Gottes und des Menschen.
[25] 18, 786,3–20.

der Mitte hingestellt wie ein Lasttier; wenn Gott darauf sitzt, will er und geht, wohin Gott will... Wenn der Satan darauf sitzt, will er und geht, wohin Satan will. Und es liegt nicht in seiner freien Wahl, zu einem von beiden Reitern zu laufen und ihn zu suchen, sondern die Reiter selbst kämpfen darum, ihn festzuhalten und in Besitz zu nehmen[26].« Christus, der Erlöser, oder Satan als Fürst dieser Welt; Gott oder Satan als Reiter auf dem Lasttier des Willens – der soteriologische Sinn der Unfreiheits-these ist unübersehbar. Dasselbe zeigte sich schon in den frühen Äuße-rungen, denn die Nichtigkeit des freien Willens wird festgestellt als Folge des *Sündenfalls*.

Nun ist ganz entscheidend[27], daß in *diesem* Sinne die Handlungsunfähig-keit und Unfreiheit des Sünders gegenüber dem in der Rechtfertigung allein handelnden Gott katholische Tradition ist. Es gibt bei Luthers »Ziehvater« Augustinus eine Bemerkung, die fast wie eine Vorwegnahme der Formulierungen Luthers klingt. Nachdem er sein langes Ringen um die Frage des Verhältnisses von Freiheit und Gnade geschildert hat, resümiert er das Ergebnis: »Zur Lösung dieser Frage habe ich mich zwar *für* die Freiheit des menschlichen Willens abgemüht, *gesiegt* aber hat die Gnade Gottes[28].« Nicht die Abwägung, sondern die Bestreitung einer eigenen Aktivität des Menschen gegenüber dem Gnadenhandeln Gottes am Sünder ist von da an eine Selbstverständlichkeit der abendländischen Theologie und bleibt es über die Zweite Synode von Orange (529), über Thomas von Aquin bis hin zum Gnadenstreit zwischen Thomisten und Molinisten im 16. Jahrhundert, selbst unter Inkaufnahme logisch nicht mehr auflösbarer Paradoxien[29]. Das gilt sogar noch für die optimistischen Auffassungen über die Möglichkeiten des Sünders in der spätscholasti-schen Theologie, wenn man sie nicht im Licht der Kritik Luthers, sondern im Licht ihrer eigenen theologischen Voraussetzungen würdigt[30].

Nun aber nimmt Luther, wie unser ausführliches Zitat zeigt, nicht nur die augustinische Tradition entschieden wieder auf, er bemüht sich auch um einen sozusagen philosophischen Nachweis, und zwar unter Hinweis auf die doch allgemein unbezweifelte Tatsache des Vorherwissens und der Vorherbestimmung Gottes. Damit ist zunächst die ursprüngliche, ganz auf den *Sünder* bezogene Unfreiheitsthese überschritten. Nach »De servo

---

[26] 18, 635,17–22. Zur Herkunft des Bildes vgl. Lohse, Dogma und Bekenntnis, 38; und schon Vorster, a. a. O. 415–418; McSorley, a. a. O. 309–313; sowie jetzt (kritisch gegen Luther) Beer, Der fröhliche Wechsel, 228–258.
[27] Das ist das Ergebnis vor allem der gründlichen Untersuchung von McSorley.
[28] Retract. II, 1.
[29] Vgl. dazu außer den in Anm. 6 angegebenen kontroverstheologischen Untersuchungen auch Pesch – Peters, Einführung, 15–51; 55–63; 90–103; 177–191; 213–219.
[30] Vgl. Pesch, Theol. der Rechtfertigung, 708–714; Pesch – Peters, a. a. O. 110–118 und die dort verzeichnete Spezialliteratur.

arbitrio« ist der Wille des Menschen nicht nur versklavt, weil er *Sünder* ist, er ist grundsätzlich gebunden und darum unfrei, weil er *Geschöpf* ist. Auch gegen diese Erweiterung wäre im Licht der Tradition nichts einzuwenden, wenn dahinter nicht eine fatale gedankliche Vorentscheidung stünde, nämlich die: Was man der Freiheit des Menschen zugesteht, muß man der Freiheit Gottes entziehen. »Es gibt nichts Leichteres auch nach der beherrschenden Denkweise (!), als daß diese Folgerung gewiß, echt und wahr ist: ›Wenn Gott versieht, geschieht es notwendigerweise‹, wo dieses gemäß der Schrift vorher unterstellt ist, daß Gott weder irrt nocht sich täuscht, Ich gebe zwar zu, daß die Frage schwierig ist, ja sogar unmöglich, wenn man zugleich beides feststellen will, sowohl die Präszienz Gottes als auch die Freiheit des Menschen. Denn was ist schwieriger, ja sogar unmöglicher als fest zu behaupten, daß Widersprechendes und Entgegengesetztes sich nicht widerspreche oder daß irgendeine Zahl zugleich zehn und dieselbe zugleich neun sei[31]?« Kurzum: wer an die Allwissenheit und Allmacht Gottes glaubt, kann ohne logischen Widerspruch den menschlichen Willen nicht für frei halten.

Diese Vorentscheidung liegt nun ganz und gar nicht auf der Gedankenlinie der Tradition. Mit der zitierten Überlegung Luthers vergleiche man nur einmal folgende Sätze bei Thomas von Aquin: »Daß Gott in jedem Wirkenden wirkt, haben einige so verstanden, daß keine geschaffene Kraft in den Dingen etwas wirkt, sondern Gott allein unmittelbar alles wirkt; daß zum Beispiel das Feuer nicht wärmt, sondern Gott im Feuer, und ähnlich bei allen anderen Dingen. Das aber ist unmöglich. Erstens nämlich, weil so der Zusammenhang von Ursache und Verursachtem den geschaffenen Dingen abgesprochen würde. Das aber fällt zurück auf die Ohnmacht des Schaffenden: aus der Kraft des Handelnden nämlich ist es, daß er seinem Geschöpf die Kraft zum Handeln gibt. Zweitens, weil die Tätigkeitsvermögen, die sich in den Dingen finden, den Dingen vergeblich verliehen wären, wenn sie durch sie nichts wirkten. Ja sogar alle geschaffenen Dinge erschienen gewissermaßen vergeblich, wenn sie ihres eigenen Wirkens beraubt würden, denn alle Dinge sind um ihres Wirkens willen... Man muß es also so verstehen, daß Gott in den Dingen [so] wirkt, daß dennoch die Dinge selbst ihr eigenes Wirken haben[32].« Kurzum: den Dingen ihr Eigenwirken, dem Menschen also eigenes freies Handeln absprechen, heißt Gottes Allmacht nicht größer, sondern kleiner machen. Der von Luther behauptete Widerspruch zwischen Allmacht und Freiheit gilt für die Tradition nicht, und zwar präzis aus dem Grunde, weil man damit Gott und sein Geschöpf auf *einer* Ebene

---

[31] 18, 717,22; vgl. 718,8ff.; 721,8ff.; 755,6ff.; und schon 661,29–671,18; 12, 442,1ff.
[32] STh I 105,5 in corp. Zur Interpretation vgl. Pesch, Theol. der Rechtfertigung 856f.; 869–875.

vergleichen müßte. Im Licht der Tradition erscheint Luthers *philosophische* Begründung der Unfreiheit des Menschen glatt als rationalistisch. Daß das Wirken Gottes wegen seiner Transzendenz menschliches freies Handeln nicht ausschließt, sondern begründet, kommt Luther nicht (mehr) in den Sinn.

Es gibt dennoch kein Recht, Luther Begriffsstutzigkeit vorzuwerfen. Denn Luther reagiert auf ein Freiheitsverständnis, das sein Gegner Erasmus von Rotterdam auf die Formel gebracht hat: »Unter Entscheidungsfreiheit (liberum arbitrium) verstehen wir an dieser Stelle die Kraft des menschlichen Willens, durch die sich der Mensch dem zuwenden kann, was zum ewigen Heile führt, oder sich davon abwenden kann[33].« Wie immer man Erasmus beurteilen mag – und man tut es heute auch auf lutherischer Seite gerechter als noch vor wenigen Jahrzehnten[34] –, hier wird jedenfalls eine *autonome* Freiheit des Menschen Gott *gegenüber* behauptet, wie sie in der Tradition nie vertreten worden ist. Freiheit gibt es in der christlichen Tradition immer nur als Freiheit *innerhalb* des allem voranwaltenden, alles Handeln begründenden Wirkens Gottes. Wird dieser Freiheitsbegriff durch den Begriff einer autonomen Freiheit auch Gott *gegenüber* ersetzt, dann *muß* der Theologe *diese* Freiheit als Schein und in *diesem* Sinne den Menschen als unfrei beurteilen. Insofern hält Luther die katholische Tradition gegen einen humanistischen Freiheitsbegriff durch und konnte es gar nicht anders tun, als er es tat – mag man auch seine einzelnen Argumente für nicht immer stringent oder für das Opfer von Mißverständnissen halten[35].

3. FREIHEIT UND VERANTWORTUNG

Wie die Gedankenführung bei Erasmus und Luthers Auseinandersetzung mit ihm zeigen[36], ist Erasmus vor allem geleitet von der Sorge um die Ethik. Die Gebote Gottes setzen die Freiheit des Menschen voraus, oder sie sind sinnlos. *Dieser* Gedanke hat Stützen in der Tradition, denn die Begründung der Verantwortlichkeit des Menschen in seiner Freiheit ist neben dem Hinweis auf die Transzendenz des Wirkens Gottes ein zweites

---

[33] Erasmus, Diatribe seu collatio de libero arbitrio I b 10,7–10: ed. Walter (= Quellenschriften zur Geschichte des Protestantismus 8, Breslau 1910) S. 36; von Luther wörtlich zitiert 18, 661,30.
[34] Vgl. die in Anm. 6 angegebenen Arbeiten von Kohls, Kerlen, Lohse; ferner jetzt Manns, Lortz, Luther und der Papst, 370–377.
[35] So mit Vorster und McSorley; vgl. auch Ebeling, Das Leben – Fragment; und Lohse, Dogma und Bekenntnis, 34.
[36] Vgl. Erasmus, a. a. O. I a 10; II b 2; III a 2: ed. Walter S. 18; 74–76; 92. Dazu Luther, 18, 692,1–733,21.

starkes Motiv, die Freiheit des Menschen nicht zu bestreiten[37]. So wollten auch Väter des Konzils von Trient einerseits die augustinische Gedankenlinie von der Unfreiheit des Sünders wieder aufnehmen, anderseits mochten sie die Vorteile des Freiheitsbegriffes für den ethischen Appell nicht missen – und dabei haben sie, die Thomisten etwas weniger, die anderen etwas mehr – deutlich den humanistischen Freiheitsbegriff vor Augen. So ist denn zumindest ein verbaler Gegensatz zwischen den einschlägigen Aussagen des Trienter Konzils und der (ganz augustinisch denkenden) Synode von Orange gar nicht zu bestreiten[38]. Ob man in Trient tatsächlich Erasmus unterschrieben hat, entscheidet sich jedoch nicht an den Worten, sondern an der Sache. Diese ist, was die Passivität des Sünders vor Gott angeht, allerdings eindeutig: keine Zustimmung, kein Mittun des Menschen, das nicht allererst Gottes Gnade ausgelöst hätte[39]. Und im wenig später beginnenden »Gnadenstreit« zwischen Thomisten und Molinisten können die ersteren im Einklang mit dem Konzil eine Theorie entwickeln, die sich, obwohl das *Wort* »Freiheit« weiter gebraucht wird, mit scholastischen Mitteln ganz auf der Linie Luthers hält[40].

Damit spitzt sich die Kontroverse – nicht: zwischen Erasmus, sondern – zwischen der nicht mißverstandenen katholischen Tradition und Luther auf die Frage zu: Was begründet die Verantwortung des Menschen für sein Handeln vor Gott? Die Tradition antwortet: Die Freiheit – freilich immer nur als Freiheit, die unter der allumfassenden geheimnisvollen Führung Gottes sich verwirklicht. Luther antwortet in Reaktion auf einen autonomistischen humanistischen Freiheitsbegriff: *Nicht* die Freiheit – wohl aber die Willentlichkeit des Handelns. Bis in die schroffste Konsequenzenmacherei führt Luther das aus, wo er in »De servo arbitrio« betont, daß Gott doch sein beständiges Wirken gegenüber dem sündigen Willen des Menschen nicht aussetzen könne. Wenn also der – immer schon – sündige Wille des Menschen unter dem unaufhörlichen Treiben Gottes auch unaufhörlich Sünde hervorbringt, dann sei doch nicht Gott, sondern der Mensch dafür verantwortlich[41]. Dieses Problem löste die Tradition mit der Auskunft, Gott lasse die Sünde nur zu, aber er wirke sie nicht direkt. Luther hat vor der Konsequenz, daß Gottes Handeln direkt zur Sünde führt, keine Sorge, wenn nur das unausgesetzte Wirken Gottes nicht ins Zwielicht gerät. *Beide* »Theorien« verbergen das unlösbare

[37] Vgl. bei Thomas STh, I 83,1; vgl. De veritate 24,1 in corp. (in princ.); De malo 6,1 in corp. (in princ.).
[38] Vgl. DS 371 f. = NR 350 f. mit DS 1511 f; 1555 = NR 353 f.; 823.
[39] Vgl. DS 1525 f.; 1532; 1553 f. = NR 795 f.; 803; 821 f.; vgl. DS 373–378; 383 f.; 388–392 = NR 777–780; die anderen DS-Stellen fehlen in NR.
[40] Vgl. Pesch – Peters, Einführung, 217 f.
[41] Vgl. etwa 18, 710,6; 712,22; vgl. den ganzen Abschnitt 705,14–733,21.

Paradox mehr schlecht als recht. Beide müssen, der Heisenberg'schen »Unschärfe-Relation« vergleichbar, einen Punkt des Problems ins Zwielicht bringen, um den anderen klar herausstellen zu können. Beide »Theorien« sind daher jeweils nur im Zusammenhang einer ganz bestimmten theologischen Aussageintention berechtigt und hilfreich, isoliert diskutiert führen sie nur zu abenteuerlichen Abstraktionen.

So könnten wir wieder, ähnlich wie schon beim Thema »Glaube und Liebe«, aus der Hintergrundreflexion in den Vordergrund der »Freiheit eines Christenmenschen« zurückkehren. In der Tat gestehe ich, daß ich mich vom Pathos der Argumentation Luthers in seiner Schrift gegen Erasmus nicht mehr einschüchtern lassen kann, und plädiere für das »salomonische« Urteil, daß Luther in seiner konkreten Diskussionssituation ebenso recht hatte wie die Tradition in der ihren. Was unsere heutige Situation anlangt, so stehen wir in der Unfreiheitsfrage vor einem Thema – und es gibt deren noch weitere –, mit dem Luther *nicht* im heutigen (katholischen) Glaubensbewußtsein gegenwärtig ist, mit dem er *nicht* moderne Erfahrungen vorweggenommen hat. Wir können ihm nur zu *seiner* Zeit nicht das Recht streitig machen, so zu denken, wie er gedacht hat, aber wir können ihm schon im Blick auf damals und erst recht im Blick auf heute keineswegs uneingeschränkt zustimmen.

Bleibt es also dabei, daß wir uns an Luthers herrlichen Worten über die »Freiheit eines Christenmenschen« genug sein lassen können? Genügt es, diese Freiheit als Freiheit zur Liebe und gegebenenfalls als Freiheit gegenüber aller »Menschensatzung« durchzudenken und zu praktizieren? Es kann nur dann genügen, wenn wir – wiederum ähnlich wie bei der Frage nach Glaube und Liebe – zumindest die bleibende Warnung nicht in den Wind schlagen, die uns ein für allemal aus der rigorosen Argumentation gegen Erasmus ans Ohr dringt. Es wird für immer zur »Unterscheidung des Christlichen« gehören, ob wir in Denken und Handeln stets mit der nötigen Deutlichkeit wissen, daß wir all unsere Freiheit, all unsere Fähigkeit zum Handeln bleibend Gott *verdanken*. Zur »Unterscheidung des Christlichen« gehört es, daß der Mensch nicht meint, er habe wirklich die Wahl, Gott oder sich selbst seinen Herrn sein zu lassen. Die Anerkennung unserer *Abhängigkeit* von Gott gehört zum Wesen des Glaubens – und wieviel Worte werden nicht sogar in heutiger Theologie gemacht, um dieses ungeliebte Wort zu vermeiden! Jede systematische Reflexion menschlicher Freiheit, die wir hier nicht leisten können[42], wird sich, wenn schon nicht an Luthers »servum arbitrium«, so doch an dem nach wie vor bestürzenden Gedanken des Thomas von Aquin messen lassen müssen, die Freiheit zur *Sünde* – mit Erasmus formuliert: die Fähigkeit, sich vom ewigen Heil *abzuwenden* – gehöre nicht zum *Wesen*

---

[42] Vgl. aber – vorerst – die Angaben oben in Anm. 6 und 12.

menschlicher Freiheit, sondern zu ihrem *Defekt;* Grund: sonst könnte *Gott* nicht die vollkommene Freiheit selbst sein[43]. An diesen Gedanken sollte man sich auch erinnern, wenn heute sogar zahlreiche lutherische Theologen, vor allem der jüngeren Generation, mit einer Unbefangenheit das Wort »Freiheit« auch in bezug auf das menschliche Gottesverhältnis gebrauchen, als hätte Luther nie eine Abhandlung geschrieben mit dem Titel: »Daß der freie Wille nichts sei«[44].

[43] STh I 62,8 ad 3; De veritate 22,6 in corp. (in fine); De malo 16,5 in corp. (circa med.).
[44] Charakteristisch Koch, Das Böse als theologisches Problem.

11. KAPITEL

»WENN WIR AUF UNS SELBST SCHAUEN«

»Gerecht und Sünder zugleich«

Eine der Thesen, die den katholischen Christen bis heute besonders beirren und ihm den Zugang zu Luther besonders erschweren, ist Luthers vielfach wiederholte und abgewandelte These, der Christ sei »gerecht und Sünder zugleich« (»simul iustus et peccator«). Sie gilt als entlarvende Formel der »typisch lutherischen Als-ob-Theologie« – als unwidersprechlicher Beleg dafür, daß Gott den sündigen Menschen nicht wirklich neu macht, sondern »alles beim alten« beläßt und nur »so tut als ob« der Sünder »gerecht« wäre, indem er ihm die Sünde »nicht anrechnet«. Sie gilt letztlich als logischer und theologischer Unsinn zugleich: Denn entweder *ist* der Mensch gerecht, dann kann er nicht zugleich Sünder sein, denn man kann schließlich nicht zugleich Gott zugewandt und von Gott abgewandt sein. Sollte aber der logische Unsinn doch aufzulösen sein, dann bliebe erst recht der theologische Unsinn, denn was wäre das für ein Gott, der den Menschen gerecht macht und ihn dabei nicht von der Sünde befreit?

So formuliert denn das Trienter Konzil mit deutlicher Spitze gegen diese Formel Luthers ausdrücklich, die Rechtfertigung des Sünders bedeute eine »Heiligung und Erneuerung des inneren Menschen durch die willentliche Annahme der Gnade und der Geistesgaben, so daß der Mensch aus einem Ungerechten ein Gerechter und aus einem Feind ein Freund (Gottes) wird[1].« Und bis heute sind selbst bei wohlwollenden und aufgeschlossenen katholischen Theologen das Unverständnis der Formel und die Kritik an ihr nicht verstummt[2].

---

[1] DS 1528 = NR 798.
[2] Vgl. Rahner, Gerecht und Sünder zugleich (= Schriften zur Theologie VI, 262–276); ebenso Brandenburg, Martin Luther gegenwärtig, 109. – Zur Entwicklung der These bei Luther vgl. Hermann, Luthers These »Gerecht und Sünder zugleich« (stützt sich nur auf die Römerbriefvorlesung und die Schrift gegen Latomus); Joest, Paulus und das Luthersche simul, 295–320 (stützt sich nur auf Texte des Frühwerkes); Kroeger, Rechtfertigung und Gesetz, 72–75; zur Mühlen, Nos extra nos, 140–146; Grane, Modus loquendi, 52–60; 94–100. – Zur ausgebildeten Auffassung Luthers vgl. Link, Das Ringen Luthers, 77–165; Joest, Gesetz und Freiheit, 55–82; Hermann, Gesammelte Studien, 143–147; 386–388; 401–405; Althaus, Theol. Luthers 211–213; Pinomaa, Sieg des Glaubens, 90–107. – Zur katholischen Tradition und zur Lehre Luthers im kontroverstheologischen Zusammenhang vgl. Lortz, Luthers Römerbriefvorlesung, 149 ff; 238–247; Kösters, Luthers These »Gerecht und Sünder zugleich«; Manns, Fides absoluta, 288–312; Pesch, Theol. der

1. Eine Lieblingsformel Luthers

Die Formel »simul iustus et peccator« ist *eine* – nicht *die* – zusammenfassende Formulierung von Luthers Verständnis der Rechtfertigung des Sünders, besser: von deren Ergebnis. Man hat Luthers ganze Theologie, jedenfalls seine theologische Anthropologie, am Leitfaden dieser Formel zu analysieren versucht[3], ja man hat gemeint, die Findung dieser Formel bedeute den reformatorischen Durchbruch[4], was man dann allerdings mit Recht durch den Hinweis kritisiert hat, eine solche zusammenfassende und darum selbst interpretationsbedürftige Formel könne nicht ihrerseits das maßstäbliche Kriterium für die reformatorische Theologie Luthers sein[5]. Es mag sein, daß diese Formel anfangs tatsächlich als begriffliche Konsequenz der Lehre von der Nichtanrechnung der Sünde und der Anrechnung der Gerechtigkeit Christi auftaucht, wie sie Luther bereits in der Römerbriefvorlesung vertritt[6]. Aber schon bald wird sie zu einer nach allen Richtungen durchdachten und erläuterten Kernformel der Rechtfertigungslehre Luthers. Die Erläuterungen, die Luther gibt, klingen nun freilich wie eine einzige Bestätigung der Befürchtungen, die hinter der Ablehnung durch das Trienter Konzil stehen. Hier einige Beispiele aus allen Zeitabschnitten der Lehrtätigkeit Luthers: »... Zugleich gerecht und Sünder, Sünder dem Tatbestand nach (re vera), aber gerecht aus Anrechnung und Verheißung[7].« »Die in Christus Gerechtfertigten sind nicht Sünder und sind dennoch Sünder[8].« »Kein Christ hat Sünde, und jeder Christ hat Sünde[9].« »Ihr wißt, daß wir zwar gerecht, rein, heilig, daß wir aber auch Sünder, ungerecht und verdammt sind[10].«

Und noch deutlicher versteht Luther, alle Vorbehalte zu bestätigen: »Durch göttliche Einschätzung (reputatio) sind wir wahrhaft und ganz und gar gerecht... So sind wir auch wahrhaft und ganz und gar Sünder, jedoch nur, indem wir auf *uns* blicken[11].« »Der Getaufte oder Büßer

---

Rechtfertigung, 109–122; 526–537; 548–550; ders., Existentielle und sapientiale Theologie, 734–737; ders., Ketzerfürst und Kirchenlehrer; ders., 25–43; Gottes Gnadenhandeln, 886–891; Iserloh, Gratia und Donum. – In der Lutherdarstellung nehme ich im Folgenden weitgehend die Darstellung in meiner inzwischen vergriffenen Schrift: Ketzerfürst und Kirchenlehrer, wieder auf.

[3] So etwa Hermann.
[4] So etwa Link.
[5] Vgl. Bayer, Die reformatorische Wende, 116.
[6] Vgl. Kroeger, ebd.; vgl. die im folgenden zitierten Stellen aus der Römerbriefvorlesung (WA 56).
[7] 56, 272,17.
[8] 2, 496,39.
[9] 40 II, 352,8.
[10] 39 I, 492,19.
[11] 39 I, 563,13.

bleibt im Gebrechen der Konkupiszenz, die jedoch gegen das Gesetz verstößt ›Du sollst nicht begehren‹ und selbstverständlich Todsünde ist, wenn nicht der barmherzige Gott sie nicht anrechnete...[12]«.
Ist mit solch »steilen« Formulierungen überhaupt noch weiterzukommen? Man sollte meinen: nein! Es scheint nur das Entweder-Oder übrig zu bleiben. Das Äußerste, was man zuzugestehen bereit ist, ist dies, man könne Luthers Formel als emphatischen Ausdruck seiner persönlichen Religiosität, seiner tief erschütternden Gotteserfahrung gelten lassen – so wie ja auch mancher Heilige sich selbst als den größten Sünder betrachtete. Als »dogmatische«, also als ernste theologische Aussage aber scheint das »simul« unvollziehbar[13]. Entweder bleibt der Mensch in der Rechtfertigungsgnade – wie immer sie verstanden werden mag – Sünder, dann ist die Gnade unwirksam und kraftlos; oder aus dem Sünder wird wahrhaft, wie das Trienter Konzil lehrt, ein Freund Gottes, eine neue Schöpfung, dann kann der Gerechtfertigte nicht länger Sünder sein. Luthers Formel ist für das Denken ungereimt und theologisch gefährlich für eine korrekte Auffassung von der Gnade Gottes – genau das befürchtet das Trienter Konzil und lehnt deshalb die Formel Luthers ab.
Nun, der theologische Scharfsinn hat dennoch nicht kapituliert. Gleichzeitig mit den anhaltenden kritischen Ausstellungen gibt es seit Jahrzehnten Versuche, auf neuen Denkwegen die Formel Luthers besser zu verstehen[14]. Seitdem ist aufgrund einer vierfachen Klärung ein Verständnis der Sache und der Formulierung Luthers möglich geworden, die eine neue Chance eröffnet, nicht nur einen Konsens aufzuweisen, sondern zu zeigen, daß Luther auch mit dieser These – wieder einmal – verborgen im katholischen Glaubensverständnis gegenwärtig ist.

2. Klärungen

Erste Klärung: Das Leben in der Situation des »Zugleich« ist selbst eine Neuschöpfung – und insoweit ist formal die Aussage des Trienter Konzils sogar gewahrt. Zwischen dem Sünder, der nichts als Sünder ist, und dem Sünder, der zugleich gerecht ist, liegt ein Abgrund – genau jener Abgrund, der auch nach katholischer Lehre den Gerechtfertigten vom Nicht-Gerechtfertigten trennt. Wenn man den neuen Menschen, den Menschen in der Gnade Gottes, sich auf der einen Seite vorstellt, und den

---

[12] 56, 513,17.
[13] So Rahner, ebd.
[14] Die, soweit ich sehe, ersten wichtigen Äußerungen sind Grosche, »Simul peccator et iustus« (= Pilgernde Kirche, 147–158 – geschrieben 1935!), und Küng, Rechtfertigung, 231–242. Vgl. ferner die in Anm. 2 verzeichneten kontroverstheologischen Arbeiten.

alten Menschen, den Menschen unter der Sünde und dem Zorne Gottes, auf der anderen Seite, dann irrt der Mensch des »simul« nicht gleichsam zwischen beiden hin und her, sondern steht eindeutig auf der Seite des neuen Menschen. In seiner Schrift gegen den Löwener Theologen Latomus drückt Luther das so aus, daß vor der Rechtfertigung, also vor Eintritt des Menschen in die Situation des »simul«, die Sünde »peccatum regnans«, »herrschende Sünde«, war, nun aber »peccatum regnatum« ist, »beherrschte Sünde«. Sünde vor der Rechtfertigung und die Sünde, die »zugleich« mit der Gerechtigkeit noch bleibt, sind nicht dasselbe[15]. Die Sünde ist eine andere geworden nicht in ihrem Sachverhalt, aber in »sui tractatu«, in der Art, wie sie behandelt, wie sie in das neue Gottesverhältnis eingeordnet wird. Oder, um noch eine Formulierung Luthers zu zitieren: Der Mensch ist nun zwar noch Sünder, aber kein Gottloser mehr, »peccator sed non iniquus«[16]. Der Sünder ist nicht mehr *nur* Sünder, sondern ein solcher Sünder, bei dem die Sünde, obwohl sie in sich verdammungswürdig ist, doch nicht mehr (auf noch zu klärende Weise) die Macht hat, zu verdammen, das heißt, die neue Gemeinschaft Gottes mit dem Menschen zu durchkreuzen. In diesem Sinne ist der Mensch »gerecht«. Und das ist etwas vollkommen Neues, ganz Unverdientes und Unerwartetes, eine Neuschöpfung. Das »simul« ist eine inwendige Struktur dieser Neuschöpfung, nicht etwa deren Infragestellung.

Von daher ergibt sich die Frage, was diese »simul«-Struktur denn näherhin besagt. Dazu bedarf es einer weiteren Klärung.

Zweite Klärung. Luther formuliert sein »simul« in drei Varianten, die je einen eigenen Sachsinn haben. Die eine Variante lautet, der Gerechtfertigte sei »partim iustus, partim peccator« – »teilweise gerecht, teilweise Sünder«[17]. Luther meint damit, daß der Kampf gegen die Sünde auf Erden nie zu Ende kommt und daß alle seinshafte, innere, sittliche Gerechtigkeit, die der Christ auch nach Luther in der Tat erreichen kann und muß, immer nur bruchstückhaft ist und hinter dem zurückbleibt, was Gottes heiliger Wille fordert. – *Dieser* Sinn von Luthers Formel ist für katholisches Denken nie ein Problem gewesen. Man konnte ihn in der Hitze des Streites im 16. Jahrhundert zeitweilig unterbelichten, um Luther nur ja keine Konzession machen zu müssen. Das ändert nichts daran, daß davon schon auf dem Trienter Konzil die Rede ist[18], daß er in heutiger katholischer Theologie nachdrücklich unterstrichen wird[19] und daß sich katholische Lutherforscher mit Recht bemühen, gegen eine verständliche Unterbelichtungs-Tendenz auf evangelischer Seite anzugehen und zu

---

[15] 8, 96,17.
[16] 8, 107,28; 1, 86,39; 6, 237,28.
[17] Z. B. 56, 260,23; 343,1; 442,21; 2, 498,1.
[18] Vgl. DS 1536–1539; 1541 = NR 724; 726; 730.

zeigen, wie ernst Luther selbst diese Variante seiner Formel genommen, wie nachdrücklich er davon gesprochen hat[20].

Eine zweite Variante von Luthers »simul« lautet, der Gerechtfertigte sei »peccator in re, iustus in spe« – »Sünder dem Tatbestand nach, gerecht der Hoffnung nach«[21]. Luther will damit sagen, die vollkommene seinshafte Gerechtigkeit ist eine eschatologische Größe, ein Gut der Zukunft nach diesem Leben, auf das wir hier in Hoffnung zugehen. Jetzt sind wir wahrhaft Sünder, einst aber werden wir durch Gottes neuschaffende Macht alle Sünde abgetan haben, wird, was wir im Kampf gegen die Sünde erreicht haben, nicht mehr nur Fragment sein. In Gestalt der Hoffnung leben wir schon jetzt aus dieser Wirklichkeit der Zukunft. – Prinzipiell besteht auch hier keine Schwierigkeit eines Einklangs mit der katholischen Theologie. Die katholische Theologie hat immer um die vollkommene Heiligkeit als Gut der *Hoffnung* gewußt – warum hätte sie, um nur die drastischste Gegenprobe zu nennen, sonst eine Lehre vom »Fegfeuer« entwickeln müssen[22]?

Luthers »iustus in spe« kann der katholische Christ also ohne Hemmung nachsprechen. Doch gerät er in Verlegenheit, wenn er sich klarmachen soll, was der »peccator in re« näherhin bedeutet. Auch evangelische Lutherforscher können nicht umhin, zuzugeben, daß Paulus zwar den »Gerechten der Hoffnung nach«, aber nicht den »Sünder dem Tatbestand nach« kennt und mithin an diesem Punkt zwischen Paulus und Luther ein beachtlicher Unterschied besteht[23]. Was der »peccator in re« besagt, ist in der Tat nur noch zu erklären von der dritten Variante her, von dem scharfen und scheinbar gleichrangigen Nebeneinander des *»simul iustus et peccator«*. Man darf nicht der Versuchung erliegen, sie herunterzuspielen auf die erste oder die zweite Variante, man muß sie im Sinne Luthers stehenlassen, und zwar als eine ernstgemeinte *dogmatische* Aussage. Damit bekommt sie aber ihr ganzes kontroverstheologisches Gewicht. Ist auch hier noch weiterzukommen?

Dritte Klärung. Die Schwierigkeit, darauf mit Ja zu antworten, ist darin begründet (und eben deshalb auf katholischer Seite auch unvermeidlich), daß man gewohnt ist, mit der gesamten scholastischen und insoweit auch vom Trienter Konzil übernommenen Tradition sich Sünde und Sünder vorzustellen nach dem Modell: Subjekt mit Eigenschaften. *Dann* allerdings ist Luthers These ungereimt. So wie derselbe Körper nicht zugleich heiß und kalt sein kann, so kann nicht derselbe Mensch zugleich sündig

[19] So bei Rahner, ebd.; und Küng, ebd.

[20] So Lortz, ebd.; und Manns, ebd.; Iserloh, ebd.

[21] Z.B. 56, 269,30; 271,30; 272,17ff.; 2, 495,1; 39 I, 298,5ff.; 40 II, 24,3. 7.

[22] Vgl. auch und besonders DS 1541f.; 1572f. = NR 810f.; 840f.

[23] So Joest, Paulus und das Luthersche simul.

und gerecht sein. Bedenkt man außerdem, daß nach traditioneller Auffassung Sünde und Gerechtigkeit, in scholastischer Sprache: »Stand der Sünde« und »Stand der Gnade«, kontradiktorische Gegensätze sind, die sich verhalten wie Ja und Nein, wie Hinkehr und Abkehr, dann begreift man, daß nach mittelalterlicher Lehre Sünde und Gnade auch nicht einen Augenblick »zugleich« den Menschen bestimmen können. Das kommt heraus in der zunächst verwirrend klingenden und zudem begrifflich hochgestochenen These bei Thomas von Aquin, daß die Rechtfertigung des Sünders »in instanti« – »in einem (einzigen) Augenblick« geschieht; denn die Rechtfertigung als Aufhebung der Sünde kann ohne die Mitteilung der Gnade Gottes nicht erfolgen, im Anschluß daran aber auch keinen Augenblick auf sich warten lassen – im Vordergrund des Wortlautes die exakte Gegenthese zu Luthers Formel[24]. Luther aber, davon war schon die Rede[25], denkt Sünde (und Gnade) gerade nicht nach dem Modell von Beschaffenheiten – selbst da, wo es so klingt. Er denkt sie als personale Beziehungen. Sünde und Gnade sind gegenläufige Beziehungen, in denen der Mensch lebt. Sünde ist die vom Menschen begonnene Beziehung der Feindschaft gegen Gott, des Widerstandes, der Verachtung, man könnte auch sagen: die vom Menschen *abgebrochene* Gottesbeziehung. Gnade, Gerechtigkeit dagegen ist die Beziehung der Freundschaft, der Gemeinschaft, der Zuwendung, die *Gott* mit dem Menschen *trotz* seiner Sünden, *gegen* seine Sünde immer wieder neu begründet. Ein Zugleich dieser beiden Beziehungen zu denken ist keineswegs unmöglich, der Einwand, Luther behaupte eine logische Ungereimtheit, kann entfallen. Außerdem kann man, theologisch *und* logisch betrachtet, die Frage stellen, ob Luthers und die katholische Lehre hier überhaupt in einen

---

[24] Vgl. Thomas, STh I–II 113,7 (und 8!). Kommentar dazu bei Pesch – Peters, Einführung, 100–103. – Ich nehme auch hier die Gelegenheit wahr, wie schon in: Die bleibende Bedeutung der thomanischen Tugendlehre, 333 Anm. 19, noch einmal zu bestätigen, daß ich die Kritik einiger Rezensenten, in Theologie der Rechtfertigung (vgl. Anm. 2) hätte ich Thomas zu sehr auf Luther hin interpretiert, akzeptiere; vgl. U. Kühn, ThLZ 93 (1968) 885–889: 888f.; R. Kösters, ZkTh 91 (1969) 590–596: 593f.; H. A. Oberman, Kerk en Theologie 20 (1969) 186–191: 188f. Im unmittelbaren Zusammenhang des Konzeptes scheitert jedes »simul iustus et peccator« an STh I–II 113,7. Die »Offenheit« bei Thomas für Luther ist nur aufzuweisen über die »Offenheit« des Thomas für die Legitimität einer ganz anders gearteten Art, Theologie zu treiben, also, um eine damals von mir gebrauchte und in der Sache auch heute noch vertretene Unterscheidung aufzunehmen, für die Legitimität sowohl einer sapientialen als auch einer existentiellen Theologie; vgl. dazu jetzt Pesch, Gerechtfertigt aus Glauben, 134f.; 144. Was ich nicht zurücknehme, sind die in Theol. der Rechtfertigung, ebd., gemachten Beobachtungen bei Thomas als solche sowie die Meinung, daß sie – *innerhalb* des Konzeptes – die These von STh I–II 113,7 doch eigenartig kontrapunktieren. Vgl. auch meine Antwort an Oberman, Kerk en Theologie 20 (1969) 389–393: 390–392. Dies gilt in der Sache auch gegen zur Mühlens Interpretation der „gratia habitualis"; vgl. w. u. unter [1].

[25] Vgl. w. o. im 7. Kapitel S. 118–120 und im 9. Kapitel S. 159f.

Widerspruch geraten *können:* Weil die gleichen Worte (Sünde und Gnade beziehungsweise Gerechtigkeit) auf beiden Seiten formal etwas Verschiedenes bedeuten, können die mit diesen Worten formulierten Thesen, auch wenn sie gegensätzlich klingen, nicht Ja und Nein zur selben Frage sein.

Vierte Klärung. Der katholische Christ wird eine weitere Rückfrage stellen: Stimmt das denn, daß der Glaubende in einer Beziehung der Feindschaft zu Gott lebt? Wird nicht vor dieser Frage das »simul« wieder unsinnig? Doch auch hier lassen sich noch einmal herkömmliche Verstehensschwierigkeiten durch Klärung der wahren Lehre Luthers beheben. Man darf nicht meinen, – so wenig wie in der Frage der »Heilsgewißheit« –, die beiden gegensätzlichen Beziehungen der Sünde und der Gerechtigkeit seien ein Tatbestand, den man in der Art einer ärztlichen Diagnose feststellen könnte, vielmehr ereignen sie sich je und je neu im Handeln Gottes und des Menschen. In der Tat sündigt der Christ nach Luther fortwährend, bleibt zurück hinter dem, was Gott von ihm will, widersteht Gottes Willen. Muß er nicht immer gegen den inneren Widerstand ankämpfen, der lieber möchte, daß Gottes Wille über ihn nicht bestünde? Entdeckt er sich nicht immer wieder dabei, wie er sich, *wenn* er einmal Gottes Willen erfüllt hat, an seiner eigenen Leistung weidet, statt Gott die Ehre zu geben? Und soll er diesen nach wie vor nicht überwundenen Grundwiderspruch seines Wesens und Wollens gegen Gott nur für eine Randerscheinung halten oder nicht vielmehr doch für eine Wirklichkeit, die sein *ganzes* Wesen, sein Ich kennzeichnet[26]? Aber so, wie der Mensch beständig sündigt, indem er im Widerwillen gegen Gott lebt, so läßt Gott sich ständig neu seine Zuwendung zum Sünder nicht durchkreuzen, er vergibt, er »rechnet nicht an«. Katholiken befürchten hier gern eine »Theologie des Als-ob«. Aber es geht hier nicht um einen »Ersatz« für einen Veränderungsvorgang, der in Wirklichkeit nicht stattfindet, es geht um ein personales Geschehen, das jeden bloß sachhaften Vorgang überbietet. Mitten in seinem ständigen Widerstand gegen Gott kann so der Sünder gerecht sein – weil Gott seine Gemeinschaft mit dem Sünder auch gegen dessen Widerstreben nicht mehr widerruft. Vom Sünder ist freilich eines gefordert: Er darf seine Sünde auch seinerseits nicht mehr als Einwand gegen Gottes Vergebungs– und Nichtanrechnungswort gelten lassen. Er muß es sich sagen lassen, er muß, ganz einfach, *glauben.* *Dadurch* – nicht etwa, indem sie in sich selbst harmlos würde – verliert die Sünde ihre Macht, den Sünder von Gott zu trennen, das heißt ihn zu »verdammen«.

---

[26] Reichlich Textmaterial bei Pesch an den in Anm. 6 angegebenen Stellen; vgl. aber ergänzend Theol. der Rechtfertigung, 35–51 (zum Anklageamt des Gesetzes) und 78–106 (zu Luthers Sündenverständnis) – nur in diesem Zusammenhang wird Luthers »simul« voll verständlich.

3. »Pessimistisches Menschenbild«?

Im Licht dieser Klärungen schmilzt in der Tat der anfänglich schroffe Gegensatz zwischen Luthers und der katholischen Lehre stark zusammen und wird fast schon zu einem schlichten Unterschied der Begrifflichkeit und der »Sprachregelung«. Eine letzte Schwierigkeit freilich bleibt, und sie offenbart einen Gegensatz, der zunächst mit keiner der bisherigen Richtigstellungen aufzuheben scheint. Der katholische Christ wird nämlich noch einmal zurückfragen: Wo soll denn jetzt das »zugleich« liegen? Hebt denn nicht der Glaube als Annahme des Vergebungswortes Gottes das Sich-Festbeißen in der selbstherrlichen Sünde aus der Natur der Sache heraus auf? Gewiß mag heute das eine, morgen das andere sich ereignen, gewiß mag ich jetzt dem Widerstand gegen Gott die Zügel schießen lassen und nachher, zur Besinnung gekommen, wieder ganz auf Gottes Erbarmen setzen, aber doch nicht beides *zugleich*?

Hier gibt es in der Tat nichts mehr zu »klären«, hier antwortet Luther streng: Der Glaube, die Annahme des Vergebungswortes Gottes gelingt immer nur je und je[27], im stets neuen Vollzug und Wagnis. Das Vertrauen auf uns selbst, die Sünde jedoch werden wir nie los, sie hält auch dann an, wenn wir uns dessen gar nicht bewußt sind. Sie ist, wie Luther einmal drastisch formuliert, wie ein »ruheloses Tier« in uns[28]. Das ist in der Tat ein letzter, im Rahmen der Tradition unaufhebbarer Gegensatz. Die Texte der katholischen Tradition und der offiziellen kirchlichen Lehre hinsichtlich der »ständigen Sünde« des Christen gehen nur bis dahin, anzuerkennen, daß der Christ immer wieder sündige *Taten* vollbringt, zwischen denen jedoch durchaus eine mehr oder weniger lange sündlose »Pause« liegen kann, die auch Taten aus reinem Gehorsam und vollkommener Liebe – in der Kraft der Gnade – nicht ausschließt[29]. Luther aber sagt und meint bedeutend mehr. Der Mensch begeht nicht nur in möglicherweise sehr dichten zeitlichen Abständen sündige *Taten*, vielmehr ist sein *Herz* (nach wie vor) radikal böse, sündig, widerwillig gegen Gott und ist in dieser Bosheit ruhelos lebendig, alle einzelnen Taten, auch die guten, von der Wurzel her vergiftend. Auf dieses *böse Herz* ist der je neue Glaube an Gottes vergebende Annahme primär zu beziehen. *So* besteht eine strenge und radikale, auch nicht einen Augenblick unterbrochene Koexistenz von Sünde und (Glaubens–)Gerechtigkeit, und *diese* Koexistenz ist die innere Struktur des Gerechtseins hier auf Erden. *Hier* ist also Ja und Nein zur selben Frage, der letzte, nach Ausschaltung der

---

[27] Vgl. auch w. o. im 7. Kapitel S. 122–124.
[28] 39 I, 116,23.
[29] Vgl. etwa DS 1536–1539; 1545–1547 = NR 725–727; 734 f. Vgl. bei Thomas STh I–II 109,9.

Mißverständnisse nur um so schärfer heraustretende Gegensatz mitten in der Nähe. Worauf beruht er, wenn schon die herkömmlichen Erklärungen sich im Zuge der skizzierten Richtigstellungen als zu kurz erweisen? Stehen wir nicht hier im Innenraum jenes vielzitierten reformatorischen »Pessimismus«, der dem Menschen nichts Gutes mehr zutraut und darum letztlich auch die Macht Gottes ins Zwielicht bringt?

Wir müssen beachten, daß das »böse Herz« für Luther nicht das Resultat einer Existenzanalyse oder gar eine Sache für die Tiefenpsychologen ist – obwohl, von heute aus gesehen, beide ein gewichtiges Wort dabei mitsprechen können. Das Wort vom »bösen Herzen«, also von der bleibenden radikalen Sünde, ist für Luther zuerst und zuletzt *Bekenntnis*. Zwar sucht Luther, wie wir in den zitierten Texten schon sahen, dieses Bekenntnis zu stützen durch den Hinweis auf den Satz der Schrift: »Du sollst nicht begehren«, woraus er schließt, die – auch nach katholischer Lehre als solche verbleibende – erbsündliche »Begierlichkeit« (»Konkupiszenz«) sei eben diese bleibende Sünde[30]. Stünde alles darauf, dann müßte Luthers »simul« längst ad acta gelegt sein, denn die heutige alttestamentliche Exegese gestattet nicht mehr, dieses Schriftwort mit dem ganzen Gewicht der Lehre Luthers von der »Konkupiszenz« zu befrachten[31]. Damit hat freilich die katholische Kirche und Theologie, die auch in dieser Spezialfrage Luther widersprochen hat mit der Gegenthese, die »Konkupiszenz« sei nicht selber Sünde, sondern Neigung, »Zunder« der Sünde (»fomes peccati«)[32], noch nicht das letzte Wort. Denn Luthers »Bekenntnis« steht ja nicht nur auf diesem Schriftwort, es steht zuletzt auf einer die Gesamtaussage der Schrift über Heil und Unheil des Menschen sammelnden Selbsterfahrung des Glaubens. Wenn ich im Innenraum dieses Glaubens vor Gott von mir selbst rede, kann mein Wort immer nur lauten: Vor dir bin ich Sünder, deiner Heiligkeit nie und nimmer gewachsen. Es ist dies die Erfahrung der Christen aller Zeiten. Der Heilige, der sich selbst für den größten Sünder hält, sagt mehr als nur eine fromme Übertreibung. Auch kein katholischer Christ wird am Ort des *Bekenntnisses* je etwas wesentlich anderes sagen können. Er braucht, um

[30] Vgl. 56, 348,24; auch 275,9ff. Zum Begriff Luthers von der »Konkupiszenz« vgl. auch 1, 515,19; 6, 276,10ff.; 7,335,13; 39 I, 118,6ff.; 40 II, 84,18ff.; TR 1, 592,30; auch 553,13ff. Zur Literatur vgl. w. o. im 2. Kapitel Anm. 25.

[31] Das entsprechende hebräische Wort in Ex 20,17 und Dtn 5,21 bedeutet nicht nur den inneren Willen, sondern die aktive Tatbereitschaft, die gleichsam »auf dem Sprung zur Tat« steht. Auch die keine »Objekte« des Begehrens mehr nennenden Verallgemeinerungen bei Paulus Röm 7,7 und 13,9 meinen es nicht anders – andere Auslegungen lesen den Paulustext erkennbar durch die Brille Luthers; vgl. dazu jetzt Wilckens, Der Brief an die Römer, 2. Teilband, 80f. in Auseinandersetzung mit der Literatur. Anders wieder und immer noch Ebeling zu Gal 5,16–18 in: Die Wahrheit des Evangeliums, 340–343.

[32] Vgl. DS 1515 = NR 357. Zur Herkunft des Bildwortes vom »Zunder der Sünde« vgl. Pesch, Das Gesetz, 482–484 Anm. [10].

sich klarzumachen, nur einmal ein Gebet zu versuchen, wie etwa: »Gott, ich danke dir dafür, daß ich vor dir gerecht bin!« Mit diesem Gebet »stimmt es nicht« – und hätte der Beter unmittelbar zuvor im Bußsakrament die Lossprechung empfangen. »Stimmen« kann nur ein Gebet, wie etwa: »Gott, ich danke dir dafür, daß du mich trotz meiner Sünden annimmst!«

An dieser Stelle sind wir auf dem untersten Grund des »simul«. Es ist, wie man treffend gesagt hat, eine »Gebetsrealität«[33]. Nur in der betenden Selbstaussage vor Gott, das heißt aber: in der sich formulierenden Glaubensexistenz als solcher, geht das »simul« auf. Nicht in der »theoretischen« Erkenntnis, sondern im Sprechen mit Gott in der Ich-Du-Form geht die bleibende Sünde auf und wird zugleich – wie könnte es anders *Gebet* sein! – Gottes Gnadenwort angenommen. Die dogmatisch-theoretische Formulierung des »simul« ist sozusagen eine nachträgliche grammatische Variante einer Aussage, die ihren ursprünglichen Ort im Sprechen mit Gott hat.

Fügen wir hinzu, daß die »simul«-Formel in diesem Verständnis den anderen Varianten nicht widerspricht, sondern sie aufnimmt[34]. Denn das Bekenntnis der eigenen Sündigkeit erzeugt einen Gegenwillen gegen die Sünde, der den ernsthaften Kampf gegen sie aufnimmt – oder das Bekenntnis wäre nicht ernst, indem es nur für die Vergangenheit, nicht aber für Gegenwart und Zukunft die Sünde verwirft[35]. Der Kampf gegen die Sünde bringt es zu einem wirklichen Wachstum in neuer Gerechtigkeit und neuem Gehorsam gegen Gott. Allerdings, der erreichte Fortschritt läßt sich nie bewußt und gewiß machen, denn gelänge dies, dann wäre dies sogleich wieder die Abwendung des alleinigen Blicks auf Gott und die Hinwendung zur Betrachtung der eigenen Leistung, die definitionsgemäß die Sünde ist. Im Raum des Gebetes bleibt es daher bei allem Kampf gegen die Sünde und bei allem Fortschritt in neuer Gerechtigkeit doch stets beim Bekenntnis des bösen Herzens, ein Bekenntnis, das zugleich Gottes ständiges Vergebungswort annimmt und so der eigentliche Ort des »simul iustus et peccator« ist.

4. »GLÄUBIG UND GLAUBENSLOS ZUGLEICH«

Man kann also, das hat sich gezeigt, was das »simul iustus et peccator« betrifft, nicht mit ein und demselben Kopf Lutheraner und Katholik im

---

[33] So Link, Das Ringen Luthers, 77 f.; vgl. Kösters, Luthers These, 55–59; Hermann, Gesammelte Studien, 32–41. Allgemeiner, aber im tiefen Zusammenhang mit dem hier Erwogenen vgl. zum Gebet bei Luther Bayer, Promissio, 319–338.

[34] Näheres bei Pesch und Kösters an den in 2 angegebenen Stellen.

[35] Dies ist vor allem in den verzeichneten Arbeiten von Joest herausgearbeitet.

traditionellen Sinne sein. Darum sind auch die wenigen katholischen Versuche, den Widerspruch im Vordergrund der Begriffe auszugleichen, stets von der Gefahr bedroht, Luthers Formel die eigentliche »wehtuende« Spitze abzubrechen[36]. Am fruchtbarsten sind noch die modernen Versuche, die Offenheiten des traditionellen katholischen »Konkupiszenz«-Begriffes wahrzunehmen und aufzuarbeiten, indem man darauf hinweist, daß schon im Rahmen einer traditionellen Anthropologie, wenn sie nur die Wesenseinheit des Menschen ernst nimmt, eine »begierliche« *Sinnlichkeit* nicht nur etwas *am* Menschen sein könne, sondern als Ausdrucks- und Erscheinungsform des Geistes selbst zu gelten habe. Eine rebellische Sinnlichkeit verweist also stets zurück auf einen Gottes Willen immer noch widerstrebenden Geist – in der Tat eine überraschende Nähe zu Luthers Grundgedanken, daß die Konkupiszenz ihren Ort nicht in den Sinnen, sondern im »Herzen« hat.

Entscheidend aber kann die Widerspruchslosigkeit oder besser: die Versöhnbarkeit der lutherischen Formel und der katholischen Lehre nur dann gezeigt werden, wenn die beiden verschiedenen Aussageorte beachtet werden und zugleich beider Berechtigung in der Kirche festgestellt werden kann, obwohl oder gerade weil sie nicht in einem Kopf beieinander sein können. Um dies zu zeigen, ist zunächst eine Bemerkung, auch eine Art »Verteidigung«, in bezug auf die traditionelle katholische Denkweise notwendig. Sie ist nämlich nicht, wie von evangelischer Seite geargwöhnt[37], bekenntnisfern und in theologisch unzulässiger Weise »objektivierend«, sie hat vielmehr ihrerseits ihre eigene »Spiritualität« und ihre eigene Art von »Bekenntnischarakter«. In ihrer klassischen und bis heute wirksamen Tradition denkt katholische Theologie nicht in der Ich-Du-Form – die »Bekenntnisse« Augustins sind da ein großartiger Einzelfall. Katholische Tradition sagt: »Er« (Gott) und »Es« (das Geschöpf, der Mensch). Sie will die Gedanken Gottes über Welt, Mensch und Geschichte nach-denken, dazu instandgesetzt durch das Licht der Glaubenserkenntnis, in der Gott sich selbst dem Menschen zu erkennen gegeben hat. Die Theologie wird dadurch nicht »neutral«, als ob sie vergäße, daß ihre Sache nur im Glauben erschwinglich ist, aber der unmittelbare Vollzug des Glaubens ist nicht Thema, Mitthema, sondern (selbstverständlich gewordene) Voraussetzung für das staunende Bedenken der Herrlichkeit der Werke Gottes. Ihr letztes Ziel ist nicht nur das Bekennen, sondern das Verstehen.

---

[36] Bezeichnend etwa Manns, Fides absoluta, 301 f.: der bleibende Sünder ist der noch »nicht ganz« Gerechtfertigte; ähnlich Lortz, Luthers Römerbriefvorlesung, 238–247; Iserloh, Gratia und Donum, 79–83 (ist »dialektisch« = »statisch«?, a. a. O. 83).

[37] Etwa Peters, Glaube und Werk, 10 f.; 79–83; 236; 259; 262 ff u. ö. Weitere Stimmen aus der lutherischen Theologie bei Pesch, Theol. der Rechtfertigung, 937 Anm. 5; zur Sache vgl. a. a. O. 935–948.

In einem solchen Konzept von Theologie *kann* die Sünde nicht mit der alles beherrschenden Furchtbarkeit auf den Plan treten wie bei Luther. Gott in seiner die Geschichte des Menschen beherrschenden Souveränität könnte nicht mehr überzeugend vor den Blick gebracht werden, wenn man die Sünde vor allem in ihrer *Macht* beschreiben wollte. Das erste und letzte Wort über die Sünde wird vielmehr das Wort von ihrer *Ohnmacht* sein – koste es selbst den Verdacht der Verharmlosung. Gott »läßt die Sünde nur zu«, und er kann das, weil er vor aller Ewigkeit bei der Erwählung Christi die Vergebung der Sünde beschlossen hat; die Sünde ist, unbeschadet ihrer verheerenden Auswirkungen, immer schon die »selige Schuld«, die »felix culpa«[38].

Das ist in der Tat eine »optimistische« Art, die Dinge anzusehen – so »optimistisch« wie die mittelalterlichen Gedanken über die Gottesliebe und ihre Fruchtbarkeit[39]. Aber wer so urteilt und damit indirekt bekundet, daß er einer solchen Sehweise nicht mehr folgen kann, darf der Luthers Weise, die Dinge anzuschauen und auszudrücken, noch »Pessimismus« vorwerfen? Er kann es um so weniger, je mehr er bemerkt und zugibt, daß er *am Ort des Gebetes* schon immer, auch unter ganz traditionellen Voraussetzungen, Luthers »simul« selbst vollzieht. In jeder Meßfeier, vor und nach der jüngsten Liturgiereform, betet auch der katholische Christ genau jenes Bekenntnis, das nach Luther der Ort des »simul iustus et peccator« ist. Er betet: »Mea maxima culpa«. Und das bedeutet eben: »durch meine übergroße Schuld« – und hätte der Beter soeben den Beichtstuhl verlassen. »Schwere«Sünden könnten in diesem Augenblick kaum sein Gewissen belasten. An sogenannte »läßliche« Sünden zu denken, hieße aber die Worte nicht mehr sagen lassen, was sie sagen wollen. Die Formel des »Confiteor« ergibt nur einen Sinn, wenn sie auf der Linie von Luthers Formel verstanden wird – als bekennende Selbstaussage der sündigen Nichtigkeit des Menschen vor Gott. Mit einem unverhohlenen Amüsement vermerkt darum der Lutherkenner, daß derselbe Karl Rahner, der Luthers Formel als dogmatische Aussage zurückweist, sie dort, wo er vom »Gebet der Schuld« spricht, voll und ganz bejaht, ohne es zu bemerken[40]. So kann auch der Katholik sagen: Das »gerecht und Sünder zugleich« ist eine für den katholischen Theologen vollziehbare Aussage. Nicht als ob seine herkömmliche Denkweise

---

[38] Es ist sehr bezeichnend, daß Thomas von Aquin dieses Wort aus der Osterliturgie (Weihe der Osterkerze, das sog. »Exsultet«) am Eingang seiner Darstellung der Lehre von Christus zitiert, und zwar im Zusammenhang der Frage, ob Gott auch Mensch geworden wäre, wenn der Mensch nicht gesündigt hätte: STh III 1,3 ad 3.

[39] Vgl. w. o. im 9. Kapitel S. 167; 171.

[40] Vgl. Rahner, Von der Not und dem Segen des Gebetes, 116–137, Neuausgabe 97–113. Vgl. Küng, Rechtfertigung, 231–234; Söhngen, Gesetz und Evangelium (Cath); und schon Grosche, Pilgernde Kirche, 143 ff.

falsch oder illegitim gewesen wäre. Im Gegenteil – es ist möglich, daß sie auf ihre Weise lutherische Theologie an Wichtiges zu erinnern hat[41]. Aber katholische Theologie kann in der Frage des »simul« von Luther etwas Wesentliches lernen: die Bedeutung des Gebetes und seiner eigenen Sprachgesetze für das theologische Reden. Und das »simul« ist nur *ein* Beispiel dafür bei Luther [42].

Wieder einmal hat also Luther einen neuen Gedanken entwickelt, von dem wir zumindest heute sagen dürfen, daß er nicht eben deshalb schon »häretisch« ist. Streng genommen muß man sogar sagen: Er hat ein Stück katholischer Wirklichkeit theologisch reflektiert, daß die Tradition einschließlich seiner Gegner zu reflektieren versäumt hatte. Und selbst dabei kann er sich noch auf bekannte, aber stets überhörte Stimmen der Tradition berufen, so etwa wenn er, in einem anderen Zusammenhang, freudig feststellt, daß die Heiligen im Gebet seine eigene Lehre von der Unfähigkeit des menschlichen Willens, sich aus sich selbst zu Gott zu bekehren, bestätigt hätten, mochten sie auch im Rahmen theoretischer Darlegungen nicht selten vom »freien Willen« sprechen[43].

Und noch einmal tiefer reicht nicht nur die »Rechtgläubigkeit« Luthers in dieser Sache, sondern auch seine verborgene Gegenwart. Schon beim Thema der »Heilsgewißheit« – von dem nicht von ungefähr viele Verbindungslinien zur »simul«-Formel verlaufen – waren wir darauf gestoßen, daß seine moderne Variante die Frage nach Gottesgewißheit ist. Bringen wir diese Einsicht auch hier ins Spiel, dann wird einleuchtend, daß das moderne »simul« heißen wird: »gläubig und glaubenslos zugleich« – »simul fidelis et infidelis«.

In einem Aufsatz, der, wie ich ohne Umschweife sagen möchte, zum Tiefsinnigsten gehört, was in der Theologie dieser Jahrzehnte gedacht wurde, hat Johann Baptist Metz diese moderne Variante des reformatorischen »simul« zur Diskussion gestellt[44]. Metz argumentiert, daß der Unglaube nicht das Problem der anderen, sondern das der Glaubenden ist. Er ist – ähnlich wie bei jeder Freiheitstat – die dunkle andere Möglichkeit, die der Glaube nie ein für allemal hinter sich bringt, darum auch gedanklich nie ein für allemal einholt, von der er sich darum immer neu ablösen muß, um er selbst zu werden und zu sein. Konkret: Der

---

[41] Dies habe ich zu zeigen versucht vor allem in Theol. der Rechtfertigung, 935–948; Die Frage nach Gott, 25; Die bleibende Bedeutung der thomanischen Tugendlehre, 286–291.
[42] Ein weiteres, höchst charakteristisches Beispiel ist das Gebet, das Luther seinem Gegner Latomus vorschlägt und in dem sich die Unmöglichkeit eines Verdienstgedankens erweisen soll: 8, 79,21 ff. Dazu – und weitere Beispiele – vgl. Pesch, Existentielle und sapientiale Theologie, 739 f.
[43] Vgl. 18, 644,5 ff über Bernhard von Clairvaux; auf ähnliche Stimmen der Tradition weist Küng hin, a. a. O. 237 f.
[44] Metz, Der Unglaube als theologisches Problem.

Glaube ist stets bedroht vom Schatten seiner Negation, weil er nicht jederzeit wiederholbare theoretische Erkenntnis ist, sondern, obzwar begründete, so doch freie und darum letztlich unerzwingbare Tat des Herzens auf das gehörte Wort hin. Man sieht, von Luthers Argumentation geht nicht viel in den Gedanken von Metz ein, er kennt nur Luthers Formel und paßt sie seiner Gedankenführung an. Aber ähnlich wie bei Karl Rahner hat er, ohne es zu wissen, in moderner Form den Gedanken Luthers getroffen: Von sich selbst her ist des Menschen Herz der Wirklichkeit Gottes nicht zugekehrt, eher geneigt, es mit sich selbst zu versuchen. Nur im Glauben und darum jederzeit widerrufbar, jederzeit ungesichert, gründet sich der Mensch auf die Wirklichkeit Gottes außerhalb seiner selbst.

Ergibt dies ein »pessimistisches Menschenbild«? Ist es nicht einfach realistisch – so realistisch wie Luthers »simul iustus et peccator«?

12. KAPITEL

»GESCHÖPF DES WORTES«

Die Kirche und ihr Amt

Als Hans Küng 1957 sein Buch über die Rechtfertigungslehre bei Karl Barth veröffentlichte und darin in der Sache Übereinstimmung mit der Lehre des Trienter Konzils und der katholischen Tradition feststellte, haben einige Kritiker süffisant zurückgefragt: Wenn Küng auch Barths Lehre von der Kirche einbezogen hätte, ob dann der festgestellte Konsens sich nicht schnell wieder aufgelöst hätte[1]? Es könnte uns hier ähnlich gehen, wenn wir in einer katholischen »Hinführung zu Luther« das Thema »Kirche« auszuklammern versuchten. Das Thema »Kirche« ist *das* »wehtuende« Thema zwischen Katholiken und Lutheranern, es ist nicht nur eines unter mehreren, sondern dasjenige, an dem herauskommt, was alle festgestellte Übereinstimmung in anderen Fragen letztlich und wirklich wert ist[2]. Es kann dabei auch nicht eine Art Vertrauensvorschuß

---

[1] Vgl. ThRv 54 (1958) 30–35 (Ratzinger); FZPhTh 4 (1957) 317–322 (Stirnimann); HerKorr 11 (1956/57) 424–428 (ungezeichnet). Einen exzellenten Überblick über die innerkatholische Diskussion um Küngs Buch gibt F. Barth, Römisch-Katholische Stimmen zu dem Buch von Hans Küng ›Rechtfertigung‹, MDKI 11 (1960) 81–87. Vgl. auch Küngs Antwort. Zur Diskussion um die Rechtfertigung. ThQ 143 (1963) 129–135.
[2] Zur Entwicklung der Lehre Luthers von der Kirche vgl. Vercruysse, Fidelis Populus; Aarts, Die Lehre Martin Luthers über das Amt in der Kirche; Lohse, Dogma und Bekenntnis. – Zur ausgebildeten Lehre Luthers vgl. Kinder, Der evangelische Glaube und die Kirche; W. Brunotte, Das geistliche Amt bei Luther; H. Brunotte, Das Amt der Verkündigung; Lieberg, Amt und Ordination; Althaus, Theol. Luthers, 248–296; Steck, Lehre und Kirche bei Luther; Lohse, Das Verständnis des leitenden Amtes; ders., Zur Ordination in der Reformation; ders., Die Einheit der Kirche bei Luther; ders., Die Einheit der Kirche nach der CA; ders.; Die Stellung zum Bischofsamt in der CA; ders., Martin Luther, 180–190; Maurer, Kirche und Geschichte nach Luthers Dictata super Psalterium (= Kirche und Geschichte I, 38–61); ders.; Ecclesia perpetuo mansura im Verständnis Luthers (= a. a. O. 76–102); ders., Luthers Anschauungen über die Kontinuität der Kirche (= a. a. O. 103–133); Meinhold, Das Grundanliegen Luthers und die kirchliche Lage der Gegenwart; Pelikan, Obedient Rebels; Tecklenburg-Johns, Luthers Konzilsidee; Koch, Das Problem des evangelischen Kirchenverständnisses; Kleinknecht, Gemeinschaft ohne Vorbedingungen, bes. 66–94; H. Ph. Meyer, Kirchenleitung nach lutherischem Verständnis; Kühn, Kirche, 21–38; Lohse, Martin Luther, 180–190. Wichtige (ältere) Aufsätze auch bei Wolf, Peregrinatio I u. II. – Zur katholischen Tradition und zur Lehre Luthers im kontrovers-theologischen Kontext vgl. Jedin, Ekklesiologie um Luther; Manns, Amt und Eucharistie; Stein, Das kirchliche Amt bei Luther; Pannenberg, Reformation und Einheit der Kirche (= Ethik und Ekklesiologie, 254–267); Iserloh, »Von der Bischofen Gewalt«; Meyer, Das Bischofsamt nach CA 28; Dulles – Lindbeck, Die Bischöfe und der Dienst des Evangeliums; Meyer – Schütte, Die Auffassung von der Kirche; Pesch, Gerechtfertigt aus Glauben; 1. und 2. Studie; Peters, Die priesterliche Dimension des Amtes.

geben, und schon gar nicht ist etwa vorentschieden, daß sich die
Kontroversen des 16. Jahrhunderts erledigt hätten; daß Luther als hilfrei-
cher Vordenker in der gegenwärtigen katholischen Kirche anerkannt sei;
und daß höchstens Sachunkundige den erreichten Konsens noch nicht
bemerkt hätten, höchstens die Repräsentanten erstarrter Institutionen ihn
nicht wahrhaben wollten. Aber wie vorgehen bei dem Versuch, den
sachlichen Gesprächsstand abzuwägen?

1. ALLES VERGESSEN

Mit dem Thema »Kirche« wird das kontroverstheologische Gespräch
»praktisch« – nicht nur in dem Sinne (wie etwa beim Thema »Glaube und
Liebe«), daß der Glaube zu fantasievollem schöpferischen Tun anhält,
sondern so, daß er sein Thema gar nicht aufnehmen kann, ohne sich auf
gewachsene, machtvolle und höchst wirksame Institutionen zu beziehen.
Die »Theorie«, in unserem Fall: das theologische Nachdenken, kann sich
gar nicht abseits der konkreten Wirklichkeit entfalten. Das heißt, sie
entnimmt, ob sie will oder nicht, dieser Wirklichkeit die Schwerpunkte
der Kritik wie der Neugestaltung, ja sogar die Methoden und konkreten
Möglichkeiten, beides zur Geltung zu bringen und durchzusetzen. Was
in der Lehre von der Kirche »grundsätzlich« klingt, hat zugleich eine sehr
konkrete Adresse. Konkrete Bescheide, umgekehrt, sind oft aufgrund der
widerborstigen Realität nur Notlösungen, müssen aber »grundsätzlich«
gerechtfertigt werden. Wir müssen daher, um die Bedeutung von *Luthers*
Auffassung von der Kirche ermessen und würdigen zu können, alles
vergessen, was *uns* aus unserer gegenwärtigen Situation assoziativ einfällt,
wenn wir das Wort »Kirche« hören. Wir müssen zunächst das Erschei-
nungsbild heutigen lutherischen Kirchentums vergessen, das nur bedingt
mit dem zu tun hat, was Luther sich ursprünglich unter einer erneuerten
Kirche vorgestellt hat oder auch, was nach 1530 zunächst daraus geworden ist. Manches in den heutigen lutherischen Kirchen geht weit über das
hinaus, was Luther nur als Notlösung glaubte hinnehmen zu dürfen.
Wenn man von den Vereinigten Staaten von Amerika absieht, so hat in
Europa eigentlich erst nach dem Ersten Weltkrieg erstmals die Möglichkeit bestanden, ohne Rücksicht auf politische Zwänge ein lutherisches
Kirchentum gewissermaßen nach der »reinen Lehre« einzurichten. Da
aber war Luthers konkret situierte Lehre von der Kirche längst zur
abstrakten Theorie geworden, die politischen und gesellschaftlichen
Selbstverständlichkeiten des 16. Jahrhunderts waren geschwunden, und
theologisch hatte Luthers Lehre die individualistischen Reduzierungen
durch Aufklärung, Neuprotestantismus und das sogenannte »bürgerli-
che« Zeitalter hinter sich. Die Katholiken, die allen diesen Einflüssen
stärker widerstanden haben, hegen darum bis zur Stunde den Verdacht,

evangelisches Glaubensverständnis sei seinem Wesen nach individualistisch und kirchenfremd.

Aber auch die heutige katholische Kirche ist alles andere als die Kirche, mit der Luther sich auseinanderzusetzen hatte. Zumindest die am meisten deprimierenden Mißstände sind heute behoben: die weltliche Herrschaft der kirchlichen Amtsträger ebenso wie der Einfluß der politischen Macht auf das innerkirchliche Leben; die Kommerzialisierung der Frömmigkeit; die Befangenheit gegenüber innerkirchlichen Reformanliegen *allein* deshalb, weil sich die Kirchen der Reformation ihrer angenommen haben. Und die *geistliche* Erstarkung der kirchlichen Institution und insbesondere des Papsttums im 19. Jahrhundert, die man evangelischerseits so gern auf der Fluchtlinie der Ekklesiologie eines Cajetan sieht, ist bekanntlich[3] zu einem nicht geringen Teil Folge der vielfältigen *gesellschaftlichen* und *politischen* Diskriminierung der Katholiken in den Nationalstaaten des 19. Jahrhunderts.

Das alles also müssen wir vergessen, wenn wir *wirklich* verstehen wollen, was Luther über die Kirche denkt, und wir müssen uns hüten, seine oft so ungemein »griffig« formulierten Spitzensätze in den Kontext unserer heutigen Erfahrungen mit den Kirchen hineinzunehmen, so sehr sie sich auf den ersten Blick dafür auch als »klassische« Belege zu eignen scheinen. Sie haben die *damalige* Kirche im Blick. Was aber war damals »Kirche«?

2. KIRCHE – DAMALS

Die erste und wichtigste Feststellung: Die Kirche *funktionierte* damals, und zwar *allumfassend*. Das ganze Leben des Einzelnen und des Gemeinwesens war durchtränkt und bestimmt von den durch die Kirche, durch ihre Botschaft ebenso wie durch ihre Macht vermittelten Maßstäben. Der Gottesdienst am Sonntag, der Sakramentenempfang, der Besuch der Predigt (meist außerhalb der Messe!), das kirchliche Brauchtum (Prozessionen, Wallfahrten), Kirchenzucht – das alles war selbstverständlich, vielleicht zuweilen zähneknirschend mitgemacht, nie aber ernsthaft und schon gar nicht öffentlich in Zweifel gezogen[4]. Übrigens, wir erinnern

---

[3] Darüber belehrt jede kirchengeschichtliche Darstellung der Vorgeschichte des Ersten Vatikanums, die diese nicht monokausal rein theologisch-traditionsgeschichtlich deutet; vgl. – um hier eine längere Literaturliste zu vermeiden – meinen Bericht in: Bilanz der Diskussion um das Vatikanische Primats- und Unfehlbarkeitsdogma, in: Papsttum als ökumenische Frage, 159–211, hier bes. 188–196, und die dort verzeichnete Spezialliteratur.

[4] Nach wie vor erhellend und anschaulich ist Lortz, Reformation in Deutschland, I, 69–138; Vgl. jetzt K. A. Fink, HKG III, 625–676; E. Iserloh, HKG III, 676–740; G. A. Benrath, ÖKG II, 251–274; Moeller, Das Reich und die Kirche in der frühen Reformationszeit; Gülzow, Eschatologie und Politik; Becker, Reformation und Revolution; Lutz, Das Ringen um deutsche Einheit.

uns: Das wichtigste Sakrament war das Bußsakrament, nur selten dagegen ging man zur Kommunion. Eine interessante Bemerkung Luthers spiegelt diese für einen heutigen Katholiken kaum noch vorstellbare Situation. In seinem Abendmahlssermon von 1519 weist Luther den Einwand, die Kommunion unter beiderlei Gestalt stoße auf praktische Schwierigkeiten, mit dem Argument zurück, daß »das Volk selten zu diesem Sakrament geht«[5]. – Es war unmöglich, *nicht* Christ zu sein, nicht zur Kirche zu gehören. Es war undenkbar, daß die Kirche um ihre Mitglieder zu werben und sich *darum* mit ihnen auseinanderzusetzen hatte. Eine Auseinandersetzung konnte es nur darum geben, ob bestimmte Zustände in der Kirche, ob das Verhalten bestimmter Amtsträger oder Mitglieder der Kirche im Widerspruch zum Evangelium standen, das *alle* bejahten und als Maßstab anerkannten.

Und das ist dann das Nächste: Die Bibel und ihre Botschaft waren Lebensgrundlage der Gesellschaft und des Gemeinwesens. Die wörtlich als Wort Gottes genommene und als unmittelbar für die Gegenwart geltende und in Anspruch genommene Bibel! Deshalb war ja so entscheidend, welche Auslegung der Bibel recht hatte. Der Streit darum war kein Expertengezänk, das zunächst einige Universitätsprofessoren unter sich abmachten, es war *unmittelbar* ein Streit um die Maßstäbe des alltäglichen Lebens in Gemeinwesen und Kirche. Eben deswegen entfaltete die methodisch zwar gut »abgesicherte«, in ihren inhaltlichen Ergebnissen aber so unerhört neuartige Bibelauslegung Luthers solche Sprengkraft: man mußte ihm *exegetisch* beikommen, oder man konnte der Forderung nicht mehr ausweichen, in Kirche und Gemeinwesen einiges von Grund auf zu reformieren[6].

Die Amtsträger der Kirche standen an der Spitze des »Sozialprestiges«. Und zwar deshalb, weil sie, wie man fraglos annahm, von Christus selbst in ihr Amt eingesetzt waren, vermittelt durch das in einer nie zerrissenen Kette von den Aposteln her weitergegebene Weihesakrament. Das galt auch noch für den letzten »Winkelpfaffen«, der irgendwo an einem Seitenaltar seine »Messen las«, um die dafür gestifteten »Meßstipendien« für seinen Lebensunterhalt zu bekommen – die spätmittelalterliche »Sozialversorgung« nachgeborener und sonst arbeitsloser Söhne! Man mochte es lange vor Luther bereits als groben Unfug und Mißbrauch ansehen, daß die Kirche das zuließ, aber daß der »Meßpriester« rechtens seines Amtes waltete, daran zweifelte niemand. Zwar hatte die Erinnerung an das »große abendländische Schisma« (1378–1417), das das Konzil von Konstanz (1414–1418) mühsam genug und mit problematischen

---

[5] 2, 743,3.
[6] *Insoweit* sind Ebelings Ausführungen über die Voraussetzungen, auf denen Luthers Bibelexegese aufruht, unbestreitbar: Wiederentdeckung der Bibel in der Reformation, 3 f.

Methoden und Folgen fast gewaltsam beendet hatte, die Erinnerung an so viele Gegenpäpste, Gegenbischöfe und lokale Aufstände mit Bischofsvertreibungen ein heimliches Mißtrauenspotential aufgebaut: Man konnte beim besten Willen nicht mehr immer sicher sein, daß die Kette der Bischofs– und Priesterweihen nicht doch einmal zerrissen und der amtierende Bischof rechtmäßig geweiht war. Doch sollte dies erst in der Zukunft Probleme schaffen. Für die Zeit Luthers hatte sich diese Frage noch nicht nach vorn geschoben. An so etwas wie »Demokratie in der Kirche« war jedenfalls kein Denken, und schon gar nicht hat Luther je daran gedacht, da darf man sich von einzelnen, aus dem historischen Zusammenhang gerissenen Thesen Luthers nicht täuschen lassen.

Die Kirche war fest verfügt mit dem Gemeinwesen, und zwar in einer gesellschaftlich und rechtlich abgesicherten Weise wechselseitiger Einflußnahme. Fürsten und Magistrate waren verantwortlich dafür, daß die Verkündigung des christlichen Glaubens ungestört vonstatten ging und das kirchliche Leben allen äußeren Schutz genoß. Nur deshalb konnte die Reformation später so relativ schnell Land für Land und Stadt für Stadt durchgeführt werden (übrigens oft mit geradezu abenteuerlichen Kompromissen!), weil der Fürst oder der Magistrat darüber zu entscheiden hatte, ob man die Reformation einführte oder nicht. Umgekehrt war die Kirche zum Beispiel verantwortlich für das Schulwesen, für die Ehegerichtsbarkeit, für die Sozialfürsorge (Armenpflege, Krankenhäuser). Und kein König konnte ins Amt kommen ohne die Königssalbung (nach dem Vorbild Davids), kein Kaiser konnte es werden ohne die Krönung durch den Papst.

Wenn »die Kirche« nicht nur innerlich mit dem Gemeinwesen verfugt, sondern auch eine »außenpolitische« Größe war, so deshalb, weil sie in Gestalt des »Kirchenstaates« – den man aufgrund damals noch nicht durchschauter gefälschter Dokumente als »Schenkung« des römischen Kaisers Konstantin ansah – selber ein Gemeinwesen war, das nicht selten auch mit militärischen Mitteln seine Interessen durchzusetzen suchte. Der Kirchenstaat galt grundsätzlich, allen politischen Konflikten zum Trotz, als *geistlich* legitimiert. Dies barg einen ungeheuren und bald höchst wirksamen Konfliktstoff. Je mehr nämlich die Päpste – und das taten sie nun schon seit mehreren Jahrhunderten – ihre geistliche Autorität über die ganze Christenheit mit den Mitteln weltlicher Macht, also durch außenpolitischen und gar militärischen Einfluß durchzusetzen und zu erhalten suchten, desto mehr konnte man das auf die Dauer nur hinnehmen, wenn die geistliche Autorität als solche auch über jeden Zweifel erhaben war. Das aber war sie je länger desto weniger. Der Wille, sich dem außenpolitischen Einfluß Roms zu entziehen, wurde darum immer mehr eine rein politische Frage. Blieb man dann trotzdem davon überzeugt, daß Gemeinwesen und Kirche als das eine »Corpus Christianum« unlöslich zusammengehörten, dann konnte auf die Dauer nur jeder einzelne König, Fürst oder Magistrat für sein eigenes Territorium sich darum kümmern. Mit dem Moment, wo also im Zuge des Fortgangs der reformatorischen Ereignisse klar wurde, daß die Gesamtkirche und vor allem Rom sich dem reformatorischen Ruf zu Buße und Reform aufgrund des Evangeliums nicht anschließen würden, war der überlieferte Einklang von Kirche und Gemeinwesen nur noch in der Form der Territorialkirche durchzuhalten. Dies wurde innerhalb der reformatorischen Bewegung spätestens seit dem gescheiterten Einigungsversuch auf dem Augsburger Reichstag 1530 klar, und so bedeutet dieses Ereignis denn auch in Luthers Äußerungen über die Kirche und die Wege zu ihrer Reformation einen klaren Einschnitt. Vor *diesem* Hintergrund haben wir Luthers Theologie der Kirche zu lesen.

3. DAS HEILIGE VOLK GOTTES

1. Für den Katholiken überraschend wird sein, daß Luther[7], erhaben über jeden Verdacht des »subjektivistischen Individualismus«, die Kirche als heilsnotwendig hinstellt. »Wer Christum finden soll, der muß die Kirche am ersten finden... Nun ist die Kirche nicht Holz und Stein, sondern der Haufe christgläubiger Leute; zu der muß man sich halten und sehen, wie die glauben, beten und lehren; die haben Christum gewißlich bei sich[8].« Dieser Äußerung aus der »Weihnachtspostille« von 1522 entspricht exakt die späte Äußerung aus der großen Genesis-Vorlesung (1535–1545): »Ecclesia soll meine Burg, mein Schloß, mein Kammer sein[9]« – ein emphatischer deutscher Satz mitten im lateinischen Text, und mit deutlicher Anspielung auf das bekannte Reformationslied »Ein feste Burg ist unser Gott«. Und im Anschluß an Offb 12 singt Luther zum Preis der Kirche: »Sie ist mir lieb, die werte Magd/und kann ihr nicht vergessen[10].«

[7] Die wichtigsten Äußerungen Luthers zum Kirchen- und Amtsverständnis *vor* 1530 sind: Die Leipziger Disputation, 2, 254–383, hier: 254–322; Kleiner Galaterkommentar, 2, 443–618, hier: 443–456; 616–618; An den christlichen Adel deutscher Nation, 6, 404–469; Eine kurze Form der 10 Gebote..., 7, 204–229, hier: 219,1–220,5; De captivitate babylonica Ecclesiae, Abschnitt De ordine, 6, 560–569; Von dem Papsttum zu Rom, 6, 285–324; Wider den falsch genannten geistlichen Stand des Papst und der Bischöfe, 10 II, 105–158; De instituendis ministris ecclesiae, 12,169–196; Vom Abendmahl Christi, Bekenntnis, 26, 262–509, hier: 506,30–507,16; Großer Katechismus, zum Dritten Artikel, BSLK 655,44–658,42. – *Nach* 1530: Von der Winkelmesse und Pfaffenweihe, 38, 195–256; Schmalkaldische Artikel, II, 2–4; III, 7–15, BSLK 416,6–433,5; 452,8–462,4; Von den Konziliis und Kirchen, 50, 509–653; Wider Hans Worst, 51, 469–572.

[8] 10 I 1, 140,8. 14.

[9] 44, 713,1.

[10] 35, 462,7. Man hat aus solchen und ähnlichen Texten sogar die zugespitzte These abgeleitet, das »sola fide« und »sola scriptura« existiere bei Luther nur auf dem Boden eines recht verstandenen »sola ecclesia«; vgl. Meinhold, a. a. O. 149f.

Der moderne (sogar katholische) Gedanke, daß Kirche sich durch die gemeinschaftsstiftende Kraft des Glaubens gewissermaßen »von unten« aufbaut, liegt hier fern. Die Kirche ist dem persönlichen Glauben vorweg, dieser soll sich an sie »halten«.

2. Ihrem Wesen nach ist die Kirche »ein christlich heilig Volk, das da gläubt an Christum[11].« Sie ist eine »Sammlung solcher Leute, die Christen und heilig sind[12].« »Es »weiß gottlob ein Kind von sieben Jahren, was die Kirche sei, nämlich die heiligen Gläubigen und die Schäflein, die ihres Hirten Stimme hören[13].«

3. Wie man sieht, denkt solche Wesensbeschreibung der Kirche nicht zunächst an Institutionen, sondern an die Gemeinschaft der Glaubenden. Luther *muß* die institutionelle Seite der Kirche auch gar nicht zum ersten Thema machen, denn die Institution funktioniert ja übermächtig, selbst in der Form der Territorialkirche. Worauf es ihm ankommen muß, ist, neu auf den Wesensgrund des Institutionellen hinzuweisen – und dabei im Nebeneffekt der langen Tradition zu widersprechen, daß die Hierarchie »die Kirche« sei, denn »der Papst ist kein Volk«, und, wie es bissig weiter heißt, die »Bischöfe, Pfaffen und Mönche« gehören nicht dazu, »denn sie glauben nicht an Christo, leben auch nicht heilig, sondern sind des Teufels böses schändliches Volk[14].« Den Grundgedanken vom »heiligen christlichen Volk« vertieft Luther – wie könnte es anders sein – durch die Bindung der Glaubensgemeinschaft an das Wort. So wie der persönliche Glaube allein am Worte hängt, so ist das »heilige christliche Volk«, der »Haufe«, durch das Wort Gottes zusammengebracht. Die Kirche »wird durch das Wort Gottes geboren, ernährt, bewahrt und gestärkt[15].« »Das ganze Leben und Wesen der Kirche ist im Worte Gottes[16].« »Gottes Wort kann nicht ohne Gottes Volk sein; wiederum: Gottes Volk kann nicht ohne Gottes Wort sein[17].« »Das Evangelium nämlich ist vor dem Brot und der Taufe das einzige, gewisseste und vornehmste Kennzeichen der Kirche, da sie allein durch das Evangelium empfangen, geformt, genährt, gezeugt, hervorgeholt, geweidet, gespeist, geschmückt, gestärkt, ausgerüstet, bewahrt wird[18].« Oder mit der bekannten Kurzformel: Die Kirche ist »creatura verbi divini« – »Geschöpf des Wortes Gottes«[18a].

4. Als »Geschöpf des Wortes« hat die Kirche selbstverständlich eine Tiefendimension, die unanschaulich und von ihrer äußerlich-institutio-

---

[11] 50, 626,29.
[12] 50, 624,17.
[13] 50, 250,1.
[14] 50, 625,9.
[15] 12, 191,16.
[16] 6, 301,3.
[17] 11, 408,13.
[18] 7, 721,9.
[18a] 2, 430,6.

nellen Erscheinungsform zu unterscheiden ist. Entgegen einer gängigen Vorausvermutung bedeutet dies aber keineswegs eine simple Trennung zwischen innerlicher und äußerlicher Kirche als zwei verschiedenen Menschengruppen, die höchstens teilweise und zufällig auch einmal identisch sein können. Selbst da, wo Luther in seiner frühreformatorischen Zeit einmal von »zwei Kirchen« in dem Sinne spricht, daß eine »geistliche innerliche Christenheit« von einer »leibliche(n), äußerlich Christenheit« abgehoben wird, ist die letztere der ersteren gleichzeitig im Sinne einer »positiven Analogie« (Ulrich Kühn) zugeordnet[19]. Der spätere Luther wiederholt solche Formulierungen nicht, sondern spricht unmißverständlicher von der »Verborgenheit« der Kirche. Dies meint, daß die Kirche, wie alle anderen Glaubensgegenstände, in ihrem wahren Wesen für die bloße Vernunft nicht auffindbar, sondern von ihr verhüllt ist. Sie ist aber deshalb nicht unsichtbar, denn als äußeres Phänomen, als den »Haufen« der Christusbekenner, kann sie jeder wahrnehmen, und dem Glauben bietet sie auch Erkennungszeichen, an denen sie als wahre Kirche erkannt werden kann. Freilich kann auch durch den Glauben niemand erkennen, wer wirklich, das heißt in den Augen *Gottes* zur Kirche gehört, denn niemand kann den Glauben eines anderen Menschen feststellen. »Es ist ein hoch, tief, verborgen Ding die Kirche, daß sie niemand kennen noch sehen mag, sondern allein an der Taufe, Sakrament und Wort fassen und gläuben muß[20].« Die Kirche »ist und erscheint im Fleisch und ist dennoch nicht Fleisch; sie ist und wird wahrgenommen in der Welt und ist dennoch nicht Welt[21].« So wie Himmel und Erde als Schöpfung Gottes sichtbar und verborgen zugleich sind, so auch die Kirche[22]. Christus allein kennt als der gute Hirte seine Schafe. Niemand anders kann dem anderen ins Herz sehen[23].

Je mehr freilich für Luther die Aussicht schwindet, in der Auseinandersetzung mit Rom zu einem positiven Ergebnis zu kommen, desto mehr wird die Unterscheidung zwischen verborgener und sichtbarer Kirche überkreuzt von der Unterscheidung zwischen wahrer und falscher Kirche. »Es sind zweierlei Kirchen von der Welt an bis zum Ende, die S. Augustinus Kain und Abel nennet. Und der Herr Christus gebietet uns, daß wir nicht die falsche Kirche annehmen sollen und unterscheidet selbst zwei Kirchen, eine rechte und falsche, Matth. 7[24].« Es ist inzwischen in der Lutherforschung aufgearbeitet, daß diese Unterscheidung im Anschluß an Augustinus schon zu Beginn seines Kampfes mit Rom begegnet und

[19] 6, 296,38; vgl. Kühn, Kirche, 27, mit Asendorf, Eschatologie bei Luther, 273.
[20] 51, 507,14.
[21] 39 II, 149,22.
[22] Vgl. 39 II, 162,6.
[23] 21, 332,37.
[24] 51, 477,30.

sich bis in seine letzten Jahre durchhält[25]. Aber auch hier flüchtet Luther mit der »wahren« Kirche auf keinen Fall in die »Innerlichkeit«. Vielmehr kann er die wahre Kirche des Evangeliums und die falsche Kirche des (päpstlichen) Antichrists in doppelter Weise geradezu ineinander verkrallt sehen: Einmal so, daß die wahre und falsche Kirche *innerhalb* der einen universalen Kirche beisammen, die Anhänger der falschen Kirche »in der Kirchen«, aber nicht »von der Kirchen oder Glieder der Kirchen« sind, denn sie sind immerhin mit den Gliedern der wahren Kirche zusammen getauft und darin durch das Blut Christi gewaschen; zum anderen kann geradezu die Unrechtsherrschaft des Papstes das Verbindende zwischen beiden Kirchen sein, so daß die wahre Kirche *unter* den »Greueln und Teufelshurerei« existiert[26] – wie der »heilige Rest« Israels[27]. Nicht auf den Rückzug aus den Institutionen kommt es daher an, sondern auf die Kennzeichen, an denen man auch *äußerlich* die wahre von der falschen Kirche unterscheiden kann. Diese Zeichen sind nach Luther – in deutlicher Ausweitung der entsprechenden Aussagen des Augsburger Bekenntnisses (VII) und der »Apologie« Melanchthons dazu –: Taufe, Altarsakrament, Schlüsselgewalt (das heißt Ausübung der »Lossprechung«), kirchliche Ämter, Gebet, Kreuz[28], nach anderen Aussagen außerdem noch Bekenntnis, Ehrung der Obrigkeit und Ehe[29]. Dies alles selbstverständlich neben dem Wort, das in der letzteren Aufzählung freilich erst an vierter Stelle steht.

5. So sehr es also richtig ist, von einer »primären Nicht-Institutionalität der Kirche« zu sprechen[30], so wenig darf man sie gegen ihre sichtbare Institutionalität ausspielen. Dies bestätigt sich in der Art, wie Luther über die Kirchengeschichte bis zu seiner Zeit urteilt und dabei selbst die Differenzierungskriterien mitliefert, was »Wiederentdeckung des Evangeliums« durch die Reformation heißen kann und was nicht. »Wir bekennen, daß unter dem Papsttum viel christlichen Gutes, ja alles christliche Gut sei und auch daselbst herkommen sei an uns«; und Luther nennt dann »die rechte heilige Schrift, rechte Taufe, recht Sakrament des Altars, rechte Schlüssel zur Vergebung der Sünde, rechtes Predigtamt, rechter Kathechismus, als das Vaterunser, Zehn Gebote, die Artikel des Glaubens[31].« Der Antitraditionalismus Luthers ist eine Fabel. Auch und gerade in Gestalt der sichtbaren Kirche Roms ist die wahre Kirche, die mit

---

[25] Vgl. Duchrow, Christenheit und Weltverantwortung, 473 ff. Dort die weitere Literatur und die Belege aus Luther; Kurzinformation bei Kühn, Kirche, 27–30.
[26] Vgl. die sehr entschiedenen Äußerungen 51, 502,16–508,19.
[27] 51, 506,28; 38, 221,36.
[28] 50, 632,35 ff.
[29] 51, 482,17 ff.
[30] So Koch, a. a. O. 127–131.
[31] 26, 147,13; vgl. 39 II, 167,8. 16; 40 I, 69,5. 23; 51, 501,20.

der falschen so zu kämpfen hat, nie untergegangen. Selbst gegen außer- und nachbiblische Traditionen in der Kirche ist nichts einzuwenden, soweit sie nicht – das natürlich! – der Schrift widersprechen. Klassischer Beleg ist Luthers Haltung zur Kindertaufe[32]. Ein anderer, weniger geläufiger Beleg ist Luthers niemals schwankendes Nein zu der Frage, ob die radikalen Reformatoren, die »Schwarmgeister«, die sich bewußt und gewollt der Kontinuität mit der kirchlichen Institution und Tradition entziehen, ein gültiges Abendmahl feiern. »Das Zeugnis der ganzen heiligen christlichen Kirchen (wenn wir schon nichts mehr hätten) soll uns allein genug sein, bei diesem Artikel zu bleiben und darüber keinen Rottengeist zu hören noch zu leiden. Denn es fährlich (= gefährlich) ist und erschrecklich, etwas zu hören oder zu glauben wider das einträchtig Zeugnis, Glauben und Lehre der ganzen heiligen christlichen Kirche, so von Anfang her nun über fünfzehnhundert Jahr in aller Welt einträchtig- lich gehalten hat[33].« »Katholischer« kann man es nicht sagen! Deshalb hat Luther auch evangelischen Christen außerhalb einer evangelischen Gemeinde ausnahmslos geraten, das Abendmahl lieber in einer »götzen- dienerischen« Messe zu nehmen als bei den Gottesdiensten der »Schwärmer«[34].

4. Das Amt und die Ämter

Unter den Kennzeichen der Kirche steht bei Luther an fünfter Stelle das Amt: »Zum fünften kennt man die Kirche äußerlich dabei, daß sie Kirchendiener weihet oder beruft oder Ämter hat, die sie bestellen soll. Denn man muß Bischöfe, Pfarrherr oder Prediger haben, die öffentlich und sonderlich die ob genannten vier Stück oder Heiltum geben, reichen und üben[35].« Die Frage nach dem kirchlichen Amt bei Luther ist innerhalb des Kirchenproblems noch einmal ein Spezialthema – wegen des besonderen Umfangs der Einzelfragen. Wir gaukeln keine »Untersu- chung« vor, die hier nicht möglich ist, sondern fassen zusammen und heben exemplarisch einige bedeutsame Problempunkte heraus – unter weitgehendem Verzicht auf Zitate, dafür im Anschluß an die ersten Fachleute der Forschung auf diesem Gebiet[36].

1. »Das« Amt ist nach den klaren Aussagen Luthers einerseits dadurch begründet, daß Christus es eingesetzt hat, was Luther vor allem mit Eph

---

[32] Vgl. dazu Kurzinformation und Literatur bei Pesch, Theol. der Rechtfertigung, 346–348.

[33] 30 III, 552,8.

[34] Vgl. Manns, a. a. O. 68–87.

[35] 50, 632,35; 11, 411,12; 39 II, 287,9.

[36] Vgl. die Literaturangaben in Anm. 2.

4,8.11 begründet[37], anderseits ist es nötig, damit der Dienst an Wort und Sakrament, zu dem an sich jeder Getaufte befugt ist, in seiner öffentlichen Wahrnehmung auf geordnete Weise erfolgt[38]. Beide Begründungen verhalten sich wie Legitimation und Sachgrund, sie sind also nicht etwa gegenläufige Begründungen »von oben« und »von unten«, vielmehr gibt der zweite Grund den Sachgrund für den ersten an. So kann Luther einerseits die Amtsübertragung an die Berufung und »Ordination« durch Menschen binden und dennoch gleichzeitig erklären, daß das Amt »nicht unser, sondern Christi« ist[39]. An der Notwendigkeit ordnungsgemäßer Berufung und »Ordination« hat Luther zeitlebens festgehalten. Die absolute Grenze der Entbehrlichkeit des Amtsträgers im Notfall ist die Feier des Abendmahls: Die Idee und die oft massive Forderung seiner Anhänger, im Notfall, zum Beispiel in der Situation einer andersgläubigen Umgebung, solle der »Hausvater«, ähnlich wie bei der Nottaufe, als Spender einer »Noteucharistie« fungieren dürfen, hat Luther stets entschieden abgelehnt und statt dessen die Bereitschaft zum Verzicht auf die Eucharistie gefordert – so wie die Juden im Exil auf den Tempelgottesdienst verzichten mußten[40]. Daraus kann übrigens nur geschlossen werden, daß Luther das Abendmahl, trotz seines grundlegenden Bezuges auf Rechtfertigung und Sündenvergebung[41], nicht für absolut heilsnotwendig hält und damit wieder einmal ganz auf der Linie der Tradition verbleibt.

2. Es ist bekannt, wie stark Luther im Anschluß an die einschlägigen Schrifttexte Joh 6,45; Ps 45,8; ; Petr 2,9; Offb 5,10 das Priestersein aller Getauften herausstellt – und damit übrigens auch die Fürsorgepflicht der weltlichen Obrigkeit, die ja auch aus Getauften besteht, begründet[42]. Um so bedeutsamer ist, daß Luther das besondere kirchliche Amt mit seiner besonderen öffentlichen Funktion *nicht* aus dem »allgemeinen Priestertum« ableitet. Der Amtsträger hat sein Amt nicht dadurch, daß er es sich aufgrund seines Getauftseins einfach nimmt, sondern ausschließlich durch Berufung und »Ordination«. Bis in die Sprachregelung hinein macht Luther das deutlich: Alle Getauften sind »Priester«, »sacerdotes«, die Amtsträger sind »Diener«, »ministri«[43]. Wobei man freilich, wie immer bei Luther, eine Terminologie nicht pressen darf: Gelegentlich kann er auch vom kirchlichen Amt als dem »Priesteramt« sprechen[44]. Wie

[37] Vgl. 50, 647,8; ferner 30 II, 598,33; 37, 269,18; 192,5; 38, 240,24; 26, 504,30.
[38] 12, 189,23; 50, 633,6.
[39] Vgl. 38, 240,26.
[40] Erdrückende Nachweise bei Manns, ebd.
[41] Vgl. vor allem die Ausführungen in De captivitate, 6, 512,26–520,6.
[42] Vgl. z. B. 6, 407,22; 10 II, 309,11; 11, 411,31; 12, 178,21; 179,15; 180 ff.; 308,4; 309,24; 318,29; 17 II, 6,11. 30; 41, 183 ff.
[43] Darauf weist Lohse hin: Zur Ordination, 13; Martin Luther, 188.
[44] Z. B. 26, 504,30.

wenig trotz aller von Luther aus guten Gründen altkirchlicher Tradition geforderten Mitwirkung der Gemeinde bei der *Berufung* der Amtsträger die *Einsetzung* ins Amt von der Gemeinde kommt, zeigt sich daran, daß Luther immer eine neue »Ordination« solcher Priester, die von der alten Kirche zur Reformation übertraten und ein evangelisches Pfarramt übernahmen, abgelehnt hat.

3. Die nun schon häufiger genannte »Ordination« ist nicht identisch mit der Berufung durch eine Gemeinde, aber erst recht nicht mit der »Priesterweihe« im traditionellen Verständnis[45]. Dabei ist freilich genau auf die Begründung zu achten. Mit »Weihe« verbindet Luther die Vorstellung eines Sakramentes, das den Geweihten durch die Mitteilung eines »unauslöschlichen Merkmals« (»character indelebilis)« zu einem Christen höherer Ordnung macht, mit geistlichen Herrschaftsbefugnissen gegenüber den Nicht-Geweihten. Für ein »Sakrament« kann Luther die Weihe nicht halten, weil ihr das »Element« und insofern das »äußere Zeichen« fehlt (biblisch gesehen gehört zur »Weihe« ja nur die Handauflegung) – womit wieder einmal der »verengte« Sakramentsbegriff Luthers hervortritt, von dem wir schon gesprochen haben[46]. Ein »Christ höherer Ordnung« aber kann der Amtsträger schon deshalb nicht sein, weil sein Amt nicht Herrschaft, sondern eine Dienstfunktion im Auftrag Christi bedeutet[47].

4. Was die Ausfaltung »des« kirchlichen Amtes in »die« Ämter betrifft, so gerät Luther schutzlos in die Zwänge der historischen Situation und die ihm dadurch aufgenötigten Fronten. Schon früh, nämlich zuerst in der Schrift »An den christlichen Adel deutscher Nation« von 1520, macht er direkt gegen das päpstliche Amt Front. Er spricht dort von den drei »römischen Mauern«, die niedergelegt werden müßten, daß nämlich geistliche Gewalt über der weltlichen Gewalt stehe, daß nur der Papst die Schrift auslegen und nur er ein Konzil einberufen dürfe[48]. Wir erinnern uns: Die These von der Superiorität des Papstes über der Schrift war für Luther seit Ende 1518 Anlaß für die Frage, ob der Papst der Antichrist sei[49]. Die Frage nach der alleinigen Kompetenz des Papstes, ein Konzil einzuberufen, war zwar eine Kernthese der damaligen antikonziliaristischen Papsttheologie, allerdings keine schlechterdings ausdiskutierte und im Ergebnis selbstverständlich gewordene Überzeugung, der gegenüber Luthers Ablehnung als Ungeheuerlichkeit hätte wirken müssen. Hinzu kommt, aus dem gleichen Jahre 1520, Luthers Polemik gegen die

---

[45] Vgl. dazu Von der Winkelmesse und Pfaffenweihe, 38, 195–256.
[46] Vgl. w. o. im 8. Kapitel S. 152.
[47] Vgl. 1, 566,32; 6, 657,19; 12, 190,11; 38, 239,10.
[48] Vgl. 6, 406,21 ff.
[49] Vgl. w. o. im 6. Kapitel S. 113.

Vorstellung, die Kirche sei ein Gemeinwesen (»Gemeine«) und müsse darum einen Monarchen an der Spitze haben[50]. Die Berufung der Gegenseite auf Mt 16,18 ff. kann Luther, wie wir schon wissen, aus exegetischen Gründen nicht gelten lassen, weil sich dieser Text nach den Einsichten, die er im Zusammenhang mit dem reformatorischen Durchbruch gewonnen hat, nicht auf ein Leitungs- oder gar Herrschaftsamt des Papstes, sondern auf den Zuspruch der Sündenvergebung bezieht, die wesentliche Vollmacht *jedes* kirchlichen Amtsträgers ist[51]. Eine Zeitlang hat Luther noch die Möglichkeit eines päpstlichen Amtes, das sich nicht aus »göttlichem«, sondern rein menschlichem Recht herleitet, gelten lassen. Später hat er, im Unterschied zu Melanchthon, sich auch davon nichts mehr versprochen, wie vor allem in seiner Stellungnahme in den »Schmalkaldischen Artikeln« deutlich wird[52]. Der Anblick des Papsttums seiner Zeit hat Luther inzwischen offenbar jegliche Motivation genommen, nach Denkwegen zu suchen, auf denen wenigstens um des Friedens willen eine Beibehaltung des päpstlichen Amtes theologisch verantwortet werden könnte.

5. Die kontroverstheologische Hauptschwierigkeit – und überhaupt zuerst einmal die Hauptschwierigkeit der Forschung, Luthers Äußerungen richtig zu interpretieren – besteht in der Verhältnisbestimmung von Bischofsamt und Pfarramt. Unstreitig betont eine Hauptlinie in Luthers Äußerungen, daß hinsichtlich der Aufgaben und Funktionen zwischen Bischof und Pfarrer kein Unterschied besteht: »... ein Bischof soll heilig sein, predigen, taufen, binden und lösen die Sünde, trösten und helfen den Seelen zum ewigen Leben[53].« Das sind exakt die Aufgaben des Pfarrers. In gleicher Weise äußert sich Melanchthon im Augsburger Bekenntnis[54]. Dies wird in seiner polemischen Spitze erst voll verständlich vor dem Hintergrund dessen, was Bischöfe damals *wirklich* taten, jedenfalls in Deutschland: weltliche Herrschaft ausüben, Steuern eintreiben, die Ehegerichtsbarkeit ausüben, ihre Verwandten versorgen. Häufig beklagt darum Luther, daß die Bischöfe in den Nöten der Kirche so gut wie alles versäumten, was ihres Amtes ist[55]. Dennoch weiß er, daß der Gedanke einer bischöflichen Leitung der Kirche neutestamentlich ist, und auf-

---

[50] 6, 290,18–302,14; vgl. 54, 244,14 ff.; 254,13 ff.

[51] Vgl. 6, 309,16–314,4 und schon w. o. im 2. Kapitel S. 43.

[52] Vgl. BSLK 429,8 ff.; Melanchthons abweichende Meinung in seinem Protokollzusatz, BSLK 463,10 ff. Wie bekannt, war Luther noch 1531 konzessionsbereiter; vgl. w. o. im 2. Kapitel S. 43 (mit Anm. 31); zu schweigen von 6,405–469: Luthers heftige Kritik in der Adelsschrift zielt auf ein Papsttum, wie es seit 1870 endlich wirklich, zumindest grundsätzlich möglich wurde.

[53] 53, 253,6; vgl. 5,541,18–542,24; 10 II, 112,29 ff.

[54] CA 28,5–11: BSLK 121,12–122,20.

[55] Z. B. und vor allem in »Wider den falsch genannten geistlichen Stand...«, bes. 10 II, 112,8 ff.; 133–139; aber schon 56, 478,26–32; vgl. ferner 5, 542,12; 11, 411,25.

grund der Forschung darf man urteilen, daß eine bischöfliche Leitung der Kirche als Luthers »eigentlicher Verfassungsgedanke« gelten muß[56].

Die besonderen Aufgaben der Bischöfe über die der Pfarrer hinaus bestehen darin, daß sie auf die richtige Verkündigung des Evangeliums achten sollen (also eine Lehrüberwachungsaufgabe!), ferner sollen sie dafür sorgen, daß die Gemeinden Pfarrer haben, und außerdem ist die Sorge für den ökumenischen Zusammenhalt der Kirchen ihre Sache[57]. Rechnen wir die eigentlich auch bischöflichen Obliegenheiten der seit 1525 nachweisbaren »Superintendenten« hinzu, nämlich auch den Lebenswandel der Pfarrer zu überwachen und im Konfliktfall sich mit der weltlichen Obrigkeit ins Benehmen zu setzen, ebenfalls in Ehesachen mit der Obrigkeit zusammenzuarbeiten[58], und fügen wir dem noch die Vollmacht hinzu, Unwürdige aus der Gemeinschaft der Kirche auszuschließen, freilich durch das Wort, nicht durch weltliche Gewalt, wie es das Augsburger Bekenntnis ein für allemal als lutherische Lehre festschreibt[59], so kommt doch ein ordentliches Paket besonderer bischöflicher Funktionen zusammen, und Melanchthon zögert nicht mit dem Hinweis, wenn Bischöfe diese Aufgaben wahrnähmen, so könne man sie nicht nur guten Gewissens beibehalten, vielmehr seien die Christen ihnen »aus göttlichem Recht« (»iure divino«) Gehorsam schuldig[60].

Nachdem Melanchthon freilich auf dem Augsburger Reichstag selbst in den eigenen Reihen mit einem so konzipierten reformatorischen Bischofsamt nicht durchdrang, anderseits aber kein altgläubiger Bischof zur Reformation übertrat und auch die Zahl der übertretenden bereits ordinierten Priester drastisch nachließ, blieb Luther und seinen Anhängern in der Folgezeit nichts anderes übrig, als theologisch verantwortbare Notlösungen zu suchen, schließlich sogar selbst Bischöfe zu ordinieren und dafür ein eigenes Ordinationsformular zu schaffen. Aber erst in unserem Jahrhundert hatte das evangelische Bischofsamt eine Chance. Damals scheiterten solche Versuche unter dem Zwang der politischen Verhältnisse, nicht zuletzt unter dem wachsenden Einfluß der Landesherren, denen Luther schließlich eine Art Notbischofsamt zugestehen mußte, wenn die Sache der Reformation überhaupt noch weitergehen sollte[61].

[56] Vgl. Lohse, Das Verständnis des leitenden Amtes, 56, mit Bornkamm, Das Ringen der Motive in den Anfängen der reformatorischen Kirchenverfassung, 212. Vgl. den bezeichnenden Text 26, 197,15–29.

[57] Vgl. 26, 196,3ff; 11, 414,1–4; 12, 194,14–18.

[58] Vgl. 26, 235,21–25.

[59] CA 28,20–22: BSLK 123,21–124,12.

[60] CA 28,22: BSLK 124,10f.

[61] Vgl. Br 8, 396,14; (25. März 1539); 53, 255,5ff; 256,3.

6. Bleibt die Institution des »Konzils«. Luther hat sie zeitlebens geschätzt. Er war freilich historisch informiert genug, um zu wissen, daß hier beim besten Willen keine göttlichen Rechte und Kompetenzen angemeldet werden konnten: Wie der Kaiser Konstantin das Konzil von Nizäa einberief, um Frieden in der Kirche herbeizuführen, so darf der sächsische Kurfürst zwar nicht geistlich regieren, wohl aber für das Ende der Zwietracht in der Kirche mit seinen Möglichkeiten Sorge tragen[62]. Aber so wenig wie der Papst hat ein Konzil, das eine menschliche Einrichtung ist, durch sich selbst unbedingte geistliche Autorität[63]. Wenn es die Wahrheit trifft, dann, wie Luther pointiert formuliert, durch eine Art qualifizierten »Zufalls«[64], und ob es der Fall ist, kann man immer erst nachher feststellen – durch Überprüfung an der Heiligen Schrift, nicht anders als bei allem, was in der Kirche gesagt wird und geschieht.

5. »KATHOLISCHER LUTHER«?

Liest man die Äußerungen Luthers über Kirche und Amt »vorkonfessionell«, so könnte vieles von ihnen – nicht alles! – eine Vorstufe für die einschlägigen Dokumente des Zweiten Vatikanischen Konzils sein, die zwar in dieser Form nie ein offizieller Text werden könnte, aber Gesichtspunkte hervorhebt, die nicht unbeachtet bleiben dürfen. Nun müssen wir auch hier wieder den Eindruck einer »Untersuchung« vermeiden. Aber überlassen wir uns einmal einigen theologischen Assoziationen und Erinnerungen, denn die reichen, ein Urteil zu begründen, zu dem wir im Gespräch mit Luther über die leidige Kirchenfrage heute kommen können.

»Gott hat es aber gefallen, die Menschen nicht einzeln, unabhängig von aller wechselseitiger Verbindung, zu heiligen und zu retten, sondern sie zu einem Volke zu machen, das ihn in Wahrheit anerkennen und ihm in Heiligkeit dienen soll... So hat er sich aus Juden und Heiden ein Volk berufen, das nicht dem Fleische nach, sondern im Geiste zur Einheit zusammenwachsen und das neue Gottesvolk bilden sollte. Die an Christus glauben, werden nämlich durch das Wort des lebendigen Gottes (vgl. 1 Petr 1,23) wiedergeboren nicht aus vergänglichem, sondern unvergänglichem Samen, nicht aus dem Fleische, sondern aus dem Wasser und dem Heiligen Geist (vgl. Joh 3,5–6), schließlich gemacht zu ›einem auserwählten Geschlecht, einem königlichen Priestertum..., einem heiligen Stamm, einem Volk der Erwerbung... Die einst ein Nicht-Volk waren, sind jetzt

---

[62] Vgl. 26, 200,29–34.
[63] Vgl. besonders deutlich die Disputation »De potestate concilii«, 39 I, 184–197; und »Von den Konziliis und Kirchen«, bes. 50, 606,34–614,17.
[64] 39 I, 186,33; vgl. 187,7.

Gottes Volk‹ (1 Petr 2,9–10). Dieses messianische Volk hat zum Haupte Christus, ›der hingegeben worden ist wegen unserer Sünden und auferstanden ist um unserer Rechtfertigung willen‹ (Röm 4,25) und jetzt voll Herrlichkeit im Himmel herrscht, da er den Namen über allen Namen erlangt hat. Dieses Volk ist geprägt durch die Würde und die Freiheit der Kinder Gottes, in deren Herzen der Heilige Geist wie in einem Tempel wohnt... So ist denn dieses messianische Volk, obwohl es in Wirklichkeit nicht alle Menschen umfaßt und gar oft als kleine Herde erscheint, für das ganze Menschengeschlecht die unzerstörbare Keimzelle der Einheit, der Hoffnung und des Heils[65].« »Die aber an Christus glauben, beschloß er in der heiligen Kirche zusammenzurufen. Diese begann sich schon seit dem Anfang der Welt abzuzeichnen; in der Geschichte des Volkes Israel und im Alten Bund wurde sie auf wunderbare Weise vorbereitet, in den letzten Zeiten gestiftet, durch die Ausgießung des Heiligen Geistes offenbart, und am Ende der Welt wird sie in Herrlichkeit vollendet werden... Durch die Kraft des Evangeliums läßt er [der Heilige Geist] die Kirche allzeit sich verjüngen, erneuert sie immerfort und geleitet sie zur vollkommenen Vereinigung mit ihrem Bräutigam... So erscheint die ganze Kirche als ›das von der Einheit des Vaters und des Sohnes und des Heiligen Geistes her geeinte Volk[66]‹«. Mit einem kurzen Satz: Die Kirche ist das »heilige christliche Volk«, durch das Evangelium im Glauben unter Christus als ihrem Haupt zusammengebracht und heilig durch den Heiligen Geist.

»Die mit hierarchischen Organen ausgestattete Gesellschaft und der geheimnisvolle Leib Christi, die sichtbare Versammlung und die geistliche Gemeinschaft, die irdische Kirche und die mit himmlischen Gaben beschenkte Kirche sind nicht als zwei verschiedene Größen zu betrachten, sondern bilden eine einzige komplexe Wirklichkeit, die aus menschlichem und göttlichem Element zusammenwächst... Wie aber Christus das Werk der Erlösung in Armut und Verfolgung vollzogen hat, so ist auch die Kirche gerufen, den gleichen Weg einzuschlagen, um die Heilsfrucht den Menschen mitzuteilen... So ist die Kirche, auch wenn sie zur Erfüllung ihrer Sendung menschlicher Mittel bedarf, nicht aufgerichtet, um irdische Herrlichkeit zu suchen, sondern um Demut und Selbstverleugnung auch durch ihr Beispiel auszubreiten... Während aber Christus heilig, schuldlos, unbefleckt war (Hebr 7,26) und Sünde nicht kannte (2 Kor 5,21), sondern allein die Sünden des Volkes zu sühnen gekommen ist (vgl. Hebr 2,27), umfaßt die Kirche Sünder in ihrem eigenen Schoße. Sie ist zugleich heilig und stets der Reinigung bedürftig, sie geht immerfort den Weg der Buße und Erneuerung[67].« »Nicht gerettet wird aber, wer,

---

[65] Zweites Vatikanisches Konzil, Kirchen-Konstitution Nr. 9.
[66] A. a. O. Nr. 2 und 4; das Zitat am Schluß: Cyprian, De Oratione Dom., 23: PL 4, 553.
[67] A. a. O. Nr. 8.

218

obwohl der Kirche eingegliedert, in der Liebe nicht verharrt und im Schoße der Kirche zwar ›dem Leibe‹, aber nicht ›dem Herzen‹ nach verbleibt[68].« Mit einem kurzen Satz: Die Kirche ist nicht unsichtbar, sondern sichtbare und geistliche Gemeinschaft zugleich. Darum zugleich heilig und der Reinigung bedürftig, und nicht jeder, der ihr »dem Leibe nach« angehört, gehört auch »dem Herzen nach«, also wirklich zu ihr.

»Das Volk Gottes wird an erster Stelle geeint durch das Wort des lebendigen Gottes, das man mit Recht vom Priester verlangt. Da niemand ohne Glaube gerettet werden kann, ist die erste Aufgabe der Priester als Mitarbeiter der Bischöfe, allen die frohe Botschaft Gottes zu verkünden, um so in der Erfüllung des Herrenauftrags ... das Gottes Volk zu begründen und zu mehren. Durch das Heilswort wird ja der Glaube, durch den sich die Gemeinde der Gläubigen bildet und heranwächst, im Herzen der Nichtgläubigen geweckt und im Herzen der Gläubigen genährt... Die Priester schulden also allen, Anteil zu geben an der Wahrheit des Evangeliums, deren sie sich im Herrn erfreuen[69].« »Der Dienst am Wort wird demgemäß auf verschiedene Weise ausgeübt, je nach den Erfordernissen der Zuhörer und den Gaben der Verkündiger... In der Gemeinschaft der Christen ... fordert die Verwaltung der Sakramente die Verkündigung des Wortes, vor allem für diejenigen, die offensichtlich nur wenig von dem, was sie immer wieder tun, verstehen oder glauben; sind doch die Sakramente Geheimnisse des Glaubens, der aus der Predigt hervorgeht und durch die Predigt genährt wird[70].« Mit einem kurzen Satz: Priester – das Konzil behält selbstverständlich den eingebürgerten Ausdruck bei – sind *Diener* am Wort und um des Wortes willen Verwalter der Sakramente. Sie sind *nicht* primär »Opferpriester«, wie Luther es in Theorie und Praxis vor Augen hatte und deshalb zurückwies. Dies gilt auch und gerade dann, wenn das Konzil vom Verständnis der Eucharistie als »Opfer« nicht abrückt[71]. Denn es kommt auf das *Verständnis* vom »Opfercharakter« der Messe an, und das ist wiederum weltenweit entfernt von dem, was Luther dazu vor Augen hatte – wir können hier nur leider auf dieses Problem nicht weiter eingehen[72].

[68] A. a. O. Nr. 14.
[69] Dekret über Dienst und Leben der Priester, Nr. 4. Den durch dieses Dekret gestellten theologischen und pastoralen Fragen widmet sich Concilium 5 (1969) Heft 3: Dienst und Leben des Priesters in der Welt von heute; vgl. auch die Literatur in Anm. 78.
[70] Dekret über Dienst und Leben der Priester, ebd.
[71] Vgl. ebd. und a. a. O. Nr. 2; Kirchenkonstitution Nr. 10; Liturgie-Konstitution Nr. 47, 48, 49, 55.
[72] Zu Luther vgl. als, soweit ich sehe, jüngste Äußerung Manns, a. a. O. 94–99; zur gegenwärtigen katholischen Lehre vgl. Schneider, Zeichen der Nähe Gottes, 165–169; ders., Deinen Tod verkünden wir, 209–259; zur gegenwärtigen evangelischen Theologie vgl. Averbeck, Der Opfercharakter des Abendmahls in der neueren evangelischen Theologie; Ebeling, Dogmatik III, 327 f.; Thielicke, Theologie des Geistes, 374–391.

Deshalb ist auch die Priesterweihe die Beauftragung zum so verstandenen Dienst am Wort: »Wer... unter den Gläubigen die Auszeichnung der heiligen Weihe empfängt, wird im Namen Christi dazu eingesetzt, die Kirche durch das Wort und die Gnade Gottes zu weiden[73].«

Desgleichen schildert das Konzil das allgemeine Priestertum aller Gläubigen und deren »Amtsfunktionen« in einer Weise, die sich vielfältig mit den Äußerungen Luthers dazu deckt. Zwar heißt es in einem Satz, der allen Konsens von vornherein wieder unmöglich zu machen scheint: »Das allgemeine Priestertum der Gläubigen aber und das Priestertum des hierarchischen Dienstes unterscheiden sich zwar dem Wesen und nicht bloß dem Grade nach[74].« Doch man bedenke[74a]: Würden sie sich »bloß dem Grade nach unterscheiden, so würden beide auf der gleichen Ebene verglichen, und dann allerdings wäre der Amtsträger in der Tat ein Christ höherer Ordnung. Er stünde auf einer anderen, und dann natürlich höheren Stufe des allgemeinen Priestertums aller Getauften.

Bleibt die Frage nach dem »unauslöschlichen Siegel« (»character indelebilis«). Davon redet das Konzil nur einmal direkt, nämlich bei der Erörterung des Bischofsamtes[75], ein anderes Mal, bei der Behandlung des Priesteramtes, spielt es darauf an[76]. An *beiden* Stellen wird deutlich, daß der »Charakter« nicht eine »seinshafte«, »ontologische« Beschaffenheit des Amtsträgers meint, sondern einen Auftrag und die zugehörige Vollmacht. Das hätte man eigentlich nie vergessen oder übersehen müssen, denn schon die mittelalterliche Theologie definiert den »Charakter« nicht ontologisch, sondern juridisch: »potentia spiritualis in ordine ad cultum« – »geistliche Vollmacht im Hinblick auf den Gottesdienst«[77]. Aber das religiöse Brauchtum hat bis hin zur heutigen Feier von Priesterweihe und »Primiz« den Respekt vor der *Größe* des *Auftrags* in Verehrung für die Person des *Beauftragten* verwandelt, als ob der Auftrag allein den Beauftragten schon automatisch zu einem besseren und wichtigeren Christen machte. Wer sich auskennt, weiß, daß solche fromme »Stimmung« selbst dem evangelischen Kirchenvolk gegenüber seinen Amtsträgern nicht fremd ist. Die »physische« (wie man in der Scholastik

---

[73] Kirchen-Konstitution Nr. 11.

[74] A. a. O. 10.

[74a] So jetzt auch Greshake, Priestersein, 73–75.

[75] A. a. O. 21.

[76] Dekret über Dienst und Leben der Priester Nr. 12. Zu den beiden Stellen vgl. den Kommentar von K. Rahner bzw. F. Wulf in: Das Zweite Vatikanische Konzil, I, 219; III, 199.

[77] Thomas, STh III, 63,2. »Cultus« in der Sprache des Thomas ist »Gottesverehrung«, also weiter als »Gottesdienst« im engen liturgischen Sinne. In der bei Thomas gängigen Zusammenstellung »cultus et sanctificatio« meint das Wort das Gottesverhältnis des Menschen überhaupt und dessen »heiligende« Rückwirkung auf ihn selbst. Vgl. STh III 60,5; 62,5; 63,1–4; 65,1; dazu Schillebeeckx, De sacramentele heilseconomie, 131–143.

unbefangen sagte) »Unauslöschlichkeit« des »Siegels« ist daher sachlich nichts anderes als die *Unwiderruflichkeit* des Auftrags – und zwar mit derselben Begründung, mit der auch Luther die Einmaligkeit der Ordination und ihrer Unwiderruflichkeit durchhält: weil Amt und Auftrag »Christi und nicht unser« sind[78].

Beenden wir die von lutherischen Assoziationen gesteuerte Blütenlese aus den Texten des Zweiten Vatikanischen Konzils! Ohnehin kann man diese Texte auch ganz anders lesen, vor allem, wenn man noch viele andere hinzunimmt. Das hat nicht allein, aber vor allem Gottfried Maron bewiesen, wenn auch um den Preis einiger angreifbarer methodischer und sachlicher Vorentscheidungen[79]. Konzentrieren wir uns also auf einige eher aphoristische als erschöpfende Hinweise zu den drei verbleibenden »Dollpunkten«, um dann ein Urteil zu versuchen.

1. Das Verhältnis von Bischofsamt und Priesteramt ist heute innerkirchlich wieder Gegenstand einer offenen Diskussion. Und dies gerade dadurch, daß das Zweite Vatikanische Konzil im Gegensatz zu Trient[80] das Verständnis des Weihesakramentes nicht am Fall der Priesterweihe, sondern am Bischofsamt festmacht, dieses als die Vollgestalt des kirchlichen Amtes kennzeichnet, dabei aber, ausweislich der Akten aus der Diskussion, *absichtlich* eine quantifizierende Terminologie beim Vergleich mit dem Priesteramt vermeidet und sogar die Frage der *ausschließlichen* Vollmacht des Bischofs, *Priester* zu weihen, offenläßt[81]. Von

---

[78] Zu diesem Konsens einer wohlinformierten gegenwärtigen katholischen Theologie vgl. Kasper, Neue Akzente im dogmatischen Verständnis des priesterlichen Dienstes, 168; ders., Die Funktion des Priesters in der Kirche (= Glaube und Geschichte, 371–387), 382f.; Schneider, Zeichen der Nähe Gottes, 260–262; Schillebeeckx, Das kirchliche Amt, 114–117; Greshake, a. a. O., 113–125. Dieser Konsens wurde gleichsam festgeschrieben in dem Dokument der Gemeinsamen römisch-katholischen/evangelisch-lutherischen Kommission: Das geistliche Amt in der Kirche, 31–33; vgl. in gleichem Sinne Dulles – Lindbeck in: Meyer – Schütte, Confessio Augustana, 162f. – Im übrigen spielt der Gedanke – vielleicht entgegen evangelischen Erwartungen – in den jüngeren katholischen Dogmatiken nur eine marginale Rolle, ist fast nur eine »Commemoratio«. Am ausführlichsten ist noch J. Auer, Die Sakramente der Kirche (= J. Auer – J. Ratzinger, Kleine Katholische Dogmatik, VII), Regensburg 1972, 348–353. In MS IV/2 ist der Begriff nur mittels Register aufzutreiben (unter Stw. Sakrament). Und Karl Rahner kann offenbar herzlich wenig mit ihm anfangen; vgl. seine skeptischen Bemerkungen in Schriften zur Theologie XIII, 29; sowie Grundkurs des Glaubens, 402f., wo der Begriff kommen müßte, aber nicht kommt. – Zum katholischen Verständnis des Priesteramtes sind vor allem evangelische Christen dringend hinzuweisen auf die bohrenden Überlegungen vom W. Kasper, Amt und Gemeinde (= Glaube und Geschichte, 388–414); und K. Lehmann, Das dogmatische Problem des theologischen Ansatzes zum Verständnis des Amtspriestertums.

[79] Vgl. Maron, Kirche und Rechtfertigung; zu den »Vorentscheidungen« vgl. meine Besprechung ThQ 150 (1970), 425–428. Weniger »rabiat« urteilt Maron in: Die römisch-katholische Kirche von 1870–1970, 237–242.

[80] Vgl. DS 1764–1766 = NR 706–708.

[81] Vgl. Kirchen-Konstitution Nr. 21 sowie den Kommentar von Rahner (s. Anm. 76); ferner Manns, a. a. O. 101–104.

besonderer theologischer Bedeutung ist dabei, daß das Konzil, entgegen früheren Trennungstendenzen, *alle* Amtsfunktionen, auch die »jurisdiktionellen«, in der *Weihe* als ihrer einheitlichen Wurzel begründet – also in der Sendung zu Wortverkündigung und Sakramentsverwaltung. Daß mit dieser Sicht der Dinge das Gespräch mit Luther außerordentlich entkrampft ist, bedarf kaum weiterer Nachweise. Was nun diesen angeht, so muß man zunächst gerechterweise daran erinnern, daß die Hochscholastik die Bischofsweihe nicht für ein *eigenes* Sakrament über die Priesterweihe hinaus gehalten hat[82]. Setzt man voraus, daß Luther das wußte, was hätte dann ausgerechnet ihn dazu motivieren sollen, einem Bischof, den er allererst wieder einmal an seine eigentlichen Aufgaben zu erinnern wünschte, eine höhere Stufe innerhalb des einen kirchlichen Amtes zuzugestehen?

Anderseits: Wenn man sich vergegenwärtigt, welche Aufgaben Luther (und das Augsburger Bekenntnis) »nach göttlichem Recht« dem Bischofsamt über dem des Pfarrers hinaus zuerkennen, dann fragt man sich, warum das alles nicht ein Vorrang in dem ist, was man in der katholischen Kirche »Jurisdiktion« nennt. Vermutlich schwingt immer noch eine letzte Angst vor der »weltlichen Gewalt« des Bischofs mit, eine Angst, aus der heraus schon die evangelischen Stände auf dem Augsburger Reichstag den in Sachen Bischofsamt konzessionsbereiten Melanchthon zurückgepfiffen haben. Aus diesem Grunde scheint man in den lutherischen Kirchen auch heute geneigt, rechtsverbindliche Machtbefugnisse, zum Beispiel in bezug auf die Auswahl des Pfarrernachwuchses oder in bezug auf »Dispens« von »Hindernissen«, wie im Fall einer konfessionsverschiedenen Pfarrer-Ehe, eher einer Kirchenverwaltung menschlichen Rechts als einem evangelischen Bischof zuzugestehen. Hier kann man dem evangelischen Gesprächspartner nur sagen: Innerkirchliche Jurisdiktion ist auch in der katholischen Kirche keine »weltliche Gewalt« mehr – jedenfalls grundsätzlich und theologisch gesehen, und faktisch gewiß nicht mehr als in der evangelischen Kirche auch. Selbst eine »Exkommunikation«, also der Ausschluß aus der Gemeinde, im 16. Jahrhundert vielleicht noch als Ausstoßung aus der Heilsgemeinschaft mit Gott verstanden, ist nach geltendem Kirchenrecht eine rein disziplinarische Maßnahme, die nicht die Kirchengliedschaft selbst, sondern die Ausübung ihrer Rechte aussetzt, ohnehin nur verhängt werden darf, wenn eine auch subjektiv bewußte »schwere Sünde« angenommen werden kann, und im übrigen kaum zu sanktionieren ist, sofern der Ausgeschlossene nicht auf anderen Gebieten von eben der Kirche etwas haben möchte, deren Disziplinar-

---

[82] Vgl. LThK II, 495 (M. Schmaus); Auer, a. a. O. 351; vgl. bei Thomas STh, Suppl 37,2.

maßnahme er provozierte[83]. Mit anderen Worten: Die »Exkommunikation« erfolgt »durch das Wort« und »ohne Gewalt«. Im Blick auf diese
gewandelte Situation sieht denn auch Ulrich Kühn gute Gründe, Vorbehalte, die ihre Wurzeln in einer anderen geschichtlichen Situation haben,
abzubauen und das evangelische Bischofsamt mit größeren Vollmachten
auszustatten[84].

2. Noch schwieriger als beim Amt des Bischofs stehen die Dinge natürlich
beim Amt des Papstes[85]. Erinnern wir noch einmal an die damaligen
Ansprüche des Papsttums und vor allem, daß die Päpste sie mit außenpolitischen Mitteln durchzusetzen suchten. Das macht Luthers zunehmend
grobschlächtiger werdende Ausfälle gegen das Papsttum zwar nicht
entschuldbar, aber es macht zumindest verständlich, warum das Papsttum je länger desto weniger für ihn ein theologisches Thema sein konnte.
Heute kann die Diskussion um das Papsttum von den damaligen Verhält-
nissen unbelastet, freilich dann auch nicht mehr mit den Argumenten von
damals geführt werden. Von daher darf man folgendes feststellen:

a) Die Lehrautorität des Papstes bedeutet *nicht*, daß der Papst »über der
Schrift« steht[86]. Überhaupt erhält das Lehramt der Kirche nach den
ausdrücklichen Aussagen des letzten Konzils »keine neue Offenbarung«[87].

b) Ebenso wenig wird der »Jurisdiktionsprimat« des Papstes mit der Idee
begründet, ein Reich müsse einen Monarchen haben. Man beruft sich
vielmehr schlicht auf den Willen Christi, der aller Kirchenordnung
vorgegeben ist.

---

[83] Vgl. CIC can. 2257–2267 in Verbindung mit can. 2195–2200. Es ist hier leider nicht
möglich, unter theologischen Gesichtspunkten auf die kirchenrechtliche Kommentarlitera-
tur einzugehen. Zum aktuellen Stand vgl. aber J. Listl – H. Müller – H. Schmitz (Hg.),
Grundriß des nachkonziliaren Kirchenrechts, Regensburg 1979, 744–757 (R.A. Strigl); und
J. Neumann, Grundriß des Katholischen Kirchenrechts, Darmstadt 1981, 123–129 (hier
auch kritische Anmerkungen, die von ferne an Luther erinnern).

[84] Kühn, Kirche, 199; vgl. jetzt auch: Gemeinsame Kommission (Hg.), Das geistliche Amt
in der Kirche, 37 f.; 42–50.

[85] Speziell zu Luthers Haltung gegenüber dem Papsttum vgl. (in der Reihenfolge der
Veröffentlichung) Bizer, Luther und der Papst; Bäumer, Der junge Luther und der Papst;
ders., Martin Luther und der Papst; Müller, Martin Luther und das Papsttum; Hendrix,
Luther und das Papsttum; ders., Luther and Papacy; Brecht, Curavimus enim Babylonem;
Urban, Der reformatorische Protest gegen das Papsttum; Pesch, »Ketzerfürst« und »Vater
im Glauben«, 159–164. Einschlägig sind ferner die Darstellungen des Lutherprozesses
(Olivier, Bäumer, Brecht, Borth).

[86] Dies ist auch schon vor und außerhalb der Debatte um Hans Küng immer klar gewesen;
vgl. die Literaturhinweise bei Pesch, Bilanz der Diskussion, 196–204; hervorgehoben seien
Kasper, Dogma unter dem Wort Gottes; Fries, »Ex sese«; Rahner, Zum Begriff der
Unfehlbarkeit (= Schriften zur Theologie X, 305–323); Horst, Unfehlbarkeit, bes.
164–256.

[87] Kirchen-Konstitution Nr. 25 (gegen Ende – mit Berufung auf das Erste Vatikanum).

c) Was diesen »Willen Christi« betrifft, ist aufgrund der exegetischen, kirchengeschichtlichen und dogmengeschichtlichen Forschung zumindest dies selbstverständlich, daß auf keinen Fall die Details der Ausformung des päpstlichen Amtes in Geschichte und Gegenwart allesamt nur die folgerichtige Anwendung von Mt 16,18 ff. sind. Keinem Katholiken wird zugemutet, einschlägige kirchenamtliche Äußerungen über die Sendung der Apostel und zumal des Petrus und über den Übergang ihrer Sendung und Vollmachten auf ihre Nachfolger als *historische* Aussagen im Sinne der Geschichtswissenschaft zu verstehen. Sie können nur besagen, daß das geschichtlich gewachsene und ausgeformte – oft auch auf bedenkliche Weise gewachsene und ausgeformte – kirchliche Amt einschließlich desjenigen des Papstes nur in der Bevollmächtigung durch Christus ausgeübt werde, der das einzige Haupt der Kirche ist.

d) Es gibt heute auch in der evangelischen Theologie konstruktive Überlegungen zu Möglichkeit und Nutzen eines »Amtes der ökumenischen Einheit«, das den obersten Sinn des päpstlichen Amtes, nämlich Anwalt der Einheit der Christenheit zu sein, wahrnehmen könnte, freilich nicht in der Form eines jurisdiktionellen Universalepiskopates und schon gar nicht ausgestattet mit der Kompetenz zu unfehlbaren Lehrentscheidungen[88]. Die Frage eines solchen Amtes der ökumenischen Einheit muß auch aus lutherischer Sicht um so legitimer sein, als ja im 16. Jahrhundert, so wie die Dinge nun einmal lagen, im Fortgang der Ereignisse die Frage nach Formen und Strukturen kirchlicher Einheit, die die Territorialkirchen übergreifen konnten, notgedrungen gar nicht mehr gestellt wurde. »In Luthers Kirchenbegriff haben wir hier eine leere Stelle, was angesichts der innerevangelischen und der ökumenischen Einigungsbemühungen im 19. und 20. Jahrhundert als eine echte Schwäche in Erscheinung getreten ist[89].«

e) An dieser Stelle sind die vom gegenwärtigen Papst forcierten Bemühungen um eine neue Kircheneinheit zwischen der römisch-katholischen und den orthodoxen Kirchen von höchster theologischer Bedeutung. Auch die Ostkirchen haben ja im Zuge der geschichtlichen Entwicklungen die Frage nach theologisch legitimen und tragfähigen universalkirchlichen Strukturen zu wenig gestellt[90]. Anderseits ist eine Kircheneinheit wie etwa bei den sogenannten »unierten Ostkirchen«, also nach einem gewissermaßen leicht reduzierten Modell der römisch-katholischen Kir-

---

[88] Vgl. den grundlegenden Beitrag von Schlink, Grundlagen eines Gespräches über das Amt der universalen kirchlichen Einheit; weitere Arbeiten aus den letzten Jahren – meist evangelisch-katholische Gemeinschaftsarbeiten – bei Pesch, a. a. O. 203 Anm. 118; vgl. ferner US, 1979, Heft 1, und: Das geistliche Amt, 46–50.

[89] Kühn, Kirche, 37 f.

[90] Dies kritisiert mit Recht Congar, MS IV/1, 401; zum Stand der Diskussion in der othodoxen Theologie vgl. jetzt Bel, Die Einheit als Wesenseigenschaft der Kirche, 189 ff.

che, mit den anderen orthodoxen Kirchen undenkbar. Schon verbreitet sich die Grundvorstellung, daß man im Falle einer Kircheneinheit von den Ostkirchen nicht mehr verlangen könne als die Bejahung der gemeinsamen Tradition des ersten christlichen Jahrtausends[91]. Dann freilich, darüber wird sich niemand im unklaren sein, wird man über die beiden vatikanischen Dogmen von Primat und unfehlbarem Lehramt des Papstes noch einmal ganz neu nachdenken müssen. Denn die römisch-katholische Kirche würde in diesem Falle wieder zum »westlichen Patriarchat«. Daß der römische Bischof dann aber mit letzter Glaubensverbindlichkeit aus Gründen der Nachfolge des Petrus als oberster Jurisdiktionsträger und oberster, gegebenenfalls unfehlbarer Lehrer *nur der Westkirche* anzusehen wäre, ist ein absurder Gedanke. Hat man den Mut zu solcher Konsequenz, dann stellt sich auch im Gespräch mit Luther und der lutherischen Kirche die Frage des Papstamtes unter neuen Vorzeichen.

3. Vergleichsweise harmlos wird unter solchen »Vorzeichen« Luthers kritischer Vorbehalt gegenüber den Konzilien. Wenn Luther »Konzil« sagt, so denkt er einerseits an die »vier Hauptconcilia«[92] der alten Kirche, die ihm immer »ein unentbehrliches Stück seines Glaubens«[93] gewesen sind, ferner an das Konzil von Konstanz (1414–1418), das Jan Hus verurteilt und verbrannt hat, und an das V. Laterankonzil (1513–1517). Von letzterem hält Luther nicht viel, und das mit Recht[94]. Konstanz dagegen ist für Luther zeitlebens der Erweis, daß das Papsttum allein Hilfe in der Not der Christenheit nicht zu gewähren vermag, die Frage nach dem Verhältnis von Papst und Konzil also eine offene Frage ist. Man kann nicht erwarten, daß diese Frage sich für Luther sachlich dadurch erledigt, daß der in Konstanz gewählte neue Papst Martin V. und seine Nachfolger sofort die alte Superiorität des Papsttums wiederherzustellen suchten und zu Luthers Zeiten das V. Laterankonzil dazu noch einmal Stellung nahm[95]. Wie lange die Frage noch kontrovers diskutiert wurde, beweist ja die Tatsache, daß noch die Majorität auf dem Ersten Vatikanischen Konzil sich veranlaßt sah, ausdrücklich festzustellen, daß die dogmatischen Lehrentscheidungen des Papstes »nicht aufgrund der Zustimmung der Kirche« gelten[96]. Man darf also Luther nicht anklagen, wenn er zu seiner Zeit gesagt hat, was frühestens seit 1870 in der

---

[91] Vgl. Ratzinger, Prognosen für die Zukunft des Ökumenismus, 10f. Vgl. auch Brosseder, Verdoppelt das Bemühen!

[92] 50, 605–615; vgl. den ganzen zweiten Teil der Schrift, 50, 547–624.

[93] Althaus, Theol. Luthers, 289.

[94] Vgl. 50, 511,28; 6, 406,32; 1, 573,11. Zum V. Laterankonzil vgl., außer den Darstellungen der Kirchengeschichte, de la Brosse, Lateran V.

[95] DS 1445 (in NR nicht abgedruckt).

[96] DS 3074 = NR 454. Das »ex sese« ist bekanntlich gegen immer noch befürchtete, obzwar längst obsolete »gallikanische Tendenzen« gerichtet.

katholischen Kirche nicht mehr diskutiert wurde. Im übrigen: Im Augsburger Streitgespräch hat Cajetan Luther vorgeworfen: »Du bist ein Gersonist« [= Anhänger des ockhamistischen Theologen Johannes Gerson (1363–1429)][97]. Auf dem Konzil von Konstanz war Gerson einer der führenden Köpfe und ein entschiedener Vertreter des »Konziliarismus«; Jan Hus wurde unter anderem verurteilt, weil er *kein* Gersonist war. Wie sollte also Luther, dem das Konstanzer Konzil vergleichsweise so nahe war wie einem heutigen Katholiken das Erste Vatikanische Konzil, zu der Überzeugung kommen, Konzilien könnten nicht irren?

Die Sachfragen, die sich mit Luthers Urteil über die Verbindlichkeit von Konzilien stellen, sind gewiß heute nicht ausgestanden, aber ebenso gewiß auch nicht einfach und von vornherein *gegen* Luther entschieden. Die Fragen, die die »konziliaristischen« Entscheidungen des Konstanzer Konzils aufgeben – sowohl hinsichtlich seiner eigenen Legitimität als auch hinsichtlich der Sachprobleme; immerhin verdankt ein Papst, Martin V., seine Wahl einem Konzil, das zuvor drei Päpsten ihr Amt aberkannt und den Nachfolger gewählt hat, weil man ihn als »konziliaristisch« einschätzte! –, sind heute Thema einer offenen Diskussion[98]. In dieser Diskussion sind die Argumente, die Luther vor allem im ersten Teil seiner Schrift »Von den Konziliis und Kirchen«[99] vorträgt, präsent, mit oder ohne Berufung auf Luther. Ein ökumenisches Konzil ist in jedem Fall eine menschliche Einrichtung, »menschlichen Rechts«. »Göttlichen Rechts« ist nur jenes »ökumenische Konzil«, das die Kirche als ganze darstellt, wie es Hans Küng vor 20 Jahren einmal in einer geistvollen Unterscheidung hervorgehoben hat[100]. Die Irrtumsfähigkeit und Irrtumslosigkeit der Entscheidungen eines Konzils reichen nicht weiter als die Irrtumsfähigkeit und Irrtumslosigkeit der Gesamtkirche. Sie reicht darum auch nicht weiter als die Irrtumslosigkeit, die nach dem vatikanischen Dogma in ganz bestimmten, genau abgegrenzten Lehrentscheidungen dem römischen Bischof gewährleistet ist. Wollte man darum die »Unfehlbarkeit« der Konzilien gegen die des Papstes ausspielen, so würde man das Problem nur verlagern, nicht lösen – dieser Feststellung Hans Küngs widerspricht auch keiner seiner Gegner[101]. Darum können wir, was Luther betrifft, die Frage der Konzilien vernachlässigen. Sie bleibt unlösbar, so lange für das schwierigere Problem die Lehrautorität des

---

[97] 2, 8,12.
[98] Vgl. Franzen – Müller (Hg.), Das Konzil von Konstanz; Küng, Strukturen der Kirche; Gill, Konstanz – Basel – Florenz, 11–82; 136–142; 390–393; Rahner, Vorfragen zu einem ökumenischen Amtsverständnis; Bäumer (Hg.), Entwicklung des Konziliarismus; Horst, Papst – Konzil – Unfehlbarkeit (dort S. XXVI die anderen historischen Arbeiten von Horst zum Thema Papst und Konzil); ders., Unfehlbarkeit und Geschichte.
[99] Vgl. oben Anm. 63.
[100] Vgl. Küng, Kirche im Konzil, 45–52.
[101] Vgl. Küng, Unfehlbar?, 163–171.

Papstes keine Lösung gefunden wird. Wird sie gefunden, so erledigt sich auf genau dieselbe Weise das Problem der Konzilien von selbst. Und damit können wir nun ein abschließendes Urteil versuchen.

6. Die »eine, heilige, katholische und apostolische Kirche«

Dieses Urteil ist »abschließend«, sofern es eine Konsequenz aus den Überlegungen dieses Kapitels zieht. Es ist aber nur *vorläufig*, weil es sich auf einen Diskussionsstand und, vor allem, auf eine kirchliche Wirklichkeit bezieht, die alles andere als »abgeschlossen« sind. Das Urteil darf lauten: Entgegen einer gängigen Vorausvermutung, daß an der Kirchenfrage jeglicher katholisch-lutherische Konsens wie an einer elektronisch verschlossenen Stahltür abprallt, ist das Gespräch mit Luther über Wesen, Auftrag und Amt der Kirche absolut offen. Wenn in der heutigen, auch innerkatholischen, ekklesiologischen Diskussion zentrale Gedanken selbstverständlich geworden sind, für die Luther seine Vaterschaft geltend machen kann, dann verriete es ein positivistisches, ungeschichtliches Denken, wollte man gegen Luther mit Argumenten aus dem Ersten Vatikanischen Konzil und gegen das Papsttum mit den Argumenten Luthers aus dem Jahre 1520 zu Felde ziehen. Wir dürfen den Mut haben, auch in Sachen »Kirche« Luther »vorkonfessionell« zu lesen, von der Kirchenspaltung und ihren Folgen vorübergehend abzusehen und seine Gedanken konstruktiv in das ekklesiologische Gespräch der Gegenwart einzubeziehen. Wieviel haben nicht Augustinus, Thomas, Duns Scotus, von kleineren Geistern zu schweigen, gesagt, wozu die Kirche als einem Stück ihrer geistigen Geschichte steht und das sie doch heute keineswegs sich zu eigen zu machen gedenkt. Mit Luther sollte man ähnlich verfahren. Dabei muß sich der heutige (katholische) Leser von der nicht selten derben, gar unflätigen Polemik nicht stören lassen. Im Gegenteil, er darf sie ein wenig amüsiert »genießen« – so wie man auch an den Derbheiten spätmittelalterlicher oder barocker Predigten, von Profanliteratur nicht zu reden, heute sein Gefallen haben darf. Übrigens: was Johannes Cochläus recht ist, muß Luther billig sein. Das will sagen: Man kann nicht[102] den großen Luthergegnern des 16. Jahrhunderts als Ausdruck der Leidenschaft für die Sache durchgehen lassen, was man Luther als unflätige Verunglimpfung ankreidet.

Dabei könnte eines von lutherischer Seite sofort geschehen: Man sollte entschlossen im Text des apostolischen Glaubensbekenntnisses wieder

---

[102] Wie es etwa Bäumer tut, Johannes Cochläus, 108–112. Bäumer urteilt so differenziert über Cochläus, wie es genauso auch für Luthers Urteil über seine Gegner gilt – exemplarisch etwa für Luthers Urteil über Erasmus.

von der einen, heiligen *katholischen* und apostolischen Kirche sprechen. Luther hat das Wort »katholisch« ganz ohne polemische Absicht, einfach im Sinne einer paraphrasierenden Übersetzung, und im Anschluß an eine ins 15. Jahrhundert zurückgehende Tradition, mit »christlich« wiedergegeben. Er hat das durch eine wechselseitige Interpretation der Begriffe »heilig« und »katholisch« begründet – und durch eine, diesmal polemische, Entgegensetzung von »heilig« und »römisch« sogar gerade für eine deutliche Scheidung von »katholisch« und »römisch« gesorgt.[103] In diesem Sinne ist seine Übersetzung dann in die deutsche Fassung der altkirchlichen Symbola im Konkordienbuch und in seine Katechismen eingegangen. Anderseits ist auf katholischer Seite längst eingesehen, daß »katholisch« erst im Zuge der Gegenreformation zur Konfessionsbezeichnung der römisch-katholischen Kirche geworden ist[104]. Es gibt für die lutherische Kirche keinen Grund, das alte, ehrwürdige Wort »katholisch« als Kennzeichnung der Kirche kampflos der römisch-katholischen Kirche zu überlassen. Es gibt umgekehrt für die römische Kirche kein Recht, auf dem gegenreformatorisch verengten Begriff von »katholisch« zu bestehen. Warum also nicht *gemeinsam* das alte Wort »katholisch« wieder im ursprünglichen Sinn von »ökumenisch« = weltweit verwenden[105] und die Abgrenzung der Kirchen, soweit nötig, durch andere Vokabeln zu benennen? Die amerikanischen lutherischen Kirchen halten es seit langem so, und auch im Ursprungsland der Reformation scheint sich im Zuge der Arbeit der durch den Papstbesuch angeregten katholisch-lutherischen Kommission etwas zu bewegen[106]. Es wäre mehr als eine leere Geste. Das gemeinsam im Gottesdienst gebetete Bekenntnis zur »katholischen« Kirche würde dazu beitragen, eben jene offene und entkrampfte Atmosphäre zu schaffen, in der unbefangen über Irrtum und Wahrheit, vor allem aber über die Wahrheit in Luthers Gedanken über die Kirche nachgedacht werden kann[107].

[103] Vgl. etwa 50, 283,1 ff.; 624–626; und schon 7, 219,1 ff.; 26, 506,20 ff.; dazu 30 I, 130 Anm. 3; 366 Anm. 8.
[104] Vgl. Seckler, Katholisch als Konfessionsbezeichnung.
[105] So Seckler, a. a. O. am Schluß.
[106] Ich entnehme das dem Mitteilungsblatt »Einheit der Christen in Hamburg«, 1/2 1982, S. 7.
[107] Ich mache mir damit ausdrücklich eine Forderung zu eigen, die mein väterlicher Freund Dr. Wilhelm Michaelis, Hamburg, seit vielen Jahren an seine lutherische Kirche richtet.

13. KAPITEL

DIE RECHTE UND DIE LINKE HAND GOTTES

Zur Lehre von den »Zwei Reichen«

»Die sog. Zwei-Reiche-Lehre ist wohl dasjenige Thema in Luthers Theologie, das in den letzten Jahrzehnten am intensivsten erörtert worden ist. Dabei wird von manchen seit längerer Zeit Luther gleichsam in den Anklagezustand versetzt, weil man meint, er habe unkritisch die Herrschaftsgewalt der Obrigkeit akzeptiert, habe den Untertanen Gehorsam eingeschärft und sei insofern weithin verantwortlich für den Obrigkeitsstaat, der Jahrhunderte in Deutschland bestanden habe; zumindest habe Luther vornehmlich durch seine Haltung während des Bauernkrieges eine demokratische Entwicklung in Deutschland verhindert[1].« Weil diese Feststellungen Bernhard Lohses nur zu richtig sind, weil »Zwei-Reiche-Lehre« ein Reizwort ist, an dem selbst lutherische Theologen, vor allem solche jüngeren Jahrgangs, ihre Absetzbewegungen von Luther einüben, mache ich aus diesem Thema ein eigenes (kurzes) Kapitel. Der Sache nach ist es ein Anhang zur Erörterung von Luthers Kirchenverständnis. Denn wir können hier selbstverständlich nicht alle Probleme der Zwei-Reiche-Lehre erörtern, die man mit Recht einen »Irrgarten« genannt hat[2]. Im Kontext der Lehre von der Kirche aber zeigen sich heute auch für den Katholiken die jeder Diskussion entzogenen Fernwirkungen der Zwei-Reiche-Lehre, von denen auch diejenigen zehren, die Luthers Zwei-Reiche-Lehre so ungefähr für alle politischen Verhängnisse dieses Jahrhunderts verantwortlich machen möchten.

Kann man trotz aller Problemberge kurz erklären, was »Zwei-Reiche-Lehre« heißt[3]?

---

[1] Lohse, Martin Luther, 190f.

[2] Vgl. Heckel, Im Irrgarten der Zwei-Reiche-Lehre; ferner ders., Lex charitatis.

[3] Dokumentation der wichtigsten Äußerungen aus der Diskussion um Luthers Zwei-Reiche-Lehre in zwei Bänden der »Wege der Forschung«: Schrey (Hg.), Reich Gottes und Welt; G. Wolf (Hg.), Luther und die Obrigkeit. – Zur Entwicklung von Luthers Lehre vgl. Duchrow, Christenheit und Weltverantwortung; Duchrow – Hoffmann (Hg.), Die Vorstellung von Zwei Reichen und Regimenten bis Luther; Mokrosch, Politik und Gesellschaft in Luthers Theologie. – Zu Luthers ausgebildeter Lehre vgl. Törnvall, Geistliches und weltliches Regiment; Lau, Luthers Lehre von den beiden Reichen; Althaus, Luthers Lehre von den beiden Reichen; ders., Ethik Luthers, 49–87; Bornkamm, Luthers Lehre von den zwei Reichen; Ebeling, Die Notwendigkeit der Lehre von den zwei Reichen (= Wort und Glaube I, 407–428); ders., Luther, 198–238; Wolf, Königsherrschaft Christi und lutherische Zwei-Reiche-Lehre (= Peregrinatio II, 207–229); Kunst, Martin Luther und der Krieg;

Der Ausdruck »Zwei-Reiche-Lehre« stammt als solcher nicht von Luther. Er ist eine technische Abkürzungsformel – und, wie die Erfahrungen mit der Diskussion der letzten Jahrzehnte gelehrt hat, eine nicht ungefährliche, weil die Probleme simplifizierende Abkürzung[4] – für einen Komplex von Unterscheidungen, die Luther trifft, zu allem Überfluß auch im Vergleich der »feierlichen« Äußerungen nicht einheitlich, um das Verhalten des »Christenmenschen« zu den Realitäten dieser Welt abzuklären und ihm Maßstäbe zu setzen. In diesen Unterscheidungen verfängt sich, wer ohne den Schutz genauerer Kenntnisse und Hintergründe zum Beispiel Luthers Schrift »Von weltlicher Obrigkeit« liest in der Hoffnung, eine Hilfe bei der Klärung eines aktuellen Problems politischer Ethik zu finden. Das dann unvermeidliche Mißtrauen gegen den »antidemokratischen«, den »Fürstenknecht« Luther ist verständlich. Aber es ist zumindest in bezug auf Luther ungerecht. Worum also geht es?

1. Eine theologische Unterscheidung. Der Unterscheidung von den zwei Reichen sachlich vorgeordnet ist die Unterscheidung der zwei »Regimente« (= Regierungsweisen) Gottes. Gott regiert die Welt auf doppelte Weise, nämlich »geistlich« und »weltlich«. Beide Regimente übt Gott sichtbar durch Menschen aus, das geistliche Regiment durch die Verkündigung des Evangeliums, das die Menschen zu Christen macht, sie in die Gnade Gottes versetzt, ihnen den Heiligen Geist mitteilt und sie vor Gott gerecht sein läßt; das weltliche Regiment durch diejenigen, die das Gesetz

---

Dörries, Luther und das Widerstandsrecht – Zu Luthers Lehre im Kontext aktueller Diskussionen vgl. Thielicke, Theologische Ethik I, 574–610; Ebeling, Leitsätze zur Zweireichelehre (= Wort und Glaube III, 574–592); ders., Kirche und Politik (= a. a. O. 593–609); ders., Kriterien kirchlicher Stellungnahme zu politischen Problemen (= a. a. O. 610–634); Pannenberg, Luthers Lehre von den Zwei Reichen (= Ethik und Ekklesiologie, 238–258); Honecker, Zur gegenwärtigen Interpretation der Zweireichelehre; ders., Die Weltverantwortung des Glaubens; Grane – Lohse (Hg.), Luther und die Theologie der Gegenwart, 147–155; Lell, Zur Zweireichelehre. – Auffälligerweise – oder ist es gar nicht so auffällig? – spielt die Zwei-Reiche-Lehre in der *kontroverstheologischen* Beschäftigung mit Luther, wenn ich recht sehe, kaum eine Rolle. In ihren ekklesiologischen Aussagen hält der Katholik sie durchschnittlich für historisch überholt; in ihrer politisch-ethischen Dimension begegnet ihr der Katholik durchschnittlich nur auf dem Umweg über ihre Kritiker bzw. kritischen Rezipienten, also über die Auseinandersetzung mit der »politischen Theologie«. Bezeichnend in dieser Hinsicht etwa T. R. Peters, Die Präsenz des Politischen in der Theologie Dietrich Bonhoeffers, Mainz 1976, 93–103; 178–184. Zum kontroverstheologischen Gesamtzusammenhang vgl. jetzt einige andeutende Hinweise bei Pesch, Gesetz und Gnade, 48–71; und schon Brosseder, Der fremde Luther, 45–50.
Die wichtigsten Texte bei Luther: Von weltlicher Oberkeit, 11, 245–281; Von Kaufhandlung und Wucher, 15, 293–322; Ob Kriegsleute auch in seligem Stande sein können, 19, 623–662; die Wochenpredigten über die Bergpredigt, 32, 299–544; die Predigt über Röm 12,17ff., 34 I, 117–125; Auslegung des 101. Psalms, 51, 200–264, bes. 238f.
[4] So mit Recht Lohse, Martin Luther, 192.

Gottes im Bereich des »äußerlichen«, »irdischen«, »zeitlichen«, »leiblichen« Lebens anwenden und durchsetzen.

Nun kommt alles darauf an, *wen* diese beiden durch Menschen im Auftrag Gottes ausgeübten »Regimente« betreffen und wie. Bei der Antwort auf diese Frage ist Luther, wie man inzwischen genauestens untersucht hat, noch bis Mitte der 20er Jahre ganz der augustinischen Unterscheidung zwischen den »beiden Reichen«, dem »Reich Gottes« und dem »Reich der Welt« verpflichtet. »Reich Gottes« sind dabei die wahrhaft Glaubenden, die Gerechtfertigten, kurz: die Christen, soweit sie wirklich solche sind. »Reich der Welt« sind die Nicht-Glaubenden, die Sünder, in jedem Falle also alle Nicht-Christen. »Welt« ist also, man erkennt es, die sündige Welt, die Welt der Feinde Christi, das »Reich des Satans«. Darauf bezieht Luther nun die beiden Regimente: Die Christen stehen unter dem geistlichen Regiment Gottes – und zwar *nur* unter dem geistlichen Regiment. Die Nicht-Christen und überhaupt alle Sünder stehen unter dem weltlichen Regiment und seinem Gesetz. Konsequent geht Luther so weit zu erklären, wenn alle Menschen Christen wären, bedürfe es des weltlichen Regimentes nicht mehr[5]. Das weltliche Regiment hat, so gesehen, den einzigen Zweck, äußerlich durch Anwendung des göttlichen Gesetzes dem Bösen zu wehren und in der vom Satan beherrschten Welt halbwegs den Freiraum zu schaffen, den Menschen brauchen, um als Christen unter dem geistlichen Regiment leben zu können. Es ist deutlich, daß Luther hier die Begriffe »Regiment« und »Reich« formal unterscheidet, obwohl sie sich gegenseitig bedingen: Das geistliche Regiment gilt und entspricht dem Reich Gottes, das weltliche dem Reich des Satans. Es wird ferner klar, daß das weltliche Regiment praktisch ausschließlich der »Obrigkeit«, modern: dem Staat überantwortet ist. Wenn es dann bei diesem rein negativen, das Böse eindämmenden Sinn staatlichen Handelns bleibt, dann gibt es natürlich keinen Grund, sich um des Glaubens willen um gerechtere Strukturen und Verhältnisse in dem Bereich zu bemühen, dem die Glaubenden ohnehin nicht angehören. Da nun diese augustinisch geprägte Fassung der Lehre von den zwei Reichen und den zwei Regimenten auch und gerade in der Schrift Luthers entfaltet wird, die man in Sachen Zwei-Reiche-Lehre als erste heranzuziehen pflegt, nämlich »Von weltlicher Obrigkeit«, ist erklärlich, wenn sich durch solche zu kurz greifende Lutherlektüre immer wieder der Verdacht nährt, Luther wolle die ohnehin böse Welt vollends sich sebst überlassen.

Erst in der zweiten Hälfte seines reformatorischen Wirkens hat Luther seine Auffassungen geändert, besser gesagt: erweitert. Der »weltliche« Bereich, also das Leben der Menschen außerhalb des geistlichen Regimen-

[5] 11, 249,36; 250,4; 12, 329,8.

tes Gottes, besteht ja nicht nur aus dem Staat. Da gibt es auch Ehe, Familie, Eigentum, Wirtschaft, Recht, Kunst. Es ist für den, der an Gott als Schöpfer glaubt, unmöglich, diese Bereiche als solche dem »Reich des Satans« zuzurechnen. Auch der Christ lebt in ihnen – er lebt *nicht nur* im Reiche Gottes. Anderseits haben diese Bereiche oder, wie man schon im 16. Jahrhundert sagte, »Ordnungen« nichts mit der Rechtfertigung des Sünders, mit der Gerechtigkeit vor Gott zu tun, um die es im Reiche Gottes geht. Diese Ordnungen sind ja alle schon vor Christus, ja schon im Paradies von Gott gesetzt. Ergebnis: Das »weltliche Regiment« Gottes und der es durchführenden Menschen erstreckt sich auf weit mehr als nur die Eindämmung des Bösen. Und insofern kann auch, entgegen früheren Aussagen Luthers, der Christ das weltliche Regiment nicht entbehren. »Reich Gottes« und »Reich der Welt« sind nun die beiden Lebenszusammenhänge, in denen der Christ existiert: vor Gott und vor der Welt, »coram Deo«, »coram mundo«. Das weltliche Regiment ist jetzt nicht mehr nur Ausdruck von Gottes Widerstand gegen das Böse, sondern Ausdruck der einen Liebe und Güte Gottes, die dem Menschen im weltlichen Bereich sein Leben schenkt und erhält und ihn geistlich durch das Evangelium gerecht macht. Im weltlichen Bereich regiert Gott den Christen mit seiner linken Hand, im geistlichen mit der rechten – womit Luther nicht nur die Andersartigkeit, sondern auch den Rangunterschied zwischen beiden Reichen zum Ausdruck bringt[6]. Von jetzt an kann Luther darum die Begriffe »Reich« und »Regiment« synonym gebrauchen. Und selbstverständlich kann es notwendig sein, das Leben in den weltlichen »Ordnungen« am Gebot Gottes zu überprüfen und gegebenenfalls zu verändern. Da kann Luther denn den Obrigkeiten genauso ins Gewissen reden wie den Eheleuten, den Kaufleuten und den Kriegsleuten[7].

2. *Eine eschatologische Unterscheidung.* Die Unterscheidung zwischen Reich Gottes und Reich der Welt als eschatologischen Größen, also zwischen der Schar der wahrhaft Glaubenden und Gott Angehörenden und der Schar der definitiv Gottfernen haben wir nun schon kennengelernt. Nachzutragen bleibt, daß diese Unterscheidung selbstverständlich auch beim späten Luther nicht gegenstandslos wird. Nur ist sie nun gleich gar nicht mehr einfach auf vorfindliche Menschengruppen anzuwenden. Wie keiner weiß, wer wirklich zur Kirche gehört[8], so kann auch keiner wissen, wer wahrhaft zum Reiche Gottes gehört. Und umgekehrt ist der Christ »gerecht und Sünder zugleich«[9], auch er bedarf also im äußeren

---

[6] 36, 385,8; 52, 26,23.
[7] Der Kürze halber sei verwiesen auf Althaus. Ethik Luthers, 64–84; Belege für den synonymen Gebrauch von »Reich« und »Regiment« a. a. O. 55.
[8] Vgl. w. o. im 12. Kapitel S. 209–212.
[9] Vgl. w. o. im 11. Kapitel.

Bereich der Eindämmung seiner nicht behobenen Bosheit, also desselben weltlichen Regiments, dessen auch die Nicht-Christen bedürfen. Nur Gott also kann beide Menschengruppen unterscheiden, für unseren Blick ist die Unterscheidung nicht auszumachen, beide Reiche liegen ineinander, und erst das Jüngste Gericht wird sie offenbar machen und scheiden.

3. *Eine soteriologische Unterscheidung.* Mit diesem Sinn der Unterscheidung der zwei Reiche nähern wir uns dem Zusammenhang mit dem Kirchenverständnis. In soteriologischer Hinsicht meint sie nämlich: Keine menschliche Macht, auch nicht die von Gott verordnete, kann das Reich Gottes aufbauen. Konkret: Menschliche Macht kann nicht ins Gewissen dringen, menschliche Machtmittel können nicht bewirken, was allein die Macht des Evangeliums bewirken kann: den Glauben. In dieser Hinsicht erweist sich die Unterscheidung der beiden Reiche oder Regimente als Reflex der Einsichten, die Luther im Zusammenhang des reformatorischen Durchbruchs über die Unvertretbarkeit und Unverfügbarkeit des persönlichen Glaubens errungen hat[10]. Alles Handeln, sei es staatlich, sei es kirchlich, das nicht unmittelbar Zuspruch des Evangeliums (im Beisammen mit dem anklagenden Gesetz!) ist, gehört zum weltlichen Regiment Gottes, zum Reich der Welt. Damit ist nicht die Möglichkeit und Notwendigkeit von »Erziehung« zum Glauben, modern gesprochen: von christlicher »Sozialisation« bestritten – und gerade Luther hat sich ja darum mehr als jeder andere große Theologe der Christenheit theoretisch und praktisch gekümmert! –, wohl aber die Vorstellung, als könne solche Glaubenserziehung wirksam in das Innere des Gewissens vordringen, wo der Glaube die persönliche Tat jedes Einzelnen ist. Glaubenserziehung kann immer nur darin bestehen, den Menschen mit dem Evangelium zu konfrontieren – darauf allerdings kann Luther mit solchem Nachdruck dringen, daß es jeden heutigen Religionspädagogen fassungslos machen muß[11].

4. *Eine kirchenrechtliche Unterscheidung.* Darauf sind wir nun schon vorbereitet. Wenn die beiden Reiche genau zu unterscheiden und nur ja nicht zu vermischen sind, dann soll die Kirche nicht weltliche Obrigkeit und die weltliche Obrigkeit nicht Kirche spielen. Der Kurfürst soll nicht geistlich regieren, die Bischöfe sollen keine politischen Aufgaben erfüllen[12]. Dies muß einleuchten, wofern nur vorausgesetzt wird, daß der einzige Daseinsgrund der Kirche und *nur* der Kirche die Verkündigung des Evangeliums zur Versammlung der Glaubenden ist. Das klingt harmlos, erfährt bei Luther dann aber eine konsequente Zuspitzung, die

---

[10] Vgl. w. o. im 6. Kapitel S. 109–111 und im 7. Kapitel S. 122–124.
[11] Vgl. dazu jetzt Grünberg, Lernen im Rhythmus des Alltags.
[12] Vgl. w. o. im 12. Kapitel S. 217 (mit Anm. 62).

für die damalige Situation wieder voller Sprengstoff steckt. Auch in der Kirche gibt es ja außer der Verkündigung des Evangeliums einiges äußerlich in »Ordnung« zu halten: die Bestellung von Amtsträgern, die Überwachung von Verkündigung und Sakramentsverwaltung, die Klärung von Eheproblemen, die Entscheidung über den Ausschluß aus der Gemeinde, kurz: alles, was nach Luther die besonderen und zusätzlichen Aufgaben des Bischofs gegenüber dem Pfarrer sind[13]. Konsequent rechnet lutherische Theologie dieses rechts- und verwaltungsförmige Handeln der Kirche zum weltlichen Regiment Gottes[14]. Von daher erklärt sich die bis heute geradezu pathetisch hervorgehobene Instrumentalisierung aller Kirchenordnung im Dienst von Wort und Sakrament und demgemäß die Betonung ihrer jederzeitigen Veränderbarkeit im lutherischen Kirchentum[15]. Von daher erklärt sich aber auch nicht nur die relative Isolierung der lutherischen Kirchen im Ökumenischen Rat der Kirchen in dieser Frage, sondern vor allem die bleibende kontroverstheologische Schwierigkeit beim lutherisch-katholischen Gespräch über Fragen der Kichenordnung. Denn die katholische Theologie sieht bis zur Stunde ihre Kirchenordnung nicht nur als Ausdruck des Willens Christi, sondern selber als ein Stück »institutioneller Verkündigung«, ausgedrückt in dem viel umstrittenen Gedanken der »Repräsentation« Christi[16]. Ich glaube, daß in dieser Frage Wege des Gespräches noch nicht zu Ende gegangen sind[17], doch bis jetzt jedenfalls gerät der »Dialog« an dieser Stelle regelmäßig ins Stocken – und zwar nicht zu Unrecht unter Berufung auf Luthers Zwei-Reiche-Lehre.

5. *Eine sozialethische Unterscheidung.* In dieser Hinsicht besagt die Zwei-Reiche-Lehre, daß der Christ nicht nur in zwei Bereichen des Handelns Gottes, nicht nur in zwei Lebenszusammenhängen unter dem doppelten

---

[13] Vgl. w. o. im 12. Kapitel S. 215 f.

[14] Luther selbst sagt es, soweit ich sehe, nirgends in dieser Weise. Lutherische Theologie aber darf dies mit Recht folgern aus dem im 12. Kapitel dargelegten Auffassungen Luthers a) zum Priestertum aller Gläubigen; b) zur Ablehnung eines Wesensunterschiedes zwischen Priestern und Laien (trotz der christologischen Begründung des Amtes!); c) zur Verantwortung der weltlichen Gewalt für die Belange der Kirche; d) zu Papsttum und Konzil als menschlichen Einrichtungen – und schließlich aus Luthers theologisch verantwortetem Wirken bei der Reform der Kirchenordnungen.

[15] Der Kürze halber verweise ich auf die Sach- und Literaturhinweise bei Pesch, Gesetz und Gnade, 62–65. Überraschend nahe (und offenherzig!) dazu jetzt Schillebeeckx, Das kirchliche Amt, 68–107; 120–132.

[16] Vgl. aus evangelischer Sicht Persson, Repraesentatio Christi; Lell, Evangelische Fragen an die römisch-katholische Kirche, 22–28; Köhnlein, Was bringt das Sakrament?, 97–99; in der Sache ebenso Maron, Kirche und Rechtfertigung, bes. 46–60 in Verbindung mit 192–228. Aus katholischer Sicht vgl. Rahner, Grundkurs des Glaubens, 313–316; 396–398; Beinert, MS IV/1, 287–308; Greshake, Priestersein, 63–73; 82–89.

[17] Einige Andeutungen bei Pesch, Gerechtfertigt aus Glauben, 2. Studie; und schon in: »Ketzerfürst« und »Vater im Glauben«, 162–164.

Regiment des einen Gottes *lebt*, sondern in diesen Bereichen auch nach zweierlei Regeln *handeln* muß. Der Fürst handelt im Staat, der Magistrat in der Stadt, der Vater in der Familie, der Kaufmann in der Wirtschaft, der Soldat im Krieg nach anderen Maßstäben, modern gesagt: ethischen Normen als im persönlichen Bereich, wo der Einzelne als Sünder vor Gott steht und die Liebe und Vergebung Gottes so weitergeben muß, wie er sie empfangen hat. Die beiden Reiche werden gleichsam im Handeln ein und desselben Christenmenschen konkret und anschaulich. In vielfältiger, aber immer gleichsinniger Weise kann Luther daher die »zwei unterschiedlichen Personen in einem Menschen« unterscheiden[18] und sie kennzeichnen als »Christ« und »Weltperson«, »Person für sich selbst« und »Person für andere, daß er ihnen diene«, »private« und »öffentliche Person«, »wenns deine Person allein betrifft« und »gebunden in diesem Leben an andere Personen«, »Christen als einzelne Leute, außer dem Amt und Regiment« und Christen, »die im öffentlichen Amt sind«, oder einfach »Person« und »Amt«[19]. Der Christ soll *als Christ* Unrecht leiden, vergeben, Böses mit Gutem vergelten, aber *als Amtsperson* muß er dem Unrecht wehren und den Nächsten vor ihm schützen[20]. Als Christ ist er nur den Weisungen des Evangeliums verpflichtet, als Bürger denen der Obrigkeit gemäß dem Gebot Gottes[21].

Daß dies einen Christen in extreme Spannungen stürzen kann, leuchtet ein. Luther versteht sie so drastisch und zugleich naiv zu schildern, daß es noch heute bestürzt: »Also sehen wir, daß ein frommer Richter mit Schmerzen ein Urteil fällt über den Schuldigen und ihm leid ist der Tod, den das Recht über denselben bringt. Hier ist ein Schein in dem Werk, als sei es Zorn und Ungnade. So gar gründlich gut ist die Sanftmut, daß sie auch bleibt unter solchen zornigen Werken, ja am allerheftigsten im Herzen quillt, wenn sie also zürnen und strafen muß... Mein Gut, meine Ehre, meinen Schaden soll ich nicht achten und nicht darum zürnen, aber Gottes Ehre und Gebot und unseres Nächsten Schaden und Unrecht müssen wir wehren, die Obrigkeit mit dem Schwert, die anderen mit Worten und Strafen, und doch alles mit Jammer über die, so die Strafe verdient haben[22].« »Also zürnet ein frommer Richter über den Übeltäter, dem er doch für seine Person kein Böses gönnet, und wollt ihn lieber ungestraft lassen und gehet aus einem Herzen, das nichts denn eitel Liebe ist gegen den Nächsten, und allein die böse Tat muß den Zorn tragen, die

[18] 32, 316,18; 390,10. 30; 34 I, 121,10. 22; 122,20.
[19] Vgl. 19, 648,19; 32, 316,15. 18; 334,10; 368,21; 390,19. 33; 391,33. 35; TR 3, Nr. 2911a, 15.
[20] Z. B. 32, 394,4.
[21] Vgl. 10 III, 251,33; 393,38; 28, 282,1; 32, 374,28; 382,3.
[22] 6, 267,31.

man strafen muß[23].« Und noch einmal: »Es soll schneiden das Schwert und soll doch von sanftem Herzen gehen[24].«

Den Gipfel des für manche modernen Leser Unerträglichen erreicht Luther in dem berühmt-berüchtigten Gebet, das er am Ende der Schrift »Ob Kriegsleute auch in seligem Stande sein können« dem Soldaten vor der Schlacht empfiehlt. Nachdem er in den vorangehenden Ausführungen die Bedingungen abgeklärt hat, »wie man das äußerlich Kriegswerk mit gutem Gewissen tun solle«[25], ermahnt er den Soldaten zu einem Gebet, das ein kurzes Kompendium der Rechtfertigungslehre darstellt. Der Kriegsmann soll glauben und danken »von Herzen, daß mich allein das unschuldige Blut deines lieben Sohnes, meines Herrn Jesu Christi, erlöse und selig mache, welchs er für mich, deinem gnädigen Willen gehorsamlich, vergossen hat[26].« Die Gebetsmahnung schließt mit den vielzitierten Worten: »Und befiehl damit Leib und Seele in seine Hände und zieh dann vom Leder und schlage drein in Gottes Namen[27].« Und wie um einem modernen Leser auch den letzten Rest an Verständnis auszutreiben, fährt Luther fort: »Wenn solcher Kriegsleute in einem Heer viel wären, Lieber, wer, meinst du, würde ihnen etwas tun? Sie fräßen wohl die Welt ohn allen Schwertschlag. Ja, wenn neun oder zehn solcher in einem Haufen wären, oder noch drei oder viere, die solchs mit rechtem Herzen könnten sagen, die sollten mir lieber sein denn alle Büchsen, Spieße, Roß und Harnisch, und ich wollte den Türken mit aller seiner Macht lassen kommen[28].« Dabei muß man sich vor Augen halten, daß Luther in der Kriegsleute-Schrift, wenn man genau liest und die Aussagen sorgfältig abwägt, eher, modern gesprochen, eine »pazifistische« Linie verfolgt. Nicht nur jeder Angriffskrieg ist ethisch zu verwerfen, sondern auch jeder Verteidigungskrieg, sofern er nicht kurz und kalkulierbar erfolgreich ist[29]. Eine der Hauptlinien in der theologischen Bewertung des Krieges durch Luther geht denn auch dahin, ihn als Geißel Gottes zu verstehen, mit der er die Sünden der Menschheit straft. Im übrigen liegt hier auch – weitab vom Schlagwort des »Fürstenknechtes« – einer der Hauptgründe, warum Luther den »Aufruhr«, modern: die »Revolution« für unerlaubt hält: Der Aufruhr ist nach aller Erfahrung kein kurzer Krieg, und er ist

---

23 32, 368,36.
24 27, 267,4.
25 19, 663,6.
26 19, 663,18.
27 19, 663,24.
28 19, 663,27.
29 19, 626,21: Krieg als »kleiner, kurzer Unfriede, der einem ewigen unmeßlichen Unfrieden wehret«. – 19, 645,9: »Wer Krieg anfängt, der ist unrecht.« – 19, 645,26: »Harre, bis Not und Müssen kommt ohn Lust und Willen«. – 19, 648,1.5: Krieg als »pflichtiger Schutz und Notwehr«, als »Notkrieg«.

nicht kalkulierbar. Den Fürsten, denen er das Recht zubilligt, den Bauernaufstand zu bekämpfen, erklärt er gleichwohl, ihr Recht gewähr-leiste nicht schon ihren Sieg, und sollten die Bauern siegreich bleiben, hätten die Fürsten es als den Willen Gottes zu respektieren[30].

2. DIE BERGPREDIGT UND DIE POLITIK

Genug der Einzelheiten! Das Fazit ist jedenfalls: Die Bergpredigt und ihre Forderung der Gewaltlosigkeit gehören nicht in die Kanzlei des Fürsten – so wenig wie das Gesetz in die Evangeliumspredigt, es sei denn, insofern es die Sünde anklagt. In die Fürstenkanzlei gehört das Gesetz – im sogenannten »ersten Brauch« –, wobei, wir wissen es schon, seine Funktion sich nicht nur auf die Eindämmung des Bösen bis hin zur möglichen Erlaubtheit des Krieges beschränkt, sondern auch die Erhal-tung und Förderung des Lebens und Zusammenlebens umfaßt. Die Bergpredigt dagegen gehört in das persönliche, nur sich sebst verantwort-liche und in diesem Sinne »private« Leben des Christen, und hier wirkt sie als Anklage des nie erfüllten Willens Gottes und *zugleich,* für den Glaubenden, als Mahnung zu einem konkreten Handeln, das unter Umständen völlig anders verläuft, als derselbe Christ in einem öffentli-chen Amt zugunsten und zum Schutz seiner Mitmenschen handeln müßte.

Hier – nur und erst hier – ergeben sich mit Recht die modernen Probleme mit der Zwei-Reiche-Lehre. Ist ein solches Handeln unter doppelten Maßstäben konkret überhaupt vorstellbar? Ist die Idee, ein Todesurteil könne »sanftmütig«, modern: ohne Agressivität verhängt und vollstreckt werden, nicht blanke Utopie? Ist die Idee, das gute Gewissen, das der Rechtfertigungsglaube gibt, mache, wenn nur genügend in der Truppe verbreitet, den Krieg fast gegenstandslos, ehe er begonnen hat, mache ihn zumindest schnell erfolgreich, nicht grenzenlos naiv?

Es ist evident, daß die *Einzelheiten* von Luthers Zwei-Reiche-Lehre, insbesondere seine Äußerungen und Ratschäge zu konkreten politischen und sozialethischen Einzelfragen, heute nicht mehr maßstäblich sein können. Das behauptet auch keiner der engagierten Verteidiger von Luthers Zwei-Reiche-Lehre[31]. Festzuhalten bleibt aber, daß Luther, wie auch sonst, als *Exeget* dazu kam, zwischen den zwei Reichen zu unterscheiden. Die Worte der Bergpredigt oder die Worte des Apostels

---

[30] 19, 649,18. 22; 18, 359,34; 360,34. – Zum Revolutionsverbot: 19, 633–644; 11, 267,22; 18, 322,9; vgl. Maron, „Niemand soll sein eigener Richter sein!"
[31] Vgl. exemplarisch Althaus, Ethik Luthers, 147f.; Ebeling, Wort und Glaube III, 576f.; 588–592; und Brosseder, ebd. (s. Anm. 3).

Paulus über das »Gesetz Christi« scheinen eine einzige Absage an Staat und Obrigkeit, weil kein politischer Amtsträger danach handeln kann, ohne zu scheitern. »Das Evangelium läßt sich hier [Mt 5,25f.] also ansehen, als wollt es das weltlich Schwert ganz umstoßen[32].« Auf der anderen Seite fordert derselbe Paulus (Röm 13) und nicht nur er (vgl. 1 Petr 2,13f.) zum Gehorsam gegen die Obrigkeit auf. Johannes der Täufer hält den Beruf des Soldaten offenbar für selbstverständlich (Lk 3,14). Und Luther liest, wie sollte es im 16. Jahrhundert anders sein, auch alttestamentliche Texte wenn schon nicht als Gebot, so doch mindestens als verbindlichen Hinweis Gottes, etwa Gen 9,6 oder Ex 21,14.22ff. »Alle Heiligen von Anfang der Welt an haben das Schwert geführt[33].« Daß Luther sich der Spannung zwischen solchen Texten, daß er sich insbesondere der Frage nach Bergpredigt und Politik stellt, ohne entweder den Ernst der Bergpredigt oder den Ernst politischer Realitäten abzuschwächen, darf ihm füglich niemand zum Vorwurf machen – noch heute, aktuelle Diskussionen beweisen es, sind wir weit von einer Antwort entfernt, die in dieser quälenden Frage alle Gewissensunklarheiten beseitigt.

Nun entgeht allerdings Luther der vollen Schärfe des Problems durch Umstände, auf die wir bereits im Zusammenhang seiner Frage nach der Kirche gestoßen sind. Die Fürsten und Magistrate und über ihnen allen der Kaiser sind Christen. Auch in ihrem weltlichen, politischen Handeln sind und bleiben sie ansprechbar auf das Gebot Gottes, das ihnen Grenzen setzt – nicht zuletzt durch das Bergpredigtgebot der Gewaltlosigkeit, das von vornherein zumindest staatliche Gewaltanwendung aus bloßer Rache oder über das Maß hinaus, das zum Schutz der Untertanen vor Unrecht nötig ist, verbietet. Das Gebot Gottes deckt sich zwar für den weltlichen Bereich durchaus mit dem Gebot der Vernunft, aber es ist doch mehr und etwas qualitativ anderes als ein reines politisches Ermessensurteil, zu dem übrigens Luther sich ebenfalls sehr klarsichtige Gedanken machen kann.

Im übrigen hat Bernhard Lohse vollkommen recht, wenn er meint, daß Luthers positive Äußerungen über die weltliche Obrigkeit eine letzte Erklärung auch in dem Leitbild finden, das die Gestalt des Kurfürsten Friedrichs des Weisen, seines Landesherrn, ihm zeitlebens vor Augen gestellt hat[34]. Und daß umgekehrt aus demselben Grunde Thomas Müntzers Absage an die weltliche Obrigkeit einen letzten Erklärungsgrund in den schlimmen Erfahrungen findet, die er mit ihr gemacht hat.

Was aber, wenn die Fürsten und Magistrate nicht mehr Christen sind,

[32] 10 III, 251,32; vgl. 11, 248,32.
[33] 11, 255,22.
[34] Lohse, Martin Luther, 197; vgl. Bornkamm, Luther und sein Landesherr Kurfürst Friedrich der Weise (= Luther. Gestalt und Wirkungen, 33–38).

zumindest in ihrem Verhalten sich notorisch nicht mehr von christlichen Grundsätzen leiten lassen? Was, wenn der Staat »weltanschaulich neutral« wird? Zunächst ist festzuhalten, daß eine solche Situation schon das Ergebnis einer Entwicklung ist, die Luther weder gewollt noch vorhergesehen hat. Man muß sogar zugeben, daß sie zeitlich in traditionell katholischen Ländern früher einsetzte als in evangelischen Territorien, deren Herrscher noch lange das ihnen von Luther zugewiesene Amt des »Notbischofs« ernst nahmen[35].

Wichtiger als historische Wertungen ist allerdings die sachliche Folge. Und die lautet: Während der Christ als Einzelner vor Gott unter dem Anspruch der Bergpredigt bleibt, ist das weltliche Handeln, zuerst des nichtchristlichen Fürsten, dann auch des persönlich Christ bleibenden Untertanen den Maßstäben des göttlichen Gebotes entzogen, zumindest füllen diese Maßstäbe nicht mehr selbstverständlich das Bewußtsein und Gewissen. In einem weltanschaulich neutralen Staat kann sich ein Christ im öffentlichen Amt nicht mehr, wie zur Zeit Luthers, auf das Gebot Gottes berufen. Er kann sich nur argumentativ ins vernünftige politische Kalkulieren einschalten. Das Endergebnis – über Zwischenstufen, die wir hier übergehen müssen – ist die Vorstellung, daß der »weltliche« Bereich, insbesondere der Bereich der Politik, vom Bereich des Glaubens nicht nur unterschieden, sondern getrennt ist. Der Christ als »Privatperson« heißt jetzt: Sein Glaube ist *nur* Privatsache. Über Nachbars Zaun hinweg mag er nach der Bergpredigt handeln, als Politiker, als Wirtschaftler, als militärischer Machthaber muß er seinen Glauben aus dem Spiel lassen, oder er darf ein solches Amt nicht übernehmen.

Das hat nun, obwohl auch von evangelischen »Amtspersonen« so praktiziert, mit Luther ernsthaft nichts mehr zu tun. Man darf nicht als Fernwirkung seiner Zwei-Reiche-Lehre ausgeben, was in Wirklichkeit eine Absage an sie darstellt[36]. Man ist nicht auf den Spuren Luthers, wenn man die Eigenständigkeit politischen Handelns gegen politische Übergriffe der Kirche, des »geistlichen Regiments«, kritisch zur Geltung bringt, den Bereich des weltlichen Handelns aber vollständig jedem kritischen Einspruch des Glaubens entzieht.

So ist denn keinem ernst zu nehmenden Verteidiger von Luthers Zwei-Reiche-Lehre heute der Vorwurf zu machen, sie wollten auf eine Art »glaubensfreien« weltlichen Bereich hinaus, da Gott den ohnehin »mit der linken Hand« regiere und man die Freiheit eines Christenmenschen auch noch hinter den Zäunen eines Konzentrationslagers leben könne. Sie

---

[35] Darin ist Althaus, Ethik Luthers, 87, leider zuzustimmen.
[36] So in grotesker Verzeichnung Luthers Marcuse, Studien über Autorität und Familie (geschrieben 1936), im Zusammenhang einer Kritik an Luthers Freiheitsbegriff. Vgl. dazu jetzt die kritische Auseinandersetzung bei Bayer, Marcuses Kritik an Luthers Freiheitsbegriff (= Umstrittene Freiheit, 13–38).

wollen die zwei Reiche unterscheiden, aber nicht trennen. Noch mehr als die Trennung freilich fürchten sie heute die Vermischung – das Trauma der Ausgangssituation Luthers wirkt fort. Eben diese Vermischung machen die Vertreter der Zwei-Reiche-Lehre der »politischen Theologie« unserer Tage und ihrer Vorläuferin, der »Königsherrschaft-Christi-Lehre« zum Vorwurf [37]. Nicht darum geht es bei diesem Vorwurf, daß ein Christ in extremer Unrechtssituation sich nicht erlaubterweise an einem gewaltsamen Umsturzversuch, an einer »Revolution« beteiligen dürfe – er kann unter Umständen »um des Nächsten willen« dazu sogar verpflichtet sein. Es geht vielmehr darum, daß in diesen christlich-sozialethischen Konzepten die Freiheit des politischen Ermessens im Namen des Glaubens eingeschränkt scheint. Daß, mit anderen Worten, politische Entscheidungsfragen zu Glaubensfragen, politische Optionen zum »Bekenntnisstand« (»status confessionis«) erhoben werden. »Im Namen Jesu«, schreiben die Teilnehmer des Seminars über Luthers Zwei-Reiche-Lehre auf dem Lutherforschungs-Kongreß in Lund 1977 in ihrem Seminarbericht, »darf man nicht einmal Hitler töten. Man durfte und mußte es sogar ›um des Nächsten willen‹ versuchen[38].« Werden heute nicht doch auch Revolutionen gleichsam »im Namen Jesu« gemacht oder zumindest befürwortet?

Zugleich zeigt sich bei dieser Diskussionsanalyse nochmals das Problem. In der Reformationszeit verbarg das »weltliche« Reich noch einmal zwei Ebenen von Maßstäben: die Ebene des als selbstverständlich geltend angesehenen Gebotes Gottes – und die Ebene des politischen Ermessens, für das das Gebot Gottes nur Grenzlinien, keine konkreten Hinweise bereithält. Die Ebene des Gebotes Gottes ist für den weltlichen Bereich als Berufungsinstanz heute entfallen – es sei denn, Christen wollten von vornherein darauf verzichten, in öffentlichen Ämtern zusammen mit Nicht-Christen tätig zu werden. Und einem nicht-christlichen Amtsträger beziehungsweise als Amtsträger dem nicht-christlichen Bevölkerungsteil den Glauben erst aufzuzwingen, um anschließend aus ihm politisches Handeln zu begründen, dürfte ein lutherischer Christ, der so tief um die absolute Unverfügbarkeit des Glaubens weiß, zu allerletzt bereit sein. Kurzum: dem Gewissensbereich, in dem der Glaube allein vor Gott gerecht macht, steht jetzt als »weltlicher«, »äußerer« Bereich *nur noch* der Bereich des politischen, wirtschaftlichen, soziologischen Vernunftkalküls gegenüber. Die Vertreter der Zwei-Reiche-Lehre werden denn auch nicht müde, einzuschärfen, daß der Glaube zu eben solchem vernünftigen Kalkulieren die Freiheit gibt und dadurch das politische Handeln von der Sorge um das persönliche Heil vor Gott ein für allemal

[37] Vgl. Pesch, Gesetz und Gnade, 51 f.; 56–61, und die dort verzeichnete Literatur.
[38] Grane – Lohse (Hg.), a. a. O. 155.

entlastet[39]. Wenn das zuwenig erscheint, wenn man diese Auffassung von der Eigenständigkeit politischen Handelns für einen Rückzug aus der Weltverantwortung des Glaubens hält, »so könnte das billigerweise nur dann zu Recht geschehen, wenn zugleich seine (Luthers) Ansicht abgelehnt wird, daß die Vernunft schlechterdings die höchste Autorität für die Behandlung und Regelung irdischer Fragen ist«[40].

Und doch – es bleiben Fragen, die keine noch so schlüssige Theorie in der heutigen Welt überzeugend aus dem christlichen Gewissen vertreiben kann – und deretwegen man Strömungen wie die »politische Theologie« und die »Theologie der Befreiung«, deren Parteigänger ich beide Mal nicht sein kann, erfinden müßte, wenn es sie nicht gäbe.

Ist es wirklich ganz sicher, daß von der Bergpredigt gar keine Maßstäbe für das Handeln im öffentlichen Amt ausgehen können? Sind alle, die darüber nachdenken, wirklich im Sinne Luthers »Schwärmer«, die letztlich auf nichts anderes hinauskommen als auf eine »Vergesetzlichung des Evangeliums«? [9].

Gibt der Glaube keinerlei Hinweise und Maßstäbe bei der Findung politischer Prioritäten? Ist es so sicher, daß die Früchte der Glaubensgerechtigkeit nur im Verhältnis zum einzelnen Mitmenschen, nicht aber im Verhältnis zu sozialen und politischen Strukturen wachsen können?

Man muß auch – und das ist nur die Kehrseite der vorausgehenden Frage – überlegen: Ist wirklich alles »politisch vernünftig« Kalkulierte ethisch erlaubt? Gibt es nicht heute vielfältige politische Probleme, in denen vernünftiges Kalkül und ethischer Anspruch (mit und ohne Glauben) in fürchterlichen Konflikt geraten, wie ihn Luther sich nicht von ferne denken konnte?

Was ist in einem Zeitalter, in dem die Waffentechnik die Vernichtung der ganzen Menschheit erlaubt, ethisch vertretbar an »amtlicher« Abwehr des Unrechts am Nächsten? Ist eine Situation wirklich noch undenkbar, in der die biblische Forderung, Böses nicht mit Bösem zu vergelten, als die einzig *vernünftige* Antwort bleibt und daher auch politisch einem Staatsvolk aufgezwungen werden muß, ob es sie aus Glaubensgründen einsieht oder nicht?

3. Kirche und Demokratie

Keine dieser Fragen löst sich, indem man sie stellt. Keine dieser Fragen ist im übrigen »konfessionsspezifisch« zu beantworten. Luthers Zwei-Reiche-Lehre kann hier nur Hinweise geben, welche Lösungsversuche

---

[39] Exemplarisch Ebeling in seinen Äußerungen in Wort und Glaube III.
[40] Lohse, Martin Luther, 196.

sich unter anderen geschichtlichen Umständen schon einmal als Irrweg erwiesen haben. Eben darin aber, und damit müssen diese viel zu kurzen Überlegungen zu einem Riesenproblem schließen, ist Luthers Zwei-Reiche-Lehre längst eine katholische Selbstverständlichkeit, und zwar als Tatsache wie als Aufgabe zugleich.

Als Tatsache: Kirche und Staat sind heute auch in den ehemals »christlichen« Ländern grundsätzlich getrennt. Das muß bestimmte historisch gewachsene staatskirchenrechtliche Bindungen und Verbindungen nicht ausschließen, wenn sie erweislich zum Nutzen, zumindest nicht zum Schaden der kirchlichen Verkündigung sind. Ein »Corpus Christianum«, sei es mittelalterlich-universalistischer, sei es reformatorisch-territorialer Art, ist jedenfalls heute ohne Chance, und niemand wünscht es sich zurück, selbst dann nicht, wenn man in Einzelbereichen sich eine etwas deutlichere Prägekraft der christlichen Grundlagen von Staat und Gesellschaft wünschte. Was das bedeutet, macht ein kleiner kirchengeschichtlicher Hinweis deutlich: Noch Papst Pius IX. (1846–1878) hat alle Errungenschaften, die wir heute unter dem Namen »liberaler Rechtsstaat« nicht mehr missen möchten, als glaubenswidrig verurteilt, und das Erste Vatikanische Konzil (1869/70) wurde unter anderem zu dem Zweck einberufen, »demokratischen« Tendenzen jedenfalls in der innerkirchlichen Überzeugungsbildung endgültig einen Riegel vorzuschieben. Aber sechzig Jahre später, 1930, konnte der englische Konzilshistoriker C. Butler, ein engagierter *Verteidiger* des Konzils, die Meinung äußern, die Kirche sei dort am freiesten, wo *wahre* Demokratie herrscht[41]. »Es scheint sogar«, bemerkt Bernhard Lohse[42], »daß das Gegenüber oder Nebeneinander von weltlichem und geistlichem Bereich ein Specificum der jüdisch-christlichen Tradition ist.« Steht es so, dann ist nach jahrhundertelangem vielfältigem Mißverständnis in unserer Zeit dieses »Specificum« wieder reiner in Erscheinung getreten als zuvor. Wir verdanken das gewiß nicht nur Luther. Aber es ist *auch* und *nicht zuletzt* eine Fernwirkung von Luthers Zwei-Reiche-Lehre. In *diesem* Punkte darf man – so sehr sonst dabei Vorsicht geboten ist – einmal das Urteil wagen, daß im modernen Verhältnis von Kirche und demokratischem Rechtsstaat ganz zu sich selbst gekommen ist, was in der reformatorischen Theologie Luthers, in diesem Falle in seiner Zwei-Reiche-Lehre, im Ansatz angelegt ist, aber im 16. Jahrhundert sich nicht voll auswirken konnte.

Als Aufgabe: Unsere Jahre liefern uns, vor allem im politischen Einzugsbereich des Islam, genügend Anschauungsunterricht, was sich ergeben *kann,* wenn die beiden Reiche »vermischt« werden. Die Zwei-Reiche-Lehre hält dem Christen ein für allemal im Bewußtsein, daß es keine

---

[41] C. Butler – H. Lang, Das Vatikanische Konzil, 514 f.
[42] A. a. O. 191.

politischen Heilsgewißheiten gibt. Das bedeutet aber umgekehrt: Niemand weiß aus Gründen seines Glaubens in politischen Fragen von vornherein besser Bescheid als der Nicht-Glaubende. Kein Christ wird also, wenn er politisch handelt, aus der Pflicht zur Sachkunde entlassen, und deren Fehlen wird ihm mit Recht nicht um seines christlichen »Engagements« willen verziehen.

Aber auch in dieser Hinsicht hat Luther uns, so wenig seine Situation mit der unseren vergleichbar ist, einen fordernden Hinweis zu geben, dem nicht so leicht Genüge zu tun ist. Er hat sich – im Unterschied etwa zu Zwingli, von den radikalen Reformatoren ganz zu schweigen – nie unmittelbar politisch betätigt. Er konnte es nach seinem Selbstverständnis nicht, denn es war nicht seines »Amtes« als Lehrer der Heiligen Schrift. Aber die wechselseitige Angewiesenheit der beiden Reiche aufeinander hat er in exemplarischer Weise praktiziert, und zwar nicht nur durch Gewissensberatung der »Obrigkeit«, wie es die Pflicht jedes Predigers ist, sondern zugleich auch mit einer solch staunenswerten politischen und juristischen Sachkunde, daß man sich noch heute fragt, wie ihm das möglich war. Wer Luther jedenfalls heutzutage vorwirft, er habe von den *eigentlichen* politischen, wirtschaftlichen und sozialen Umwälzungen, die sein Jahrhundert bestimmten, nichts begriffen und arglos-naiv einen individualistisch verengten Rechtfertigungsglauben gepredigt, der sollte sich zunächst einmal selbstkritisch fragen, ob *seine* wirkliche Sachkunde von der heutigen komplizierten politischen, wirtschaftlichen und sozialen Realität vergleichsweise der Luthers gleichkommt[43].

[43] Weil es nicht mit wenigen Sätzen abzugelten ist, müssen wir hier das bedrückende Thema »Luther und die Juden« ausklammern. Wir dürfen es aber, weil aus jüngster Zeit ehrliche, nichts beschönigende Stellungnahmen vorliegen: Brosseder, Luther und die Juden; Oberman, Wurzeln des Antisemitismus; weitere Literaturhinweise bei Lohse, Martin Luther, 95; 106 f.

14. KAPITEL

»UNSER GUT IST VERBORGEN«

Der verborgene und offenbare Gott

»Meine Lehre... läßt Gott sein unsern Herrn Gott und gibt Gott die Ehre[1].« Aufgrund solcher und ähnlicher Äußerungen Luthers[2] ist die Redeweise vom »Gottsein Gottes« als Kennzeichnung der innersten Intention der Theologie Luthers ein Gemeinplatz der Lutherforschung[3]. Und das ist nicht nur in einem allgemeinen Sinne verstanden, sondern soll gerade das Eigentliche, die Mitte der Theologie Luthers kennzeichnen: den letzten Sinn der Grundrelation von Wort und Glaube, den letzten Sinn der Rechtfertigungslehre. Aber was kann das heißen, wenn das Stichwort vom »Gottsein Gottes« mehr sein soll als eine geistreiche Tautologie?

1. ALTES UND NEUES

Die Auskunft, daß es in der Theologie um das Gottsein Gottes geht, ist als solche wahrhaftig keine umwerfend neue Nachricht. Welcher Theologe, der seine Berufsbezeichnung verdient, hätte denn letztlich je etwas anderes im Sinn gehabt, als das Gottsein Gottes herauszustellen? Wenn Augustinus am Anfang seiner »Bekenntnisse« sagt: »Geschaffen hast du uns zu dir, und ruhelos ist unser Herz, bis daß es seine Ruhe hat in dir[4]«, welchen Gott hat er da im Sinn, wenn nicht den Gott, der *wirklich* dem Herzen Ruhe geben kann und also *wirklich* Gott ist? Wenn Thomas von Aquin die ganze Theologie unter dem Gesichtspunkt aufbaut, daß Gott Ursprung und Ziel aller Dinge ist und der Mensch von Gott herkommt und zu ihm heimkehrt[5], an welchen anderen Gott sollte er da denken als an den, der *wirklich* Ursprung und Ziel, Schöpfer und Vollender des Menschen ist? Wenn also Luthers Rede vom Gottsein Gottes etwas Besonderes ist, etwas Neues über das Alte hinaus, dann muß es darin beschlossen liegen, was er unter »Gottsein« versteht.

Ein Gesichtspunkt dazu ist uns schon begegnet: Gott ist nur durch sein

[1] 17 I, 232,35.
[2] Vgl. 31 I, 126,8; 40 I, 131,8; 224,12; 360,7.
[3] Vgl. Ebeling, RGG IV, 515; Watson, Um Gottes Gottheit; Althaus, Theol. Luthers, 99–118.
[4] Confessiones I 1.
[5] STh I 1,7 in corp.; 2,1 prooem.

Wort erkennbar[6]. Das scheint nun eine klare Gegenposition nicht nur zur mittelalterlichen Tradition. Diese ging immer fraglos davon aus, daß Gott schon und auch aus seinen *Werken* zu erkennen sei – näherhin: aus seinen Werken in der Schöpfung. Welchen anderen Sinn kann denn ein Satz wie Röm 1,19 f. haben: »Denn was man von Gott erkennen kann, ist ihnen (den Menschen) offenbar; Gott hat es ihnen offenbart. Seit Erschaffung der Welt wird seine unsichtbare Wirklichkeit an den Werken der Schöpfung mit der Vernunft wahrgenommen, seine ewige Macht und Gottheit.«? Wie können die Heiden, wie es bei Paulus weiter heißt, unentschuldbar sein für ihre Gottlosigkeit, wenn das nicht gilt? Bei Thomas von Aquin ist denn auch unter anderem dieser Paulustext gewissermaßen die Anweisung, so etwas wie »Gottesbeweise« auszuarbeiten[7].

Von Luther wissen wir nun schon, daß er genau diesen Vers nicht als Aufforderung liest, sich um eine Gotteserkenntnis aus der Schöpfung zu bemühen[8]. Die Gotteserkenntnis im Aufstieg von der Welt ist eine paradiesische Möglichkeit, nach dem Sündenfall ist sie – unbeschadet der Unentschuldbarkeit der Heiden, mit der Luther bekanntlich aufgrund seiner Lehre vom versklavten Willen keine theologischen Probleme hat[9] – *keine* Möglichkeit mehr. Gott ist, wenn überhaupt, nur noch erkennbar, indem er sich selbst erkennbar macht, also durch sein Wort. Nun sollte man freilich den Gegensatz zur Tradition an dieser Stelle nicht übertreiben. Er läßt sich zeigen – natürlich nicht hier! –, daß auch die »optimistische« mittelalterliche Theologie der Vernunft des Menschen, wie er faktisch ist, also der Vernunft des Sünders in Sachen Gotteserkenntnis nicht viel zutraut. Die »Erkenntnis Gottes aus den Werken« gelingt auch nach scholastischer Auffassung nur im Innenraum des Heilsglaubens, ist also Erkenntnis Gottes nur dadurch, daß die Schöpfungswerke durch das *Wort* Gottes allererst als *Gottes* Werke entzifferbar werden[10]. Umgekehrt traut auch Luther der Vernunft eine gewisse Erkenntnis Gottes zu und spricht ihr nur das an Gotteserkenntnis ab, was auch die Scholastik der Vernunft an Gotteserkenntnis nicht zutraut, nämlich daß Gott der Gott unseres *Heiles* ist – was in der Tat das Entscheidende aller theologischen Gotteserkenntnis ist[11]. Wenn also evangelischerseits gegen die sogenann-

---

[6] Vgl. w. o. im 8. Kapitel S. 140–142.

[7] Vgl. STh I 2,2 sed contra.

[8] Vgl. w. o. im 5. Kapitel S. 89 f.

[9] Vgl. w. o. im 10. Kapitel S. 186 f.

[10] Vgl. Ebeling, Der hermeneutische Ort der Gotteslehre bei Petrus Lombardus und Thomas von Aquin (= Wort und Glaube II, 209–256); dazu Pesch, Der hermeneutische Ort der Theologie; dazu wiederum Ebeling in einer für den Nachdruck in Wort und Glaube II hinzugefügten Anmerkung: a. a. O. 250 f. Vgl. auch Pesch, Die Frage nach Gott, 3–6; 22 f.

[11] Vgl. dazu Lohse, Ratio und fides, bes. 43–54; 59–68; 99 f.; Brosché, Luther on Predestination, 27–47; zur Mühlen, Reformatorische Vernunftkritik, 67–75 (Forschungsüberblick).

ten »Gottesbeweise« eingewandt wird, sie seien weniger Beweise als bereits ein Stück metaphysischer Beschreibung des *Wesens* Gottes[12], oder: sie seien nicht die Antwort auf die Gottesfrage, wohl aber die durchaus sachgemäße philosophische Ausarbeitung der Frage nach Gott[13], so trifft eine solche Stellungnahme vielleicht eine gewisse neu-scholastische, neuthomistische Philosophie, nicht aber die großen Theo-logen des Mittelalters, deren philosophischer Optimismus nur möglich war, weil er eingebettet war in die fraglose Gewißheit des christlichen Gottesglaubens. Der Gegensatz zu Luther ist hier also kaum ein solcher in der Sache, sondern nur ein solcher in der exegetischen Auslegung von Röm 1,19f.[14].

Auf einen in tiefere Dimensionen weisenden Unterschied, wenn nicht Gegensatz in der Bestimmung des »Gottseins« Gottes führt uns die Frage, was denn genau der Gegenstand der Theologie sei, exakter ausgedrückt: in welcher Weise denn Gott, um den es immer in der Theologie geht, Thema der Theologie ist. Auf die Antwort des Thomas haben wir schon hingewiesen: *Gott* ist Thema der Theologie, und zwar auch *in sich selbst*, nicht etwa nur in seiner »Funktion« für das menschliche Heil, modern gesagt: als Antwort auf die Sinnfrage des menschlichen Lebens. Freilich können wir von Gott nur Erkenntnis haben unter dem obersten Gesichts-punkt, daß er sich uns als Ursprung und Ziel menschlichen Lebens geoffenbart hat[15]. Gegen diese Gegenstandsbestimmung der Theologie setzt Luther eine klare Gegenposition: »Eigentliches Subjekt [= Objekt, nicht: »Subjekt« im modernen Sinne] der Theologie ist der der Sünde schuldige und verlorene Mensch und der rechtfertigende und den sündi-gen Menschen erlösende Gott. Alles was außerhalb dieses Subjektes in der Theologie untersucht und disputiert wird, ist Irrtum und Gift[16].« *Nicht* also Gott in sich selbst, sondern Gott in seiner (rettenden) Beziehung zum Sünder ist Thema der Theologie. Gewiß genügt es auch hier nicht, undifferenziert Spitzensätze gegeneinanderzuhalten, um einen unüber-brückbaren Gegensatz zwischen Luther und der Tradition herauszuar-beiten. Es hat anderseits gar keinen Sinn zu bestreiten, daß die Scholastik

[12] So Vorster, Das Freiheitsverständnis, 44–46.
[13] So Pannenberg, Die Frage nach Gott (= Grundfragen systematischer Theologie I, 361–386), 378. Vgl. auch Ebeling, Existenz zwischen Gott und Gott. Ein Beitrag zur Frage nach der Existenz Gottes (= Wort und Glaube II, 257–286); allgemeiner: Kühn, Via caritatis, 21–30.
[14] Der Gegensatz wirkt bis in die gegenwärtigen Römerbriefkommentare nach. Während der Kommentare von Kuss z. St. eher auf der Linie des Thomas liegt, halten sich die Kommentare von Käsemann und Schlier auf der Linie Luthers; dies tut im Ergebnis auch Wilckens, wenngleich er den Einfluß hellenistischer »natürlicher Theologie« im hellenisti-schen Judentum und von daher auch bei Paulus anerkennt und würdigt.
[15] Vgl. bei Thomas STh I 1,1–3; 7–8; 2,1 proem.; II–II 1,1–2.
[16] 40 II, 328,17.

das, was Luther über das Thema der Theologie sagt, für eine unzulässige, ja gefährliche Einschränkung theologischen Fragens gehalten hätte. Gott ist mehr als die Quelle menschlichen Heiles, und wir erkennen nicht wirklich Gott, wenn dieses »Mehr« nicht ausdrücklich zum Thema theologischen Fragens gemacht wird.

Anderseits: Was bei solchem Fragen nach »Gott in sich selbst« herauskommen kann, darüber hatte die spätscholastische Theologie Luther genügend Anschauungsunterricht erteilt. Schon die hochscholastischen Theologen, vor allem die Franziskaner gegen die Dominikaner, hatten eifrig die Frage der sogenannten »absoluten Menschwerdung« diskutiert, die Frage also, ob der Sohn Gottes auch Mensch geworden wäre, wenn Adam nicht gesündigt hätte[17]. Ein nobles Anliegen, nämlich auszusagen, daß Gott keineswegs Mensch werden *mußte,* schon gar nicht wegen der Sünde, hat hier zu einer letztlich absurden Frage geführt, denn sie ist nicht zu beantworten. Thomas antwortet denn auch kurz und »biblizistisch«, solche Spekulation sei müßig, wir wüßten eben nur von einer Menschwerdung Gottes aus Gründen unserer Sünde[18]. Die spätscholastische Theologie trieb die müßigen Spekulationen dann unendlich viel weiter. Aus lauter Sorge, die Freiheit Gottes könne an geschöpfliche Bedingungen gebunden werden, erörterten sie, formal als Grenzüberlegungen zur absoluten Unableitbarkeit des Erlöserhandelns Gottes, im Effekt aber für den Ernst theologischen Fragens verheerend, Fragen wie die, ob Gott einen Menschen auch ohne den »Habitus« der Gnade und der Liebe retten, ob er sie mit ihnen verdammen könne – als ob der »Habitus« der Gnade und der Liebe, wie auch immer verstanden, nicht eben das »Ankommen« der rettenden Liebe Gottes bezeichnete! Vor diesem Hintergrund bedeutet Luthers »restriktive« Definition des Gegenstandes der Theologie, seine vielbeschworene »soteriologische Engführung«, nichts anderes als einen unerläßlichen Ruf zur theologischen Tagesordnung – und keiner, der Luther auch nur wenig kennt, wird ihm vorwerfen, er wisse nicht, daß Gott unendlich viel mehr ist als nur der »rechtfertigende Gott«. Es wird sogleich noch davon die Rede sein.

Was also für Luther das »Gottsein Gottes« bedeutet, muß sich zeigen, wenn wir näher ins Auge fassen, *wie* denn Gott rechtfertigt. Darauf sind wir durch die vorausgehenden Kapitel schon gut vorbereitet.

2. Verborgen unter dem Gegensatz

Der Kerngedanke in Luthers Anschauung über das Heilshandeln Gottes ist der Hinweis auf seine »Verborgenheit unter dem Gegensatz, (»abscon-

---

[17] Hinweise zu dieser thomistisch-skotistischen Kontroverse und Literatur bei Pesch, Theol. der Rechtfertigung, 575–577; ferner Gößmann, Der Christologietraktat, 178–181.
[18] STh III 1,3.

ditas sub contrario«). Das ist nun nicht nur ein entscheidender und von Luther zeitlebens ins Zentrum gerückter, sondern auch ein sehr vielschichtiger Gedanke, und entsprechend gegensätzlich sind die Urteile der Forschung. Alle Urteile sind sich freilich einig, über die zentrale Stellung des Themas in der Theologie Luthers. Selbstbewußt kann Luther sagen: »Die unsere Bücher gelesen haben, denen ist das völlig geläufig[19].«

Über die Anfänge des Themas bei Luther haben wir schon gesprochen, auch darüber, daß Luther ihn jedenfalls im Vordergrund der Argumentation an einigen wesentlichen alttestamentlichen Schrifttexten festmacht[20]. Daß der Gedanke wirklich mit der Theologie des Nikolaus von Cues zu tun hat, kann seit der Untersuchung von Reinhold Weier kaum noch bezweifelt werden, zu deutlich sind die Verbindungslinien[21]. Schon Nikolaus von Cues, nicht erst Luther, hat mit diesem Gedanken eine Wirkungsgeschichte gehabt. Luther prägt ihn freilich um. Schon früh – am »feierlichsten« in der Heidelberger Disputation von 1518 – bindet er die Verborgenheit Gottes an das Kreuz Christi als ihren eigentlichen Sachgrund: Gott handelt an den Menschen nur so, wie er auch im Heilswerk an seinem Sohn gehandelt hat: in seiner Macht verborgen unter der Ohnmacht, in seiner Herrlichkeit verborgen unter der Schande, in seinem todüberwindenden Leben verborgen unter dem Tod. Und damit sind wir beim sachlichen Sinn des Gedankens.

1. Wenn Luther Gott »verborgen« nennt (»absconditus«), heißt das nicht nur, daß Gott »unsichtbar« ist (»invisibilis«). Die Unsichtbarkeit Gottes ist nicht nur eine Binsenwahrheit, sie ist vor allem eine Aussage über das *Wesen* Gottes. Die »Verborgenheit« Gottes aber betrifft nicht das Wesen Gottes, sondern sein Verhältnis zur Welt, näherhin sein *Handeln* in der Welt.

2. Gott – in seinem Handeln – verbirgt sich unter dem Gegenteil dessen, was der Mensch von Gott erwartet und für die Anzeichen göttlichen Handelns hält. Dies gilt zunächst für Erfahrung und Vernunft. Schon in der Römerbriefvorlesung formuliert Luther: »Das Werk Gottes ist notwendig verborgen und wird nicht erkannt wenn es geschieht. Es ist aber nicht anders verborgen als unter dem Gegenteil (sub contraria specie) unseres Begreifens und Denkens[22].« Und warum kann man das Werk Gottes nicht begreifen? 1525 in der Schrift gegen Erasmus, gibt Luther die Antwort: »Siehe, so leitet Gott diese körperliche Welt in äußerlichen Dingen, daß, wenn man das Urteil der menschlichen Vernunft ansieht

---

[19] 18, 633,13. – Die Literatur vgl. w. o. im 10. Kapitel S. 177 Anm. 6.
[20] Vgl. w. o. im 8. Kapitel S. 145.
[21] Vgl. Weier, Das Thema vom verborgenen Gott; schon Brandenburg, Gericht und Evangelium, 21, hatte eine Verbindung zum Cusaner für möglich gehalten.
[22] 56, 376,31.

und ihm folgt, man gezwungen ist zu sagen, entweder daß kein Gott ist, oder daß er ungerecht ist... Denn siehe, wie es den Bösen ganz nach Wunsch, hingegen den Guten sehr elend ergeht; was die Sprichwörter und die Erfahrung (!), die Mutter der Sprichwörter, bezeugen: ›Je größer der Schalk, desto besser das Glück‹[23].« So der Erfahrung und ihrer Zweideutigkeit hinsichtlich der Gotteserkenntnis das Wort zu erteilen, klingt unseren Ohren weniger provozierend als den Zeitgenossen Luthers. Wir erinnern uns[24]: Die mittelalterliche Theologie schaute gleichsam selbstvergessen mit den Augen Gottes auf die Welt. Die Frage nach dem Sinn der Wirrsal in der Welt wird dabei nicht zur Anfechtung, sondern zur Denkanweisung, auf Gedeih und Verderb das Übel in der Welt mit der Güte Gottes zusammenzudenken. Bei der Frage, welchen Sinn das Übel in dieser Welt habe, kann daher Thomas von Aquin die einen modernen Menschen schockierende Antwort geben, es sei zur Vollendung des Alls, zur »perfectio universi« erforderlich, denn alles Übel sei ein Mangel an Gutem, so daß durch die Existenz des Übels in der Welt alle möglichen Stufen und Schattierungen des Guten erreicht würden und dadurch erst die Schöpfung in ihrer ganzen Schönheit erscheine. Mit anderen Worten: Auch das schlechterdings nicht mehr verstehbare Übel ist noch eine Farbe im Bild des souveränen Schöpfergottes und seiner gelungenen Schöpfung[25]. Luther dagegen läßt die Frage nach dem Bösen als möglichen Einwand gegen die Wirklichkeit Gottes gelten. Er sagt zwar nicht – wie könnte er auch! –: »Gott ist tot«. Aber wiederholt formuliert er, an der Grenze der Blasphemie, einen Satz, der dem modernen Satz vom Tode Gottes unter den Voraussetzungen des 16. Jahrhunderts gleichkommt: »Er (Gott) stellt sich wie der Teufel[26].« Gott führt sein »Regiment... in der Welt so wunderlich, daß, wo man meint, es sei der Teufel und Tod, da ist er am nächsten[27].«

3. Nicht nur der Erfahrung und der Vernunft, auch dem Glauben ist und bleibt Gott unter dem Gegensatz verborgen – und damit erreicht der Gedanke seine eigentliche Tiefendimension. Der Glaube sucht den gnädigen Gott – und begegnet dem Richter. Er erwartet den schenkenden Gott – und begegnet dem fordernden. Er fragt nach der Liebe Gottes – und ihm antwortet der Zorn Gottes. »Die Eingießung der Gnade ist unter der Gestalt des Zornes verborgen[28]« lautet eine frühe Äußerung Luthers, in der scholastische Ausdrucksweise und typisch lutherischer Neuansatz noch friedlich beisammen sind – er stammt aus den »Resolutiones« zu den

---

[23] 18, 784,36 ff.
[24] Vgl. w. o. im 11. Kapitel S. 199f.
[25] Vgl. Thomas, STh I 47,2; 48,2.
[26] 41, 675,8.
[27] 24, 632,31; vgl. 17 II, 13,16.
[28] 1, 541,17; vgl. 4, 82,17; 87,21; 243,9; 331,12.

Ablaßthesen vom Frühjahr 1518. Aber schon zwei Jahre zuvor, in der Römerbriefvorlesung, formuliert Luther in einer Weise, die den Atem stocken läßt: »Unser Gut ist verborgen, und zwar so tief, daß es unter dem Gegensatz verborgen ist. So ist unser Leben unter dem Tod, die Liebe zu uns unter dem Haß gegen uns, die Ehre unter der Schmach, die Rettung unter dem Verderben, das Reich unter der Verbannung, der Himmel unter der Hölle, die Weisheit unter der Torheit, die Gerechtigkeit unter der Sünde, die Kraft unter der Schwäche. Und gemeinhin ist alle unsere Bejahung eines jeden Gutes unter der Verneinung eben desselben, so daß der Glaube Raum hat an den Gott, der die Verneinung des Seins, der Güte, der Weisheit und der Gerechtigkeit ist, und der nur in der Negation aller unserer Bejahungen gehabt oder berührt werden kann. So ist unsere Weisheit und Gerechtigkeit uns überhaupt nicht sichtbar, sondern verborgen mit Christus in Gott[29].« Bis in seine letzten Lebensjahre hat Luther belegbar den »Grundgedanken« der Verborgenheit Gottes im Gegensatz gerade auch für den Glaubenden in immer neuen und immer wieder unerhört zugespitzten Formulierungen zur Sprache gebracht[30], am schockierendsten vielleicht an einer Stelle der Auslegung des Ps 118 (117) von 1530, die wir hier leider ihrer Länge wegen nicht zitieren können[31].

4. Diese Verborgenheit Gottes im Gegensatz, und damit erreicht der Gedanke seinen tiefsten Boden – gehört zum *Wesen* des Handelns Gottes; nicht zu seinem »metaphysischen« Wesen, aber zum Wesen seines *Handelns*. Das Werk Gottes »muß« verborgen sein[32]. »Es ist die Natur des Wortes Gottes und die Anordnung seines Willens, zuerst zu verderben, was in uns ist, zu vernichten, was wir sind, und so das Seine (den Seinen) aufzubauen[33].« Aus diesen Texten wird freilich auch schon deutlich, daß Gottes Handeln im Gegensatz – und zwar sowohl im Bereich der Weltregierung als auch im Bereich der Rechtfertigung des Sünders – nicht Selbstzweck ist. Nicht Gericht, Forderung und Zorn sind das Ziel solchen Handelns, sondern Gnade und schenkende Liebe. Gottes verborgenes Handeln unter dem Gegensatz ist darum, obzwar so Gottes »Natur«, doch nicht die eigentliche Äußerungsform Gottes, vielmehr eben eine solche, die diese eigentliche Äußerungsform verbirgt. Luther drückt dies gern in der Formel aus – und zwar wiederum zeitlebens –, daß

---

[29] 56, 392,28; weitere gleichsinnige Stellen aus der Römerbriefvorlesung: 56, 118,7; 170,9 ff.; 171,8 ff.; 173,23; 213,19; 246,16; 375,18; 380,34; 393,5; 402,13 ff.; 425,8; 446 f.,31; 450,13 ff.
[30] Vgl. 18, 633,7 (die in Anm. 19 zitierte Stelle ist der Abschluß dieses Textes); 31 I, 171,15; 39 I, 470,2; 40 III, 154,15; 42, 385,39; 43, 367,35; 44, 300,3 ff.
[31] 31 I, 249,16 ff. Der Text ist zitiert bei Pesch, a. a. O. 222 f., und bei Ebeling, Luther, 273.
[32] 56, 376,31 (vgl. Anm. 22); 18, 633,7 (vgl. Anm. 38).
[33] 3, 330,26; vgl. Bizer, Fides ex auditu, 59–72, zum Befund in den frühen Predigten.

Gericht und Vernichtung Gottes »fremdes Werk« seien, (»opus alienum«), sein »eigentliches Werk« (»opus proprium«) dagegen Liebe und Gnade[34]. Es ist Sache des Glaubens, den Gegensatz, unter dem sich Gottes eigentliches Handeln und seine eigentliche Gesinnung gegenüber dem Menschen verbirgt, zu durchstoßen und hinter dem Gegensatz des äußeren Augenscheins und der inneren Schreckenserfahrung den gnädigen und liebenden Gott zu erkennen. Der Glaube muß »wider Gott zu Gott dringen und rufen[35]«. »Siehe, ein solch groß Ding ists zu Gott zu kommen, daß man durch seinen Zorn, durch Strafe und Ungnade zu ihm breche als durch eitel Dornen, ja durch eitel Spieße und Schwerter[36].« Man muß von Gottes »Richtstuhl« zu Gottes »Gnadenstuhl« »fliehen« und »appellieren«[37]. Ja, Luther kann geradezu sagen, die Verborgenheit Gottes unter dem Gegensatz sei nötig um der Gesundheit des Glaubens willen. »Der andere Grund (des Handelns Gottes unter dem Gegensatz) ist der, daß der Glaube sich auf Tatsachen richtet, die man nicht sieht. Damit aber für den Glauben ein geeigneter Ort da ist, muß alles, was geglaubt wird, verborgen sein. Es wird aber nicht tiefer verborgen als unter dem Gegensatz zum Gegenständlichen, zur Wahrnehmung, zur Erfahrung[38].« Die Berechtigung dazu, die Erfahrung des Zornes Gottes für sein »fremdes Werk« zu halten, gibt Gottes Wort im Evangelium von Jesus Christus. »Denn dadurch, daß er seinen Sohn schickt, sagt er an, daß nicht Zorn sei zwischen mir und ihm und kann mir nicht Feind sein[39].« Dieses Evangelium ermächtigt den Menschen, dem eigenen Gewissen, das Gottes Verdammungsurteil durchaus recht geben muß, weniger zu trauen als Christus[40].

5. Es ist nun an der Zeit, hervorzuheben, daß Luthers »Grundgedanke« von der Verborgenheit Gottes unter dem Gegensatz nicht nur einer biblisch notdürftig legitimierten Lust am Paradox entspringt. Man braucht selbstverständlich nicht zu bestreiten, daß Luther von Anfang an sensibel für die Widerspruchserfahrungen war, die das Leben des Menschen durchziehen, und daß er gesonnen war, sie theologisch durchzustehen. Da treffen denn entsprechende Worte der Schrift in Luthers Geist auf einen besonders guten Resonanzboden. So kann es denn auch kommen, daß gelegentlich ihn der rhetorische Elan zu Formulierungen mitreißt, in denen damals wie heute nicht unbedingt jeder Christ sich wiedererkennen

---

[34] Z. B. 1, 112,24; 356,39; 3, 246,19; 4, 87,24; 331,14; 5, 63f., 37; 503,26; 7, 531,30; 9, 101,37; 42, 356,23.

[35] 19, 223,15.

[36] 19, 224,21.

[37] 36, 366ff., 23. Zu diesem Grundgedanken Luthers vgl. bes. die Arbeiten von A. Peters, zuletzt: Christsein heute im Sinne Luthers.

[38] 18, 633,7; vgl. 56, 376,31 (s. Anm. 22); 392,40 (s. Anm. 29).

[39] 36, 396,14; vgl. 18, 692,20.

[40] 27, 223,3; vgl. 2, 466,15; 19, 222f., 25; 224,21 (s. Anm. 36).

muß. Auch mag es zutreffen, daß das Pathos der Vernichtung im Frühwerk größer ist als später. In späteren Jahren nämlich – und auch hier wirkt sich, mühelos erkennbar, der reformatorische Durchbruch wieder aus – kann Luther geradezu sagen, es sei eine »Einbildung«, sich Gott als zornigen Gott vorzustellen, in Wahrheit sei er die Liebe sebst[41]. Auch verbirgt die Unterscheidung von Gottes »fremdem« und »eigentlichem« Werk noch manches reflexionsbedürftige Problem. Was heißt zum Beispiel, ohne Anthropomorphismus, »Zorn« Gottes? Und was geschieht, wenn der Glaube die Erfahrung des »fremden Werkes« Gottes durchbricht: Ist das nur die Aufhebung eines »falschen« durch das »richtige« Gottesbild? Ist es am Ende der Glaube, der Gott zum liebenden Gott »macht«? Wir können solchen Fragen nicht weiter nachgehen, aber wer etwas von der »Religionskritik« des 19. und 20. Jahrhunderts weiß, der ahnt, welche neuartigen, von Luther nicht vorhergesehenen Fragen seine kühnen Formulierungen einem modernen Leser stellen[42].

Aber zweierlei haben wir hervorzuheben. Das Eine: die heimliche, nein: unheimliche Nähe von Luthers Beschreibungen der Verborgenheit Gottes unter dem Gegensatz zur modernen Erfahrung der »Abwesenheit«, des »Todes« Gottes, der »Gottesfinsternis«. Wer verlernt hat, mit Thomas von Aquin das Böse in der Welt für ein Element der Schönheit der Schöpfung zu halten[43], steht hier schon auf Luthers Ufer. Kein Glaubender kann sich heute der Notwendigkeit entziehen, den Glauben durchzuhalten gegen den totalen Widerspruch der Erfahrung mir der Welt, mit den Menschen, mit sich selbst. Kein Glaubender, der nicht wüßte, daß es ein wirklicher »Durchbruch« ist, dahinter die Liebe Gottes wahrzunehmen. Kein Glaubender heute, der es darum nicht selbstverständlich fände, daß die »Anfechtung« zur Struktur des Glaubensvollzugs gehört, die Anfechtung an der »Ohnmacht Gottes« gegenüber der unheilen Welt, der Bosheit unter den Menschen, der eigenen Unfähigkeit, ein »neuer Mensch« zu werden. Wenn Luthers »Grundgedanke« von der Verborgenheit Gottes im Gegensatz nur dies leistete, mit unerhörter Sprachkraft Jahrhunderte vor unserer Zeit solche Erfahrungen ins Wort zu fassen, er bliebe schon dadurch eine Stimme der christlichen Tradition, die man

[41] Vgl. 17 I, 112,18; 18, 520,28; 389,19; 32, 328,37; 34 I, 299f.,17; 36, 428,8; 40 II, 363,13; 417,11; 42, 356,23. Luthers vielzitierte reformatorische Grundfrage: »Wie kriege ich einen gnädigen Gott?« (entnommen einer Bemerkung in der Predigt über die Taufe vom 1. Februar 1534, 37, 661,20), beantwortet sich denn auch dadurch, daß Luther schon die *Frage* zerschlagen wird: Einen gnädigen Gott muß man nicht »kriegen«, man muß begreifen, daß man ihn immer schon hat, und das ist das Wesen des Glaubens. So mit Recht Gloege, Die Grundfrage der Reformation; vgl. auch Wicks, Man Yearning for Grace.

[42] Vgl. Pesch, a. a. O. 219–222; Ebeling, Luther, 288–291; zum Thema »Luther und Feuerbach« jetzt auch und besonders Bayer, Gegen Gott für den Menschen. Zu Feuerbachs Lutherrezeption (= Umstrittene Freiheit, 97–134).

[43] Vgl. w. o. S. 249 mit Anm. 25.

nicht überhören darf – so wenig wie man das Buch Hiob aus dem Alten Testament entfernen kann.

Das Andere: Wir haben uns nochmals zu erinnern, daß mitten in der Vielfalt der Gründe der eigentliche Grund der Verborgenheit Gottes im Gegensatz im Kreuz Christi liegt – das den Menschen immer Unsinn oder Skandal ist. Nirgendwo hat Gott die Verborgenheit seines Handelns unter der Ohnmacht eindeutiger demonstriert. Wenn wir es nur verstünden, den Gewöhnungseffekt zu durchbrechen, der die gellenden Sätze des Apostels Paulus im ersten Kapitel des ersten Korintherbriefes unserem Gefühl verträglich gemacht hat[44], wie wollten wir dann noch Luther der Übertreibung bezichtigen? Und eben damit sind wir beim nächsten Schritt, den keine Erörterung von Luthers Lehre vom verborgenen Gott unterlassen darf.

3. CHRISTUS, DER »SPIEGEL DES VÄTERLICHEN HERZENS«

»Christus, der uns ist ein Spiegel des väterlichen Herzens« – vor dem Hintergrund des verborgenen Gottes das schönste Wort Luthers über Christus, es steht in seinem Großen Katechismus[45]! An Christus lernen wir, wie Gott wirklich zu den Menschen gesonnen ist, ja an ihm lernen wir eben dies, daß er sein eigentliches Werk unter seinem fremden Werk verbirgt[46]. Unter diesem Gesichtspunkt kommen wir hier auf Luthers Auffassung von Christus zu sprechen.

Im übrigen enthält die Christologie Luthers mehr als nur ein Problem, und eine umfängliche Forschungsliteratur hat sich mit ihr auseinandergesetzt, wenngleich nur selten Luthers Christologie einmal in einer monographischen Untersuchung durchgearbeitet wurde[47]. Nie, es ist fast

---

[44] Die Gewöhnung ist geradezu zur theologischen Tugend erhoben in den Argumenten für die »Angemessenheit« (»Konvenienz«) des Kreuzestodes Jesu in der mittelalterlichen Theologie; vgl. bei Thomas STh, III 46 – am Ende erscheint das Kreuz als die »vernünftigste« Sache von der Welt! Zu den Motiven einer solchen gedanklichen Bemühung wäre viel Positives zu sagen – bedenklich ist sie trotzdem; vgl. Pesch, Der Professor unter den Aposteln, 59f.

[45] BSLK 660,41. Es ist darum eine häßliche Entgleisung, wenn Hacker, Das Ich im Glauben, 55, auch dieses Bild wieder auf Luthers »reflexiven« Glaubensbegriff »zurückbiegt«, denn in einem Spiegel sehe man ja nur – sich selber!

[46] Vgl. w. o. S. 251 mit Anm. 34.

[47] Die wichtigsten älteren Monographien sind Iwand, Rechtfertigungslehre und Christusglaube; und Seeberg, Luthers Theologie II: Christus, Wirklichkeit und Urbild; zur älteren Diskussionslage vgl. Wolf, Die Christusverkündigung bei Luther (= Peregrinatio I, 30–80), 30ff. Anm. 3: ein Forschungsbericht bis einschl. Maurer, Von der Freiheit eines Christenmenschen; vgl. auch Pesch, a. a. O. 139–141. Aus den letzten Jahren haben wir gleich zwei wichtige christologische Monographien zu Luther: Asendorf, Gekreuzigt und Auferstanden; Lienhard, Martin Luthers christologisches Zeugnis. Zur kontroverstheologischen Gesprächslage vgl. Pesch, »Um Christi willen...« und Beer, Der fröhliche Wechsel, 323–453.

überflüssig zu betonen, hat Luther an der wahren Gottessohnschaft Jesu Christi gezweifelt. Er findet die Aussagen der altkirchlichen Christus-Dogmen ausdrücklich in der Heiligen Schrift, wobei er sich vor allem auf die Selbstaussagen Jesu nach Johannes stützt[48]. Er kann sogar die Gottheit Christi sozusagen einfach als Postulat des Heilsglaubens hinstellen: »Wird nun Christo die Gottheit entzogen, so ist keine Hilfe noch Rettung da wider Gottes Zorn und Gericht[49].« Aber eine recht abfällige Bemerkung über die traditionelle Christologie in einer Predigt (über Ex 12) von 1525 zeigt den Gegenakzent, den Luther in der Aufnahme der altkirchlichen Christologie setzt: »Also haben ihn die Sophisten gemalt, wie er Mensch und Gott sei, zählen seine Beine und Arme, mischen seine beiden Naturen wunderlich ineinander, welches denn nur eine sophistische Erkenntnis des Herrn Christi ist, denn Christus ist nicht darum Christus genennet, daß er zwo Naturen hat, was geht mich dasselbige an? Sondern er trägt diesen herrlichen und tröstlichen Namen von dem Amt und Werk, so er auf sich genommen hat, dasselbige gibt ihm den Namen. Daß er von Natur Mensch und Gott ist, das hat er für sich, aber daß er sein Amt dahin gewendet und seine Liebe ausgeschüttet und mein Heiland und Erlöser wird, das geschieht mir zu Trost und zu Gut, es gilt mir darum, daß er sein Volk von Sünden losmachen will[50].« Luther wirft also nicht direkt dem altkirchlichen Dogma, wohl aber der darauf aufbauenden klassischen Christologie vor, sie beschäftige sich mit ihren Spekulationen über die sogenannte Zwei-Naturen-Lehre vorzüglich mit dem, was Christus »für sich« hat, wo doch in Wahrheit Christuserkenntnis darin besteht, sein »Amt« zu verstehen und zu beherzigen.

Übrigens deckt sich das, gelegentlichen Abgrenzungsbemühungen zum Trotz[51], mit dem berühmten Satz von Luthers Kollegen Melanchthon: »Christus erkennen heißt seine Wohltaten erkennen« (»Christum cognoscere [est] beneficia eius cognoscere«)[52]. Das, was in der mittelalterlichen Tradition – jedenfalls im Vordergrund der Argumentation, soweit sie, wie etwa bei Thomas von Aquin, den »Traktat« über die *Person* Christi vom »Traktat« über das *Werk* Cristi didaktisch trennt[53] – das Hauptthema ist, nämlich die Gottmenschheit Christi, bekommt bei Luther die Funktion einer Voraussetzung. Das kommt besonders prägnant heraus in der berühmten Formulierung des Kleinen Katechismus, in der die Gottmenschheit Jesu in Parenthese steht: »Der zweite Artikel

[48] Z. B. 10 I 1, 181,8; 37, 40,1.
[49] 46, 555,6; vgl. 4, 609,27; 50, 590,11; 49, 252,9.
[50] 16, 217,10.
[51] So z. B. und vor allem Jörg Baur; vgl. Pesch, »Um Christi willen...«, 23.
[52] Melanchthon, Loci 1521: ed. Kolde, Leipzig 1925,63; ed. Engelland (M. s Werke II/1), Gütersloh 1952,7; fast gleichlautend Apol IV 101: BSLK 181,14.
[53] Näheres bei Pesch, Theol. der Rechtfertigung, 573–577.

von der Erlösung... Was ist das? Antwort: Ich glaube, daß Jesus Christus, wahrhaftiger Gott vom Vater in Ewigkeit geboren und auch wahrhaftiger Mensch von der Jungfrau Maria geboren, sei mein Herr...[54]« Und nun ohne Zitate, im Blick auf die Diskussion und ihre aktuellen Windungen: Die Konzentration auf das *Amt* Christi führt zum vorzüglichen, wenn nicht ausschließlichen Blick auf Christus als *Gabe* Gottes an die Menschen, führt zum Hauptinteresse an der »absteigenden Linie« der Christologie – die wenigen zitierten Texte zeigen es schon. Die Konzentration auf Christus als *Gabe* führt zu einem relativen Desinteresse an der »aufsteigenden Linie« der Christologie, am *menschlichen* Handeln Jesu *auf Gott hin*. Insofern eignet der Christologie Luthers eine *gewisse* monophysitische Neigung, nicht in bewußter Absicht, aber im Ergebnis. An der Menschheit Christi ist nicht so sehr dies wichtig, daß Gott in ihr eine menschliche Geschichte zu seiner eigenen macht, sondern dies, daß sie die Gottheit im Fleisch verbirgt. Bildkräftigster Beleg ist Luthers Formulierung vom Teufel, der sich an den Menschen Jesus Christus heranmacht und nicht bemerkt, daß er es in ihm mit Gott zu tun hat; ebenso bildkräftig auch Luthers berühmte Metapher vom geköderten Leviathan – geködert durch die Menschheit Jesu[55]. Aller Akzent liegt jedenfalls darauf, daß man nach Luther wenn nötig, ohne Differenzierung, sagen kann: »Christus ist Gott selbst[56].«

Liest man diese christologischen Äußerungen Luthers durch die Brille der innerkirchlichen und zwischenkirchlichen christologischen Diskussionen der Gegenwart und jüngeren Vergangenheit, dann können die Probleme in der Tat riesengroß werden[57]. Für die katholische Seite ist zu erinnern an den Modernismus-Streit und seine Folgen, an die Neuentdeckung der genaueren dogmengeschichtlichen Zusammenhänge und der theologischen Bedeutung der Zwei-Naturen-Lehre des Konzils von Chalkedon (451), an die bis in die 60er Jahre anhaltende Diskussion um das Wissen und Selbstbewußtsein Jesu, an die Veränderungen in der jüngeren katholischen Christologie im Gefolge der historisch-kritischen Methode in der Exegese[58] und, nicht zuletzt, an die Diskussion um die Christologie von Hans Küng; für die evangelische Seite ist die Lage gekennzeichnet durch Stichworte wie Karl Barths Christozentrik, den »Synergismusver-

---

[54] BSLK 511,22.
[55] Stellenmaterial und Interpretation bei Manns, Fides absoluta, 272–277; und bei Beer, 346–351.
[56] 23, 141,23; 50, 642,15; 40 I, 441,31; und schon 56, 204,27; 255,20 ff.
[57] Vgl. den Überblick bei Pesch, »Um Christi willen ...«, 18–30; 46–51. Ausführlichere Überblicke zur gegenwärtigen christologischen Diskussion bei Pfammatter – Furger (Hg.), Zur neueren christologischen Diskussion; Schilson – Kasper, Christologie im Präsens; Wiederkehr, MS, Erg.-Bd., 220–250; ders., Glaube an Erlösung.
[58] Dazu jüngst Schneider, Christologie, exegetisch – dogmatisch.

dacht« gegen die katholische Aneignung der altkirchlichen Christologie, die Diskussion um eine mögliche oder tatsächliche Vereinnahmung Christi für innerweltliche gesellschaftliche Veränderungsprogramme. Von diesen Riesenproblemen können wir hier nicht handeln. Theobald Beer hat sie jüngst in seinem Lutherbuch angerührt und in Luthers Christologie die Wurzel all seiner Irrlehren insbesondere auch in der Rechtfertigungslehre gesehen[59]. Allerdings hat er Luthers christologische Neuorientierung in ihrem historischen Kontext kaum zutreffend beurteilt, und schon gar nicht kann man durch bloßes Zitat der altkirchlichen und mittelalterlichen Formeln für die Probleme der gegenwärtigen Christologie – hüben wie drüben – wirksame Hilfe leisten. In Wahrheit dürfte die Sache, was Luther betrifft, viel einfacher sein und – heimlich, wie immer – viel näher bei unseren *wirklichen* Fragen.

Die »Menschlichkeit« Jesu Christi, seine vollmenschliche Erscheinung und sein unverkürztes menschliches Handeln sind bei Luther über jeden Verdacht einer Unterbelichtung erhaben. Denn nirgendwo anders als *in der* »Menschlichkeit« Jesu zeigt sich der Heilswille Gottes – und allerdings auch, wie beschrieben, die Art seiner Durchführung, nämlich verborgen unter dem Gegensatz. »Wer heilsam über Gott denken oder betrachten will«, schreibt Luther 1519 an seinen Freund Spalatin, »setze alles hintan vor der Menschheit Christi[60].« Von der Menschheit Christi aufsteigend, durch sie hindurchdringend, gelangt der Gläubige zu Christus als Gott, und von da zur Gesinnung und Liebe des Vaters[61]. Nach diesem Grundsatz malt Luther alle Züge der irdischen Geschichte Jesu aus, wovon sich jeder überzeugen kann, der seine Predigten über Texte aus den synoptischen Evangelien liest[62]. Nur eine kleine Kostprobe: »So führen dich die Worte [das ist mein lieber Sohn...] dahin, daß du Gottes Wohlgefallen und sein ganzes Herz in Christo siehst in allen seinen Worten und Werken, und wiederum Christum siehst, im Herzen und Wohlgefallen Gottes, und sind die beide ineinander aufs aller tiefste und höchste[63].«

Die »Menschlichkeit« Jesu ist hier noch sozusagen ganz »vordogmatisch« gedacht, einfach als Konkretheit und Anschaulichkeit Gottes – nicht anders als in einer modernen Christologie, wo diese die Ergebnisse der historisch-kritischen Evangeliumsforschung im Licht der Gottesfrage theologisch interpretiert. Das beschriebene Problem einer möglicher-

---

[59] Vgl. Anm. 55 sowie ders., Die Ausgangspositionen der lutherischen und der katholischen Lehre von der Rechtfertigung.

[60] Br 1, 329,50; vgl. 33, 154 f.,4 (zu Joh 6,47); und schon 4, 648 f., 13; 1, 273 ff.

[61] Vgl. 2, 140,32 ff.; 10 I 2, 297,5; 10 III, 154,18 ff.

[62] Vgl. v. Loewenich, Luther als Ausleger der Synoptiker; auch jetzt Nembach, Predigt des Evangeliums, 25–59; und Lienhard, Luthers Christuszeugnis, 115–145; 274–282.

[63] 20, 229,28; vgl. 10 I 2, 277,29; 10 III, 154,18 ff.

weise latent monophysitischen »Verkürzung« der Menschheit Jesu entsteht nun bei der Frage, ob diese »Menschlichkeit« Jesu im Sinne Luthers eine »Menschlichkeit« auch Gott *gegenüber* ist, ob also, mit anderen Worten, Jesus nicht nur Gott auf die Menschen hin anschaulich macht, sondern auch als »Repräsentant«, als »Stellvertreter« der Menschheit auf Gott hin handelt. Kein Zweifel, daß dies letztere ein unverzichtbarer Kerngedanke gegenwärtigen katholischen Umgangs mit dem altkirchlichen christologischen Dogma ist. Ehe man aber hier dogmatisch »beckmessert«, sollte man folgendes bedenken: Die innerkatholische Besorgnis vor einer heimlichen Verkürzung der Menschheit Jesu ist einerseits aus genau der *umgekehrten Richtung* wie bei Luther, anderseits aus genau *demselben Motiv* entstanden, nämlich die Treue zum kirchlichen Dogma mit der Absage an müßige »Christusmetaphysik« zu verbinden. Man wagte es jahrhundertelang nicht, und der Modernismus-Streit hat angelaufene Bemühungen noch einmal für ein gutes halbes Jahrhundert blockiert, die »Menschlichkeit« Jesu, wie sie in den Evangelien zutage tritt, ernst zu nehmen. Jede Rückfrage an das Dogma mit den Mitteln der Exegese geriet ja sofort unter den Verdacht seiner Infragestellung. Der faktisch einzige Weg zur *Menschlichkeit* Jesu war die *dogmatische* Rückgewinnung der *Menschheit* Jesu im Sinne des korrekt verstandenen Dogmas, mit anderen Worten: durch den Aufweis, daß die katholische »Schulchristologie« sich seit Jahrhunderten – lange vor Luther und nach ihm bis zur Mitte unseres Jahrhunderts – eben jenes latenten Monophysitismus schuldig gemacht hatte, den man Luther vorwarf und vorwirft. Exemplarisch dafür steht der große Beitrag von Karl Rahner über »Chalkedon – Ende oder Anfang?«[64], in dem er dieser Schulchristologie den von da an noch öfter wiederholten Vorwurf macht, daß sie die Menschheit Christi im Grunde nur als »Livrée« seiner Gottheit verstehe[65] – eine überraschende Variante zu Luthers Bild vom »geköderten Leviathan«! Erst die Durchsetzung solcher »Aufwertung« der Menschheit Christi gab nachweislich in der katholischen Theologie die Freiheit zum unbefangenen Umgang mit den Ergebnissen der Exegese über den »historischen Jesus«, einschließlich seines »Selbstbewußtseins«. Dafür zahlte man gern den Preis – besser: achtete dessen nicht –, daß die lutherische Theologie nicht selten diesen Umgang mit dem altkirchlichen Dogma als tiefste Verankerung katholischer »Werkgerechtigkeit« und der

---

[64] Vgl. Rahner, Chalkedon – Ende oder Anfang, in: A. Grillmeier – H. Bacht (Hg.), Das Konzil von Chalkedon. Geschichte und Gegenwart, III: Chalkedon heute, Würzburg 1954 (²1962), 3–49; unter dem Titel: Probleme der Christologie von heute, abgedruckt in: Schriften zur Theologie I, 169–222.
[65] Vgl. Schriften zur Theologie I, 176 Anm 3; IV, 123; 145; 149f. (vgl. 152); V, 204 (vgl. 212; 243); XII, 369 (»Verkleidung«); LThK V, 956; Grundkurs des Glaubens, 217.

(angeblich) unmittelbar daraus folgenden Unerträglichkeiten des katholischen Kirchenverständnisses verbuchte[66].

Im wesentlichen sind diese zuweilen haarspalterischen und geheimwissenschaftlichen Diskussionen heute ausgestanden, zumindest in die Symposien weniger Fachleute verbannt. Es bleiben für das Urteil, wie »katholisch« Luthers Christologie ist, zwei Fragen:
1. Darf man nach all den quälenden Debatten unseres Jahrhunderts über die genaue, der kirchlichen Überlieferung getreue Bestimmung der Gottmenschheit Jesu, in denen sich christologische Rechtgläubigkeit oft am Gebrauch oder Nichtgebrauch eines einzigen Wortes, einer einzigen kurzen Wortfolge zu entscheiden schienen, eine isolierte Christologie, sit venia verbo, satt haben? Darf man die Bemühung um einen »Querschnitt« der Person Christi, wie Piet Schoonenberg dies einmal ironisch nennt, etwas niedriger hängen? Hängt der Christusglaube an einer bestimmten »Christustheorie« oder hängt er am Verständnis des »Amtes« Christi – und an Überlegungen zur Gottmenschheit Jesu nur insoweit, als sie auf Rückfrage unerläßlich sind zum richtigen Verständnis dieses »Amtes«? Ich meine, man darf, wenn es an der Zeit ist und anderes auf dem Spiele steht, der Spekulation geringere Aufmerksamkeit schenken, als es zu anderen Zeiten und unter anderen Denkvoraussetzungen nicht nur erlaubt, sondern auch nötig war[67]. Und es scheint heute an der Zeit, in bezug auf Christus vor allem dies wissen zu müssen, welche Antwort er in Wort, Werk und Person auf die heutige Frage nach Gott gibt[68]. Steht es so, wird es gar allenthalben schon so gehalten, welchen Vorwurf darf man dann Luthers Kritik an der scholastischen Ausgestaltung der Christologie noch machen?
2. Was bleibt von den quälenden Debatten? Gewiß Luthers gutes Wort, von dem wir ausgingen: »Christus, der uns ist ein Spiegel des väterlichen Herzens.« Der große Grundgedanke vom »Amte« Christi, den die Scholastik, im Rückgriff auf die griechischen Kirchenväter, neu übernommen und entfaltet hatte, war der Gedanke von Christus als dem »Werkzeug« (»instrumentum«, »organon«) der Heilsliebe Gottes[69]. Dieser Gedanke faßt nicht nur die Heilsbedeutung Jesu auf allen Ebenen – die Heilsbedeutung seines Wortes, seines Handelns, seines genugtuenden und versöhnenden Leidens, seiner Auferstehung, seiner Herrschaft zur

---

[66] Vgl. vor allem Geißer, Die Interpretation der kirchlichen Lehre vom Gottmenschen bei Karl Rahner SJ, 308–310; 326–329; Maron, Kirche und Rechtfertigung, 46 f.; 252–256; Weitere Hinweise bei Pesch, »Um Christi willen...«, 23, Anm. 14.
[67] Vgl. dazu schon vor Jahren Congar, Christus in der Heilsgeschichte und in unseren dogmatischen Traktaten.
[68] Vgl. dazu jetzt Concilium 18 (1982) Heft 3: Jesus, Gottes Sohn?
[69] Spezialliteratur ist verzeichnet bei Pesch, a. a. O. 31 f., und ders., Theologie der Rechtfertigung, 567–570. Entscheidender Text bei Thomas ist STh III 48,6.

Rechten des Vaters – zusammen, er macht auch einen eindeutigen Zusammenhang klar: Hauptakteur des Heilswerkes ist *Gott*, Christus, der Gottmensch, ist »nur« Werkzeug in der Hand Gottes, nicht weniger, aber auch nicht mehr. Mit diesem Gedanken ist die neutestamentliche Botschaft von der Erscheinung Gottes in Jesus Christus und von seinem lückenlosen Gehorsam unter der Sendung des Vaters in die Form einer metaphysischen Reflexion transponiert. In der gegenwärtigen Christologie ist an die Stelle des Gedankens von Christus als »Werkzeug« in vielen Variationen und von vielen Ansätzen her der Grundgedanke getreten, daß Christus in Wort, Werk und Person (auch und gerade mit Einschluß seiner Auferweckung!) die definitive Antwort auf die Gottesfrage des Menschen ist[70]. Wie auch immer die Sprachregelung im einzelnen aussieht, Christus enthüllt uns das wahre Wesen Gottes – und zwar in der wahrhaften »*Enttäuschung*«, daß Gott uns nicht in seiner Macht, sondern »sub contrario«, in seiner Ohnmacht am Kreuz begegnet, was aber dadurch zur *heilsamen* Enttäuschung wird, daß wir nun endgültig auch die Leiden dieser Welt in der sich selbst entäußernden Liebe Gottes geborgen wissen dürfen. In keinem Fall ist das Wort von Christus ein Glaubensgegenstand *neben* dem Wort von Gott, beide sind als Thema des Glaubens ein und dasselbe Wort, ein und dieselbe Zumutung, ein und dieselbe Anfechtung, ein und dieselbe Befreiung. Steht es so, welchen Vorwurf, noch eimal, könnten wir gegen Luthers Christologie als Entfaltung seiner Kreuzestheologie erheben?

4. »Eitel Gnad und Liebe«

Wir können unseren Einblick in Luthers Anschauung vom verborgenen Gott nicht beschließen ohne einen abschließenden Blick auf den »breiten Schatten«[71], den Luthers Lehre von der göttlichen Vorherbestimmung (»Prädestination«) verdüsternd über alles Bisherige wirft. Zwar ist sie in *dieser* Form beschränkt auf Luthers Schrift »Vom versklavten Willen« von 1525 – weder vorher noch nachher hat Luther diese äußerste Zuspitzung noch einmal vertreten. Anderseits erlaubt uns Luthers eigenes Urteil[72] nicht, eine Aussage aus der Schrift gegen Erasmus, auch wenn sie

---

[70] Am deutlichsten auf evangelischer Seite bei Ebeling, Jesus und Glaube (= Wort und Glaube I, 203–254); ders., Der Aussagezusammenhang des Glaubens an Jesus (= Wort und Glaube III, 246–269); ders., Was heißt: Ich glaube an Jesus Christus? (= a. a. O. 270–308); ders., Dogmatik II, §§ 18–20; 24–27; und schon ders., Das Wesen des christlichen Glaubens. Auf katholischer Seite Kasper, Einführung in den Glauben, bes. 28–70; ders., Jesus der Christus, bes. 191–322; ders., Der Gott Jesu Christi. Diese Namen stehen aber nur stellvertretend für viele; vgl. die in Anm. 57 verzeichneten Überblicke.

[71] Vgl. Althaus, Theol. Luthers 241; Brandenburg, Gericht und Evangelium, 119.

[72] Vgl. w. o. im 10. Kapitel S. 176 f. mit Anm. 5.

allein stehen sollte, zu vernachlässigen oder leicht zu nehmen. Es geht, kurz gesagt, um folgendes[73].

Zeitlebens hat Luther auf den Spuren Augustins und übrigens auch des gesamten Mittelalters eine absolute Vorherbestimmung aller Menschen durch Gott zum Heil oder Unheil vertreten[74]. Darin ist er, wie alle vor ihm und noch viele nach ihm bis in unser Jahrhundert hinein, ein unseliger Erbe Augustins und seines (für ihn unvermeidlichen) Mißverständnisses der paulinischen Lehre im Römerbrief (Röm 9-11). Wenn Luther noch in »De servo arbitrio« erklärt: »Das ist die höchste Stufe des Glaubens, zu glauben, jener sei gütig, der so wenige selig macht, so viele verdammt; zu glauben, er sei gerecht, der durch seinen Willen uns so, daß es nicht anders sein kann, verdammenswert macht, daß es scheint..., er ergötze sich an den Qualen der Unglücklichen und als sei er mehr des Hasses als der Liebe wert[75]«, so wiederholt er damit nur auf seine Weise den kühlen und darum um so mehr schockierenden Satz des Thomas, daß Gott deswegen nur wenige zur ewigen Seligkeit vorherbestimmt, weil seine Barmherzigkeit um so heller in Erscheinung trete, wenn nur wenige das Hochziel des ewigen Lebens erreichen[76]. Im einen wie im anderen Fall ist es nichts als das »schauererregende« Gottesbild des Augustinus, das so zu nennen die Augustinusforschung unserer Tage nicht länger zögert[77]. Erst in unseren Jahren löst sich allmählich der Bann dieser furchtbaren theologischen Verirrung, und zwar nicht nur unter dem Einfluß einer richtigen Exegese von Röm 9-11, sondern auch und vor allem durch den vollkommen neuen systematischen Ansatz, den wir der »Erwählungslehre« Karl Barths verdanken[78].

Insoweit also muß Luther entlastet werden. Er ist auch noch unendlich viel mehr als die unter Denkblockade stehenden mittelalterlichen Theologen auf dem richtigen Weg, wenn er die Frage der Prädestinationslehre nicht nur, wie Augustinus und Thomas, für eine Frage theoretischer Wahrheit oder theoretischen Irrtums über Gott hält: »Frage nicht, wenn du nicht irren willst[79]«, sondern sich eingesteht, daß die Prädestinations-

[73] Haupttexte in »De servo arbitrio«: 18, 683,11-691,39; 705,14-733,21; 786,1-787,15. Zu Geschichte und aktuellem Gesprächsstand in Sachen Prädestinationslehre gibt es zur Zeit nichts Erhellenderes als eine Kombination von Kuss, Der Römerbrief, Dritte Lieferung, 828-935, mit Löhrer, Gottes Gnadenhandeln; vgl. ferner Kraus, Vorherbestimmung – und die Literatur w. o. im 10. Kapitel S. 177 Anm. 6.

[74] Vgl. w. o. im 7. Kapitel S. 121.

[75] 18, 633, 15.

[76] STh I 23,5 ad 3; 7 ad 3; Suppl 99,2 ad 3.

[77] Vgl. B. Altaner – A. Stuiber, Patrologie, Freiburg i. Br. 1978, 442; ähnlich auch Lohse, Epochen der Dogmengeschichte, 132.

[78] Vgl. die Literaturhinweise in Anm. 73; zu Barth besonders Löhrer, a. a. O.

[79] STh I 23,5 ad 3 (Mitte) = Augustinus, Tract in Ioannem 26: PL 35, 1607.

lehre, nimmt man sie ernst, zum Verzweifeln ist[80]. Darum auch in allen Phasen seiner Lehrtätigkeit seine rigorose Anweisung, den Spekulationen über die göttliche Vorherbestimmung ein für allemal abzusagen und sich statt dessen an Christus zu halten, in dem Gott uns seinen Heilswillen enthüllt und damit für jeden, der an ihn glaubt, gewissermaßen geschichtlich das Problem der Prädestination gelöst hat[81]. Dann aber kommt die einmalige Zuspitzung[82]: Offenbar – jedenfalls hält Luther das für ganz selbstverständlich – wird das Christusheil doch nicht an allen Menschen wirksam. Anderseits ist für Luther die auf die absolute Prädestination hinauslaufende Gedankenreihe unumstößlich, keine Einwände machen ihn darin irre, weder der Hinweis auf Gottes Gerechtigkeit noch die behauptete Gefahr für das sittliche Bemühen noch die befürchtete Bedrohung der Glaubwürdigkeit der göttlichen Liebe. Dann aber muß die Tatsache, daß das Christusheil nicht allen zugute kommt, darauf zurückgeführt werden, daß *hinter* dem geoffenbarten Heilswillen, der *allen* Menschen *gilt*, noch ein verborgener Wille Gottes steht, demzufolge *nicht alle* Menschen das gleichwohl *allen* Menschen geltende Angebot der Gnade im Glauben annehmen. Und diesem verborgenen Willen muß demnach die doppelte Prädestination zugewiesen werden. Die verborgene Gnadenwahl Gottes gehört hier also nicht, wie bisher, zum Offenbarungs- und Heilshandeln Gottes, sie bleibt noch *hinter* Gottes Heilshandeln, unbefragbar, in Anerkennung der Majestät Gottes nur anzubeten.

Die Urteile der Forschung über dieses Lehrstück Luthers reichen von bedingungsloser Zustimmung über Versuche einer Abschwächung bis hin zu deutlicher Kritik. Wir können nur denen zustimmen, die an dieser Stelle auch deutliche Kritik an Luther üben, selbst wenn auch sie eine bessere Lösung für Luthers Problem nicht anzubieten haben. Freilich, sie ist auch auf den Spuren Luthers nicht zu finden. Und so muß und darf uns hier als einziges noch einmal interessieren, wie denn unter der Voraussetzung einer solchen Prädestinationslehre Luthers Wort von Gottes Liebe als seinem »eigentlichen Werk« sich durchhält.

Wir haben aufs deutlichste im Auge zu behalten, daß Luther sich auch in seinen finstersten Ausführungen über den verborgen wählenden Willen Gottes in »De servo arbitrio« in keinem Augenblick von der Grundüberzeugung abbringen läßt, daß Gottes eigentliches Wesen, wie es uns durch Christus enthüllt ist, »eitel Gnad und Liebe« ist. Zeitlebens hat er das in ähnlichen Formeln ausgedrückt: »Das heißt Gott sein: Nicht Gutes

[80] Br 4, 589,23 (1528, an Caspar Aquila); 5, 623,5; 18, 689,18; 42, 313,40.
[81] Vgl. 21, 514,31; 43, 460,25.37; 2, 690,18 ff.; zu diesem Zusammenhang vgl. bes. Bandt, Luthers Lehre vom verborgenen Gott, 160–165.
[82] Analyse der Stellen und Literatur bei Pesch, Theol. der Rechtfertigung, 382–393.

annehmen, sondern geben, also Böses mit Gutem vergelten[83].« »Es ist Gottes Ehre, daß er in uns Gutes tut[84].« »Es ist Gottes Natur, daß er alles gibt und zu allem hilft, wenn ich das anerkenne, halte ich ihn für den wahren Gott[85]«. »Denn er ist doch ja ein herzlicher, gnädiger, frommer, gütiger Gott, der immer und immer wohltut und eine Güte über die andere mit Haufen über uns ausschüttet[86].« »Wenn Gott zu malen wäre, soll ichs malen, daß im Abgrund seiner göttlichen Natur nichts anderes ist als ein Feuer und Brunst, die Liebe zu den Leuten genannt wird. Umgekehrt ist Liebe eine solche Sache, wie sie nicht menschlich, englich, sondern göttlich, ja Gott selber ist[87].« »Denn Gott ist derjenige, der seine Güter umsonst allen schenkt, und eben das ist das Lob seiner Gottheit[88].« Oder wie es in dem köstlichen Deutsch-Latein mancher seiner Predigten heißt: »Ibi eitel backofen dilectionis[89].«

Die für Luther unausweichlichen Dunkelheiten der Vorherbestimmungs-lehre sichern als äußerste Grenzlinie, daß diese »eitel Gnad und Liebe« Gottes wirklich *Gottes* Gnade und das heißt *freie* Gnade bleibt. Aber sie sichern doch damit eben nichts anderes als diese *Gnade* Gottes und ihre ungefährdete Verkündigung. »Luther kommt darum gar nicht auf den Gedanken, daß man diese prädestinatianischen Gedanken gegen die Tatsache ausspielen könnte, die sicherzustellen sie sich so leidenschaftlich bemühen[90].« Die Ausführungen in seiner Schrift gegen Erasmus bedeuten in den Augen Luthers nur, daß der Glaube gewissermaßen noch einmal eine neue Anfechtungsstufe überwinden muß, die Anfechtung nämlich, daß Gott auch durch die in Christus verborgene und zugleich offenbare Gnade de facto nicht alle rettet – und womöglich auch mich nicht. Luthers Reaktion auf diesen Gedanken besteht darin, sich gewissermaßen »redu-plikativ« gegen den nicht mehr sicheren Christus *noch einmal* an Christus zu klammern und darin der Gnade Gottes gewiß zu werden.

Und mag man es nun auch für eine etwas gewaltsame Aktualisierung halten: Hat nicht diese »reduplizierte« Anfechtung ihre heimlich-unheimliche moderne Parallele? Andeutungsweise sind wir im Zusam-menhang des Themas »Heilsgewißheit als Gottesgewißheit« schon einmal

[83] 4, 269,25.

[84] 56, 520,20.

[85] 17 I, 233,4.

[86] 31 I, 68,27; vgl. 182,19.

[87] 36, 424,2. Der köstliche deutsch-lateinische Urtext lautet: »Si deus est pingendus, sol ichs malen, quod in abgrund seiner Gottlichen natur nihil aliud est quam ein feur und brunst, quae dicitur lieb zun leuten. Econtra lieb est talis res, ut non humana, angelica, sed Gottlich ja Gott selber«.

[88] 40 I, 224,23.

[89] 36, 425,1; vgl. Z. 13.

[90] Bandt, a. a. O. 142. Dies ist auch das Ergebnis der Untersuchung von Brosché, Luther on Predestination; vgl. bes. 143–209.

darauf gestoßen[91]. Hier stoßen wir wieder darauf. Macht der moderne Christ denn wirklich niemals die Erfahrung, daß ihn auch das »Pochen« auf Christus nicht aus der manchmal aufsteigenden Angst befreit, ob wir nicht doch am Ende allein in dieser Welt sind? Ist die heute viel beschworene »Gottesfinsternis« nicht das Gegenstück zu den »Geheimnissen der Majestät«, von denen Luther spricht? Ist die Kunde von Jesus Christus für uns konkret mehr als die immer neu wiederholte *Einladung,* uns auf die Nachricht von Gott als Grund der Welt und unseres Lebens einzulassen, aber nichts weniger als die Sicherheit, an dieser Einladung nie mehr irre werden zu können[92].

Jedenfalls: Daß uns zeitlebens im Antlitz Jesu Christi die Liebe Gottes aufleuchtet und nicht weniger, dafür vermag niemand von uns seine Hand ins Feuer zu legen. Ob wir also dessen immer gewiß sein werden, daß Gott »eitel Gnad und Liebe ist«, das kann uns niemand und auch wir selbst nicht garantieren. Wir wissen nur eins: *Wenn* es gelingt, dann wissen wir es auf keine andere Weise als Luther im Schrecken seiner prädestinatianischen Gedanken: Weil es Christus gibt, in dessen Ohnmacht am Kreuz Gott seine Macht und sein Wesen offenbart hat, können wir wissen, daß Gott tatsächlich nichts anderes ist als »eitel Gnad und Liebe«.

---

[91] Vgl. w. o. im 7. Kapitel S. 131f.
[92] Vgl. Pesch, Unsicherheit und Glaube.

15. KAPITEL

»VON DIESEM ARTIKEL KANN MAN NICHTS WEICHEN ODER NACHGEBEN«

Die »Rechtfertigungslehre«

Am 2. Juni 1536 beruft Papst Paul III. endlich das immer wieder hinausgezögerte allgemeine Konzil für den 23. Mai 1537 nach Mantua, am 20. April 1537 gibt er die Verlegung auf den 1. November 1537 bekannt, ihr folgt am 8. Oktober 1537 eine zweite Verlegung, Tagungsort soll nun Vicenza sein, es folgen noch drei weitere Verlegungen, zuletzt am 21. Mai 1539 auf unbestimmte Zeit – und in der Tat, erst am 13. Dezember 1545 tritt das Konzil in Trient schließlich zusammen. Man wird sich kaum wundern, daß Luther unter solchen Umständen wenig Vertrauen zum kommenden Konzil hat. Es ist klar erkennbar, daß man es nicht auf eine offene Auseinandersetzung, sondern ausschließlich auf Verurteilung der reformatorischen Lehren abgesehen hat: Weil dies nicht sicher gewährleistet ist, wird immer wieder verschoben, und die vorgesehenen Konzilspräsidenten gehören nach allen Erfahrungen früherer Jahre zu den entschiedenen Gegnern Luthers. 1539 veranlaßt denn auch das Hin und Her um das Konzil Luther zu einer grundsätzlichen Auseinandersetzung mit dem Konzilsgedanken in seiner früher schon[1] erwähnten Schrift »Von den Konziliis und Kirchen«. 1536 aber, in Erwartung des bald zusammentretenden Konzils, erarbeitet Luther vorsorglich – für den Fall einer Einladung der evangelischen Stände oder zumindest zur Klärung der Fronten – eine Zusammenfassung der strittigen reformatorischen Auffassungen, die sogenannten »Schmalkaldischen Artikel«, so genannt nach der Stadt Schmalkalden (südlich von Eisenach), wo sie von den Abgesandten der evangelischen Territorien im Februar 1537 beraten und unterzeichnet wurden – übrigens sogleich mit Blick darauf, daß sie einmal als Bekenntnisschrift neben das »Augsburger Bekenntnis« von 1530 treten könnten.

In dieser Entscheidungssituation schreibt Luther im ersten Artikel des zweiten Teils: »Hier ist der erste und Hauptartikel: 1. Daß Jesus Christus, unser Gott und Herr, sei ›um unserer Sünde willen gestorben und um unserer Gerechtigkeit willen auferweckt‹, Röm 4 (,25) ... Dieweil nun solches muß geglaubt werden und sonst mit keinem Werk, Gesetze noch Verdienst mag erlangt oder (uns) gefaßt werden, so ists klar und gewiß,

---

[1] Vgl. w. o. im 12. Kapitel S. 208 Anm. 7.

264

daß allein solcher Glaube uns gerecht mache, wie Röm 3 (,28) S. Paulus spricht: ›Wir halten, daß der Mensch gerecht werde ohn Werk des Gesetzes durch den Glauben‹ ... Von diesem Artikel kann man nichts weichen oder nachgeben, es falle Himmel und Erden oder was nicht bleiben will ... Und auf diesem Artikel steht alles, was wir wider den Papst, Teufel und Welt lehren und leben. Darum müssen wir des gar gewiß sein und nicht zweifeln. Sonst ist's alles verloren, und behält Papst und Teufel und alles wider uns den Sieg und Recht[2].«

1. Mitte und Grenze

Da ist er also, der »Artikel von der Rechtfertigung«, von dem Luther an anderer Stelle sagt: »Steht dieser Artikel, so steht die Kirche, fällt er, so fällt die Kirche[3].« Und im Jahr der Schmalkaldischen Artikel formuliert Luther in einer Disputation den vielzitierten Satz: »Der Artikel von der Rechtfertigung ist der Meister und Fürst, Herr, Lenker und Richter über alle Arten von Lehre, er bewahrt und beherrscht jegliche kirchliche Lehre und richtet unser Gewissen vor Gott auf. Ohne diesen Artikel ist die Welt durch und durch Tod und Finsternis[4].« Aber kein Jahrzehnt vorher, in seinen Katechismen, kann Luther den Artikel, mit dem alles steht und fällt, anscheinend völlig übergehen. Im Kleinen Katechismus kommt das Wort »Rechtfertigung« nicht vor. Im großen Katechismus erklärt er, nach einer kurzen Anspielung auf den Kontext der Rechtfertigungslehre, nämlich die Frage der »Werkheiligkeit«: »Aber das ist ein wenig zu scharf [= gelehrt], gehört nicht für die jungen Schüler[5].« Und an einer anderen Stelle heißt es, ganz im Tonfall der Rechtfertigungslehre: »Auch steht das ganze Evangelium, so wir predigen, darauf, daß man diesen Artikel wohl fasse, als an dem all unser Heil und Seligkeit liegt und so reich und weit ist, daß wir immer genug daran zu lernen haben[6].« Gemeint ist aber nicht die Rechtfertigungslehre, sondern der »2. Artikel« des Glaubensbekenntnisses, der Artikel von Jesus Christus.

Das weist uns die Spur. Die Rechtfertigungslehre als solche ist in den Augen Luthers eine Sache für Spezialisten. Will man »einfältig«, »für die jungen Schüler« davon reden, dann muß man von den *Inhalten* reden. Aus genau diesem Grund müssen wir sagen: Von der Rechtfertigungs-

---

[2] BSLK 415,6–416,6.

[3] 40 II, 352,3.

[4] 39 I, 205,2. Zur Sache und zum historischen Hintergrund vgl. Pesch, Theol. der Rechtfertigung, 152–159 (154: weitere Luthertexte); ders., Gottes Gnadenhandeln, 839–842; Pesch – Peters, Einführung, 119–130.

[5] BSLK 565,14.

[6] BSLK 653,11.

lehre Luthers – das Wort ist ja gelegentlich gefallen – haben wir bei allen Einzelthemen gehandelt, die in diesem Buch zur Sprache gekommen sind. Der oberste und alles entscheidende Inhalt der Rechtfertigungslehre ist das Wort von Jesus Christus als dem, durch dessen menschliches Leben, Kreuz und Auferweckung Gott uns aus reiner Gnade bedingungslos erlöst und gerecht macht. Es ist daher von der Rechtfertigung die Rede, wenn diesem Grundsachverhalt gemäß bestimmt wird, wie wir unseres Heils gewiß sind, was der Zusammenhang von Wort, Glaube, Sakrament, Werk und Freiheit ist, wie unsere bleibende Widerwilligkeit gegen Gott sich zu unserer Gerechtigkeit vor Gott verhält, was die Kirche ist und zu tun hat, was die Welt vom Christen zu erwarten hat und der Christ von der Welt, wo Gott für uns offenbar wird und wo er verborgen bleibt. Daher kann man ja auch in der evangelischen kontroverstheologischen Literatur auf Schritt und Tritt erleben, daß sich ein Theologe auf »die Rechtfertigungslehre« beruft, inhaltlich aber vom Glauben, von der Weltverantwortung des Christen, von der Kirche, von der Freiheit usw. handelt.

»Rechtfertigungslehre« ist also eine Abkürzungsformel für den Gesamtzusammenhang aller theologischen Aussagen mit dem alles tragenden Christusartikel. Der Rechtfertigungsartikel ist, wie man treffend gesagt hat, die »formelhafte Zusammenfassung evangeliumsgemäßer Christusverkündigung«[7], »formelhaft« deswegen, weil er die Einzelinhalte nicht gleich erkennen läßt, sondern auf den Maßstab verweist, an dem sie zu messen sind. *Nur insoweit* ist der Rechtfertigungsartikel der »Artikel, mit dem die Kirche steht und fällt«. Treffender noch hat man gesagt, er sei »Mitte und Grenze« der Theologie Luthers, ja der Theologie überhaupt[8]. Dies ist deswegen treffender, weil es auf Inhalt (den Christusartikel als Mitte des Glaubensbekenntnisses) und Funktion (die Grenze, jenseits derer, mit Luther zu reden, Finsternis und Tod sind) hinweist und zudem verhindert, die »Rechtfertigungslehre« am Ende als einen Komplex von »Lehrsätzen« mißzuverstehen.

Daß nun gerade »Rechtfertigung« und nicht ein anderes das Abkürzungswort für das Ganze der Christusverkündigung wird, hat seinen einfachen Grund darin, daß es für den Paulusexegeten Luther im Christusartikel immer um die uns erschienene und geschenkte *Gerechtigkeit* vor Gott geht. In diesem Zusammenhang gebraucht schon Paulus das Verb »rechtfertigen« und das Verbalsubstantiv »Rechtfertigung« (»dikaioun, dikaiōsis«). Im übrigen sind die Texte Luthers, in denen er ausdrücklich die

---

[7] Wolf, Die Rechtfertigungslehre als Mitte und Grenze reformatorischer Theologie (= Peregrinatio II, 11–21), 15.

[8] Wolf, ebd.; vgl. jetzt auch den ganz auf dieser Linie liegenden Aufsatz von Brecht, Der rechtfertigende Glaube an das Evangelium von Jesus Christus als Mitte von Luthers Theologie; und schon ders., Iustitia Christi.

genannten Zusammenhänge im Begriff »Rechtfertigung« zusammen-
drängt und also so etwas wie eine »Rechtfertigungs*lehre*« entwickelt – an
der zitierten Stelle der Schmalkaldischen Artikel kommt das Wort
»Rechtfertigung« nicht vor! –, hauptsächlich späteren Datums, vornehmlich aus den 30er Jahren[9].

2. DIE »THEORIE«

Nun kann es geschehen und ist geschehen, daß der »formelhafte Abkür-
zungsbegriff« selber zum Kristallisationspunkt einer »Theorie« wird,
zum Gegenstand einer »Lehre«. Man fragt dann, zugespitzt gesagt, nicht
so sehr, was denn mit dem Begriff »Rechtfertigung« zusammenfassend
gesagt sein will, sondern was der Begriff »Rechtfertigung« selber bedeutet. Dann kann man sich z.B. darauf besinnen und auf seine Konsequenzen befragen, daß der griechische Begriff, insofern er einen hebräischen
übersetzt, »gerecht*sprechen*« heißt, der lateinische Begriff (»iustificare«)
aber »gerecht*machen*«. Außerdem kann man entdecken, daß der frühneu-
hochdeutsche Begriff »rechtfertigen« ursprünglich »hinrichten« heißt:
Der Scharfrichter »rechtfertigt« den Übeltäter, indem er ihm nach
Verdienst sein »Recht« zuteil werden läßt. Verbindet sich nun der
lateinische Begriff der »Gerechtmachung« mit ganz bestimmten Vorstellungen von der (angeblich) verdinglichten Gnadenlehre des Mittelalters,
und bezieht man die Assoziation von Gericht und Hinrichtung in den
griechischen und frühneuhochdeutschen Sprachgebrauch ein, dann entsteht die klassische Problemstellung, ob »die Rechtfertigung« nun »foren-
sisch«, also nach dem Modell eines Gerichtsverfahrens (das mit gnädigem
Freispruch endet) zu verstehen sei, oder »effektiv«, also als »ontische«,
»seinshafte« Neuschaffung des Menschen. Es ist klar, welches Verständnis dann auf welche Seite gehört, und schon kann man den Konfessionsgegensatz an der Frage nach »forensischer« und »effektiver« Rechtfertigung
durchbuchstabieren[10].

Desgleichen kann man sich fragen, wie sich »die Rechtfertigung« zur
»Heiligung«, zum wirklichen Neuwerden des Menschen und zum Fortschritt auch in »effektiver« Gerechtigkeit verhält. Versteht man mit der
Tradition Rechtfertigung als »Gerechtmachung«, dann braucht man
zwischen Rechtfertigung und Heiligung nicht zu unterscheiden, Rechtfertigung *ist* Heiligung oder doch zumindest ihre seinshafte Wurzel. Ist

---

[9] Vgl. Ebeling, RGG IV, 513 f. und die Texte in Anm. 3 und 4.
[10] Es ist bezeichnend, wie es daraufhin für einen lutherischen Theologen naheliegend
werden kann, das 8. Gebot mit der Rechtfertigungslehre zu verbinden: als Erhellung der
»Prozeßsituation« des menschlichen Lebens; vgl. Ebeling, Die Zehn Gebote, 173–190.

»die Rechtfertigung« dagegen ein »Gerichtsakt«, der gnädige Freispruch Gottes, der ganz auf seiner Seite und »außerhalb des Menschen« verbleibt, dann kann die Heiligung nur ihre Wirkung und Folge sein. Und wiederum kann man an diesem begrifflichen Gegensatz den Konfessionsgegensatz ausfechten.

Oder man kann sich auf die von Luther im Zusammenhang des Rechtfertigungsthemas gern verwendete Unterscheidung »coram Deo – coram hominibus«, »vor Gott – vor den Menschen« besinnen und dahinter ein bestimmtes neues Menschenbild, ja ein neues Wirklichkeitsverständnis überhaupt bloßlegen: Die Existenz des Menschen ist dadurch bestimmt, daß sie in einer »coram«-Situation sich abspielt, im Gegenüber zu Gott und zur Welt. Entschwindet das tiefe Wissen darum, dann verfehlt menschliche Existenz sich selbst und macht sich zum Ding unter Dingen. Das Wirklichkeitsverständnis der Rechtfertigungslehre besagt, daß »Wirklichkeit« »in Beziehung stehen« heißt – womit dann der deutlichste Trennungsstrich zur Tradition der griechischen und mittelalterlichen Metaphysik gezogen wäre, die »Wirklichkeit« maßstäblich vom Substanz-Sein her dachte[11]. Keine Frage, daß damit wiederum die Tiefendimension des Konfessionsgegensatzes analysiert sein soll.

Zu all solchen Diskussionen hat Luther höchstens Stichworte und Impulse geliefert, aber keinen Beitrag geleistet. Ganz untechnisch verwendet er gelegentlich Bilder und Begriffe aus dem Gerichtswesen. Anderseits kann er durchaus nicht nur das Wort »gerechtsprechen«, sondern auch das Wort »gerecht machen« gebrauchen. Kurzum: Eine Diskussion um »forensische« und »effektive« Rechtfertigung wird in Luthers Schriften nicht geführt[12]. Gleiches gilt für »Rechtfertigung« und »Heiligung«: Der statistische Fund zu diesen beiden Worten bei Luther läßt keinerlei Absicht erkennen, eine präzisierte technische Sprachregelung aufzubauen[13]. Häufig verwendet Luther in der Tat Formulierungen mit »coram«, »vor«, wörtlich: »im Angesicht von«. Aber nur nach der – völlig legitimen! – Methode, das »im Gesagten Ungesagte« zu ermitteln, kann man aus diesen Formulierungen eine Theorie des Wirklichkeitsverständnisses destillieren. Das Ergebnis mag vollkommen richtig sein – es kommt bei dieser Hinterfragungsmethode in der Tat sehr Erhellendes über Luther heraus, vor allem im Vergleich nach rückwärts und vorwärts –, nur: Luther hat darüber höchstens ansatzweise philosophiert, und die abendländische Kircheneinheit ist nicht an einem Streit um das Wirklichkeitsverständnis, sondern am Streit um die richtige Form und, vor allem, die richtige Praxis der Christusverkündigung zerbrochen.

[11] Dies besonders in den Arbeiten von Ebeling; vgl. Luther, 220–225; 236; 256; sowie seine Äußerungen zu Luthers Zwei-Reiche-Lehre (w. o. S. 229 Anm. 3).
[12] Vgl. Stellen und Literatur bei Pesch, Theol. der Rechtfertigung, 175–187.
[13] Vgl. Pesch, a. a. O. 287f.

Wer aus den vorstehenden Überlegungen einen leisen ironischen Unterton heraushört, erliegt *nicht völlig* einer akustischen Täuschung. Die geschilderten Diskussionen, denen alle Anstrengung des Begriffs bescheinigt werden muß, haben dazu beigetragen, die Eigenart der Theologie Luthers gleichsam mit Punktlichtlampen auszuleuchten. Aber: sie können auch ausufern. Auch evangelische Lutherforscher sprechen zuweilen von einer »Geheimwissenschaft«, die außer wenigen Experten kein Mensch mehr versteht[14]. Die nüchterne Feststellung ist unumgänglich: Diese *Theorie der Rechtfertigungslehre* kann nie und nimmer der Artikel sein, mit dem die Kirche steht und fällt. Kein katholischer Theologe, zu schweigen von einem kirchlichen Amtsträger, kann sich im Gewissen einfordern lassen von einer Position, bei der am Ende die Gerechtigkeit vor Gott nicht »durch den Glauben allein«, sondern »allein durch eine bestimmte Rechtfertigungslehre«, oder gar »allein durch eine bestimmte Lutherinterpretation« kommt. So warnt denn auch Karl Rahner – und er nicht allein – schon seit Jahren, den Konfessionsgegensatz nicht in solche Subtilitäten hinein vorzutreiben, daß ein einfacher Kirchenchrist hüben wie drüben am Ende unmöglich noch verstehen kann, warum er unter gar keinen Umständen evangelisch bzw. unter gar keinen Unständen katholisch sein könne. Wenn vielmehr solche Subtilitäten noch der *einzige* Grund der Kirchentrennung seien, dann gebe es einen gerechten Grund für getrenntes Kirchentum eben nicht mehr[15]. Evangelische Stimmen von gleicher nüchterner Entschiedenheit vernimmt man leider selten[16]. Dabei haben doch die Theologen *beider* Kirchen ihre geschichtlichen Erfahrungen, wie Interpretationsmodelle sich gegenüber ihrer ursprünglichen Sache verselbständigen können – die Katholiken müssen nur an das Mittelalter, die evangelischen Theologen an die sogenannte »lutherische Orthodoxie« denken, und beide an bestimmte Vorgänge in den Kontroversen des 4. bis 6. Jahrhunderts.

Von einem bestimmten Punkt an hilft dann nur noch der entschiedene Neuanfang beim Ursprung der Sache, der Weg hinter alle interpretierenden Theorien zurück. Diese »Sache« aber ist die reformatorische Christusverkündigung in den Zusammenhängen und Ausfaltungen, wie sie

---

[14] Wolf, a. a. O. 12; vgl. Hermann, Gesammelte Studien, 379: »Theologengezänk«.

[15] Vgl. Rahner, Schriften zur Theologie IV, 240–247 (zu Küngs Buch über die Rechtfertigungslehre Karl Barths). Im gleichen Sinne ders., Schriften zur Theologie VI, 537; IX, 65–70; X, 493–502; 514–518; XII, 547–567; 398–403.

[16] Z. B. Meissinger, Der katholische Luther, 101–103 (vgl. w. o. im 9. Kapitel S. 168); v. Loewenich, Der moderne Katholizismus, 25; 26 f.; 28. Gleichsinnige Äußerungen (»Wortkampf«) belegt Pfnür, Einig in der Rechtfertigungslehre?, schon für die Diskussion des 16. Jahrhunderts (vgl. die Stellen w. o. im 9. Kapitel Anm. 38 und 51). Weitere Stimmen vgl. in den w. o. im 1. Kapitel S. 18 Anm. 16 verzeichneten Berichten zur Entwicklung des katholischen Lutherbildes.

exemplarisch in diesem Buche erörtert wurden. Ist *darüber* Konsens zu erzielen, dann ist »die Rechtfertigungslehre« nicht mehr *kirchentrennend* – die *Theologen* dürfen und sollen gleichwohl um die jeweils beste Theorie- und Sprachgestalt ringen. Katholische Theologie und am besten auch die Kirche durch ihr Amt sollten dann freilich nicht zögern, anzuerkennen, daß die »Rechtfertigungslehre« als »formelhafte Zusammenfassung der Christusverkündigung« tatsächlich der »Artikel« ist, »mit dem die Kirche steht und fällt«[17].

3. BLEIBENDE BEDEUTUNG

Nach solchen Überlegungen wird die These nicht überraschen: Diejenigen lutherischen Theologen verantworten *heute* die reformatorische Rechtfertigungslehre am besten, die es verstehen, sie ohne die Begriffs- und Sprachgestalt des 16. Jahrhunderts, vor allem aber jenseits der geschilderten Anschlußdiskussionen auszudrücken. Es bleibt die Frage nach der bleibenden Bedeutung eben dieser ursprünglichen Begriffs- und Sprachgestalt.

1. Wenn »übersetzt« werden muß, damit die eine und selbe alte »Sache« »sachgemäß« zur Sprache komme, dann bedarf es einer Kontrolle, ob richtig übersetzt wurde. Dafür ist die ursprüngliche reformatorische Sprachform unentbehrlich – so wie ja auch der ursprüngliche Paulus unentbehrlich ist, wenn es zu prüfen gilt, ob paulinische Theologie in neuer Aussageform heute unverkürzt und unabgeschwächt zur Sprache gebracht wird. In diesem Sinne ist die ursprüngliche Form der reformatorischen Rechtfertigungslehre gleichsam die Wasserwaage, mit der sich messen lassen muß, was heute als aktuelle Weitergabe des reformatorischen Erbes ausgegeben wird. Darauf muß gerade der bestehen, der aus Gründen der Überwindung der Kirchenspaltung das Gespräch mit Luther sucht.

2. Über die Kontrollfunktion hinaus hält gerade der *Begriff* »Rechtfertigung« seinem Wortsinn und seiner ganzen Geschichte nach besser als alle denkbaren Alternativbegriffe im Bewußtsein, daß die Zuwendung Gottes zum Menschen immer zuerst und zuletzt auf die *Sünde* bezogen ist und bleibt. Die Rechtfertigung des Sünders im reformatorischen Verständnis ist keine »billige Gnade« (Dietrich Bonhoeffer). Sie ist vielmehr immer verbunden mit dem »Gericht«. Luthers Theologie kann zu allerletzt für einen »christlichen Glauben« als Kronzeugen angerufen werden, der die radikale und selbstverschuldete Verlorenheit des Menschen vor Gott

---

[17] Vgl. Pesch, Gerechtfertigt aus Glauben, 13–55, bes. 42 ff.; 143 f.; ferner H. Meyer, La doctrine de la justification.

nicht wahrhaben will oder nach einem Gott sucht, dem Gnade, Vergeben, Sinnstiftung, Vollendung zugunsten des Menschen zum »Handwerk« geworden wäre. Wer mit offenen Augen unsere Welt anschaut, wird kaum sagen wollen, daß in dieser Hinsicht die Stunde der »Rechtfertigungslehre« abgelaufen sei. Wer einfach erklärt, sie sei uns »fremd« geworden, muß sich fragen, wie er das meint – und ob er sich nicht am Ende hinter einer Schutzbehauptung verschanzt.

An genau dieser Stelle wird denn auch der Theologe, der soviel von der »Neuzeit« vorausgeahnt und vorweggenommen hat, zum entschiedenen Gegner der Neuzeit. »Das Neuzeitliche an Luther«, schreibt Gerhard Ebeling am Ende einer bohrenden Untersuchung über »Luther und der Anbruch der Neuzeit«, »erweist sich hier (an der Frage nach der Sünde) gerade an der Fähigkeit, in die Auseinandersetzung um die Neuzeit einzutreten. Losgelöst vom Sündenverständnis verliert die Beziehung Luthers zur Neuzeit ihren spezifischen Charakter, ob man nun das Neuzeitliche bei Luther in der Idee der Personalität oder in der Idee der Freiheit begründet. Ohne das rechte Verständnis von Sünde versinkt die Theologie überhaupt in Moralismus. Darauf lief in der Aufklärung und läuft heute wieder eine schlechte Anpassung an die Neuzeit hinaus. Das bedeutet aber nicht nur Verrat an Luther, sondern auch Verrat an der Neuzeit[18].«

---

[18] Ebeling, Luther und der Anbruch der Neuzeit (= Wort und Glaube III, 29–59), 58 f. Zum Thema »Reformation und Neuzeit« vgl. jetzt Wohlfeil, Bedingungen der Neuzeit; und zur Mühlen, Reformatorische Vernunftkritik, bes. 171–306.

16. KAPITEL

»UNSER GEMEINSAMER LEHRER«?

Gegenwart und Zukunft Martin Luthers

»Auf einer Tagung, die zum Thema ›Die Sendung in die Welt‹ gewählt hat, ist es gut, sich auf einen Mann zu besinnen, dem die Rechtfertigung articulus stantis et cadentis Ecclesiae war. Er mag uns darin gemeinsamer Lehrer sein, daß Gott stets Herr bleiben muß und daß unsere wichtigste menschliche Antwort absolutes Vertrauen und die Anbetung Gottes zu bleiben hat.« Mit diesen Worten beschließt Kardinal Willebrands, der Präsident des »Sekretariates für die Einheit der Christen« an der römischen Kurie, den berühmten Abschnitt über Martin Luther in seiner Rede vor dem Weltkongreß des Lutherischen Weltbundes in Evian bei Genf im September 1970[1].

»Unser gemeinsamer Lehrer« – wenn man das beim Wort nehmen dürfte, so wäre es geradezu die kirchenamtliche Anerkennung der These, die wir in diesem Buch zu begründen versuchten. Immerhin ist »gemeinsamer Lehrer« faktisch dasselbe wie »allgemeiner Lehrer« (»doctor communis«), und das ist seit langem der innerkirchliche Ehrentitel für keinen Geringeren als Thomas von Aquin! Aber selbst wenn das Wort des Kardinals nicht in solch uneingeschränktem Sinne zu verstehen wäre – und dafür spricht einiges, besonders im Zusammenhang des ganzen Abschnitts –, so wäre das Wort vom »gemeinsamen Lehrer« immer noch eine treffende und zusammenfassende Formulierung dessen, was unsere These meint.

»Unser *gemeinsamer* Lehrer«: Luthers Theologie, damals im Endergebnis die Grundlage einer eigenen, sich von der alten lossagenden neuen Kirche, ist heute in Denken und Leben dieser alten Kirche unerwartet gegenwärtig und lebendig, gegebenenfalls lebendiger als in Kirchen, die sich nach Luther nennen, ihn selbst aber als fremd empfinden. Was Luther damals gesagt hat, denken und sagen heute auch katholische Theologen, halten es zumindest für bedenkenswert, und nicht nur Theologen sagen und denken es, auch, was viel wichtiger ist, das »Kirchenvolk« steht mit seinem gläubigen Bewußtsein oft ganz selbstverständlich bei Luther, womöglich selbst dann noch, wenn man, wo er

---

[1] Der Text der Rede ist abgedruckt in: LR 20 (1970) 447–460; Der Lutherabschnitt: 457–459. Der ganze Text des Lutherabschnitts ist zitiert bei Pesch, Ketzerfürst und Kirchenlehrer, 12f.; und in ders., »Ketzerfürst« und »Vater im Glauben«, 134–136.

direkt genannt wird, auf Distanz geht oder sich gar ablehnend verhält. Es kostete keine große Mühe, »Testfragen« auszuarbeiten, die, einfachen Katholiken vorgelegt, das sofort an den Tag brächten.

Unser gemeinsamer Lehrer: Luther hat nicht nur damals gesagt, was man heute auch in der katholischen Kirche kaum noch als bedenklich empfindet, er hat Erfahrungen mit dem Glauben und mit gläubiger Existenz vorweggenommen und ausgesprochen, wie sie in der kirchlichen Tradition vor Luther noch nicht gegeben waren, uns aber aus allen Richtungen heutiger Begegnung mit der Weltwirklichkeit aufgenötigt sind. Man weiß, vor allem auf katholischer Seite, durchschnittlich nicht um diese Vorausformulierungen unserer Erfahrungen durch Luther, und so ist seine Gegenwart oft eine solche unter anderen Namen. *Wenn* man es aber zur Kenntnis nimmt, dann können wir nicht gleichzeitig von Luther verlangen, daß er in keinem Punkte über die Tradition hätte hinausgehen dürfen. Wenn *wir* heute ohne Bruch mit der Kirche so denken und empfinden dürfen, wie wir es tun, dann können wir Luther nicht zum Vorwurf machen, daß er damals, zumindest im Ansatz, schon so dachte, auch wenn die Mehrheit *seiner* Zeitgenossen sich das damals nicht zu eigen zu machen vermochte.

Blicken wir also zurück auf das, was »unser gemeinsamer Lehrer« uns hat klar machen können und worin wir uns auch bei zukünftigen neuen Erfahrungen, die unser Glaube zu bewältigen hat, auf ihn berufen können. Es ist zu diesem Zwecke gut, sich zunächst noch einmal die These zu vergegenwärtigen, die unsere Überlegungen im Blick hatte[2].

1. »Unsere gemeinsame Lehre«

Luther ist auf völlig unbedenklichen und auch faktisch nicht angefochtenen Wegen solidester theologischer Arbeit, deren Schwerpunkte Paulus, Augustinus und die deutsche Mystik waren, in den Konflikt mit der Kirche geraten. Dieser betrifft freilich im Zusammenhang des Ablaßstreites die alles beherrschende Einsicht, die er an Paulus, Augustinus und der deutschen Mystik gewonnen hat, nämlich daß Gottes Gnade gegenüber dem Sünder keine Bedingungen kennt und daher auch keine Einschränkungen durch Menschen zuläßt: »Ohne Zutun des Papstes« bewirken die »Verdienste Christi« allzeit die Gnade des inneren Menschen[3]. Die Erkenntnis, daß diese Konfliktsituation aus *theologischen* Gründen – weil man nämlich dabei den größten Glaubenszeugen der Kirche frontal

[2] Vgl. w. o. im 2. Kapitel S. 44 f.
[3] Vgl. w. o. im 6. Kapitel S. 107.

widersprechen müßte – nicht zugunsten einer bedingungslosen Unterwerfung unter die theologisch ohnehin höchst unzureichend reflektierte kirchliche, d. h. von der römischen Kurie gestützte Praxis zu entscheiden ist, bedeutet den »reformatorischen Durchbruch«, insofern er ein punktuelles Erlebnis errungener theologischer Klarheit ist. Er ist freilich nicht nur das, sondern schließt unmittelbar theologische Inhalte und Konsequenzen ein, die in der Folgezeit in einem nicht immer geradlinigen Klärungsprozeß entfaltet werden.

Kern dieses Klärungsprozesses ist die Einsicht, daß der Mensch sich in der Frage nach seinem Heil in letzter Instanz ausschließlich auf das »Evangelium« der vergebenden Gemeinschaftszusage Gottes verlassen kann, das zwar nur *in* der Kirche und durch ihre Verkündigung, die auch »unter dem Papsttum« nie verstummt ist, zu hören ist, aber dadurch weder zum Wort der *Kirche* wird, noch in seiner uneingeschränkten Geltung durch die Kirche verstellt werden darf. Christ ist ein Mensch nicht, indem er in der Kirche mittut, sondern dadurch, daß er sich von der Kirche auf das Evangelium hinweisen läßt und ihm allein sich ausliefert. Wie sehr dies heute »gemeinsame Lehre« in der Christenheit, jedenfalls in der westlichen, ist, zeigt sich, wenn man gerade eine Reihe von »wehtuenden« Themen und Thesen Luthers untersucht, und zugleich zeigt sich dabei noch einmal, wie sehr unsere »gemeinsamen« Erfahrungen – *in* der Kirche! – noch einmal Luther überschreiten, obwohl sie auf der Fluchtlinie dessen liegen, was er »vorausformuliert« hat.

Niemand kann heute noch sagen, daß Luthers Lehre von der »Heilsgewißheit« die Vorwürfe verdient, die man ihr im 16. Jahrhundert gemacht hat. Läßt man sich nämlich auf Luthers Glaubensverständnis ein, das inzwischen, glücklicherweise sogar aus ganz anderen Impulsen, auch in der katholischen Kirche selbstverständlich geworden ist, so ist es unmöglich, Glaubensvollzug und Heils*un*gewißheit zusammenzudenken, weil eines das andere aufhebt. Zugleich aber stellt sich dem heutigen Christen die Frage nach Heilsgewißheit in Gestalt der radikalen Frage nach Gottesgewißheit – eine Frage, die konfessionsspezifisch schlechterdings weder zu stellen noch gar zu beantworten ist, jedoch, wenn beantwortet, im Vorgang der Beantwortung selbst Gewißheit des Heils schafft und Heils*un*gewißheit ihrer Natur nach ausschließt.

Von daher ist klar, daß die Sakramentsgottesdienste der Kirche nie und nimmer ein Weg zum Heil am Glauben vorbei sein können, sondern nur eine besonders geartete und gezielte Weise seines Vollzugs. Es kann also auch im Sakrament um nichts anderes gehen als um das Wort des Evangeliums, auf das der Glaube sich verläßt. Dieses Wort ist hier verbunden mit einer zeichenhaften Handlung mit sinnfälligen Elementen, die aber nicht die subjektive Fantasie oder das subjektive Bedürfnis des Glaubenden erfindet, sondern Stiftung Christi ist und darum denselben

Gehorsam fordert wie das Wort selbst, das die Handlung beherrscht. Heute, nach Überwindung aller halbmagischen Vorstellungen auf katholischer, aller rationalistischen Verflachungen auf evangelischer Seite, entdecken katholische und lutherische Theologie zusammen das Sakrament neu in der größeren Dimension des gemeinschaftsstiftenden Symbols, der Feier des Glaubens, des Festes der Erlösten – und überwinden dadurch auch noch die einseitige Konzentration auf den einzelnen Empfänger des Sakramentes, zu der Luther unter dem Überdruck der kirchlichen Situation seiner Zeit gezwungen war.

Als eine immer schon überflüssige und heute ausgestandene Kontroverse darf der Streit um die »Notwendigkeit« der guten Werke gelten: Sie sind nicht die geforderte »Vorleistung« für die Gnade Gottes, aber sie sind so notwendig, wie der gute Baum notwendig gute Früchte trägt. Nur – das allerdings – im Blick auf die heute ins Ungemessene gewachsenen ethischen Probleme und auf die um des Glaubens willen weltweite Verantwortung der Christen enthält Luthers Verhältnisbestimmung von Glaube und Liebe eine bleibende Warnung ebenso wie eine bleibende Forderung. Gut sind die Werke, sofern sie dem Nächsten wirklich nutzen – also kann die Liebe, die aus dem Glauben fließt, angesichts der heutigen weltweiten Verflechtung menschlicher Not nicht davon absehen, den Bereich des Privaten zu überschreiten und weltweite Hilfe regelrecht zu organisieren, einschließlich des sachgemäßen Kampfes um Änderung ungerechter politischer und gesellschaftlicher Strukturen. Weil aber nur der Glaube der Täter solcher Liebe ist, kann ihr Engagement auch unter dem rigorosesten ethischen Anspruch den Glauben nicht ersetzen, ohne früher oder später entweder in der Resignation oder in der Flucht in die Gewalt zu enden.

Die »Freiheit eines Christenmenschen« ist zum elektrisierenden Inbegriff des ganzen christlichen Glaubens geworden. Dieser ist aber nur dann vor schnell drohendem Mißbrauch geschützt, wenn die Christenheit die bleibende Warnung von Luthers dunkler Lehre von der Unfreiheit des versklavten Willens nicht überhört. Wenn wir also als Glaubende stets deutlich wissen, daß wir Freiheit und Fähigkeit zum Handeln allein Gott verdanken; und wenn ebenso klar bleibt, daß die Einbildung einer Freiheit Gott *gegenüber*, zu Ende gedacht, zum Atheisten macht, weil das Wesen des Glaubens darin besteht, sich Freiheit *schenken* zu lassen.

Die schwer zu verstehende Formel Luthers, der Christ sei »gerecht und Sünder zugleich«, ist die selbstverständlichste Erfahrung jedes sensiblen Christen, wenn er nur versucht, seine eigene Existenz verantwortlich vor Gott in Worte zu fassen. Sie ist, über alles hinaus, was Luther sich vorstellen konnte, die dunkle Erfahrung jedes nachdenkenden Christen von heute, wenn er sich klarmacht, daß Glaube und Unglaube nicht den Unterschied zwischen ihm und »anderen« ausmachen, sondern quer durch ihn hindurchgehen, gewissermaßen den Unterschied zwischen ihm selbst und ihm selbst kennzeichnen.

In der Frage nach der Kirche ist selbstverständlich kein einziges wichtiges Problem gegenstandslos geworden. Aber wer die Entwicklungen in der katholischen Kirche vom 16. Jahrhundert bis heute würdigt, Entwicklungen, die keineswegs *nur* der Weg in immer schärfere antireformatorische Abgrenzung sind, sondern auch ein Weg fortschreitender »Reinigung«, nicht zuletzt unter der heilsamen Herausforderung durch die reformatorische Anfrage, der muß gerechterweise feststellen, daß die Hauptadern von Luthers Theologie der Kirche heute zum Selbstverständnis der katholischen Kirche gehören; daß eine Fülle von damals aktuellen Frontstellungen und Polemiken sich erledigt haben, weil sie ihren konkreten Adressaten verloren haben; daß also, mit einem Wort, die innerkatholische Diskussion offen ist für einen positiven Einbezug von Luthers Gedanken über Wesen, Auftrag und Gestalt der Kirche. Umgekehrt mehrt sich auch die Zahl lutherischer Theologen, die sich der Anfrage bestimmter Gedanken katholischer Ekklesiologie nicht länger entziehen wollen und fragen, ob sie nicht lutherischem Kirchenverständnis und lutherischem Kirchentum zu einer besseren Möglichkeit ihrer selbst zu verhelfen vermögen – vor allem im Bereich bestimmter Fragen des Amtsverständnisses.

Die Lehre von den »zwei Reichen« ist in der von Luther ausgebildeten Form wegen ihrer konkreten Eingebundenheit in die damalige Situation gewiß nicht auf moderne Verhältnisse und ihre Probleme übertragbar. Unbestreitbar aber bietet sie, inzwischen (nach langen Umwegen) auch von der katholischen Kirche de facto rückhaltlos anerkannt, einen unverzichtbaren Schutzwall gegen jede Neigung zu »theokratischen« Gestaltungen des Gemeinwesens, gegen alle Infragestellungen des »liberalen Rechtsstaates«, der klügsten politischen Erfindung der Neuzeit, wie Carl Friedrich von Weizsäcker kürzlich festgestellt hat[4], gegen jede Form eines »christlichen Totalitarismus«, auch eines »gewaltfreien«. Die Kirche, die Verkündigung des Evangeliums ist am freiesten in einer wahren Demokratie – für Luther ein undenkbarer Gedanke, aber auch nicht denkbar geworden *ohne* seine Zwei-Reiche-Lehre.

Die wohl tiefste Vorwegnahme moderner Erfahrungen des angefochtenen Glaubens ist in Luthers Lehre vom »verborgenen Gott« beschlossen. Der Sache nach nichts anderes als Interpretation des Kreuzes im Licht von 1 Kor 1, ist sie zugleich die mehr als deutliche Vorausahnung dessen, was dem Glauben passieren kann, wenn er sich unabgeschwächt dem Widerspruch der Erfahrung mit der Welt und den Menschen, ja mit der Botschaft des Evangeliums von den Wegen Gottes mit den Menschen

---

[4] DIE ZEIT Nr. 13, 26. März 1982, 18.

aussetzt. Bis in die ganz moderne Anfechtung hinein, daß selbst Jesus Christus nicht mehr als die Anschaulichkeit der Liebe des unanschaulichen Gottes erscheint, sondern nur noch als Modell geglückten »Menschseins für andere« überzeugend wirkt, Gott also hinter ihm in der Finsternis seines »Todes« zu verschwinden scheint, hat Luther geahnt in den schärfsten Zuspitzungen seiner Worte über den verborgenen Gott der Prädestination.

Und dies alles (und noch viel mehr) ist die inhaltliche Fülle dessen, was man formelhaft »die Rechtfertigungslehre« Luthers nennt. Man sollte sich nicht über sie und über die Anschlußtheorien streiten, zu denen Luther selbst den geringsten Beitrag geliefert hat. Luther selbst ist sich des Reflexionscharakters der Rechtfertigungslehre bewußt, weiß also, daß sie auf einem höheren Abstraktionsgrad spielt, der nicht jedermanns Sache ist. Sie hat eine unverzichtbare Kontrollfunktion, an dem sich jeder aktuelle »Übersetzungsversuch« messen lassen muß, aber sie selbst ist in diesem formalen Sinne gerade *nicht* der »Artikel, mit dem die Kirche steht und fällt«. Ob daher die Rechtfertigungslehre noch »kirchentrennend« ist oder nicht, entscheidet sich nicht an ihrer theoretischen Lehrgestalt, sondern an den inhaltlichen Einzelfragen, deren wir einige erörtert haben, und jedesmal entscheidet sich an ihnen das Ganze. Was die Rechtfertigungslehre freilich gerade in ihrer eigenen begrifflichen Gestalt, die ihre Leitbegriffe dem Gerichtswesen entnimmt, bleibend in Erinnerung hält und halten *muß*, ist dies, daß jede Suche nach dem Heil unseres Gottes auf einem Irrweg ist, die sich weigert, die Verlorenheit des Menschen vor Gott und seinem Schöpferwillen einzugestehen und statt dessen nach einem »Heilsgott« sucht, dem Verzeihen, Vergeben, Sinnstiftung, Vollendung zugunsten des Menschen zum »Handwerk« geworden wäre. Der christliche Glaube weiß von keiner »billigen Gnade« (Dietrich Bonhoeffer), sondern nur von einer solchen Gnade, die immer mit dem »Gericht« Gottes verbunden ist, moderner formuliert, die *als Gnade* dem Menschen zugleich klarmacht, wie sehr er auf sie angewiesen ist, und wie sehr er zugleich zeitlebens hinter dem zurückbleibt, was sie ihm an veränderndem, ja erlösendem Handeln in der Welt eigentlich möglich macht.

2. »ER SOLL UNS GEMEINSAMER LEHRER SEIN«

Es war schlechterdings nicht zu erwarten, ja nicht einmal zu verlangen, daß Kardinal Willebrands in der eingangs zitierten Rede namens der römisch-katholischen Kirche ohne jede Einschränkung Luther gleichsam rehabilitierte, sein Denken ohne jede Einschränkung auf das Konto der großen und wegweisenden katholischen Tradition umbuchte. Wenn man ganz pedantisch interpretiert, kann man sogar sagen (ich möchte es allerdings *nicht* sagen): Nur in den Punkten, die der Kardinal in seiner Rede genannt hat: Glaube und gute Werke, Gottheit Gottes, Vertrauen und Anbetung, ist Luther unser gemeinsamer Lehrer – das wäre dann nicht mehr als das Eingeständnis einiger Mißverständnisse, aber in keiner Weise auch eine positive Stellungnahme zu den »wehtuenden« Lehren Luthers.

Aber selbst dann noch dürfte uns das Wort vom »gemeinsamen Lehrer« – Peter Manns spricht sogar schon vom »Vater im Glauben«[5] – weitertreiben. Es gäbe dafür in der Kirchengeschichte ein fast notengetreues Vorbild. Im Jahre 529 hat der Bischof Caesarius von Arles, ein gemäßigter Augustinus-Anhänger, im Zusammenhang eines Konfliktes mit seinen antiaugustinischen Mitbischöfen in der Provence eine Liste mit Thesen augustinischen Inhalts an den Papst gesandt und um Bestätigung gebeten. Der Papst bestätigte – aber nur in zusammenfassender Form und unter Hervorhebung einiger Punkte, die im Vergleich zu den ohnehin gemäßigten Thesen noch einmal »milder« formuliert sind[6]. Dieser Vorgang hat den fast schon verurteilten Augustinus und seine Theologie für das Abendland gerettet. Von jetzt an war er kein »Häretiker« mehr, man durfte ihn lesen, *alles* von ihm lesen, auch die Äußerungen, die weit über die Thesen des Caesarius hinausgingen. Und man las sie – wie wir wissen, mit Fernwirkungen bis zu Luther und über ihn hinaus[7].

Dieses kirchengeschichtliche Vorbild ermuntert dazu, es mit Luther als »gemeinsamem Lehrer« ähnlich zu halten. Niemand kann verkennen oder gar übelnehmen, daß Kardinal Willebrands in der herausragenden Situation, in der er zu sprechen hatte, seine Worte wohl abwägen mußte. Das bemerkenswerte Wort vom »gemeinsamen Lehrer« sprengte diese Notwendigkeit offenbar nicht. Dann müssen wir aber nicht weniger mutig sein als der Kardinal und seinem kühnen Wort die Eigendynamik lassen, die es tatsächlich zu entfalten vermag.

Und so mag dieses Buch mit dem einfachen Rat schließen, Luther zu lesen – ein Rat an katholische *und* evangelische Christen. Die gut lesbar gemachten Auswahlausgaben und Textsammlungen[8] – lateinische Texte in deutscher Übersetzung, Lutherdeutsch in moderner Umschrift – machen es möglich, die erste Angst vor dem Riesenwerk des Reformators abzulegen. Vielleicht fängt man mit dem »Kleinen Katechismus« an. Danach sollte man die sogenannten »reformatorischen Hauptschriften« lesen: »Von der Freiheit eines Christenmenschen«, »An den christlichen

[5] Vgl. Manns, Ketzer oder Vater im Glauben?; ders., Das Luther-Jubiläum 1983 als ökumenische Aufgabe, 304 f.; ders., Lortz, Luther und der Papst, 391.

[6] Vgl. Pesch – Peters, Einführung, 34–40.

[7] Vgl. w. o. im 4. Kapitel S. 71–79 und im 14. Kapitel S. 260.

[8] Vgl. das Literaturverzeichnis, 1.

Adel deutscher Nation«, »De captivate babylonica Ecclesiae«. Keine Angst vor scharfer Polemik! Man lese diese als Spiegel damaliger kirchlicher Zustände und als zornigen Ausdruck eines tiefen Leidens an der Kirche! Danach vielleicht die gleichzeitig entstandenen Sermone (»Von Ablaß und Gnade«, »Von den guten Werken«, »Von der Bereitung zum Sterben«, die Sermone über Taufe, Buße und Altarssakrament), und dann die herrlichen Predigtsammlungen aus den frühen 20er Jahren, die sogenannten »Postillen«. Irgendwann danach ist es an der Zeit, auch einmal »Vom versklavten Willen« zu lesen, den Großen Katechismus, die »Schmalkaldischen Artikel« und »Von den Konziliis und Kirchen«. Danach weiß man schon soviel von Luther, daß sich von selbst Interessen entwickeln, nach anderen Schriften Luthers zu greifen, vielleicht angeleitet von der im ersten Kapitel vorgestellten Einführungsliteratur.

Wer diese und andere Schriften Luthers zudem in der erläuterten Weise »vorkonfessionell« und »überkonfessionell« liest, wird lange warten müssen, bis sich ihm einmal der Eindruck aufzwingt: Hier ist die Diskussion zu Ende; hier gibt es nur noch Ja oder Nein; hier ist ein Ja, auch ein nachdenkliches Ja, Verrat an der katholischen Kirche und ihrer Verkündigung des Evangeliums. Er wird lange warten müssen, bis es dahin kommt. Und je nachdenklicher er liest, desto weniger wird er sich wundern, wenn es am Ende vielleicht gar nicht dahin kommt.

»FACHSIMPELEIEN«

[1] Zu S. 20: Randbemerkungen zu einigen neueren Lutherbüchern

Im folgenden möchte ich meine Stellungnahme zu *einigen* der oben
S. 15 ff. erwähnten und kurz vorgestellten neueren Lutherbücher durch
einige Bemerkungen erläutern und vertiefen.

»Die Theologie Martin Luthers« und »Die Ethik Martin Luthers« von
Paul Althaus[1] haben ihren Vorzug in dem umsichtigen, auch die Forschungsprobleme anzeigenden Materialdurchblick. Wohltuend berührt
auch, hier wie in den zahlreichen anderen Arbeiten von Althaus, die
Bereitschaft zu deutlicher Kritik an Luther, wenn bessere Einsicht dazu
zwingt: Es gibt bei Althaus – im Gegensatz zu manchen seiner Kollegen,
vor allem solchen der gleichen Generation – keine apriorische Totalidenti-
fikation mit Luther, und zwar bewußt nicht, wie die Vorworte in den
genannten Werken im Vergleich mit dem Vorwort zu seiner »Christlichen
Wahrheit« ausweisen. Bedauerlich bleibt nur, daß in die beiden Lutherbücher noch gar nichts von dem Wandel des katholischen Lutherbildes
einerseits und des lutherischen Bildes von der katholischen Theologie
anderseits eingeht. Die eingestreuten Urteile über katholische Theologie
im allgemeinen und scholastische Theologie im besonderen sind dieselben
wie in der schon in den 30er Jahren geschriebenen »Christlichen Wahrheit«. Damals war das verzeihlich, weil auch die katholische Theologie
sich, mit wenigen Ausnahmen, noch keine große Mühe gab, selbstkritisch
Verstehensschwierigkeiten zu beseitigen. 1962, in der »Theologie Luthers«, lesen sich solche Urteile als Klischee. Der Grund für solchen
Ausfall liegt wohl darin, daß Althaus ausweislich der Vorworte viel
Material aus älteren Arbeiten in die Monographie übernommen, dabei
aber die alten kontroverstheologischen Urteile nicht ausreichend über-
prüft hat. Das ist um so bedauerlicher, als Althaus, wie ich aus persönlichen Gesprächen mit ihm in seinen letzten Lebensjahren weiß, sich der
veränderten theologischen Diskussionslage wohl bewußt war. So muß
man leider den katholischen, vor allem aber den evangelischen Lesern
empfehlen: Lernt bei Althaus über Luther, aber glaubt ihm nicht, was er
über katholische Tradition und Theologie sagt!

Ähnliches gilt für das Lutherbuch von *Friedrich Gogarten*. Der Verfasser,
der das Erscheinen seines Buches nicht mehr erlebte, bietet die Summe

---

[1] Alle im Folgenden erwähnten Titel s. im Literaturverzeichnis, soweit nicht anders
vermerkt.

seiner jahrzehntelangen Auseinandersetzung mit Luther. Es stört mich hier weniger, daß er dabei in alle Probleme einer systematischen Gesamtdarstellung der Theologie Luthers hineingerät und ihnen erliegt (vgl. w. u. [8]). Es stört mich nicht einmal so sehr, daß Gogartens Ansätze bei der dialektischen Theologie und beim theologischen Existentialismus, aufgrund deren er in Auseinandersetzung mit der liberalen Theologie und dem »Kulturprotestantismus« mit Nachdruck auf Luther zurückgriff, an allen Ecken und Enden auch in seinem Spätwerk durchscheinen und ihn zu einer »selektiven« Lutherrezeption verführen, die gegenüber dem Fortgang der historischen Lutherforschung reichlich sorglos bleibt. Es stört mich, daß Autoren wie er, die durch die Autorität ihres Namens hätten Marksteine setzen und »Todeslinien« ziehen können, sich zu einer Zeit, wo das schon ertragreich möglich gewesen wäre, so wenig, genau genommen: gar nicht um den Wandel des Lutherbildes und die Ergebnisse der neueren Beschäftigung mit Luther in der katholischen Theologie kümmern. Was man aufgrund der Entstehungszeit und, nicht zu vernachlässigen, des Sprachraums, für den sie schreiben, den Büchern von *Gordon Rupp, Philip Watson* und *Lennart Pinomaa* bereitwillig verzeiht, das verzeiht man einem Denker wie Gogarten, der zur Zeit seines Lutherbuches und schon lange vorher ein ernsthaft studierter und ernstgenommener Gesprächspartner und Anreger katholischer Theologie war, nur widerwillig. Im übrigen liegt nun mit dem einschlägigen Buch von *Karl-Heinz zur Mühlen* eine gründliche Auseinandersetzung mit Gogartens Lutherbild vor. Ich halte seine positive wie negative Kritik (vor allem a. a. O. 1–8; 202–282) für zutreffend und habe ihr nichts hinzuzufügen – freilich auch nicht meiner Kritik an zur Mühlens Lutherinterpretation, auf die am Schluß dieser »Fachsimpelei« noch einzugehen ist.

Die Vorbehalte gegenüber Althaus und Gogarten gelten ganz und gar nicht gegenüber *Gerhard Ebeling*. Er ist wie wenige evangelische Lutherforscher unserer Jahre in die Auseinandersetzung mit der katholischen Tradition und der katholischen Theologie der Gegenwart eingetreten, und zwar zugleich aus historischem wie systematisch-theologischem Interesse. Kritik und Vorbehalt können sich hier nur auf die Ergebnisse der Auseinandersetzung richten, nicht auf deren Fehlen. Nun ist in diesem Buch über das Lutherbild bei Gerhard Ebeling und dessen kontroverstheologische Profilierung schon manches Kritische gesagt worden[2], und Kundige werden unschwer bemerken, daß er noch viel häufiger als bevorzugter Diskussionspartner gewissermaßen auf der gegenüberliegenden Seite mit am Schreibtisch gesessen ist. So seien die

---

[2] Vgl. vor allem w. o. S. 25.

Vorbehalte nicht wiederholt, sondern nur durch eine generelle Überlegung ergänzt.

Für den katholischen »Luther-Sympathisanten« haben die Arbeiten Gerhard Ebelings das Tor zu einem geschichtlich wie sachlich fruchtbaren Verständnis der Theologie Luthers aufgestoßen und gewissermaßen sogleich wieder verschlossen. Seine seit seiner Dissertation über »Evangelische Evangelienauslegung« gestellten Fragen nach der Hermeneutik Luthers weiteten sich bald zur hermeneutischen Frage nach Luther, d. h. zu der Grundfrage, wie in Luthers Theologie die neutestamentliche Überlieferung des Evangeliums zur Sprache kommt. Im Sachzusammenhang damit wird für Ebeling die Frage nach dem Existenzverständnis, ja nach dem Wirklichkeitsverständnis überhaupt zur Leitfrage nach der Eigenart der Theologie Luthers ebenso wie des theologischen Denkens vor und nach ihm, und er beantwortet sie anhand des Maßstabes, daß der Mensch im Licht des christlichen Glaubens formal durch das Geschehen von Wort und Glaube zu definieren ist, was inhaltlich bedeutet: durch das Angegangensein von Gesetz und Evangelium.

Der katholische Ebeling-Leser sah sich von diesem Ansatz her mit der Chance beschenkt, in einer aufgeschlossenen Annäherung an Luther endlich über die traditionelle katholische *und* evangelische Unart hinauszukommen, die Frage einer möglichen »Rezipierbarkeit« Luthers gewissermaßen quantifizierend zu beantworten, indem er im Ganzen und im Detail jeweils nach der mehr oder weniger großen Nähe zur katholischen Lehre fragte und folglich auf mehr oder weniger tiefen Konsens oder Dissens erkannte. Durfte man nicht, von Ebeling belehrt, davon ausgehen, daß das Wort Gottes, dem der Glaube antwortet, daß »Gesetz und das Evangelium« dazu bestimmt sind, ihre Macht in *jedem* vorgefundenen Existenz- und Wirklichkeitsverständnis zu entfalten und selbstverständlich auch kritische Scheidung der Geister zu bewirken? Muß es nicht gerade so sein, wenn einerseits das vorgegebene Existenz- und Wirklichkeitsverständnis nicht nach Belieben zur Wahl steht und anderseits das Evangelium von seinem Wesen her niemals auf bestimmte mitgebrachte Voraussetzungen angewiesen ist? Ist ein solcher Grundgedanke nicht um so naheliegender, als ja schon die neutestamentliche Überlieferung des Evangeliums ihrerseits das Ergebnis eines hermeneutischen Transformationsprozesses vom hebräischen in das griechische Denken ist? So denkend, dürfte ein katholischer Lutherinterpret die Chance wahrnehmen, die katholische Tradition vor wie nach Luther als den weitergehenden »hermeneutischen Prozeß« zu verstehen oder, »katholischer« ausgedrückt: als das unabschließbare Geschehen der »Inkarnation« des Wortes der Heilsbotschaft im Fleisch der menschlichen Geistesgeschichte. Eben darin hätte dann auch Luther als ganz überragende Gestalt seinen Platz und seine unausgeschöpfte Fruchtbarkeit für das christliche Denken.

Und dabei verblieben immer noch genug der Maßstäbe für das Urteil über wahr und falsch, gut und verhängnisvoll, gelungen und mißlungen, denn der stets mitgehende Anfang der neutestamentlichen »Urkunde des Glaubens« (Ebeling) war und ist der Bezugspunkt für die stets fälligen und stets auch gestellten Rück- und Kontrollfragen – auch gegenüber Luther! Es muß also keineswegs zwangsläufig zur Vereinnahmung der Hermeneutik-Diskussion zugunsten eines subtil verfeinerten »Fortschrittmodells« kommen, wie sie jüngst Heinz-Günther Stobbe im Blick auf die katholische Auseinandersetzung mit Hans-Georg Gadamer analysiert und kritisiert hat[3]. Katholiken könnten unbefangen Luther als ein Stück der eigenen, gemeinchristlichen, zumindest westkirchlichen Tradition studieren, ihn kritisch und konstruktiv zugleich in das eigene Denken einbeziehen, das seinerseits wiederum nur ein Augenblick in dem weitergehenden Bemühen sein wird, das Evangelium am Schnittpunkt mit den eigenen epochalen wie persönlichen Verstehensvoraussetzungen richtend und erlösend zur Geltung zu bringen – eine Lutherlektüre, wie auch ich sie in diesem Buch erneut versucht habe.

Aber an genau dieser Stelle verschließt Ebeling das Tor, das er geöffnet hat – jedenfalls für den Katholiken. *Ausschließlich* die Form des christlichen Existenz- und Wirklichkeitsverständnisses, wie Luther sie ausgearbeitet hat, ist die *durch und durch* christliche. Alle großartigen Analysen und Untersuchungen zur hermeneutischen Bezugsetzung zwischen dem Wort der Schrift und dem jeweiligen Wirklichkeits(vor)verständnis in der Tradition, alle Aufarbeitungen der Bezüge zwischen Luther und der Neuzeit dienen bei Ebeling dazu, im Anschluß an eine vornehme und in ihrer Ernsthaftigkeit keinesfalls zu beargwöhnende Würdigung erbrachter gedanklicher und theologischer Leistung doch den nahezu unendlichen Abstand (»äußerste Trennschärfe«) zu Luther zu konstatieren. Um freimütig zu sein: Ich fürchte, hier wird der »theologus crucis« auf unheimlich-subtile Weise zum »theologus gloriae«. Denn was kann von der Kreuzesförmigkeit *allen* theologischen Denkens auf dieser zerbrechlichen Erde und unter diesen schuldhaft wie schicksalhaft beschränkten Menschen noch übrig bleiben, wenn bei einem von ihnen (nach Paulus) eben diese Kreuzesförmigkeit des Denkens so ihre unüberbietbare Gestalt gefunden hat, daß nicht nur die historischen Umstände zu im Grunde einflußlosen äußeren Rahmenbedingungen absinken, sondern auch die Schattenseiten dieses Menschen, soweit sie überhaupt noch wahrgenommen werden, sich in mehr oder weniger liebenswürdige Schwächen verwandeln? Über einen solchen Luther kann man dann natürlich kaum noch diskutieren, man kann ihn nur noch erforschen. Aber welcher

---

[3] Vgl. Heinz-Günther Stobbe, Hermeneutik – ein ökumenisches Problem. Eine Kritik der katholischen Gadamer-Rezeption, Zürich/Gütersloh 1981.

Katholik, der gerade die Bekehrung vom triumphalistischen Thomas-Bild der Neuscholastik zum *wirklichen* Thomas des 13. Jahrhunderts hinter sich hat, wird dazu noch Lust verspüren? So wird er also, wenn er von Gerhard Ebeling nicht lassen will, seine Arbeiten zu Luther gegen die Intention ihres Autors studieren. Ich weiß, das ist das Schlimmste, was man einem Autor und besonders Gerhard Ebeling antun kann. Aber welche andere Möglichkeit bleibt, wenn man einen der faszinierendsten und im sachlichen Ertrag auch lohnendsten Lutherinterpreten der Gegenwart nicht einfach übergehen will?

Nach dieser zusammenfassenden Überlegung, die mir selbst wohl am meisten weh tut, muß nun aber auch das andere gesagt werden: Wenn man, mit allen sattsam bekannten Vorbehalten, die einem solchen Versuch gegenüber immer angebracht sind, der inneren Stringenz und »Systematik« des theologischen Denkens Luthers ansichtig werden will, dann kaum irgendo überzeugender und zwingender als bei Gerhard Ebeling! Gewiß auch kaum irgendwo historisch »rücksichtsloser« – aber diesen Preis wird man, in bar oder in Ratenzahlung – für eine systematische Darstellung der Theologie Luthers immer entrichten müssen. Luther wird bei Ebeling gewiß nicht wenig nach dem Bild und Gleichnis eines modernen Universitäts- und Schreibtischtheologen modelliert. Keine Inkonsequenz, kein Gedankensprung, kein überflüssiger Schritt unterläuft ihm – sozusagen. Aber gerade *so* kann er auch unsere Zeit herausfordern, kann er zu ihrem Kritiker und zu ihrem Ratgeber werden. Der Luther mit seinem ganzen, sozusagen unverdünnten historischen Umfeld dagegen – wird er zuletzt mehr bleiben als ein eindrucksvolles, uns zum Schweigen bringendes Rätsel?

Unter solchen Voraussetzungen wird man auch Ebelings großen Kommentar zur »Disputatio de homine« zu lesen haben, dessen erster Teil soeben erschienen ist. Es wäre respektlos, sich gegenüber dieser gewaltigen Arbeit, die in der Lutherforschung ihresgleichen sucht, durch ein paar »Randbemerkungen« salvieren zu wollen. Ich hoffe auf eine spätere Gelegenheit zu einer gründlichen Stellungnahme.

Gegenüber dem Buch von *Peter Meinhold* wie auch gegenüber seinen anderen einschlägigen Arbeiten kann ich schon deshalb keine weitausholende Kritik äußern, weil er als einer der ersten und lange Zeit auch einer der wenigen die weitergekommene katholische Lutherforschung nicht nur in Form von Titeln und Schmuckzitaten vermerkte, sondern ihre Ergebnisse positiv und übliche evangelische Klischeeurteile korrigierend in seine Darstellung und Würdigung des Reformators einbezog. Demgegenüber ist mir das, was man innerhalb der »Zunft« an Vorbehalten gegenüber der Arbeit Meinholds zu lesen und noch häufiger zu hören bekam, immer einigermaßen gleichgültig gewesen. Sein Buch hat jedenfalls den Stand der katholischen Forschung 1967 sozusagen bis zur letzten Minute eingefangen und verarbeitet.

Sympathisch wirkt bei Meinhold zunächst und vor allem das historische Augenmaß, mit dem er jeder Heroisierung Luthers widersteht und überhaupt die Reformation als den – freilich gegen alle Erwartungen ausgegangenen – Abschluß »der die mittelalterliche Kirche durchziehenden Reformbestrebungen« (183) versteht. Dem entspricht nicht nur, daß Meinhold gleicherweise aufmerksam auf Licht und Schatten in Luthers Gestalt und Wirken achtet, sondern auch und noch mehr, daß für ihn, im Unterschied zu manchen anderen Biographen, Luthers Leben nicht gewissermaßen 1525 zu Ende ist. Im Gegenteil, ihm ist Luthers alltägliche Kleinarbeit in Wittenberg, die nun, nach dem Scheitern aller gesamtkirchlichen Reformhoffnungen, Luthers Wirken im neu entstehenden evangelischen Kirchentum bestimmt, genau so wichtig wie die »heroische« Zeit des frühreformatorischen Aufbruchs 1517 bis 1525. Meinholds Gesamtverständnis der Reformation führt nun allerdings geradlinig in seine Sicht der ökumenischen Bedeutung Luthers. Wenn Luthers Handeln nicht persönlichen, womöglich verdächtigen Beweggründen folgte, nicht einmal einem »mächtigen prophetischen Bewußtsein« (ebd.), er vielmehr als »Organ für die Durchführung einer Bewegung« zu verstehen ist, »die in verschiedenen Ansätzen schon lange vor ihm in der katholischen Kirche des Mittelalters vorhanden gewesen ist« (ebd.), dann gehört sein Werk der Gesamtkirche, über das hinaus, was im 16. Jahrhundert daraus geworden ist, und es hat sein Ziel nicht erreicht, bis es auch für die Gesamtkirche fruchtbar geworden ist.

Was Meinhold dazu am Schluß seines Buches ausführt, kann der katholische Leser nur freudig unterschreiben – und höchstens *einen* leisen Vorbehalt anmelden: Ist seine Sicht der Lage, sind seine Hoffnungen für die Zukunft nicht etwas zu optimistisch? Meinhold neigt dazu, selbst da noch harmonischen Einklang herzustellen, wo offene Auseinandersetzung herrscht – bezeichnend etwa in seiner Gegenüberstellung der Position von Erwin Iserloh und Albert Brandenburg, oder in der Zuordnung von Hans Küng und Hubert Jedin (173–176). Ist es Folge, oder ist es Grund dieser Tendenz, den ökumenischen Einklang bis zum letzten auszudehnen, wenn Meinhold darum auch das Thema »Kirche« anders und mehr im Denken Luthers wirksam sieht, als es dem historischen Befund entsprechen dürfte? Die Äußerungen des Lutherbuches setzen jedenfalls konsequent die aufsehenerregende Bemerkung des Münchener Vortrags fort, Luthers »sola fide« werde nur verständlich im Rahmen eines voranwaltenden und es umgreifenden »sola ecclesia«[4]. Nun ist es gewiß ein wichtiger Gegenakzent, wenn gerade auch evangelische

---

[4] Vgl. w. o. im 12. Kapitel S. 208 mit Anm. 10.

Lutherforschung Luther vom Verdacht eines kirchenfremden Individualismus energisch zu entlasten sucht. Anderseits kann man doch nicht übersehen, daß das Thema »Kirche« schon allein deshalb nicht direkt im Mittelpunkt seines Fragens stehen konnte, weil sein erneuertes Verständnis des Evangeliums – wovon Meinhold übrigens nicht das mindeste abmarkten läßt! – sich formte in einem Konflikt, in dem nach Lage der Dinge die Kirche als ganze auf der anderen Seite stand. Tut man also gerade dem Katholiken einen Gefallen, wenn man die Schärfe der dadurch aufgeworfenen Entscheidungsfragen abmildert? Was danach vom Kirchenbild Luthers, zumal des mittleren und späten Luther, verbleibt, ist, wie hoffentlich im 12. Kapitel deutlich wird, immer noch erstaunlich genug, um einer schon traditionell gewordenen lutherischen antikirchlichen Allergie abzuhelfen.

Im sachlichen Ansatz wie im ökumenischen Anliegen mit Meinhold verwandt, obgleich sonst kaum mit ihm zu vergleichen – es handelt sich nicht um eine Biographie, sondern um eine Monographie zu Luthers Theologie der Kirche im Kontext heutigen ökumenischen Fragens – ist das brillante Buch von *Jaroslav Pelikan*: »Obedient Rebels«, das auf früheren Studien des Verfassers aufbaut. In einfachen, aber »gemeißelten« Sätzen, denen man von Seite zu Seite lauten Beifall klatschen möchte, räumt Pelikan mit den nachlutherischen Lutherbildern und Lutherinterpretationen auf, mit denen der lutherischen Orthodoxie ebenso wie mit denen vom Urheber einer individualistischen Gewissensreligion, und macht deutlich, daß Luthers Reformation eine kirchlich motivierte Bewegung war, die »im Namen der einen heiligen katholischen und apostolischen Kirche« durchgeführt wurde (14). »Die Gründe für diesen Bruch (mit Rom) waren kirchliche Gründe, und Luthers Bruch war grundlegend eine katholische Kritik am römischen Katholizismus« (ebd.). Diese Kritik beruhte freilich darauf, daß Luther in der Kirche – nicht: die Schrift, denn das haben viele andere vor ihm getan, aber – die Botschaft von der bedingungslosen Vergebung der Sünde um Christi willen als »das Evangelium« in der Schrift für die Kirche neu zur Sprache brachte. Da die Kirche um des Evangeliums willen da ist, verstand er sich als »gehorsamer Rebell«, als »heiliger Apostat«[5], und konnte die weitere Entwicklung daher nur so sehen, daß nicht er die Kirche, sondern die Kirche das Evangelium verlassen hatte.
Ich kann dieser Sicht der Dinge nur zustimmen und hoffe, daß durch die Überlegungen dieses Buches deutlich wird, warum Luther bei solcher Selbsteinschätzung nicht nur subjektiv, sondern auch objektiv ein gutes Gewissen haben konnte. Nur: unterschätzt nicht auch Pelikan in seiner

[5] 42, 412,19. Vgl. jetzt Oberman, Martin Luther – Vorläufer der Reformation.

Freude über den endlich in Gang gekommenen katholisch-reformatorischen Dialog – sein Buch ist mitten in der Konzilszeit erschienen! – ein wenig das Gewicht der Tatsache, daß nicht nur etwa ein paar provinzielle deutsche Protestanten einen Argwohn nicht aufgeben wollen, sondern daß auch nach konziliarer und nachkonziliarer katholischer Auffassung die rechte Evangeliumsverkündigung und die Kirche in einer Art »prästabilierter Harmonie« zusammen sind und daß darum für den katholischen Christen und Theologen eine Kritik an der Kirche immer dann am schwersten verständlich zu machen ist, wenn sie nicht nur besagt, die Kirche *handle* gegen das Evangelium, sondern sie *verstelle* es und lasse es nicht mehr in seiner reinen Selbstmächtigkeit hörbar werden? Es ist kein Wunder, worauf Pelikan hinweist (17), was und wen die Kirche damals ohne Exkommunikation duldete, während sie über Luther den Bann verhängte. Ich denke nicht, daß man Luthers Kritik deshalb ihr Recht absprechen müsse. Aber ich fürchte, das setzt zumindest heute noch mehr voraus als nur die Anerkennung der »Catholic Substance« in Luthers Kirchenbild.

Was die beiden Bücher von *Paul Hacker* und *Theobald Beer* betrifft, so habe ich den schon gegebenen Hinweisen[6] im Augenblick nichts hinzuzufügen. Doch erlaube ich mir folgenden generellen Hinweis: Das Buch von Paul Hacker ist m. W. nie in einer gründlichen Auseinandersetzung widerlegt worden. Nun mag man dafür Verständnis haben, daß die Lust zur gründlichen sachlichen Auseinandersetzung nicht eben groß sein kann gegenüber einem Buch, dessen These man für so völlig falsch hält, daß man beim Versuch einer Widerlegung fast jeden Satz richtig stellen müßte. Man mag auch den Widerwillen verstehen, sich mit einer Auffassung auseinanderzusetzen, die das, was man als Herzstück lutherischen Glaubensverständnisses begriffen zu haben meint, glatt als Verrat am Christentum hinstellt. Und mit einem Anflug an Zynismus mag man sogar sagen: Eine Auseinandersetzung war und ist nicht nötig, denn das Buch war nie ein Verkaufserfolg und hat auch nie – man denke zum Vergleich an Remigius Bäumer! – öffentliches Aufsehen erregt. Die Folge war freilich, daß Paul Hacker in ultrakonservativen katholischen Kreisen und Organen ein hochwillkommener Gast und Autor wurde, dessen ja »nicht widerlegtes« Lutherbild samt seinem darin beschlossenen Grundverständnis von christlichem Glauben und von der Bindung an die Kirche nun dazu herhalten konnten, all diejenigen, die, sei es in bezug auf Luther, sei es in bezug auf aktuelle theologische Fragen überhaupt, anderer Meinung waren, zu verdächtigen, sie stellten Privatmeinungen und subjektives Wunschdenken gegen »die Lehre der Kirche«.

[6] Vgl. w. o. im 1. Kapitel S. 29 mit Anm. 38 und 39.

287

Solches darf sich im »Fall« Beer nicht wiederholen. Zwar ist die wissenschaftliche Auseinandersetzung mit Beer heute schon intensiver, als sie mit Hacker geführt wurde. Da Beer freilich seinerseits den anders Urteilenden vorwirft, sie läsen Luther durch die Brille ihrer systematischen Vorentscheidungen (wobei er freilich seine eigenen offenbar nicht wahrzunehmen vermag), kann man sich vorstellen, daß mit Beer das Spiel wiederholt werden soll, das man schon mit Hacker gespielt hat. Eine Besprechung nennt Beers Buch ein »Jahrhundertbuch«[7], und der Verlagsprospekt (also Hans Urs von Balthasar?) versteigt sich zu der grotesken Aussage: »Theobald Beer ist wohl unbestreitbar unter Katholiken und Protestanten der profundeste und exakteste Lutherkenner.« Wer den achtzigjährigen grundgütigen Autor persönlich kennt, kann sich schlechterdings nicht vorstellen, daß er sich selbst so einschätzt. Beer wird also offenkundig von interessierter Seite »aufgebaut« – und dafür sprechen auch noch einige andere, bis jetzt in der Tat »nicht widerlegte« Indizien[8]. Dagegen ist überhaupt nichts einzuwenden. Nur wird es dadurch um so dringlicher, daß »unter Katholiken und Protestanten« auch die Gegner solcher neuen Lutherschelte zugleich wissenschaftlich fundiert und entsprechend öffentlichkeitswirksam ihre andere Sicht der Dinge »aufbauen«. Ich hoffe, im Laufe des Jahres 1983 mich über Theobald Beers Buch noch einmal zu Wort melden zu können.

Nur kurze Bemerkungen zu den jüngeren *Biographien. Richard Friedenthals* Lutherbiographie ist, wie schon angedeutet, ein (anspruchsvolles!) Buch zum Lesen, nicht zum Studieren. Es fragt sich trotzdem, warum Verfasser (und Verlag?) solche Scheu haben, wenn schon nicht in Fußnoten, so doch in einem Anmerkungsanhang wenigstens die Fundorte der wörtlichen Zitate anzugeben. Das gilt übrigens auch für einige andere Bücher ähnlicher Machart. Gerade der fachlich nicht vorgebildete Leser, an den das Buch sich doch wendet, kann auf solche Nachprüfungsmöglichkeit weit weniger verzichten als der Fachmann. Immerhin gibt der Verfasser in einem ausführlichen Literatur-Anhang Einblick, worauf er seine Darstellung stützt. Dieser bestätigt freilich den Eindruck, den schon das ganze Buch vermittelte: Friedenthal schreibt nicht aus einem primären *theologischen* Interesse. Dagegen ist nichts einzuwenden, solange nicht *grobe* Verzeichnungen in jenem Bereich unterlaufen, der immerhin Luthers Beruf war. Solche unterlaufen nicht – aber von einer gewissen Verständnislosigkeit, oder besser: von einer nur begrenzten Verstehensfähigkeit gegenüber den theologischen Fragen Luthers wird man bei Friedenthal doch sprechen dürfen – symptomatisch ist etwa die Darstellung des Verhörs vor Cajetan.

[7] Joseph Auda, in: Deutsche Tagespost 1981, Nr. 77.
[8] Vgl. die Hinweise in den Äußerungen von P. Manns (s. o. Anm. 6).

Diese Schwäche wird freilich durch einen großen Vorzug des Buches wieder ausgeglichen. »Wir haben versucht, das Leben eines Menschen zu schildern und das Bild der Zeit zu zeichnen, in die er geworfen war.« Geworfen! Mit diesem Schlußsatz hat Friedenthal treffend sein Lutherbuch und sein Lutherbild gekennzeichnet. Luther erscheint bei ihm weniger als derjenige, der aus eigenem Antrieb und eigenen Möglichkeiten das Geschehen in Bewegung bringt, er erscheint eher als der Reagierende, ja, der Leidende, den die Mächte der Zeit ihrerseits treiben, gebrauchen, mißbrauchen zu dem, was er oft und oft eigentlich gar nicht will, und den die Mächte der Zeit auch wieder fallen lassen und zur Gallionsfigur degradieren, als sie nur noch eine solche benötigen. Auf eigenartige Weise entspricht dieses »weltliche« Lutherbild dem theologischen Selbstverständnis des Reformators, der sich, trotz allen Sendungsbewußtseins, immer nur als das letztlich entbehrliche, begriffsstutzige, kaum die nächsten Schritte überschauende Organ des Handelns Gottes durch sein Evangelium verstanden hat. Es ist darum gut, daß Friedenthals Buch 1982 in Neuauflage erscheint. Man wird es um so dankbarer zur Hand nehmen, je mehr man die vielfältigen literarischen und nicht-literarischen, theologischen und nicht-theologischen Luther-Heldenepen satt hat, die uns, jetzt schon absehbar, das Jubiläumsjahr 1983 bescheren wird.

Während die Teilbiographie von *Daniel Olivier* sich erzählerisch auf der Höhe von Friedenthal hält (und ihr auch, was die Frage der Belege betrifft, gleicht), besteht ihre Schwäche vielleicht doch in einer zu starken Gebundenheit an das (eigens als solches vermerkte!) Vorbild *Heinrich Boehmer*. Über das Unrecht, das Luther von seiten der Kirche vor allem in der ersten Phase der Auseinandersetzung geschehen ist, ist kein Wort zu verlieren. Aber darf deshalb der Versuch unterbleiben, einmal so weit wie möglich mit dem Kopf der Gegner Luthers mitzudenken und ihre Motive aufs äußerste stark zu machen? Der Konflikt verliert dadurch nicht an Schärfe, sondern gewinnt sie zusätzlich, weil er dadurch in seiner ganzen, damals faktisch nicht auf friedlichem Wege zu bewältigenden Grundsätzlichkeit erscheint.

Von Friedenthal und Olivier unterscheidet sich nach Machart und Stil die Biographie von *Walther von Loewenich*. Zunächst: von Loewenich belegt jedes Zitat, jeden Hinweis und jede Diskussionssituation, wo er in bezug auf eine solche seine eigene Stellungnahme abgibt. Er tut dies freilich im Anhang, so daß das Lesevergnügen nicht durch Fußnoten gestört wird. Dieses letztere erreicht der Verfasser freilich nicht durch das Bemühen um eine gekonnte Darstellungskunst an der Grenze zum historischen Roman, sondern durch die betont nüchterne, den Blick ausschließlich für die Sache frei haltende Sprache des passionierten Kirchenhistorikers – mit den für von Loewenich typischen kurzen, jede Verklausulierung vermeidenden Sätzen. Nicht einmal ein betontes kontroverstheologisches Engagement hat die Feder geführt. Von Loewenich vertraut hier wie auch sonst auf das alte Gesetz, daß die sachlich erzählte Geschichte selber die Freiheit zur Überwindung theologischer, um nicht zu sagen ideologischer Engführungen gibt. Für den, der so mit Geschichte sich auseinanderzusetzen wünscht, also ein verläßliches »Schulbuch« im besten Sinne des Wortes! Ein besonderer Vorzug: von Loewenich möchte betont die vernachlässigenden oder gar disqualifizierenden Urteile über das Werk des »alten« Luther nach 1530 korrigieren – darin gleicht sein Buch auf seine Weise dem von Meinhold. Eine nicht zu verkennende Schwäche: von Loewenich bezieht wohl etwas zu wenig die Forschungserträge der letzten 15 Jahre ein. Das darf aber eigentlich nur derjenige zum Vorwurf machen, der selber mit 80 Jahren noch ein so gediegenes Buch schreibt!

Ausgesprochen wissenschaftliche Biographien auf höchstem Niveau sind die Bücher von *Heinrich Bornkamm* und *Martin Brecht*. Sie werden für absehbare Zeit als Standardwerke zu gelten haben. Und sie beweisen zugleich, daß sie deswegen keineswegs langweilig zu lesen sein müssen – ja, selbst der Nichtfachmann wird sie kaum als zu mühsam empfinden. Das gilt insbesondere für das Buch von Brecht. Denn der Verfasser wird es nicht als ehrenrührig, sondern mit Recht als Lob empfinden, wenn man ihm eine geradezu pedantische Genauigkeit in der Quellenarbeit nachsagt. Und trotzdem liest sich auch sein Buch für den, der sich auf diesem Niveau mit Luther beschäftigen möchte, spannend wie ein Roman. Es muß wohl auch an der Sache liegen, daß man Luthers Leben einfach nicht langweilig erzählen kann.

Wie sich im übrigen die »Pedanterie« auszahlt, dafür nur ein kleines Detail. Schon Joseph Lortz hat, halb vorwurfsvoll, halb erstaunt, gefragt, wieso denn Luther nicht von seiner Angst vor dem richtenden und strafenden Gott losgekommen sei, wo er doch im Kanon jeder Messe, die er zelebrierte, zu allem Anfang Gott als den »clementissime Pater« anredete, was doch nur als die alles klarstellende Überschrift über das Folgende verstanden werden könne – und Lortz hält dies für symptomatisch für Luthers Einseitigkeit, die sich nicht dem ganzen Inhalt eines Textes stellt, sondern nur dem, was in seine subjektive Voreinstellung hineinpaßt[9]. Brecht hat einen viel einfacheren und darum überzeugenderen Zusammenhang belegt (77–87): Auch Luther hat zur Vorbereitung auf die Priesterweihe die verbreitete und beliebte Auslegung des Meßkanons von Gabriel Biel gelesen, und darin wird, ohne allen Rigorismus, aber mit Nachdruck unter Hinweis auf den auch später für Luther so wichtigen Psalmvers Ps 71,2 vermerkt, daß der Priester in der Messe nicht nur dem barmherzigen Gott, sondern Gott und seinem Sohne als dem

[9] Lortz, Reformation in Deutschland I, 161.

Richter gegenübertritt. Dies und vielfältige andere Erinnerungen an den richtenden Christus – z. B. das Relief des auf dem Regenbogen thronenden Richters Christus auf dem Kirchhof in Wittenberg – begleiteten Luthers Spiritualität auf den normalsten Wegen, unabhängig von seiner persönlichen Gefühlswelt, und er hätte dem Druck dieses Gedankens nur entkommen können, wenn er es mit der Messe und mit der Frömmigkeit überhaupt so lax genommen hätte, wie er es bei vielen Priestern in Erfurt und anderswo beobachtete. Freilich: Ist dies alles, wie es der rote Faden durch Brechts ganzes Buch ist, schon der Beleg dafür, daß reformatorisches Christentum damals wie heute nur durch einen ebenso konsequenten wie unheilbaren Bruch mit der katholischen Tradition sich ausformen kann?

Hier braucht man nicht nur systematisch-theologische Bedenken anzumelden, hier kann man offensichtlich sogar die historischen Zusammenhänge – einschließlich des von Brecht ausgebreiteten Belegmaterials – auch ganz anders sehen, das beweist die Biographie von *Peter Manns*. Die Darbietungsform des Buches – eine Bildbiographie – bedingt, daß der Verfasser weder belegen noch in wissenschaftliche Auseinandersetzungen eintreten kann. Es bleibt deshalb zu wünschen, daß er – anders als sein Meister Lortz – möglichst bald in einem wissenschaftlichen Aufsatz die Belege nachliefert. Denn in dem Buch stecken für die Lutherforschung solch aufregende Thesen drin, daß eine wissenschaftliche Auseinandersetzung mit ihnen auf keinen Fall unterbleiben darf. Keine »heilige Kuh« der üblichen Lutherbiographien bleibt ungeschlachtet. Luthers spätere autobiographische Rückblicke? Selbststilisierungen! Der harte Vater und die drakonische Erziehung im Elternhaus? Nichts als normale Strenge nach damaligen Maßstäben! Barbarische Askese im Erfurter Kloster? Mißverstehende Übertreibung heutiger Biographen, die nicht wissen, wie es in einem Kloster zugeht! Die Anfechtungen der frühen Klosterzeit? Legende, in der Sache nichts, was die religiösen Erfahrungen spätmittelalterlicher Frömmigkeitspraxis überschritten hätte! Ursprüngliche Einsicht in die Unmöglichkeit vollkommener Gottesliebe? Nichts als das Ernstnehmen der bei den Erfurter Augustinereremiten im Bußsakrament üblichen Absolutionsformel! Reformatorischer Durchbruch? Hat nicht stattgefunden! Luther scheitert am Mönchtum? Warum ist er dann nach 1522 allein im Wittenberger Kloster geblieben und hat bis 1524 die Mönchskutte getragen? Der Sturm im Blätterwald ist also programmiert. Und trotzdem steht am Ende das Wort von Luther als dem »Vater im Glauben«! Und so möchte man bei der Lektüre von Seite zu Seite immer entschiedener zu dem Urteil gelangen: Eine Lutherbiographie – jedenfalls eine des jungen und frühreformatorischen Luther – kann eigentlich nur ein »katholischer Insider« schreiben, der von den Traditionen und Lebensformen, in denen Luther auf- und aus denen er herauswuchs, noch nicht so abgeschnitten ist, wie es evangelische Lutherforscher unvermeidlich sind, weil sie diese Welt Luthers nur noch theoretisch, nur noch aus Quellentexten kennen können.

Auffällig ist, daß keine der neueren Biographien – jedenfalls der theologischen – die Teilbiographie »Der katholische Luther« von *Karl August Meissinger* erwähnt, die doch jünger ist als der immer wieder zitierte Boehmer. Weder Olivier noch von Loewenich noch Brecht beziehen sich auf Meissinger, und selbst Lohse erwähnt ihn nicht in den Literaturangaben seines Einführungsbuches. Ich kann mir das nicht erklären, denn Meissinger schreibt nicht nur spannend, sondern fällt auch manche unkonventionellen Urteile, die ein Katholik – ohne jeden Zweifel an Meissingers lutherischer Überzeugungstreue! – mit Freude zur Kenntnis nimmt. Oder sollten es gerade diese unkonventionellen Urteile sein, die bei lutherischen Lesern Anstoß erregen, weil Meissinger, nach 40 Jahren Editionstätigkeit bei der WA, nicht mehr jeden Ausspruch Luthers zum Nennwert zu nehmen in der Lage ist und überdies auch nicht den Wandel in der katholischen Kirche übersieht? Sollten solche Urteile zur Entstehungszeit des Buches (1949) oder zur Zeit der Veröffentlichung, die Meissinger nicht mehr erlebte (1952), noch der Zeit vorausgewesen sein, so daß sie schnell dem Vergessen anheimfielen? Ich wäre froh, wenn mir dieser Verdacht widerlegt werden könnte!

Diese »Randbemerkungen« seien mit einer Stellungnahme zu zwei ausgefuchsten Fachbüchern beschlossen, und zwar deshalb, weil sie dem Weg, auf dem in diesem Buch eine Hinführung zu Luther versucht wird, im Ansatz so nahestehen, ja, seine Richtigkeit im Prinzip bestätigen: die Bücher zu Luthers Entwicklung von *Karl-Heinz zur Mühlen* und *Leif Grane*.

Die Arbeit von *zur Mühlen* ist eine besonders bemerkenswerte unter jenen von seinem Lehrer Gerhard Ebeling gern angeregten Dissertationen, die die Entwicklung von Luthers Theologie anhand des Auftauchens und der Umformung eines bestimmten theologischen Begriffes oder Grundgedankens nachzeichnen. Zur Mühlen tut dies anhand der in der Tat zentralen Formel »extra nos« und der korrespondierenden Formel von der »iustitia aliena« und dem »verbum externum«. Die Formel »extra nos« selbst taucht erst 1515 auf, im Scholion zu Röm 1, 1, aber zur Mühlen verschmäht insofern nicht die »teleologische Methode«, als er die Formel zum Begriff der »Externität« (der Gnade) formalisiert und mit diesem als Meßlatte bereits den Luther von 1509, erst recht den von 1513 ff., auf dem Wege zur späteren sprachlichen Formel sieht, die dieser dann nach 1517 sachlich präzisiert und entfaltet und in den Kontroversen zur Geltung bringt. Umgekehrt proportional zu diesem Vorgang verläuft die Entwicklung, d. h.: das Zurücktreten der ursprünglichen (augustinischen, mystischen) Unterscheidung des »homo interior« und »exterior«, denn schon seit den »Dictata« rückt an die Stelle des »amor exstaticus« der Mystik die »fides«, und eben darin zeigt sich, wie Luther die Sprache der Mystik übernimmt, um, sie umformend, die Scholastik und zugleich auch die Mystik zu überwinden.

Was bei zur Mühlen besticht und überzeugt, ist der erneute Beleg für die These, daß die Reformation im Hörsaal beginnt: in der theologischen Arbeit des jungen Luther. Ich kann daher der Analyse zur Mühlens, was sein unmittelbares Thema betrifft, weithin zustimmen: Aufbruch des Neuen bei Luther im Kontext der Bußtheologie, Radikalisierung der Sünde, produktive Umbildung der Mystik, frühe Entstehung des neuen, relationalen Gnadenverständnisses usw. Skeptisch bin ich – aus den im 3.–5. Kapitel angegebenen Gründen –, wenn zur Mühlen offenbar dazu neigt (er sagt es nicht ausdrücklich, denn für die Ebeling-Schule ist das »kein Thema«!), den »reformatorischen Durchbruch« mit der Entdek- kung der Formel »extra nos« gleichzusetzen, jedenfalls die Römerbrief- vorlesung für voll reformatorisch zu halten. Selbst wenn dies sachlich richtig wäre, unterschätzt zur Mühlen Luthers Selbstverständnis in dieser Zeit: Luther *will* Augustinist sein, und er glaubt die deutsche Mystik als seine Kronzeugin *entdeckt,* nicht, sie gegen deren Intention umgebildet zu haben. Alle Distanzierungen sind späteren Datums. Auch muß es ja auf die *theologische* Beurteilung des jungen Luther zurückwirken, daß damals weder Luther selbst noch einer seiner Hörer und Gesprächspart- ner in Luthers Positionen irgendeinen Konfliktstoff entdeckt haben, der auch nur irgendwie Luthers innerkirchliche Stellung hätte ins Zwielicht bringen können.

Was mir freilich bei zur Mühlen keinerlei Zustimmung abgewinnen kann, ist die kaum verhüllte Absolutsetzung lutherischen Denkens als des allein wahren Christentums. Luthers kritische Abgrenzung von der Scholastik, seine Wende vom »modus loquendi philosophicus« zum »modus loquendi theologicus« richtig nachzeichnen und verständlich machen, ist eines, Luthers Urteile über die Scholastik uneingeschränkt für richtig halten, ein anderes. Man wird zur Mühlen nicht nachsagen können, er habe sich mit der gleichen Liebe um ein von innen nachspürendes Verstehen der Scholastik so bemüht, wie er es bei Luther getan hat. Das Literaturverzeichnis in Verbindung mit dem Namensindex macht nicht hoffnungsvoll – es überwiegen ohnehin die lutherischen Scholastikkriti- ker. Die »gemeinscholastische Lehre von der ›gratia habitualis‹« (175) ist es nur dem Namen nach, nicht wirklich – und eben darum kümmert sich zur Mühlen wenig. Symptomatisch dafür scheint die freundliche Auseinan- dersetzung mit mir (152–155): Man *könne* diese Lehre (bei Thomas) zwar so interpretieren, daß sie die Externität der Gnade nicht aufhebe, doch sei

»im Sinne von Luthers Kritik« zu fragen, ob das auch gelinge. »Gratia habitualis« heiße eben: Gnade als etwas Akzidentelles, als etwas *am* Menschen, dem auch die Sünde als etwas »am Menschen« entspreche. Daher vermöge die Idee der »gratia habitualis« das sündige Selbstsein des Menschen nicht auszuschließen und sei daher zur Erfassung der Gnade Gottes ungeeignet wie die Substanz-Metaphysik überhaupt. Dabei überliest zur Mühlen nicht nur, daß ich die Gleichsetzung von »akzidentell« = »etwas *am* Menschen« ausdrücklich als Mißverständnis der thomanischen These aufgewiesen habe[10], seine Kritik kommt, bei Licht betrachtet, überhaupt auf folgende, umwerfende Logik hinaus: Luther hat aber gesagt, daß die Theorie von der Gnade als »qualitas« unbrauchbar sei, also ist sie auch unbrauchbar. Darum kann er es dann auch als halben Selbstwiderspruch empfinden, wenn ich darauf hinweise[11], daß Luther die scholastische Interpretation der Gnade kritisch überholt habe.

Ich nenne so etwas – inzwischen, nach vielen frustrierenden Diskussionen um diese Thematik – ungeniert ein ungeschichtliches Denken, ein triumphalistisches Lutherbild. Insofern gelten für zur Mühlen dieselben Vorbehalte wie gegen seinen Lehrer Ebeling – und teilweise noch mehr, leistet sich der Schüler doch in manchen Einzelheiten einen Ausfall an Differenzierung, die dem Meister nicht unterläuft.

Die oben im Zusammenhang mit Gogarten bereits erwähnte Habilitationsschrift von zur Mühlen stimmt in dieser Hinsicht nicht froher. »Die Rezeption der aristotelischen Ontologie in die Gnadenlehre, die das Werk zu einer ontologisch notwendigen Bedingung des Gnadensgeschehens machte…« (164 f.). »…Luthers Kritik der Ethisierung der Gnade in der scholastischen Theologie infolge der Aristotelesrezeption des 13. Jh…« (277). »Luthers Gesprächspartner ist nicht der neuzeitliche Subjektivismus, sondern die aristotelische Scholastik, die die Realität der Person als eine in sittlicher – wenn auch gnadenhaft vervollkommneter – Praxis sich verwirklichende versteht!« (281) – das wär's wieder einmal! Dabei kritisiert zur Mühlen – und das ist ein neuer Ton, einschließlich einer vornehm als »Weiterführung« verpackten Kritik an seinem Lehrer –, daß Gogarten die ethische Relevanz des Evangeliums in der kritischen Wahrnehmung des »usus civilis« des Gesetzes bei Luther übersehen und damit die neuzeitliche praktische Vernunft einer orientierungslosen »Autonomie« ausgeliefert habe. Aber das, was zur Mühlen hier für Luther mit vollem Recht in Anspruch nimmt, ist auch nach Meinung evangelischer Forscher (wie z. B. Ulrich Kühn) in der Sache das, was nach Thomas von Aquin die ethische Bedeutung des Evangeliums als des »neuen Gesetzes« ist, weshalb dieses *sekundär* auch ein geschriebenes

---

[10] Vgl. Theol. der Rechtfertigung, 644–646.
[11] Vgl. a. a. O. 244.

Gesetz ist und sein muß[12]. Doch zur größeren Ehre Luthers kann das nicht sein. Luther hat eben die dem Aristotelismus verfallene mittelalterliche Scholastik ebenso kritisch überwunden wie vorwegnehmend bereits die säkularistische, autonomistische Rationalität der Neuzeit.

Trotzdem: Diese Kritik an der Karikatur der Scholastik bei zur Mühlen trübt nicht die Zustimmung zu dem beide (übrigens sehr »dicht« geschriebenen) Bücher beherrschenden Ansatz, daß die Entstehung der reformatorischen Theologie Luthers weder das Ergebnis biographischer (charakterlicher) noch die zwangsläufige Konsequenz sozial- oder geistesgeschichtlicher Faktoren ist, sondern die Frucht einer von einem ursprünglichen und findigen Suchen angetriebenen harten theologischen Arbeit.

Eben dies ist auch der Ertrag des ganz andere Wege einschlagenden Buches von *Leif Grane*. Er bewundert das Buch von *Karl Bauer* und will denselben Weg, das Werden von Luthers reformatorischer Theologie zu erklären, noch einmal gehen, aber unter einem eingeschränkten, darum umso intensiver verfolgten Gesichtspunkt. Schon damit ist deutlich, wie sehr ich dem Ansatz von Granes Untersuchungen nur zustimmen kann. Der eingeschränkte Gesichtspunkt nun ist das Theologieverständnis, genauer: die Art und Weise, Theologie zu treiben und theologisch zu reden, eben der »modus loquendi theologicus«. Dieses Theologieverständnis bildet sich im Zuge von Luthers Scholastik-Kritik heraus, ja, ist mit ihr als seiner negativen Kehrseite identisch. Der Grund dafür ist nicht eine beliebige Gegenmeinung, wie es auch innerhalb der Scholastik schon immer gegensätzliche Meinungen gegeben hat, sondern nichts anderes als die Luther in Fleisch und Blut übergegangene Aufgabe als *Exeget*. Den Anstoß dazu entnahm Luther vor allem, aber nicht nur seiner Begegnung mit Augustinus in seinen antipelagianischen Schriften bzw. dem, was Luther davon in sich aufnahm und daraus machte. Da beide, die konsequent exegetische Methode und die Beschäftigung mit dem antipelagianischen Augustinus erst in der Römerbriefvorlesung als gesammelter Arbeitsimpuls voll zum Tragen kommen, setzt jetzt erst, im Unterschied zur Ersten Psalmenvorlesung, die massive Kritik an der Scholastik ein und präzisiert sich in den folgenden Jahren, ohne daß nach Grane zwischen dem Römerbriefkolleg und den ihm folgenden Vorlesungen im Hinblick auf das Verständnis von der Aufgabe des Theologen auch nur annähernd ein solcher Unterschied festzustellen wäre wie zwischen dem Römerbriefkolleg und den vorausgehenden »Dictata«. *Jetzt* begegnet bei Luther an die Adresse der Scholastik in bezug auf alle Einzelfragen der Generalvorwurf, sie rede »metaphysisch«, »ethisch«, »philosophisch«, oder

---

[12] Vgl. Thomas, Summa Theol., I–II 106,1; 107,1 ad 3; 108,1.

einfach »aristotelisch«, nicht aber »theologisch«, »nach Art des Apostels«. Für diese neue Art, Theologie zu treiben, wirbt Luther anschließend in seiner Umgebung, vor allem mit dem Ziel einer Studienreform, verteidigt sie in der Auseinandersetzung mit Gegnern und bewährt sie schließlich im offenen Konflikt mit der kirchlichen Autorität.

Man erkennt, das ist exakt der Weg, zum Verständnis Luthers hinzuführen, der auch in den ersten Kapiteln dieses Buches gegangen wird. Ich habe nur drei Vorbehalte gegen Grane, bei denen mir aber teilweise eine Einigung nicht einmal ausgeschlossen scheint. Grane lehnt ausdrücklich, vor allem gegen *Oswald Bayer,* eine durchbruchsartige neue Erkenntnis, etwa im Zusammenhang mit dem Sakramentsverständnis, im Frühjahr 1518 ab (21 f.) und versteht Luthers theologische Stellungnahmen des Jahres 1518 nur als Konsequenzen, die Luther in dem Augenblick zog, als er sie ziehen mußte, wozu es aber keiner neuen theologischen Voraussetzungen mehr bedurfte außer denen, die er schon erarbeitet hatte (vgl. 190). Das entspricht in der Sache ganz dem, was auch ich unter dem »reformatorischen Durchbruch« verstehen zu müssen meine. Aber unterschätzt Grane nicht die Tatsache, daß dann jahrelang niemand, Luther am allerwenigsten, den Sprengstoff bemerkt hat, den seine Theologie da aufgehäuft hatte? Unterschätzt Grane nicht, daß es auch für die Artikulierung einer theologischen Einsicht einen großen Unterschied ausmacht, ob sie sozusagen ruhige, reine Theorie bleibt, in ihrer Kraft nur im Gelehrtenstreit spürbar, oder ob sie in die kirchliche, ja kirchenrechtliche Bewährungsprobe geschickt wird? Ich behaupte, mit der Einsicht in ihre notwendigen Konsequenzen (die ja, was nicht von vornherein auszuschließen ist, auch zur Selbstkorrektur führen könnten!) verändert sich die Einsicht selber, so daß die theologischen Selbstpräzisierungen der Jahre 1518–1521 mehr sind als *nur* die eher beiläufigen Konsequenzen, die Luther aus Anlaß äußerer Umstände ziehen mußte. Doch brauche ich hier nicht zu wiederholen, was dazu vor allem im 5. Kapitel ausgeführt wird.

Der zweite Vorbehalt ist derselbe wie gegen zur Mühlen: Luthers Argumentation gegen die Scholastik *analysieren* und seiner Kritik *recht geben,* ist zweierlei. Die Frage, ob Luthers Kritik auch jenseits ihres historischen Kontextes berechtigt ist, stellt Grane nicht, er läßt sie aber nicht etwa offen, sie scheint für ihn vielmehr von vornherein negativ entschieden – so entschieden, wie schon in seiner früheren Untersuchung über Luthers »Disputation gegen die scholastische Theologie«[13].

Damit hängt der dritte Vorbehalt zusammen: Nicht nur in der Analyse des Augsburger Verhörs, auch in der Wertung ist für Grane von vornherein klar, wo Recht und Unrecht sind. Es hilft aber gerade für ein

[13] Vgl. Grane, Contra Gabrielem, bes. 214–222; 259–261.

Verständnis der Grundsätzlichkeit des Konfliktes nicht weiter, sich von vornherein nur auf die eine oder andere Seite zu schlagen. Die kühle Selbstverständlichkeit, mit der das hier mehr noch als bei zur Mühlen zugunsten Luthers geschieht – spricht aus ihr nicht auch, mit Verlaub, die »Situiertheit« der lutherischen dänischen Staatskirche, die die 0,5 % Katholiken im eigenen Land nicht als beständige Herausforderung empfinden muß und daher auch die »Papstkirche« damals nicht ernst nehmen zu müssen meint?

Trotzdem: Kein jüngerer Beitrag der Lutherforschung bestätigt mich mehr im historischen Teil meines eigenen Versuchs als das Buch von Grane. Nirgendwo ist mit solcher Stringenz ausgeführt, daß Luther die Reform der *Kirche* durch die Reform der *Theologie* wollte, und die Reform der *Theologie* durch die Reform der *Exegese*.

[2] Zu S. 21: Renaissance, Humanismus und Luther – ein Zwischenruf

»Der deutsche Humanismus ist seit dem Ende des 15. Jahrhunderts mehr und mehr in *gelehrte* Bahnen geraten. Seine literarischen Hervorbringungen wendeten sich fortan lediglich an den lateinkundigen Bruchteil der Nation. Die nationale Tendenz ging ihm zwar niemals ganz verloren. Aber er teilte sie mit der *Reformation,* die sich in Deutschland als selbständige Macht auf eigenen Wegen abzweigte. Die Reformation hat die alten Ziele des Humanismus: Umwandlung in die reine Form des menschlichen Lebens, Wiedergeburt aus dem Geist der ursprünglichen Freiheit des Menschen zu erreichen gesucht in einer neuen, selbständigen Kirche auf nationaler Grundlage. Was Humanismus und Reformation immer noch geeint vermochten, stellt sich in Melanchthon und seinesgleichen ergreifend dar[1].«

Diese Sätze des bekannten alten Renaissance-Forschers Konrad Burdach sagen, was viele Geschichtskundige, die aber nicht Fachleute für Reformationsgeschichte sind, über den Zusammenhang von Renaissance, Humanismus und Luther denken, zumindest vermuten. Und die Vermutung muß zunächst einleuchten. Der Humanismus, unbeschadet aller internen Differenzierungen, die den einheitlichen Namen fast schon fragwürdig machen, war die prägende geistige, künstlerische, bildungsreformerische und teilweise auch religiöse Bewegung der Zeit. Sie hatte die Faszination des »Fortschrittlichen« auf ihrer Seite, und es war für einen

[1] K. Burdach, Reformation, Renaissance, Humanismus. Zwei Abhandlungen über die Grundlage moderner Bildung und Sprachkunst, Berlin/Leipzig ²1926 (¹1918), reprograph. Nachdruck Darmstadt 1978, 186 (Hervorhebungen von B.).

Studenten der Philosophie selbst in der Provinz unmöglich, *nicht* in Kontakt mit ihr zu kommen. Und Erfurt, wo Luther Philosophie studierte, war nicht »Provinz«, sondern geradezu eine Hochburg des deutschen Humanismus. Was liegt also näher, als in der Reformation Luthers eine Fortsetzung, ja eine Verwirklichung des Humanismus mit theologischen Mitteln zu sehen, zumal doch die vielen gemeinsamen Nenner sich penetrant aufdrängen: »Zurück zu den Quellen!«, alte Sprachen, Hinkehr zum Individuum, ursprüngliche Freiheit des Menschen, nationales Pathos (was den Italienern recht war, durfte den Deutschen auf ihre Weise billig sein), Kirchenkritik und Reformvorschläge – dies sogar übernational! Nur in der Bewertung scheiden sich dann die Geister – und zwar abhängig von der vorgängigen Bewertung Luthers und der Reformation.

Unter der Überschrift »Ursachen der Reformation« fehlt denn in keiner kirchengeschichtlichen Darstellung der Reformation ein Kapitel über Renaissance und Humanismus. Die Frage ist, was davon wirklich auf Luther über- und in die lutherische Reformation eingegangen ist. Martin Brecht hat in seiner Lutherbiographie jüngst einen instruktiven und, wie immer, penibel belegten Überblick über den gegenwärtigen Erkenntnisstand gegeben[2] – wobei sich übrigens im Vergleich zeigt, wie wenig revisionsbedürftig, abgesehen vielleicht von den Werturteilen, die einschlägige Darstellung bei Lortz ist[3]. Dazu möchte ich folgendes »dazwischenrufen«:

1. Es ist möglich, daß ein Mensch in allen Selbstverständlichkeiten (wirklichen oder behaupteten) eines bestimmten geistigen »Klimas« aufwächst, ohne doch wirklich von ihm berührt zu werden. So wie auch heute ein Mensch auf seinem Bildungsweg mit den Schlagworten und theoretischen Versatzstücken eines marxistischen »common sense« vertraut werden kann, ohne doch je mit dem Marxismus etwas anzufangen in der Lage zu sein.

2. Selbst wenn Luther sich bestimmte humanistische Grundgedanken und Errungenschaften tatsächlich zu eigen gemacht hätte, so muß für eine historische Betrachtung der alte Grundsatz in Geltung bleiben, daß man das Besondere nicht aus dem Allgemeinen ableiten kann. So wenig Augustinus aus der allgemeinen »abendländisch-anthropozentrischen« Denkweise in seinem Eigensten zu erklären ist, so wenig ist Luther einfach ein Exponent des humanistischen »Menschenbildes« zuzüglich einiger theologischer Ingredienzien.

---

[2] Brecht, Martin Luther, 48–53. Zur Literatur könnte man ergänzen: Spitz, The Renaissance and Reformation movements; vgl. ferner jetzt die Überblicke bei Lohse, Martin Luther, 25 f.; und Wohlfeil, Einführung, 114–123.
[3] Lortz, Reformation in Deutschland I, 48–68.

3. Ich kenne keine Untersuchung, die zwingend bewiesen hätte, daß ein zentraler Gedanke der Theologie Luthers sich maßgeblich der Anregung durch den Humanismus verdankt – so wie etwa bewiesen ist, daß sich zentrale theologische Gedanken und auch Fortschritte in Luthers Römerbriefvorlesung der Begegnung mit Augustins antipelagianischen Schriften und mit der deutschen Mystik verdanken –»produktive Umformung« selbstverständlich eingeschlossen! Am ehesten ließe sich noch an einen Einfluß der antiken und durch den Humanismus neu erschlossenen Rhetorik denken, wenn man sich die verblüffenden Beobachtungen und Belege vergegenwärtigt, die Klaus Dockhorn zusammengetragen hat[4].
4. Belegbar und belegt ist:
– daß Luther in Erfurt humanistisch geprägte Lehrer und zumindest indirekte Kontakte zur ersten Garnitur der zeitgenössischen deutschen Humanisten hatte;
– daß er sich in großem Umfang jenes humanistische Bildungsgut aneignete, das die Humanisten als Ausbildungskanon gegen den der spätscholastischen Philosophie durchzusetzen suchten und schließlich auch durchsetzten;
– daß er sich die Errungenschaften der Humanisten auf dem Gebiet der Bibelwissenschaften voll und ganz und zeitlebens dankbar zunutze machte;
– daß viele Humanisten Luthers reformatorisches Handeln anfangs als Verwirklichung ihrer eigenen Ideale verstanden und begrüßten;
– daß daraufhin sich manche Humanisten zur Reformation»bekehrten« und auch später, trotz mancher Konflikte, ihrem Humanismus nicht abschwören zu müssen meinten – man denke nur und vor allem an Melanchthon!
– daß Luthers Urteil über den Humanistenfürsten Erasmus auch noch 1525 und später trotz sachlicher Absage Bewunderung und Verehrung erkennen läßt;
– daß Luther also vom Humanismus die ersten Anregungen zur Kritik an der Scholastik empfangen haben könnte, zumindest aber in Erfurt unter humanistischem Einfluß ein Klima vorfand, in der Kritik an der Scholastik unbefangen möglich war; es gibt freilich keinen Beleg, daß Luther aus humanistischen Gründen an der Scholastik Kritik geübt hat.
5. Spurlos an Luther vorübergegangen scheinen die künstlerischen Errungenschaften von Renaissance und Humanismus – wenn man nicht sein vorzügliches Lautenspiel dazu rechnen will. Baukunstwerke oder bildende Kunst, an denen sich noch heute jeder Renaissance-Freund das Herz weitet, hatte Luther nicht einmal in Erfurt, zu schweigen von dem 2000-Seelen-Nest Wittenberg vor Augen – und ein weitgereister Mann

---

[4] Vgl. Dockhorn, Luthers Glaubensbegriff und die Rhetorik.

war Luther auch nicht. Sein Latein ist zwar zuweilen schwierig wie Humanistenlatein – aber es ist kein Humanistenlatein, eher klingt zuweilen das deutsche Sprachgenie durch[5].

6. Bei dieser Lage der historischen Dinge kann man in Sachen »Luther und der Humanismus« folgendes tun: Man kann »Strukturen« reformatorischen und humanistischen Denkens vergleichen – und gegebenenfalls sogar Parallelen feststellen. So tut es besonders bezeichnend William J. Bouwsma in seinem Vortrag auf dem Lutherforschungskongreß 1971 in St. Louis[6]. Oder man kann theologische Positionen des Humanismus und der Reformation miteinander inhaltlich vergleichen und Gegensätze feststellen. So tut es etwa Gerhard Ebeling in seinen einschlägigen Arbeiten[7]. Diese Methoden sind lohnend und eine willkommene Ergänzung zu einer Theologiegeschichtsschreibung, die engherzig nur Gedanken-Genealogien gelten läßt. Nur darf man den Methodenunterschied keinen Augenblick aus den Augen verlieren. Im Namen der »altmodischen« Geschichtsforschung muß man nüchtern feststellen: »Strukturelle« Gemeinsamkeiten belegen noch keinen erklärenden »Einfluß«, und inhaltliche Gegensätze belegen noch keinen historisch ausgetragenen Streit. Wirklich gekämpft hat Luther gegen die »Sawtheologen«, also gegen (spät-)scholastische Theologie, nicht gegen den Humanismus. Und alle wertvollen Studien zum Thema »Renaissance, Humanismus und Reformation« veranschaulichen uns die Welt, in der Luther zu leben und zu wirken hatte. Aber nach allem, was wir bis jetzt sicher wissen, ist Luther mit Hilfe der Bibel, Augustins, der deutschen Mystik und seines eigenen theologischen Nachdenkens mit dieser Welt umgegangen, nicht sie mit ihm.

[5] Vgl. auch Lohse, Martin Luther, 109 – mit Berufung auf Bornkamm.
[6] Vgl. Bouwsma, Renaissance and Reformation; dagegen schon damals bedenklich Hägglund, Renaissance and Reformation.
[7] Vgl. Ebeling, Das Leben – Fragment und Vollendung.

[3] Zu S. 25: Ein notwendiger Hinweis zum »Fortschrittsschema«

Weil im Folgenden das »Fortschrittsschema« vor allem als *Hindernis* für wirklichen »Fortschritt« in der katholischen Urteilsbildung über Luther veranschlagt wird, sei gleich hier auch seine positive Bedeutung herausgestellt.

1. Das Fortschrittsschema ist als solches sehr alt – sofern nie ein ernstzunehmender Theologe sich darüber im unklaren sein konnte, daß er nicht nur nachdenkend die Botschaft der Bibel mit anderen Worten

ausdrückte, sondern von der Bibel her auch auf Fragen antwortete, die in der Bibel so nicht gestellt wurden – mithin in der gegebenen Fragesituation die Botschaft der Bibel »präziser« zur Sprache brachte als diese selbst. Wenn dieser Vorgang sich wiederholt und man dabei auf früheren Präzisierungen weiter aufbauen kann, muß sich fast zwangsläufig die Vorstellung einstellen, daß die Entwicklung der Theologie ein Weg zu immer präziserer Fassung der Glaubenswahrheit ist, beruhend auf im Gedächtnis behaltenen und zur Vorsicht anhaltenden Erfahrungen im Umgang mit immer neuen Fragen und, vor allem, mit niedergerungenen Irrlehren. In dieser Weise war auch immer ein Bewußtsein von der Geschichtlichkeit der Glaubenslehre gegeben – es war freilich keine Geschichtlichkeit der Wahrheit selbst, denn diese war ewig und unwandelbar, vielmehr immer nur eine nach vorwärts gerichtete Geschichtlichkeit ihrer Erkenntnis. In Einzelheiten können wir hier natürlich nicht gehen. Aber der berühmte Text des Thomas von Aquin im prooemium seiner Schrift »Contra errores Graecorum«[1] und die in diesem Zusammenhang gegebene Anweisung zur Interpretation problematischer Väteraussagen kennzeichnen die Lage[2].

2. Eine neue Dimension gewinnt der Fortschrittsgedanke in der zur Überwindung der Aufklärung (und damit auch der geschichtsfernen reinen Vernunftwahrheiten) angetretenen Romantik, die theologisch die (katholische) Tübinger Schule des 19. Jahrhunderts prägt. Eine organisch-lebendige Entwicklung ist für das Leben der Kirche überhaupt konstitutiv – aus pneumatologischen und christologischen Gründen. Dieser Gedanke durchzieht vor allem das Werk Johann Adam Möhlers und richtet sich gleicherweise gegen die aufklärerische Reduktion geschichtlicher Religion auf reine Vernunftwahrheit wie gegen eine evangelische Kirche des »Sola Scriptura«[3]. Von Möhler stammt auch der evangelischerseits verständlicherweise[4] so beargwöhnte und in der Tat Mißbrauch und Mißverständnissen ausgesetzte Gedanke von der Kirche als fortgesetzter Inkarnation.

3. Seine volle Brisanz bekam das Fortschrittsschema aber erst durch das Erste Vatikanische Konzil und die Definition päpstlicher Ex-cathedra-

---

[1] Ed. Marietti (= Opuscula theologica I, Turin 1954), n. 1029.

[2] Vgl. Chenu, Das Werk des hl. Thomas, 138–173; dort 165f. auch der erwähnte Thomas-Text.

[3] Vgl. etwa die (kritische) Monographie von Hans Geißer, Glaubenseinheit und Lehrentwicklung bei Johann Adam Möhler, Göttingen 1971; und die (positiv erschließende) Monographie von Harald Wagner, Die eine Kirche und die vielen Kirchen. Ekklesiologie und Symbolik beim jungen Möhler, Paderborn/München 1977; und jüngst Paul-Werner Scheele, Johann Adam Möhler, in: Heinrich Fries – Georg Schwaiger (Hg.), Katholische Theologen Deutschlands im 19. Jahrhundert II, München 1975, 70–98. Zur Sache vgl. auch den w. u. im 1. Kapitel Anm. 43 genannten Beitrag von Seckler.

[4] Vgl. Ebeling, Dogmatik III, 315: Kirche als »Christus prolongatus«.

Entscheidungen als »irreformabel«. Nach dem von Döllinger Kardinal Manning zugeschriebenen und von Manning in der Tat sachlich so gesagten Wort »überwindet das Dogma die Geschichte«. Ein irreformabler Satz – und das gilt ja in der Sicht des Ersten Vatikanums auch für alle Dogmen der Vergangenheit! – ist offenbar einer Entwicklung, die ihn selbst in seinem Wortlaut und Inhalt beträfe, entzogen. Unter solchen Voraussetzungen war das Fortschrittsschema die einzig dogmentreue Möglichkeit, mit den offenkundigen Unterschieden zwischen Schrift und späterer dogmatischer Entwicklung einerseits und innerhalb der dogmatischen Entwicklung anderseits wissenschaftlich umzugehen und im Rahmen der Neuscholastik ohne offenen Lehrkonflikt mit der Kirche einen Raum für geschichtliches Bewußtsein offen zu halten[5]. Das vielbewunderte Mittelalter hielt ja selbst dieses Konzept bereit, und wer der Tübinger Schule anhing, war zusätzlich motiviert durch einen faszinierenden geschichtstheologischen Grundgedanken.

4. Das positivste Ergebnis der Impulse des Fortschrittsschemas sind die ganze Bibliotheken füllenden Erträge der naiven Editionswut, die in der zweiten Hälfte des 19. Jahrhunderts auch die katholische Theologie erfaßte. Man druckte, was nur irgend an Texten der Vergangenheit erreichbar war – weil man dort doch die fortschreitende Präzisierung der Glaubenswahrheit hin zum heute erreichten Niveau beobachten und nachvollziehen konnte! Dies muß gar nicht selten eine frustrierende Arbeit gewesen sein – aber man konnte sie ertragen unter dem »Trost« des Fortschrittsgedankens. Wir müssen heute sogar sagen: Gottlob war der größte Teil der Arbeit getan, bevor sich diese Editionswut im Verlauf dieses Jahrhunderts an den strengen Maßstäben heutiger kritischer Editionen brach – denn diese machen bekanntlich inzwischen Kirchenväter- und Scholastiker-Editionen zu Jahrhundertwerken.

5. In *dieser* Form »griff« das Fortschrittsschema nun auch in der katholischen Lutherforschung. Vergegenwärtigt man sich zum Beispiel jenen erwähnten Thomastext, dann mußte Luthers Rückgriff hinter die Scholastik auf viel rudimentärere Kirchenvätertheologien und gar auf die unverdeutlichte Schrift selbst als anachronistische Torheit erscheinen – wie kann man denn vom Präzisierten ins Unpräzise zurückfallen wollen! Schon Cajetans Verständnislosigkeit (vgl. unten im 6. Kapitel) war nicht von ungefähr, geschweige denn die eines Denifle, zumal dann, wenn man Luther auf Schritt und Tritt Verzeichnungen der mittelalterlichen Lehre glaubte nachweisen zu können. Brüche und Verfall gab es eben nur in Form von (individuellen oder kollektiven) Sündenböcken – und deren größter war dann Luther, wie es schon das Wormser Edikt in aller wünschenswerten Klarheit formuliert. Da nun der erste großangelegte

---

[5] Vgl. Belege und Literatur bei Pesch, Bilanz der Diskussion, 175–185.

Versuch, die Geschichtlichkeit der Kirche und des Dogmas ernstzunehmen und durchzudenken, nämlich der sog. »Modernismus« – ein Schimpfwort der Gegner wie »Schwärmer« bei Luther – prompt zu Beginn dieses Jahrhunderts kirchenamtlich auf der Linie des Ersten Vatikanums abgewehrt wurde und diese Maßnahmen blockierende Folgen für die katholische Theologie bis in die Mitte unseres Jahrhunderts hatte[6], und da auch heute noch keine Rede davon sein kann, daß die katholische Theologie sich in dieser Frage ihrer selbst sicher oder auch nur restlos unbefangen sei, wird es erklärlich, daß dieses Fortschrittsschema auch in der katholischen Lutherforschung immer noch nachwirkt. Am eindrucksvollsten zeigt sich das darin, daß man bei dem Bemühen, »das Katholische« bei Luther von »dem Häretischen« zu scheiden, im Grunde die mittelalterliche Lehre und deren – wenn auch summarische und Differenzierungen zulassende – Bekräftigung durch das Trienter Konzil als den keiner Hinterfragung zugänglichen Maßstab heranzieht. Das ist besonders exemplarisch nachzulesen in den einschlägigen Arbeiten von Hubert Jedin, der sich zeitlebens allen Versuchen widersetzt hat, die katholische Aufgeschlossenheit gegenüber Luther über die Grenzen hinweg auszudehnen, die die Trienter Formulierungen ziehen: diese kann man nur noch »ergänzen«, »präzisieren« (!), »in neue Zusammenhänge rücken« (!), aber nie mehr in sich selbst, also in ihrer Sachgemäßheit diskutieren[7].

6. Allerdings: wenn man nun gleich mehrere Jahrhunderte als Zeit des Bruchs mit der »gesunden« katholischen Tradition, als Zeit allgemeinen Verfalls kennzeichnen muß, dann wird die »Sündenbock«-Vorstellung doch unzulänglich. Wenn man die ganze Spätscholastik als theologisch »unklar«, ja als im Kern »unkatholisch« ansieht, dann gibt es offenbar doch epochale Unterbrechungen der Kontinuität des »Fortschritts«. An diesen Gedanken hat die »Lortz-Schule« die katholische Lutherbeurteilung gewöhnt – und es ist nicht verwunderlich, daß gerade auch dagegen sich zunächst so heftige Kritik gerichtet hat, die jüngst bei Remigius Bäumer noch einmal auflebte. In diesem »Gewöhnungserfolg«, der schließlich auf harten Belegen aufruht, besteht nicht zum geringsten Teil die Durchschlagskraft der Lortz'schen Interpretation Luthers und der Reformation – das sei eigens hervorgehoben, weil wir ansonsten oftmals über diese Position hinausgehen zu müssen meinen. Denn dadurch hat sie

---

[6] Der Kürze halber sei verwiesen auf die bei Pesch, a. a. O. 192 Anm. 93 verzeichnete neuere Literatur zum Modernismus.

[7] Vgl. von Jedin – außer natürlich der Geschichte des Konzils von Trient – seine Aufsätze: Wandlungen des Lutherbildes, 77–101; Zum Wandel des katholischen Lutherbildes, in: Gehrig (Hg.), Martin Luther, 35–46; Wo sah die vortridentinische Kirche die Lehrdifferenzen mit Luther?, Catholica 21 (1967) 85–100. Meine eigene Stellungnahme zu Jedin vgl. in: »Ketzerfürst« und »Vater im Glauben«, 141 f.

selbst die Grundlagen dafür gelegt, daß man langfristig auch in der katholischen Lutherforschung das »Fortschrittsschema« überwinden kann.

[4] Zu S. 34: REFORMATION UND REVOLUTION – AUCH NUR EIN ZWISCHENRUF

Den Analysen der um die Interpretation der Reformation als Revolution geführten Diskussion, wie sie insbesondere Winfried Becker und Rainer Wohlfeil vorgelegt haben[1], ist hier keine weitere hinzuzufügen – schon gar nicht von einem Nicht-Spezialisten, denn eines Spezialisten bedarf diese Diskussion inzwischen schon. Es kann sich also wiederum nur um einen Zwischenruf handeln. Dieser lautet unmißverständlich: Für eine Erhellung und richtige Würdigung der *Theologie* Luthers wirft diese Diskussion nichts ab – nicht einmal für Luthers Lehre vom Beruf und sein Verständnis von der menschlichen Arbeit, denn darin ist kein Element, das nicht vollständig aus dem spätmittelalterlichen Kontext sowie aus Luthers theologischen Neuansätzen erklärbar wäre. *Vielleicht* wirft die Diskussion ein zusätzliches Licht auf die Bedingungen der *Verbreitung* und *öffentlichen Wirkung* von Luthers Theologie, aber nicht auf deren Sachaussagen und Sachzusammenhänge.

Das gilt a limine für die marxistische Interpretation der Reformation als Element einer »frühbürgerlichen Revolution«. Denn gleichviel, in welcher Variante man diese These vertritt, immer ist sie geleitet von einem voranwaltenden umfassenderen Geschichtsverständnis, das sich bis heute auch durch entgegenstehende Forschungsdaten kaum hat infragestellen lassen und in dem das religiöse und theologische Element trotz wachsender Würdigung doch aufgeht in seiner Funktion innerhalb des sozialökonomischen Prozesses. Damit kann der Theologe nichts anfangen, weil seine Frage erst *danach* überhaupt als solche einsetzt, was wiederum der konsequente Marxist nur als »ideologisch« charakterisieren kann – um diesen Vorwurf vom Theologen sofort zurückerstattet zu bekommen. Damit ist, wohlgemerkt, *nicht* gesagt, der Theologe wolle sozialgeschichtliche Bedingtheiten von Inhalt und Form theologischer Aussagen nicht wahrhaben, im Gegenteil, sie machen einen wesentlichen Teil der Geschichtlichkeit aus, die dem Lautwerden des Wortes Gottes eignet. Aber eben deswegen bewertet der Theologe diese sozialgeschichtlichen Bedingtheiten ganz anders als derjenige, der sie in jedem Fall für die Basis unter einem »ideologischen Überbau« halten muß. Im übrigen stimme ich

[1] Siehe Literaturverzeichnis.

Wohlfeil[2] auch darin zu, daß die marxistische These von einer gesamtge-
sellschaftlichen Krise am Anfang des 16. Jahrhunderts als Quelle der
Reformation nicht verifizierbar ist, zumindest was ein allgemeines und
für eine Revolution gerade nach marxistischem Verständnis unerläßliches
Krisen*bewußtsein* angeht. Vielmehr hat erst die Reformation, umgekehrt, durch ihre neue Art der Öffentlichkeit das allgemeine Krisenbe-
wußtsein geschaffen, das dann in den 20er Jahren auch zu sozialrevolutio-
nären Prozessen führte, die freilich durch die Niederlage der Ritter und
Bauern zugunsten des (territorial verstärkten) Status quo entschieden
wurde.

Außerhalb der marxistischen Debatte herrscht aber über »Reformation
als Revolution« eine solche Vielfalt der Thesen, eine solche Vielfalt der
Begriffsinhalte von »Revolution«, daß die Debatte kaum noch als lohnend
erscheint, weil die Erklärung der Erklärung inzwischen mehr Kraft
verbraucht, als die erklärte Erklärung Gewinn abwirft. Wenn nicht gar
das Stichwort »Revolution« oder »revolutionär« ganz unbedarft einfach
zur Kennzeichnung der besonderen Stoßkraft des reformatorischen
Wirkens Luthers gebraucht wird! In jedem Fall ist die Antwort auf die
Frage, ob die Reformation eine Revolution sei, abhängig von der
vorherigen Beantwortung folgender Fragen:
1. Was wird unter »Revolution« verstanden?
2. In bezug auf was wird eine solche Aussage gemacht: auf Wirkungen
und Fakten oder auf Absichten von Personen? Darf man Luther einen
»Revolutionär« nennen, wenn er selbst es mit Sicherheit nicht sein wollte,
seine Wirkung aber *gegen* seine Absichten *gewisse* Züge einer Revolution
nicht ausschalten konnte?
3. Wie schätzt man die geäußerten *theologischen* und *religiösen* Motive
der nicht-theologischen Akteure ein (Fürsten, Räte, Volk): Sind sie
ernstzunehmen, oder sind sie Vorwand? Sind sie Folge oder Grund
außerreligiöser Absichten?
4. Wie veranschlagt man das nicht zu übersehende historische Faktum,
daß sämtliche innerkirchlichen und auch gesellschaftlichen Reformforderungen, die durch Luthers reformatorische Theologie eine neue und
öffentlichkeitswirksame Legitimation erhielten oder zu erhalten schienen, als solche schon spätestens in der 2. Hälfte des 15. Jahrhunderts
angemeldet wurden? Ideologische Vorbereitung der revolutionären
Wende der Reformation – oder Beginn eines evolutiven Prozesses, den die
Reformation – freilich anders als vorausgesehen – krönt und abschließt,
der aber auch ohne sie zum Ergebnis gekommen wäre?
5. Welche Entscheidung trifft man über Anfangs- und Endpunkt der
»Revolution« genannten Reformation? Ist das *Reich als Toleranzgemein-*

---

[2] Wohlfeil, Einführung, 189–192.

schaft der konfessionell gebundenen Territorien der Endpunkt – wobei dann der Anfang aber schon *vor* der Reformation läge, nämlich in der Reichsreform vom Anfang des Jahrhunderts[3]? Oder ist erst die völlige Auflösung des »Corpus Christianum« durch die Aufklärung mit dem Endpunkt 1806 die *wirkliche* »Revolution« – wobei dann freilich im 16. Jahrhundert gar keine stattgefunden hätte? Ich gestehe, mir scheint diese letztere These die plausibelste.

Man kann sich unschwer ausrechnen, wieviel Thesen zum Thema »Reformation und Revolution« je nach Beantwortung dieser (und womöglich weiterer) Fragen herauskommen. Keine von ihnen wird aber Aussicht auf Zustimmung haben können, wenn sie nicht folgende gesicherte Tatsachen berücksichtigt:

1. Man kann für das 16. Jahrhundert keine auf soziale Ziele gerichtete Revolution konstruieren, die vom alles beherrschenden religiösen Lebenshintergrund ablösbar wäre – und umgekehrt! Der »zeitbedingt unauflösbar erscheinende Zusammenhang zweier letztlich unabhängig wirkender Grundbedingungen menschlicher Existenz um 1517 – christlicher Glaube und Gesellschaft – muß in alle Überlegungen zum Problem einbezogen werden« – diesem Resumé Wohlfeils[4] ist voll zuzustimmen.

2. Unbestreitbar ist ein allgemeiner Autoritätsverlust der kirchlichen Hierarchie. Das Konstanzer Konzil konnte sich im Prozeß gegen Jan Hus über das kaiserliche freie Geleit hinwegsetzen – aber Luther konnte durch einen kleinen Territorialfürsten vor der Verhaftung und Überstellung nach Rom und später vor den Folgen der Exkommunikation und der Reichsacht geschützt werden – lebenslang! Ketzerprozesse nach gewohntem Stil gelangen nicht mehr problemlos.

3. Es gab keine organisierten Gruppen, die nach durchdachten Strategien nicht nur lokale Aufstände, sondern eine die gesellschaftlichen Strukturen verändernde Bewegung hätten zum Erfolg führen können – was man alles normalerweise mit dem Begriff einer Revolution verbindet. Das gilt ja sogar für die lutherische Bewegung als eine innerkirchliche! »Organisiert« wurde die Reformation erst nach 1525 – durch die *Fürsten!*

4. Unbestreitbar – das einzige wo der Begriff der »Revolution« von ferne einen Sinn ergibt – war der Wille nicht nur Luthers, sondern aller seiner Freunde zu einem *theologischen* Neuanfang. Den kann man getrost (mit unserer These) als Weg in die Zukunft begreifen – auch wenn sich die »Neuerer« nur als die Erneuerer der besseren alten Tradition verstanden.

5. Auch dieser Wille zum Neuanfang aber wurde wie alle anderen Bestrebungen getragen von der *alle,* modern gesprochen, »weltanschauli-

---

[3] Vgl. Moeller, Das Reich und die Kirche in der frühen Reformationszeit – und die dort verzeichnete Literatur.

[4] A. a. O. 173.

chen Gruppen« des 16. Jahrhunderts bestimmenden eschatologischen Erwartung: vom Bewußtsein, in der Letztzeit zu leben und dem in Kürze hereinbrechenden Jüngsten Gericht entgegenzugehen[5]. Wer das Ende der Welt erwartet, wird gewiß dem Verfall zu steuern versuchen und den Willen Gottes in den Ordnungen des irdischen Lebens zu erfüllen trachten – aber wird er irgendetwas in der Richtung tun, was wir heute »Revolution« nennen, die man doch macht, um *innergeschichtlich* die Weichen für eine bessere Zukunft zu stellen? Natürlich könnte faktisch so etwas herausgekommen sein. Aber dann wären wir wieder beim Anfang der Diskussion: bei der »Deutung« der Reformation mittels umgreifender geschichtstheoretischer Interpretationsschemata, die zur Not sogar abgehoben von den Absichten und Motiven der Akteure ins Spiel gebracht werden können. Streng bei den Realitäten zu bleiben ist da ein guter Rat – auch und besonders für den Theologen.

[5] Vgl. Gülzow, Eschatologie und Politik; und Oberman, Martin Luther – Vorläufer der Reformation.

[5] Zu S. 38: ZUM STAND DER DEBATTE UM DEN »THESENANSCHLAG«

Eine erstmalige Nachricht über ein Ereignis fast 30 Jahre nach seinem vorgeblichen Datum ist keine erstklassige und unbedingt vertrauenswürdige Quelle – vor allem dann, wenn der Informant zum Zeitpunkt des Ereignisses nicht am Ort, sondern weit weg war. Die Nachricht gewinnt etwas an Gewicht, wenn der Informant kurze Zeit nach dem Termin zum engsten Mitarbeiter des Betroffenen wurde und es blieb. Vorausgesetzt nur, die späte Nachricht läßt sich an den Quellen, die unmittelbar aus der Zeit des Ereignisses stammen, verifizieren und wird nicht heimlich oder offen selber zum Verifikationsmittel für die Aussagen jener Quellen. Seltsam, daß man in der Debatte um die Tatsächlichkeit des Thesenanschlags an diese selbstverständlichen Regeln historischer Forschung erinnern mußte und muß – allzu oft wurden sie in dieser Debatte auf den Kopf gestellt und Melanchthons erstmaliger Erwähnung eines Thesenanschlags an der Schloßkirche in Wittenberg aus dem Jahre 1546 der »status possessionis« zuerkannt. Die These Erwin Iserlohs, der vor zwei Jahrzehnten die Tatsächlichkeit des Thesenanschlags bestritt und damit den Gelehrtenstreit entfesselte, sowie seine Argumente müssen hier nicht wiederholt werden. Sie finden sich, einschließlich seiner Antwort an seine Kritiker, in der dritten Auflage seiner Schrift[1]. Seitdem kann man meines

[1] Vgl. Iserloh, Luther zwischen Reform und Reformation; dazu den Diskussionsbericht von Bäumer, Die Diskussion um Luthers Thesenanschlag.

Erachtens einfach nicht mehr vom Thesenanschlag als einer gesicherten Tatsache erzählen – wie es seltsamerweise Walther von Loewenich in seiner Biographie wieder tut, in Kenntnis der ganzen Diskussion und trotzdem auf der Basis der von Iserloh[2] einleuchtend entkräfteten angeblichen Augenzeugenschaft Agricolas[3].

Nun ist es aber schon aus logischen Gründen unmöglich, strikt zu beweisen, daß ein einzelnes Ereignis *nicht* passiert ist. So hat Iserlohs Argumentation drei offene Flanken, an denen er sogar »Konzessionsbereitschaft« andeutet:

– die *Möglichkeit,* das *Nicht-Ausgeschlossensein* eines Thesenanschlags etwa Mitte November 1517, in Verbindung mit Luthers späteren Darstellungen (auch und besonders an den Kurfürsten), er habe »publice omnes« eingeladen, was Iserloh als eine »nicht ganz korrekt(e)« Darstellung bezeichnet[4];

– der undatierte, aber gewöhnlich und auch in der WA auf Anfang November 1517 datierte Brief an Spalatin[5];

– die Meinung Iserlohs, es sei unmöglich, sich vorzustellen, daß der Hof des Kurfürsten von Thesen, die im Frömmigkeitsrummel des Allerheiligentages gegen eben diesen ausgerechnet an der Schloßkirche (wo die Reliquien des Kurfürsten ausgestellt waren!) angeschlagen worden sein sollen, nichts gewußt haben sollte – was aber Luthers spätere Äußerungen glaubhaft voraussetzen[6]. An der zweiten und dritten der offenen Flanken hat Heiko A. Oberman angegriffen[7] – erweist sich aber, sit venia verbo, dabei nicht völlig auf der Höhe der Argumentation Iserlohs. Er baut seine Argumentation einerseits auf dem genannten Brief an Spalatin auf, ohne auch nur mit einem Wort die beachtlichen Argumente zu erwähnen, die Iserloh gegen eine Datierung des Briefes auf Anfang November 1517 vorgebracht hat[8]. Zum anderen belegt er eine Basler Parallele von Weihnachten 1522, wobei ebenfalls eine – sogar an *allen* Kirchen angeschlagene – Thesenreihe (gegen Luther!) trotz des festtäglichen Kirchenbesuchs unbekannt geblieben sein soll. Einmal angenommen, es verhalte sich so – trifft die Parallele genau? Thesen in Wittenberg gegen das, was gerade in der Schloßkirche geschieht – und Thesen gegen Luther am Weihnachtstag, wo die Kirchenbesucher anderes im Kopf haben: Ist das völlig vergleichbar? Aber im günstigsten Fall ergibt sich auch hier nur, daß ein Thesenanschlag in Wittenberg *denkbar, möglich* war – ein

---

[2] A. a. O. 56 f.
[3] Vgl. von Loewenich, Martin Luther, 103 f.; 109 f.
[4] Vgl. Iserloh, a. a. O. 80 in Verbindung mit 76 f.
[5] Br 1, 117 f. (Nr. 50).
[6] Vgl. Iserloh, a. a. O. 71.
[7] Vgl. Oberman, Werden und Wertung der Reformation, 189–193.
[8] Vgl. Iserloh, a. a. O. 76 f.; 100 f.

Gedanke, auf den man aber erst durch die Nachricht von Melanchthon 30 Jahre später allererst gekommen ist. – Das stärkste Argument Obermans, das im übrigen voll in die Kerbe Iserlohs hineintrifft, Luther vom Verdacht kirchlicher Illoyalität zu entlasten, ist allerdings dies, daß Thesenanschlag als Disputationsankündigung und Anlage der Thesen zum Brief an die Bischöfe als Hinweis auf den akademischen Disputationsstand sich nicht widersprechen, da es sich dabei um zwei verschiedene und institutionell getrennte Wege handle, auf denen Luther sein Ziel, eine Änderung der Ablaßinstruktion zu erreichen, verfolgte. Einleuchtend – nur hatte Iserloh die eigentliche Abzweckung der Thesen auf eine (überregionale und zunächst terminlich noch offene) Disputation nie bestritten, ja sogar eine Abfassung *nach* dem 31. 10. 1517 nicht ausgeschlossen, wobei sich dann das Ausbleiben der Reaktion der Bischöfe nicht nur durch die Abwesenheit Albrechts von Halle, sondern auch dadurch erklären könnte, daß Luther das Anschreiben an die Bischöfe noch einige Tage hätte liegen lassen[9]. Es überrascht nach alldem schon, wie dezidiert Oberman formulieren kann: »Der Thesenanschlag hat stattgefunden«.

Vorsichtiger ist Brecht[10]: Er nutzt die erste offene Flanke bei Iserloh und hält einen Thesenanschlag an der Schloßkirche Mitte November für wahrscheinlich. Er müßte dann freilich erklären, wie sich die an »publice omnes« ergangene überregionale und darum den Universitätsrahmen sprengende Disputationseinladung mit Luthers Äußerungen über die Wittenberger Universität als »Winkel« zusammenreimt, deren »schwarzes Brett« das Portal der Schloßkirche war, an dem die *universitätsinternen* Disputationen angezeigt zu werden pflegten. Zudem: Wieviel »Luft« ist in der Debatte noch drin, wenn man Melanchthons Nachricht nach reinen Möglichkeitserwägungen auf Mitte November umdatiert? Fazit: mit der letzten Offenheit der Position von Brecht »kann man leben«. Aber nach wie vor halte ich die Argumente von Iserloh für die besseren.

[9] A. a. O. 47 f.
[10] Vgl. Brecht, Martin Luther, 195–197.

[6] Zu S. 51: Zum »Eidbruch« Luthers nach Richard Baumann

Das Buch von Richard Baumann über »Luthers Eid und Bann« wird mit Sicherheit von der evangelischen Lutherforschung und Theologie schweigend übergangen werden. Um so mehr hat ein katholischer Lutherforscher Anlaß, dies nicht zu tun und, ganz im Gegenteil, einen Autor in Schutz zu nehmen, der sich nichts anderes hat zuschulden kommen lassen, als nach Luthers Weisung sein theologisches Urteil ganz auf die

Schrift zu gründen – und dabei nur unglücklicherweise hinsichtlich des Petrusamtes zu anderen Ergebnissen kam als Luther und die Lutherischen Bekenntnisschriften. Der katholische Beobachter wird nie das Erstaunen darüber loswerden, wieviel »Toleranz« in der Lehre bis hin zur Inkaufnahme von »Bekenntnisbewegungen« die Lutherische Kirche im Vertrauen auf die Selbstbezeugung des Evangeliums im Gewissen des Einzelnen aufbringt, aber dem Evangelium mit »Maßnahmen« nachhelfen zu müssen meint, wo es um das Papstamt geht. Und mit ungläubigem Kopfschütteln liest der Katholik die in der von Baumann dokumentierten Korrespondenz mit den lutherischen Instanzen gegebenen Begründungen für dessen Entfernung aus dem Pfarramt seiner (württembergischen) Landeskirche, vor allem im Brief des damaligen leitenden Bischofs der VELKD, D. Dr. Hanns Lilje: Baumann wurde amtsenthoben, weil sich das Spruchkollegium an die *Bekenntnisschriften* gehalten hat, die abzuändern es nicht befugt sei – von der Bibel ist nicht die Rede; dem Lutherischen Weltbund ist es nicht möglich, den Spruch der Landeskirche »juristisch (!) anzufechten«, eine Revision ist »rechtlich unmöglich, solange Sie, sehr verehrter Herr B., nicht selbst den Anlaß beseitigen, der zu dem mit juristischen Gründen nicht anfechtbaren Entscheid des Spruchkollegiums geführt hat. Sie selbst müßten die Voraussetzungen schaffen und die in Ihren zahlreichen Veröffentlichungen vertretene Lehre vom Primat des römischen Papstes widerrufen (!)« – und rasch versteckt man sich noch hinter der Zusatzbemerkung: »…, die von allen nicht-katholischen Konfessionen abgelehnt wird«[1] –, als ob damit das Problem gelöst und nicht vielmehr benannt wäre! Das ist, beim Namen benannt, auf kleiner Landeskirchen-Ebene genau jene rechtliche »Absicherung« der »wahren Lehre«, die man lutherischerseits so wortreich als die entscheidende Unerträglichkeit des »römischen Systems« zu brandmarken pflegt.

Es kann nun hier nicht darum gehen, zu dem »Fall Baumann« Stellung zu nehmen, der sich bis 1975 hinzog – letztes Aktenstück, das Baumann dokumentiert, ist der Antwortbrief des Nuntius Bafile vom 5. August 1975, mit dem dieser den Brief Baumanns an Papst Paul VI. vom 18. Mai 1975 beantwortet[2]. Der Vatikan hat taktvollerweise auf eine Ermunterung zur Konversion verzichtet, und Baumann ist damit buchstäblich in seinem Gewissen zwischen die Mühlsteine der geradezu zwanghaften zwischenkirchlichen »Kirchenräson« geraten. Es geht auch nicht darum, Baumann auf die innerkatholische Diskussion um Primat und Unfehlbarkeit hinzuweisen: Er kennt sie, und sie hat ihm offenbar nicht weitergeholfen. Man möchte höchstens – und dafür hätte man sogar sehr

---

[1] Baumann, Luthers Eid und Bann, 315f.
[2] Vgl. a. a. O. 316–334.

unbefangene ausländische Vorbilder – der Lutherischen Kirche raten: Gebt doch zu, daß auch ihr ein »Lehramt« habt, das, obzwar nicht »unfehlbar«, im Extremfall als »ultima ratio« formal genauso funktioniert wie das »römische«, nämlich mit rechtswirksamen Maßnahmen, die sich keineswegs nur auf das »Wort« beschränken und bei denen der Einzelne einfach »nicht mehr dazwischenzukommen« in der Lage ist. Das Gespräch über das Petrusamt könnte von solchem Eingeständnis nur gewinnen – und die erwiesene größere Transparenz evangelischer Lehrzuchtverfahren könnte für die katholische Kirche sogar positives Vorbild sein[3]. Es ehrt darum die Lutherische Kirche, daß sie in dem vieldiskutierten »Fall« des Hamburger Pastors Dr. Paul Schulz auch einmal *nicht* in der Kirchen- und Amtsfrage »lehramtlich« reagiert hat[4]. Doch teile ich – obwohl in der Sache ganz und gar kein »Sympathisant« von Paul Schulz! – das Unbehagen über die »Inkonsequenz«, daß hier offenkundig ein »Ad-hoc-Lehramt« zusammentrat, obwohl gleichzeitig weiter behauptet wird, in der Lutherischen Kirche gebe es kein Lehramt.

Hier geht es nun nur darum, ob Baumann recht hat mit seinem Urteil über Luthers »Eidbrüche« als der Grundlage seiner neuen Theologie und des daraus entstandenen eigenen Kirchentums. Dazu folgende »fachsimpelnden« Anmerkungen:

1. Baumann hat gewiß recht, wenn er es als unerträglich empfindet, daß die Gehorsamsverweigerung Luthers gegenüber den in Mönchsprofeß und Doktoreid übernommenen Verpflichtungen in der älteren Lutherforschung pathetisch als geistliche Heldentat gefeiert wird[5] – obwohl man, wie sein eigener »Fall« beweist, gegebenenfalls wie ein katholischer Amtsträger reagiert, »als wäre der Vernichtungsakt (die Verbrennung des kanonischen Rechts durch Luther vor dem Elstertor) nicht geschehen, den man ruhig aber auch weiterfeiert«[6]. Baumann beruft sich aber dabei vorwiegend auf Zeugnisse aus den 20er Jahren (Otto Scheel, Adolf Schlatter) – der »jüngste« evangelische Lutherforscher, den er zitiert, ist Karl-August Meissinger, und den zitiert er gerade als Gegenbeleg[7]. Die jüngeren Biographien – etwa Olivier, Brecht, von Loewenich schlagen solch pathetische Töne nicht mehr an, empfinden freilich anderseits den »Eidbruch« nicht als religiöses Problem.

2. Was die Mönchsprofeß betrifft, so unterschätzt Baumann gewiß die Tatsache, daß Luther die übernommenen Verpflichtungen aus *religiöser Sensibilität* – »mit dem Instinkt des Geführten«, sagt Peter Manns – als

---

[3] Zur Sache vgl. w. u. im 12. Kapitel S. 223–225.
[4] Vgl. dazu Lutz Mohaupt, Pastor ohne Gott? Dokumente und Erläuterungen zum »Fall Schulz«, Gütersloh 1979.
[5] Vgl. Baumann, a. a. O. 11–23.
[6] A. a. O. 328.
[7] Vgl. a. a. O. 17f.

unerfüllbar an sich erfuhr, vor allem die Verpflichtung zur vollkommenen Gottesliebe. Ein Gelübde aus Ichbezogenheit brechen und ein Gelübde trotz aller Anstrengung als unerfüllbar erleben und es daher in seiner theologischen Legitimität infragestellen – das ist zweierlei. Heute würde einem solchen Ordensangehörigen durch Dispens der Weg aus dem Kloster eröffnet, für Luther gab es eine solche Möglichkeit nicht. Er mußte *theologisch* mit dem Problem zurecht kommen oder geistlich zerbrechen. Diese historisch gerechte Frage verstellt sich Baumann, indem er – mit seitenlangen Zitaten – sich ganz auf die Seite der Thesen von Paul Hacker schlägt[8], mit dem Ergebnis: Ichgewißheit gleich »die Wahrheit« und: Das Ich predigt sich[9]. Hier gilt denn alles, was im Laufe dieses Buches zur These von Hacker zu sagen ist.

3. In einem Punkt hat Luther im theologischen Urteil über die Ordensgelübde völlig recht behalten und auch langfristig – nicht so rasch wie nach Baumann/Meissinger bei den Ablässen – Abhilfe geschaffen: in dem Unverständnis und schließlich in der Zurückweisung der Idee von der Mönchsprofeß als »zweiter Taufe«[10]. Wer begriffen hat, was Taufe ist, kann diese These nur als grobe Entgleisung empfinden – und heute spielt sie bei der theologischen Begründung des Mönchtums denn auch keine Rolle mehr, wenn sie auch nie einmal, wie sie es verdient hätte, formell verworfen worden ist.

4. Was nun den Doktoreid betrifft, so krankt Baumanns Argumentation daran, daß er sich diesen offenbar nach Analogie des »Antimodernisteneides« vorstellt, also dabei eine Form der Bindung des Theologen an die Vorgabe des Lehramtes auf der Linie des Ersten Vatikanums voraussetzt – wie er überhaupt erkennbar Struktur und Stellenwert des Papstamtes im nachvatikanischen Verständnis in den Anfang des 16. Jahrhunderts projiziert. Das ist ein historisches Mißverständnis – trotz aller augenscheinlichen (und verbalen!) Ähnlichkeiten. Der »geschworene« Doktor der Theologie an einer Universität war ein öffentliches, päpstlich approbiertes Amt mit dem Auftrag, die Predigt in der Kirche und die Praxis der Kirche kritisch zu begleiten und zu diesem Zweck im akademischen Bereich frei seine Meinung zu äußern, Thesen aufzustellen und sie zu disputieren – ausgenommen den Fall, wo die Kirche eindeutig entschieden hatte, was kirchliche Lehre war. Das war bei den Ablässen nicht der Fall (wie auch Baumann weiß). Heiko A. Oberman hat vor einigen Jahren einen geradezu aufregenden Parallelfall ausgegraben – aufregend, weil es sich um Luthers baldigen Gegner Eck handelt[11]. Diesem war vom Eichstätter Bischof als dem »Ordinarius Loci« eine Disputation über die

---

[8] A. a. O. 23–54.
[9] A. a. O. 44; 56.
[10] Vgl. die Arbeiten von Lohse, Esnault, Bacht und Pesch w. u. im 5. Kapitel S. 86 Anm. 14.
[11] Vgl. Oberman, Wesen und Wertung der Reformation, 188 f.

Erlaubtheit des Zinsnehmens verboten worden. Dagegen opponierte Eck unter Hinweis auf sein päpstlich anerkanntes Doktoramt, daß sich der hierarchisch niedrigeren Autorität des Bischofs in seiner Ausübung nicht beugen müsse – er bekam recht in Gutachten der Universitäten Mainz und Köln, drei Jahre vor Luthers Ablaßthesen! Luther beging also keine Verletzung seines Doktoreides, wenn er im Ablaßstreit hartnäckig auf der theologischen Begründung für die Ablässe bestand, die, wie Cajetans Reaktionen zeigen, in der Tat nicht kirchenamtlich geklärt waren (s. im 5. und 6. Kapitel).

5. Nun kommt alles darauf an, ob die Kirche Luther eine Antwort gegeben hat, die die Ablaßfrage aus dem Bereich der akademischen Diskussionsfragen herausnahm. Das ist *nicht* der Fall – hier muß man Baumann und seinem Gewährsmann Meissinger[12] widersprechen. Es ging nicht nur um den Ablaß-*Handel* – der wurde in der Tat abgeschafft, von Rückfällen wie dem Streit um den »Abgott (= Ablaß) zu Halle« abgesehen, wo Albrecht 1521, Luther »sicher« auf der Wartburg wissend, das Spiel noch einmal probiert, es dann aber auf Luthers geharnischten Protestbrief hin wieder gelassen hatte. Es ging um die Verfügung des Papstes über den »Schatz der Verdienste Christi und der Heiligen«, der nach Luther mit dem Evangelium identisch ist und, »unverfügbar«, »ohne des Papstes Zutun« allzeit die Gnade des innerlichen Menschen bewirkt (Ablaßthese 58). Darauf und noch auf manche andere Anfrage Luthers in den Ablaßthesen ist nicht nur damals, sondern bis heute keine wirkliche Antwort der Kirche erfolgt[13]. Beleg für heute ist die Ablaßinstruktion Papst Pauls VI. vom 1. Januar 1967, die in der Tat die Mißbräuche als überwunden feststellt und auch mit dem quantifizierend-materialistischen Denken einer unerleuchteten Volksfrömmigkeit aufräumt, die alte Kernfrage aber ebenso umgeht wie die nachgereichten Klärungen des 16. Jahrhunderts. Beleg für damals ist die Haltung Ecks nach seinem Frontwechsel gegen Luther: Er kann Luther sein Disputationsrecht nicht bestreiten, muß ihm also nachweisen, daß er die kirchlich gezogenen Grenzen überschritten habe. Das tut schon Prierias durch die Auslegung der Ablaßthesen als Angriff auf das Papstamt[14]; das tut Eck, indem er Luther zum Eingeständnis hussitischer Irrtümer zu bringen sucht – denn der Anti-Hussiteneid war in den Statuten der jungen deutschen Universitäten verankert[15].

6. Die Frage, ob Luther nach 1518 zu weit gegangen sei, ist also nicht so eindeutig zu beantworten, wie Baumann meint. Fragen bleiben natürlich

---

[12] Vgl. Baumann, a. a. O. 17f. = Meissinger, Der katholische Luther, 133.

[13] Vgl. Iserloh, Luther zwischen Reform und Reformation, 85; 87; Pesch, Katholiken lernen von Luther.

[14] Vgl. w. u. im 6. Kapitel S. 108.

[15] Vgl. Oberman, a. a. O. 189.

– theologische und solche zum Verhalten Luthers. Meine eigene Stellungnahme geht aus den weiteren Überlegungen dieses Buches hervor. Ich erlaube mir daher abschließend, in tiefem Respekt vor dem leidvollen Gewissensweg von Richard Baumann, eine persönliche Frage. Der Verfasser beklagt im Schlußkapitel seines Buches[16] die modernen Irrlehren in der evangelischen Christenheit und die Duldsamkeit der Lutherischen Kirchenleitungen ihnen gegenüber, im Unterschied zur Intoleranz gegenüber Theologen, die den freien lutherischen Hochschulen nahestehen. Einmal, per impossibile, angenommen, er hätte früher nichtsahnend einen Eid geschworen, stets die Lehre der Lutherischen Bekenntnisschriften zu vertreten, wie sie die Landeskirchenleitung in Wahrnehmung ihres Wächteramtes auslegt und den lutherischen Predigern vorgibt. Würde er sich an diesen Eid gebunden fühlen, wenn von ihm verlangt würde, zuzustimmen, daß die Frage der Auferstehung Christi als eine in der Kirche offene Frage zu gelten habe? Diese Frage ist fast unfair. Aber vor einer vergleichbaren Frage stand doch Luther, als ihm zugemutet wurde zu widerrufen, daß keiner über Gottes Gnade verfügt als Gott allein! Und als die Kirche als ganze, in ihren höchsten amtlichen Repräsentanten, auf der anderen Seite des Konfliktes stand!

Mit diesen Feststellungen ist nicht die mindeste Vorentscheidung über Recht und Unrecht Luthers in seinen Stellungnahmen ab 1519 getroffen. Gesagt sein will nur dies: Das in der Tat gern unterschätzte Problem von Luthers Übertretung seiner Gelübde und Eide ist nicht nur formal durch Hinweis eben auf die Übertretung zu klären. Man muß nach den *Inhalten* fragen, die dabei auf dem Spiel standen und deretwegen Luther nicht mehr an sein Wort gebunden zu sein glaubte. Und selbst wenn man ihm dabei völlig recht gäbe, muß man immer noch nicht die Betroffenheit darüber unterdrücken, wie sehr sich Luther später, und wäre es auch in Bierlaune, zuweilen über die Gelübde und über seinen eigenen Ernst bei dem Versuch, sie zu erfüllen, mokieren konnte.

[16] A. a. O. 324–331.

[7] Zu S. 62: Zur Herkunft der »Imputatio«-Lehre

Noch im großen Selbstzeugnis von 1545 sieht Luther bekanntlich die entscheidende Trennungslinie zwischen sich und Augustinus in der Rechtfertigungslehre darin, daß Augustinus nicht die »Anrechnung« der Gerechtigkeit Christi lehre. Seitdem ist es ein Teilthema der Erforschung des jungen Luther, woher Luther dieses neue Verständnis von der Art und Weise der Zuwendung der Gnade Christi an den Menschen habe.

Nun ist es eine vor allem in der katholischen Lutherforschung, aber nicht nur in ihr beliebte Vorausvermutung, daß die Imputationslehre auf die ockhamistische Akzeptationstheorie und damit auf Luthers nominalistische Schulung zurückgehe – was dann selbstverständlich wieder mehrfacher Bewertung offensteht wie Luthers Verhältnis zum Ockhamismus überhaupt (vgl. w. o. im 1. Kapitel S. 22 Anm. 24). Ich habe diese Vorausvermutung, ja, These nie teilen können und dies in »Theologie der Rechtfertigung« in einer längeren Anmerkung unter Hinweis auf die Literatur begründet[1]. Dem habe ich heute nur noch folgendes hinzuzufügen:

1. Matthias Kroeger hat die Zusammenhänge der Imputationslehre in einem Exkurs einer gründlichen Untersuchung unterzogen[2]. Sein Fazit: Terminologisch kommt sie keinesfalls aus dem Ockhamismus, weil »imputatio« dort kein beherrschender Terminus der Gnadenlehre ist. Sachlich kommt sie aus der Begegnung mit Augustins (von Luther umgedeuteten) Verständnis von der Sünde, die bleibt, aber nicht mehr verdammt, das aber ja nur dann nicht kann, wenn sie trotz ihres Bleibens von Gott nicht angerechnet wird. Im Scholion zu Röm 4,7 sind der Psalmvers 31,1 f. mit diesem augustinischen Sündenverständnis verbunden – Kroegers Belege überzeugen.
2. Geradezu polemisch wiederholt Leif Grane in seinem neuesten Buch seine schon in »Contra Gabrielem« entwickelte These, daß die Imputations- oder mit Luther genauer: Reputationslehre nicht das Mindeste mit der ockhamistischen Akzeptationstheorie zu tun hat[3].
3. Jüngst hat schließlich Theobald Beer das Thema wieder aufgenommen – mit einer seiner »Dokumentationen«[4]. Das Ergebnis ist dasselbe – freilich mit einer Art Bumerang-Effekt für Luther. Beer wendet sich ausdrücklich gegen Denifles Behauptung[5], Luther sei der ockhamistischen Akzeptationslehre verfallen, aber das *ent*lastet Luther nicht, sondern *be*lastet ihn erst recht, denn nach Beers durchgängigem Beurteilungsverfahren wird die Abweichung von Ockham und Biel zum Kriterium wenn schon nicht der Häresie, so doch zumindest bedenklicher Vorformen einer solchen.
4. Man wird nach diesen Forschungsergebnissen zwar sagen können, daß die tropologische Auslegung der Psalmen in den »Dictata« zwar *sachlich* eine Vorform der Imputationslehre ist, aber nicht *historisch* der Anlaß ihrer Ausbildung.

---

[1] Vgl. Pesch, Theologie der Rechtfertigung, 171f. Anm. 49; vgl. 4 Anm. 4.
[2] Vgl. Kroeger, Rechtfertigung und Gesetz, 74–85.
[3] Vgl. Grane, Modus loquendi theologicus, 75f.; vgl. ders., Contra Gabrielem, 39; 379f.
[4] Vgl. Beer, Der fröhliche Wechsel, 100–122.
[5] Vgl. Denifle, Luther und Luthertum, I/1, 579.

Daß über den sachgemäßen und den Intentionen Luthers entsprechenden
Aufriß einer Darstellung der Theologie Luthers kein Einverständnis
herrscht, ja daß nicht einmal das Problem genügend reflektiert wird,
darüber belehrt ein Blick in die einschlägigen Bücher von Theodosius
Harnack über Reinhold und Erich Seeberg, Werner Elert, Paul Althaus,
Gerhard Ebeling und viele andere bis hin zu Theobald Beer[1]. Anderseits
wird die innere Einheit, Kohärenz und also »Systematik« von Luthers
Theologie nicht nur vorausgesetzt, sondern, teilweise von denselben
Autoren, emphatisch betont[2]. Die Frage ist also: Wieviel Einheitlichkeit
verlangt Luther von seinen Darstellern – wenn sie denn nicht allesamt
ihren Gegenstand verfehlt haben sollen? Bei der Antwort auf diese Frage
scheinen mir die folgenden »Essentials« zu beachten:
1. Luther hat keine »systematische Theologie«, keine »Dogmatik«, keine
»Summa Theologiae« geschrieben. Das zwingt zu der nüchternen Feststellung: Wir wissen nicht, wie Luther selbst eine »Theologie Luthers«
aufgebaut und durchgearbeitet hätte. Daraus ergibt sich ein grundsätzli-
cher Freiraum für deren Darstellung durch die Interpreten. Einschränkungen folgen sogleich – aber ein Aufriß einer Theologie Luthers ist nicht
schon allein dadurch sachgemäß oder unsachgemäß, daß er die Einzelthemen so und nicht anders disponiert, die Zusammenhänge so und nicht
anders bloßlegt.
2. Ob Luther einen systematischen Gesamtentwurf – der »Institutio«
Calvins oder, was näher liegt, den »Loci« Melanchthons vergleichbar –
nicht vorlegen *wollte*, nicht *dazu kam* oder seinem Naturell nach nicht
konnte, ist kaum zu entscheiden. Sicher ist, daß er wohl nie die dazu
nötige zusammenhängende Zeit gehabt hat – Calvin war freilich kaum
weniger eingespannt. Sicher ist aber vor allem, daß er von Berufs wegen,
nämlich als Exeget, dazu nicht gehalten war. Als Polemiker war er an
bestimmte Gegner (und deren Schriften), als Disputator an die jeweils
aktuellen Diskussionsthemen, als Prediger und Volksschriftsteller an
Schrifttexte (Perikopenordnungen) oder an die aktuellen seelsorglichen
Probleme gebunden, als Gutachter an die Anlässe und, nicht zuletzt, an

---

[1] Vgl. den knappen Überblick bei Lohse, Martin Luther, 148–152; den von Lohse
genannten Büchern wäre das von Theobald Beer als jüngstes hinzuzufügen. Knappe und
spezielle Reflexionen zum Problem finden sich bei Lienhard, Luthers christologisches
Zeugnis, 9–12; vgl. ferner Ernst Bizer, Neue Darstellungen der Theologie Luthers, Theol.
Rundschau NF 31 (1965/66), 316–349.
[2] So von Lohse, Lienhard; vgl. schon Ebeling, RGG IV, 496; Althaus, Theol. Luthers, 7.
Weitere Stimmen aus der Lutherforschung bei Pesch, Theol. der Rechtfertigung, 14 Anm. 4.

die Rücksicht auf die anzusprechenden Personen[3]. Aber: mußten ihn diese beruflichen Umstände *unbedingt* an einem Gesamtentwurf hindern? Zum Vergleich: Thomas von Aquin hat sich beruflich fast genauso wie Luther äußern müssen. Als Magister, also seit 1257, hat er – was gern übersehen wird – nur exegetische Vorlesungen gehalten und sich nur als Disputator systematisch-theologisch geäußert; Streitschriften, Predigten und Gutachten gibt es wie bei Luther – wenn auch nicht in solcher Zahl; Schriften für das Volk fehlen selbstverständlich – es gab ja noch keinen Buchdruck. Die STh jedenfalls ist eine reine Privatarbeit – und auch die »thomistischen« Universitätsprofessoren kommentierten bis um die Mitte des 16. Jahrhunderts die »Sentenzen«, nicht etwa die STh[4]. Und doch hat Thomas die STh geschrieben, weil ihm die Desintegration der universitären Stoffvermittlung ein unüberwindliches Unbehagen verursachte und er deshalb a) »in diesem Werk (sc. der STh) das, was zur christlichen Religion gehört, auf solche Weise vermitteln (will), wie es der Ausbildung von Anfängern angemessen ist«, und b) einen Zustand überwinden will, in dem »die Anfänger durch das, was von verschiedenen Leuten geschrieben worden ist, aufs höchste behindert werden, teils durch die Vielfalt nutzloser Fragen, Artikel und Argumente [das zielt auf die ausufernden Disputationen], teils dadurch, daß das für solche (Anfänger) Wissensnotwendige nicht nach seinem wissenschaftlichem Sachzusammenhang (non secundum ordinem disciplinae) dargeboten wird, sondern so, wie es die Auslegung von Büchern erfordert oder wie sich ein Anlaß zum Disputieren bietet, teils deswegen, weil die häufige Wiederholung von all dem im Geist der Hörer Überdruß und Verwirrung erzeugt«[5]. »Dies also und anderes derart bemühen wir uns zu vermeiden und werden versuchen, im Vertrauen auf die Hilfe Gottes das, was zur heiligen Lehre gehört, knapp und durchsichtig zu entwickeln, soweit es die Sache zuläßt[6]« – hätte Luther diese Sätze des Prologs der STh sich nicht auch zu eigen machen können?

3. Ich bin daher nicht ganz davon überzeugt, daß Luther deshalb auf einen originellen systematischen Entwurf verzichtet hat, weil er niemandes Meister sein wollte[7]. Das wollten, wie Lohse mit Recht vermerkt,

---

[3] Klassische Beispiele: Polemik: De captivitate; Von dem Papsttum zu Rom; De servo arbitrio. – Disputator: Disputation gegen die scholastische Theologie; die Heidelberger und die Leipziger Disputation. – Prediger: Die Postillen; die Invocavit-Predigten. – Volksschriftsteller: Sermone von Ablaß und Gnade, von den guten Werken, von der Bereitung zum Sterben. – Gutachter: Visitationsgutachten für den Kurfürsten; Gutachten über die Erlaubtheit des Widerstandes gegen den Kaiser (»Pack'sche Händel«!); auch die Schmalkaldischen Artikel gehören vom Ursprung her dazu.
[4] Vgl. O. H. Pesch, Thomismus, in: LThK X (1965), 157–167. hier: 159.
[5] Summa Theologiae I prol.
[6] Ebd.
[7] So Lohse, a. a. O. 148 unter Hinweis auf 8, 655, 4–15.

auch die mittelalterlichen Systematiker nicht – und doch hat es zwischen ca. 1130 und 1270 eine lebhafte Debatte um den »richtigen« Aufbau einer systematischen Theologie, um den richtigen »ordo disciplinae« gegeben[8], an deren Ende der Plan der STh steht. Danach kam nichts dergleichen mehr – Scotus, Ockham, Biel und die anderen Großen der Spätscholastik haben ihre Hauptwerke wieder als Sentenzenkommentare geschrieben. Sicher ist freilich ein anderes Faktum: Luther ist – abgesehen von der schriftlichen Vorbereitung seiner Vorlesungen – ein notorischer Gelegenheitsschriftsteller. Seine Äußerungen sind daher nicht nur (im Unterschied etwa zu Thomas!) je nach Leserschaft stilistisch und sprachlich sehr vielfältig, sondern auch sachlich äußerst situationsbezogen[9]. Das heißt nicht – jedenfalls nicht von vornherein –, daß seine *Überzeugung* sich nach dem Wind richtet, wohl aber, daß die Schwerpunkte wechseln. Es ist ein Unterschied, ob Luther sich über die Sakramente in »De captivitate« gegen die »Papisten« äußert oder gegen die »Schwärmer« in den Katechismen; ob im Zusammenhang des Augsburger Verhörs oder in den Schmalkaldischen Artikeln und in »Von den Konziliis und Kirchen« über die Aussichten eines allgemeinen Konzils; ob vor oder nach 1530 über das Bischofsamt; ob vor oder nach der Kontroverse über das Abendmahl mit Zwingli und den Schwärmern zu christologischen Fragen usw. Die einheitgebende Linie, darin ist Lohse völlig zuzustimmen[10], verläuft so, daß Luther immer bemüht ist, den Streit zu entscheiden durch Rückführung auf das Zeugnis der Bibel und der altkirchlichen Tradition, die beide in der Zwischenzeit durch allerlei Menschengedanken und Menschensatzung bis zur Unkenntlichkeit überlagert worden sind[11]. Im Einzelnen aber ist Luther eben deshalb stets mehr derjenige, der *reagiert* und durch Reaktion etwas reinigend Neues einbringt, als derjenige, der konstruktiv »entwirft«. Man kann auch gewiß noch sagen, daß dies der Zeitsituation entspricht: Mit ihrem durch Jahrhunderte angestauten Reformverlangen ist sie weniger die Zeit neuer großer Entwürfe als vielmehr die Zeit der kritischen Sichtung und Revision der altgewordenen. Dies letztere allerdings ist wiederum für Luther kein *zwingendes* Hindernis – wie ja das Gegenbeispiel Melanchthon beweist.

4. Mit dem unter 3. Gesagten hängt zusammen, daß Luther sich wenig äußert zu dem, was *nicht* strittig ist – und was gleichwohl entscheidende

---

[8] Vgl. Lohse, a. a. O. 148 f. – Zur mittelalterlichen Diskussion vgl. Chenu, Das Werk des heiligen Thomas, 336–361. Die These von Chenu war Ausgangspunkt einer ausgiebigen Diskussion; der Kürze halber sei hier verwiesen auf Pesch – Peters, Einführung in die Lehre von Gnade und Rechtfertigung, 69 f. Anm. 49, wo die jüngeren Überblicke über diese Diskussion verzeichnet sind.

[9] Vgl. die Hinweise bei Lohse, a. a. O. 108–119.

[10] A. a. O. 119–121.

[11] Vgl. w. o. im 2. Kapitel S. 38 f.

Grundlage und Voraussetzung seines theologischen Denkens ist und bleibt. Dazu gehört vor allem die altkirchliche Trinitätslehre und die altkirchliche Christologie einschließlich ihrer soteriologischen Intention. Das kommt klassisch heraus an der Stelle, die Lohse in dieser Hinsicht mit Recht für einen Schlüsseltext hält – gerade weil er im wichtigsten von Luthers polemischen Traktaten steht, in »De servo arbitrio«: »Was kann an Erhabenem in der Schrift verborgen bleiben, nachdem die Siegel gebrochen, der Stein von der Tür des Grabes gewälzt und jenes höchste Geheimnis preisgegeben ist: Christus, der Sohn Gottes, ist Mensch geworden, Gott ist dreieinig und einer, Christus hat für uns gelitten und wird ewig herrschen?[12]« Es wird zur Katastrophe für das historische Bild des Theologen Luther, wenn man sich bei der Darstellung der Theologie Luthers nur von den Schwerpunkten leiten läßt, an denen er sich ausführlich und mit Nachdruck geäußert hat, und für vernachlässigenswert hält, was ihm nie Kopfzerbrechen bereitet hat und *eben darum* doch die Argumentation an den Schwerpunkten in ihrem wahren Stellenwert erst entschlüsselt. Das Ergebnis könnte dann nur ein Luther nach dem Bild und Gleichnis des Interpreten sein.

5. Aber: heißt das nun, eine Gesamtdarstellung der Theologie Luthers sei beispielsweise nicht mehr bei ihrem Thema, wenn sie nicht mit der Trinitätslehre einsetzt? Mir scheint: nein! Aus all den genannten Gründen muß ein Interpret nicht lutherischer sein als Luther selbst. Es darf bei dem Freiraum bleiben, den Luther nicht verpflichtend eingeengt hat. Zudem ist dies zu bedenken: Man muß unterscheiden zwischen einer »Systematik«, verstanden als Themenaufriß, als Struktur des Inhaltsverzeichnisses eines Buches, und einer »Systematik« als bloßzulegendem inneren Zusammenhang. Das Letztere ist offenbar auch bei großen Unterschieden in der thematischen Gliederung möglich. Außerdem heißt »Systematik« im zweiten Sinne ja auch nicht: lückenlose Deduktion jeder Einzelheit aus der vorhergehenden, sondern einleuchtende Zuordnung, sei sie deduktiv oder nicht. Deduzierend in diesem Sinne ist ja nicht einmal der systematischste aller systematischen Pläne in der Theologiegeschichte, der Plan der Summa Theologiae des Thomas. Wie oft schreitet er von einem Thema zum nächsten fort mit der schlichten Formel: »Deinde considerandum est de…; et circa haec tria quaerenda sunt, primo…« Das alles darf dann auch erst recht für eine Theologie Luthers gelten.

6. Einschränkungen der Darstellungsfreiheit ergeben sich nur aus einer Reihe von Binsenwahrheiten, die freilich weniger den Gesamtaufriß als die Einzelheiten, sozusagen die Mikrostruktur berühren. Da ist einmal die viel erörterte Unterscheidung zwischen vorreformatorischen, refor-

---

[12] 18, 606,24; vgl. Lohse 151. Man kann in diesem Zusammenhang auf die Schmalkaldischen Artikel I, 1–3 ebenso verweisen wie auf CA I und III.

matorischen und gegebenenfalls spätlutherischen Schriften, also grob gekennzeichnet die Dreiteilung (Vierteilung) 1513–1517; 1518–1522 (1523–1529); 1530–1546[13]. Für Einzelfragen muß die Unterscheidung gegebenenfalls noch weitergetrieben werden, z. B. für die Christologie[14], für die Zwei-Reiche-Lehre[15], für das Kirchen- und Amtsverständnis[16]. Diese Unterscheidung schließt nicht nur ein Durcheinanderzitieren aus. Sie läßt auch jedesmal neu die Frage nach der »eigentlichen« Meinung Luthers entstehen. Denn wenn auch der Zeitraum zwischen 1518 und 1522 kriteriologische Bedeutung hat, so ist das noch keine Vorentscheidung hinsichtlich einer Bewertung späterer Entwicklungen und Meinungsänderungen. So ist z. B. die Abkehr vom rein augustinischen Verständnis der Zwei Reiche nach 1523[17] gewiß eine Korrektur in Richtung des »eigentlichen« Luther; der stärkere Sinn für die sakramentalen Zeichen und überhaupt für die institutionellen Formen der Kirche unter dem Eindruck der Auseinandersetzung mit den Schwärmern – also das, was man zuweilen das »Katholische« beim alten Luther nennt – ist gewiß die Rückgewinnung bisher vernachlässigter Wahrheit, bedeutet aber keineswegs einen Gegensatz zu den kirchenkritischen Konzentrationen der frühreformatorischen Zeit, deren Impulse man sich daher auch nicht zugunsten des »alten Luther« nehmen lassen muß; in den konkreten Bescheiden zur Amtsfrage aber ist der späte Luther ganz gewiß nicht der »eigentliche« Luther, weil diese Bescheide nach eigenem Eingeständnis in vieler Hinsicht Notlösungen waren. Kurzum: im Detail ist Luthers Auffassung grundsätzlich nicht ohne Blick auf die konkreten Umstände ihrer Ausbildung zu ermitteln.

Eine andere Binsenwahrheit ist Luthers bekannte Bestimmung des »Subjektes« der Theologie[18]. Sie nennt *zuerst* den Menschen als Sünder und in bezug auf ihn den rechtfertigenden Gott. Das schließt, scheint mir, eigentlich einen Thomas vergleichbaren Aufriß, eine »sapientiale« Theologie, die gewissermaßen mit den Augen Gottes auf Welt, Mensch und Geschichte blickt, aus. Vielleicht aus *diesem* Grunde auch einen Einsatz »steil von oben« bei der Trinitätslehre?

Eine dritte Binsenwahrheit ist der besondere Vertrauensvorschuß, den der Interpret den Schriften Luthers schuldet, die dieser zeitlebens besonders geschätzt hat, also unstreitig »De servo arbitrio« und die Katechismen[19]; dazu – denn so sehr darf man hier Luthers understatement doch

[13] Vgl. w. o. im 5. Kapitel S. 98–100.
[14] Vgl. Lienhard, a. a. O.
[15] Vgl. Duchrow, Christenheit und Weltverantwortung.
[16] Vgl. Lohse, a. a. O. 188.
[17] Vgl. im 13. Kapitel S. 230–232.
[18] Vgl. w. u. im 14. Kapitel S. 246 mit Anm. 16.
[19] Vgl. w. u. im 10. Kapitel S. 177 mit Anm. 5.

nicht beim Wort nehmen – gewiß auch die »reformatorischen Hauptschriften«, ergänzt durch einige andere aus demselben Zeitraum (wie es ja in der Forschung faktisch auch geschieht); dazu gewiß auch die programmatisch gemeinten Schmalkaldischen Artikel und »Von den Konziliis und Kirchen«. Stellungnahmen, die Luther in diesen Schriften zu theologischen Einzelfragen abgibt, dürfen kaum zugunsten etwaiger anderslautender Äußerungen relativiert werden, und wenn, dann nur aus zwingenden Gründen – ein wichtiges Beispiel ist bekanntlich die Prädestinationslehrer in »De servo arbitrio«[20].

7. Dies alles ergibt nun immer noch keinen *zwingenden* Aufriß einer »Theologie Luthers«. Wer die »via tutior« gehen will, schließt sich am besten an eines der Werke Luthers an, die selbst einen quasi-systematischen Aufriß bieten. Am nächsten – und das geschieht denn ja auch nicht selten – liegt ein Grundriß nach den drei Artikeln des Glaubensbekenntnisses in den Katechismen (schon die Reduktion der 12 bzw. 14 Artikel nach scholastischer Zählung[21] auf drei bietet Anlaß zu einer ersten Reflexion auf die Eigenart der Theologie Luthers!). Vorzuschalten empfiehlt sich ein Kapitel »Prolegomena« in Gestalt einer Besinnung auf Gesetz und Evangelium als »Grundformel theologischen Verstehens« (Ebeling). Ihm könnte ein Kapitel über den Menschen als Sünder folgen (wovon thematisch im Glaubensbekenntnis nicht die Rede ist, in einer Theologie Luthers aber gemäß seiner eigenen Aufgabenbestimmung der Theologie bald die Rede sein muß). Danach könnte es weitergehen mit der Abfolge des Katechismus. In den Einzelaufrissen der Kapitel könnten dann die Schriften Luthers zu Spezialfragen weitere Hilfe leisten, »Von den Konziliis« etwa für das Kirchenkapitel, »De captivitate« in Kombination mit den Schmalkaldischen Artikeln für das Sakramentskapitel, u. ä. Ein solcher Grundriß, der mit der hermeneutischen Reflexion auf Gesetz und Evangelium und (mühelos daraus folgend) mit dem inhaltlichen Thema des sündigen Menschen ansetzt, hätte den doppelten Vorteil, einerseits sowohl das Überwundene als auch das Weitergeführte des Frühwerkes konstruktiv in die Gesamtdarstellung einzubringen und anderseits die soteriologische Dimension von Trinitäts-, Schöpfungs- und Christuslehre von vornherein im Blick zu behalten, der Interpretation des Glaubensbekenntnisses also sein spezifisch lutherisches Gepräge zu sichern.

Denkbar – aber nicht mehr so sicher – wäre ein ausweitender Anschluß an »Von der Freiheit eines Christenmenschen«. Denkbar wäre sogar – trotz der Bindung an die Vorlage des Erasmus – ein ausweitender Anschluß an den Aufbau von »De servo arbitrio«. Denkbar – und wieder ziemlich sicher – wäre eine Anknüpfung an die Schmalkaldischen Artikel.

[20] Vgl. w. u. im 14. Kapitel S. 259–263.
[21] Vgl. Thomas, Summa Theol. II–II 1,8.

Denkbar wären noch andere Aufrisse. Denn wie gesagt: Luther gibt die Freiheit dazu, verwehrt sie zumindest nicht. Ein sicherer Gebrauch dieser Freiheit ist allerdings nur dann gewährleistet, wenn der Aufriß im Detail ebenso wie die Darstellung der Einzelprobleme jeweils gezielt sachlich reflektiert und das heißt immer: in ihrem historischen Zusammenhang erörtert und gewürdigt werden.

Diese Prinzipien geben trotz aller Offenheit und aller belassenen Freiheitsräume immer noch genug Grund zu kritischen Einwänden gegen manche der vorliegenden Darstellungen der Theologie Luthers.

[9] Zu S. 241: ZUR »NORMATIVITÄT« DER BERGPREDIGT

Luther hat die ethische Bedeutung der Bergpredigt für den Christen auf das »private« Leben des Einzelnen außerhalb des Amtes beschränkt, weil er sich nicht vorstellen konnte, daß sie als Maßstab ethischen Handelns im Amt ausreichen könnte, den Nächsten vor Unrecht zu schützen – ganz abgesehen von dem dann sich einstellenden Problem der »Vergesetzlichung« des ethischen Handelns.

Vor demselben Problem stehen wir noch heute. Die Bergpredigt als gesetzliche und zudem unzureichend wirksame Norm – oder als politisch von vornherein bedeutungsloser Privatmaßstab: Es ist wie zwischen Skylla und Charybdis! Ein Ausweg aber könnte in einem Verständnis der Bergpredigt auf der Linie der in den letzten Jahren entwickelten Theorie des »ethischen Modells« liegen[1]. Ein »Modell« ist keine befolgbare Norm, auch kein kopierbares Muster, aber auch nicht die offene Beliebigkeit. Es ist eine Art motivierende, Findungs- und Handlungsenergien freisetzende Suchanweisung. Und ein Maßstab für die Beurteilung gefundener Normen, deren es anderseits keine einzige vorzeichnet. Es befindet sich darum in einer eigentümlichen Schwebe zwischen den objektiven »Gütern und Werten« (Böckle), die jede Normenfindung steuern und in Verbindung mit Erfahrung und Vernunft abzuleiten gestatten[2], und diesen Normen selbst.

Daß das »ethische Modell« gerade in krisenhaft umstrittenen Normfindungsprozessen an Effizienz keineswegs unterlegen, eher zuweilen überlegen, immer aber als Ergänzung unentbehrlich ist, zeigen die aktuellen theologischen Diskussionen zur Friedensethik und -politik. So utopisch der Hinweis auf das Gewaltlosigkeitsgebot der Bergpredigt auch sein

---

[1] Vgl. dazu Dietmar Mieth, Moral und Erfahrung. Beiträge zur theologisch-ethischen Hermeneutik, Freiburg i. Br. 1977, 111–134 – dort weitere Literatur.
[2] Vgl. Böckle, Fundamentalmoral, 261–319.

mag, so »unbrauchbar« für die Tagespolitik, so wird man doch zugestehen müssen: Dieses Modell hat soviel Friedenswillen freigesetzt, der
inzwischen auch politische Wirkung zeitigt, zumindest ein politischer
Faktor geworden ist, wie es keine noch so genau und überzeugend
ausgearbeitete ethische Norm – die nötig bleibt! – *allein* vermocht hätte.
Es bedeutet offenbar kein Bruch mit der richtig verstandenen und richtig
angewendeten Zwei-Reiche-Lehre, wenn man auf dieser Linie die resi-
gnierte Verweisung der Bergpredigt in den Lebensbereich des Einzelnen
»für sich selbst«, wie Luther sie vertritt, überschreitet.

ABKÜRZUNGEN

1. Allgemeine Abkürzungen, soweit nicht selbstverständlich

bes.	besonders
can.	canon
in corp.	in corpore (= Hauptteil) des Artikels (in einem scholastischen Werk)
in princ.	in principio (gegen Anfang)
Lit.	(Das Werk enthält eine besonders auführliche) Literaturliste
s.	siehe
STh	Summa Theologiae
Stw.	Stichwort
Suppl.	Supplement (zur Tertia Pars der STh des Thomas)
Th.	These
w. o.	weiter oben
w. u.	weiter unten

2. Werke Luthers und der Reformatoren

Apol	Apologia Confessionis Augustanae (in: BSLK)
Br	WA, Briefwechsel
BSLK	Bekenntnisschriften der evangelisch-lutherischen Kirche
CA	Confessio Augustana (in: BSLK)
Cl	Luthers Werke in Auswahl, hg. von O. Clemen (s. Literaturverzeichnis, 1.)
DB	WA, Deutsche Bibel
MA	Martin Luther, Ausgewählte Werke, Münchener Ausgabe (s. ebd.)
TR	WA, Tischreden
WA	D. Martin Luthers Werke, Weimarer Ausgabe (s. ebd.)

3. Lexika, Sammelwerke, Reihen

ARG	Archiv für Reformationsgeschichte
Cath	Catholica. Vierteljahresschrift für Ökumenische Theologie
CGG	Böckle u. a. (Hg.), Christlicher Glaube in moderner Gesellschaft (s. Literaturverzeichnis, 2.)
CIC	Codex Iuris Canonici
Concilium	Concilium. Internationale Zeitschrift für Theologie.
DS	Denzinger – Schönmetzer, Enchiridion symbolorum, Barcelona – Freiburg – Rom [32]1963 u. ö.
EvTh	Evangelische Theologie
FZPhTh	Freiburger Zeitschrift für Philosophie und Theologie
GK	Rogier u. a. (Hg.), Geschichte der Kirche (s. Lit. Verz., 2.)
HDG	Schmaus u. a. (Hg.), Handbuch der Dogmengeschichte (s. ebd.)
HerKorr	Herder-Korrespondenz
HKG	Jedin (Hg.), Handbuch der Kirchengeschichte (s. ebd.)
KiG	Schmidt u. a. (Hg.), Die Kirche in ihrer Geschichte (s. ebd.)
KuD	Kerygma und Dogma.
LR	Lutherische Rundschau
LThK	Lexikon für Theologie und Kirche
LuJ	Luther-Jahrbuch
Luther	Luther. Zeitschrift der Luther-Gesellschaft

MDKI	Materialdienst des Konfessionskundlichen Institutes des Evangelischen Bundes (Bensheim)
MS	Feiner – Löhrer (Hg.), Mysterium Salutis (s. ebd.)
MThZ	Münchener Theologische Zeitschrift
NGB	Feiner – Vischer (Hg.), Neues Glaubensbuch (s. ebd.)
NR	Neuner – Roos, Der Glaube der Kirche in den Urkunden der Lehrverkündigung, Regensburg ⁹1971
NZSTh	Neue Zeitschrift für Systematische Theologie
ÖKG	Kottje – Moeller (Hg.), Ökumenische Kirchengeschichte (s. ebd.)
ÖR	Ökumenische Rundschau
Pastoral-theologie	Pastoraltheologie. Monatsschrift für Wissenschaft und Praxis in Kirche und Gesellschaft
PL	J. J. Migne, Patrologia, Series Latina, Paris 1841 ff.
RGG	Die Religion in Geschichte und Gegenwart (s. ebd.)
RHPhR	Revue d'Histoire et de Philosophie religieuses
ThLZ	Theologische Literaturzeitung
ThPh	Theologie und Philosophie
ThQ	Theologische Quartalschrift (Tübingen)
ThRv	Theologische Revue
TThZ	Trierer Theologische Zeitschrift
US	Una Sancta. Zeitschrift für ökumenische Begegnung
UTB	Uni-Taschenbücher
ZKG	Zeitschrift für Kirchengeschichte
ZkTh	Zeitschrift für katholische Theologie
ZSTh	Zeitschrift für systematische Theologie
ZThK	Zeitschrift für Theologie und Kirche

LITERATURVERZEICHNIS

1. Ausgaben der Werke Luthers[1]

D. Martin Luthers Werke. Kritische Gesamtausgabe, Weimar 1883 ff. = »Weimarer Ausgabe« [= WA], mit den Abteilungen: Werke [= ohne besondere Kennzeichnung], Briefwechsel [= Br], Tischreden [= TR], Deutsche Bibel [= DB]; einige Bände mit mehrfacher Unterabteilung.

Luthers Werke in Auswahl, hg. von Otto Clemen = »Bonner Ausgabe« nach dem ursprünglichen Erscheinungsort, 8 Bde., 6. Aufl. Berlin 1966. [= Cl]

Martin Luther, Ausgewählte Werke, hg. von H. H. Borcherdt und Georg Merz, 6 Bde. und 7. Erg.-Bde., 3. Aufl. München 1948 ff., Nachdruck 1962 ff. = »Münchener Ausgabe« [= MA].

Luther Deutsch. Auswahlausgabe in 10 Bden. sowie (bisher) 2 Erg.-Bden (Register, Lutherlexikon), hg. von Kurt Aland, Stuttgart 1957–1974.

Calwer Luther-Ausgabe in 12 Bden., Neuausgabe in der Reihe der Siebenstern-Taschenbücher, München/Hamburg 1964–1968.

Martin Luther, Ausgewählte Schriften in 6 Bden., hg. von Karin Bornkamm und Gerhard Ebeling, Frankfurt am Main 1968.

Luthers Vorlesung über den Hebräerbrief. Nach der vatikanischen Handschrift hg. von Emmanuel Hirsch und Hanns Rückert, Berlin/Leipzig 1929.

Luther für Katholiken. Hg. und eingeleitet von Karl Gerhard Steck, München 1969.

Das Magnifikat. Verdeutscht und ausgelegt durch D. Martin Luther. Mit einer Einführung von Helmut Riedlinger, Freiburg i. Br. 1982.

Luther – wie ihn keiner Kennt. Lutherbriefe aus dem Alltag, hg. von Reimar Zeller, mit einem Nachwort von Otto Hermann Pesch, Freiburg i. Br. 1982.

Die Welt ist wie ein betrunkener Baûer. Aus den Tischreden Martin Luthers, hg. von Peter Kamer, Wien 1982.

Martin Luther, Der Glaube allein. Texte zum Meditieren, Ausgewählt und eingeleitet von Otto Hermann Pesch (Reihe Klassiker der Meditation), Zürich 1983.

Predigten Martin Luthers durch das Kirchenjahr. I: Fastenzeit, Ostern, Pfingsten. Ausgewählt, übersetzt und eingeleitet von Peter Manns, Topos-Taschenbücher 128, Mainz 1983.

2. Lexika, Sammelwerke, Reihen[2]

Böckle, Franz – Kaufmann, Franz Xaver – Rahner, Karl – Welte, Bernhard, in Verbindung mit Robert Scherer (Hg.), Christlicher Glaube in moderner Gesellschaft. Enzyklopädische Bibliothek in 30 Teilbänden, Freiburg i. Br. 1980–1982 [= CGG].

Die Religion in Geschichte und Gegenwart. Dritte, völlig neu bearbeitete Auflage in Gemeinschaft mit Hans Frh. von Campenhausen u. a. hg. von Kurt Galling, 6 Bde. und 1 Registerband, Tübingen 1956–1962 [= RGG].

[1] Zu den zitierten Werken Luthers im einzelnen vgl. w. u. das besondere Verzeichnis. Zur Zitation s. o. in der »Vorwarnung an den Leser«. Eine Charakterisierung und Würdigung der wichtigsten Lutherausgaben findet sich bei Lohse, Martin Luther, 247–251.

[2] Die folgende Liste dient ausschließlich einer bequemeren Zitation der unter 3. noch eigens aufgeführten Einzeltitel. Sie enthält demgemäß nur solche Sammelwerke, aus denen *mehr als zwei* Einzelabhandlungen herangezogen wurden.

Feiner, Johannes – Löhrer, Magnus (Hg.), Mysterium Salutis. Grundriß heilsgeschichtlicher Dogmatik, 5 Bde. in 7, Zürich 1965–1975, Erg.-Bd.: Arbeitshilfen und Weiterführungen, hg. von Magnus Löhrer – Christian Schütz – Dietrich Wiederkehr, Zürich 1981 [= MS].

Feiner, Johannes – Vischer, Lukas (Hg.), Neues Glaubensbuch. Der gemeinsame christliche Glaube. Freiburg i. Br. 1973 ¹⁶1980 [= NGB].

Forster, Karl (Hg.), Wandlungen des Lutherbildes. Studien und Berichte der Katholischen Akademie in Bayern, Heft 36, Würzburg 1966.

Geißer, Hans Friedrich, u. a., Weder Ketzer noch Heiliger. Luthers Bedeutung für den ökumenischen Dialog, Regensburg 1982.

Jedin, Hubert (Hg.), Handbuch der Kirchengeschichte, 7 Bde. in 10, Freiburg i. Br. 1962–1979 [= HKG].

Kottje, Raymund – Moeller, Bernd (Hg.), Ökumenische Kirchengeschichte, 3 Bde., Mainz/München 1970–1974 (I: ³1980; II: ²1978; III: ²1979) [= ÖKG].

Lehmann, Karl (Hg.), Luthers Sendung für Katholiken und Protestanten, München 1982.

Lexikon für Theologie und Kirche. Zweite, völlig neu bearbeitete Auflage, hg. von Josef Höfer und Karl Rahner, 10 Bde. und ein Registerband, Freiburg i. Br. 1957–1965; 3 Erg.-Bde.: Das Zweite Vatikanische Konzil. Konstitutionen, Dekrete und Erklärungen, lateinisch und deutsch, Kommentare, Freiburg i. Br. 1966–1968 [= LThK].

Lohse, Bernhard (Hg.), Der Durchbruch der reformatorischen Erkenntnis bei Luther (= Wege der Forschung Bd. 123), Darmstadt 1968.

Lohse, Bernhard – Pesch, Otto Hermann (Hg.), Das »Augsburger Bekenntnis« von 1530 – damals und heute, München/Mainz 1980.

Meyer, Harding – Schütte, Heinz (Hg.), Confessio Augustana. Bekenntnis des einen Glaubens. Gemeinsame Untersuchung lutherischer und katholischer Theologen, Paderborn/Frankfurt a. M. 1980.

Rogier, L. J. – Aubert, R. – Knowles, M. D. (Hg.), Geschichte der Kirche, 5 Bde., Zürich 1963–1977 [= GK].

Scheffczyk, Leo – Dettloff, Werner – Heinzmann, Richard (Hg.), Wahrheit und Verkündigung. Festschrift für Michael Schmaus zum 70. Geburtstag, 2 Bde., München/Paderborn 1967.

Schmaus, Michael – Grillmeier, Alois – Scheffczyk, Leo – Seybold, Michael (Hg.), Handbuch der Dogmengeschichte, 4 Bde. in Faszikeln, Freiburg i. Br. 1951 ff. (noch nicht abgeschlossen) [= HDG].

Schmidt, Kurt Dietrich – Wolf, Ernst – Moeller, Bernd (Hg.), Die Kirche in ihrer Geschichte. Ein Handbuch, 4 Bde. in 26 Faszikeln, Göttingen 1962 ff. (noch nicht abgeschlossen) [= KiG].

3. Einzeluntersuchungen[3]

Aarts, Jan, Die Lehre Martin Luthers über das Amt in der Kirche. Eine genetisch systematische Untersuchung seiner Schriften von 1512–1525, Helsinki 1972.

Aland, Kurt, Die Theologische Fakultät Wittenberg und ihre Stellung im Gesamtzusammenhang der Leucorea während des 16. Jahrhunderts. in: 450 Jahre Martin-Luther-Universität Halle-Wittenberg I, 1952, abgedruckt in ders., Kirchengeschichtliche Entwürfe, Gütersloh 1960, 283–394.

---

[3] Zu den Prinzipien des folgenden Literaturverzeichnisses vgl. oben die »Vorwarnung an den Leser«. – Bei Einzeltiteln, die inzwischen in »Gesammelte Aufsätze« aufgenommen wurden, wird im Folgenden nur der Titel der Aufsatzsammlung aufgeführt – z. B. Rahner, Schriften zur Theologie. In den Anmerkungen ist dagegen jeweils auf den Einzeltitel verwiesen, unter Hinweis auf den Fundort in der Aufsatzsammlung.

– Der Weg zur Reformation. Zeitpunkt und Charakter des reformatorischen Erlebnisses Martin Luthers, München 1965.

Althaus, Paul, Luthers Lehre von den beiden Reichen im Feuer der Kritik, LuJ 24 (1957) 40–68.

– Paulus und Luther über den Menschen. Ein Vergleich, Gütersloh ³1958.

– Die Theologie Martin Luthers, Gütersloh ²1963.

– Die Ethik Martin Luthers, Gütersloh 1965.

– Die Christliche Wahrheit. Lehrbuch der Dogmatik, Gütersloh ⁷1965 (= ³1952).

Asendorf, Ulrich, Eschatologie bei Luther, Göttingen 1967.

– Gekreuzigt und Auferstanden. Luthers Herausforderung an die moderne Theologie, Berlin/Hamburg 1971.

Asheim, Ivar (Hg.), Kirche, Mystik, Heiligung und das Natürliche bei Luther. Vorträge des Dritten Internationalen Kongresses für Lutherforschung, Järvenpää, Finnland, 11.–16. 8. 1966, Göttingen 1967.

Atkinson, James, The Trial of Luther, London 1971.

Aubert, Roger, Le problème de l'acte de foi. Données traditionnelles et résultats des controverses récentes, Louvain/Paris ⁴1969.

– Vaticanum I (= Geschichte der ökumenischen Konzilien, hg. von G. Dumeige und H. Bacht, Bd. XII), Mainz 1965 (frz.: Paris 1964).

Auer, Johann, Die Entwicklung der Gnadenlehre in der Hochscholastik. 2 Bde., Freiburg i. Br. 1942/51.

– Die Sakramente der Kirche (= Johann Auer – Joseph Ratzinger, Kleine Katholische Dogmatik VII), Regensburg 1972.

Averbeck, Wilhelm, Der Opfercharakter des Abendmahls in der neueren evangelischen Theologie, Paderborn 1966.

Bacht, Heinrich, Luthers »Urteil über die Mönchsgelübde« in ökumenischer Betrachtung, Cath 21 (1967) 222–251.

Bäumer, Remigius, Luthers Ansichten über die Irrtumsfähigkeit des Konzils und ihre theologiegeschichtlichen Grundlagen, in: Scheffczyk u. a. (Hg.), Wahrheit und Verkündigung (s. o. 2.), II, 987–1004.

– Die Diskussion um Luthers Thesenanschlag. Forschungsergebnisse und Forschungsaufgaben, in: Franzen (Hg.), Um Reform (s. u.), Münster 1968, 53–95.

– Der junge Luther und der Papst, Cath 23 (1969) 392–420.

– Martin Luther und der Papst, Münster 1970.

– Die Voraussetzungen der Reformation; Die Anfänge der Reformation, in: ÖKG II, 277–283; 284–327.

– Johannes Cochläus (1479–1552). Leben und Werk im Dienst der katholischen Reform, Münster 1980.

– Das Zeitalter der Glaubensspaltung, in: Bernhard Kötting (Hg.), Kleine deutsche Kirchengeschichte, Freiburg i. Br. 1980, 53–79.

– (Hg.), Lutherprozeß und Lutherbann. Vorgeschichte, Ergebnis, Nachwirkung. Mit Beiträgen von Remigius Bäumer, Erwin Iserloh, Hermann Tüchle, Münster 1972.

– (Hg.), Die Entwicklung des Konziliarismus. Werden und Nachwirkung der konziliaren Idee (= Wege der Forschung Bd. 279), Darmstadt 1976.

Bainton, Roland H., Hier stehe ich. Das Leben Martin Luthers (deutsch von Hermann Dörries), Göttingen 1952, ⁷1980, unter dem Titel: Martin Luther, hg. und überarbeitet von Bernhard Lohse (engl.: Here I stand. A Life of Martin Luther, New York 1950).

Bandt, Hellmut, Luthers Lehre vom verborgenen Gott, Berlin 1958.

Bauer, Karl, Die Wittenberger Universitätstheologie und die Anfänge der Deutschen Reformation, Tübingen 1928.

Baumann, Richard, Luthers Eid und Bann, Aschaffenburg 1977.

Baur, Jörg, Fragen eines evangelischen Theologen an Thomas von Aquin, in: Ludger Oeing-Hanhoff (Hg.), Thomas von Aquin 1274/1974, München 1974, 161–174, abgedruckt in: J. Baur, Einsicht und Glaube. Aufsätze, Göttingen 1978, 189–205.

Bayer, Oswald, Die reformatorische Wende in Luthers Theologie, ZThK 66 (1969) 115–150.

– Promissio. Geschichte der reformatorischen Wende in Luthers Theologie, Göttingen 1971.

– Umstrittene Freiheit. Theologisch-philosophische Kontroversen (= UTB 1092) Tübingen 1981.

Becker, Winfried, Zur Deutungsmöglichkeit der Reformation als Revolution, in: Winfried Becker – Hans Maier – Manfred Spieker, Revolution – Demokratie – Kirche, Paderborn 1975, 9–26.

– Reformation und Revolution, Münster 1974.

Beer, Theobald, Die Ausgangspositionen der lutherischen und der katholischen Lehre von der Rechtfertigung, Cath 21 (1967) 222–251.

– Der fröhliche Wechsel und Streit. Grundzüge der Theologie Martin Luthers, Leipzig 1974, stark verändert und vermehrt Einsiedeln ²1980.

Beintker, Horst, Die Überwindung der Anfechtung bei Luther. Eine Studie zu seiner Theologie nach den Operationes in psalmos 1519–1521, Berlin 1954.

– Glaube und Handeln in Luthers Verständnis des Römerbriefes, LuJ 28 (1961) 52–85.

Beißer, Friedrich, Claritas Scripturae bei Martin Luther, Göttingen 1966.

Bel, Valer, Die Einheit als Wesenseigenschaft der Kirche. Eine kontroverstheologische Untersuchung aus der Sicht orthodoxer Theologie, Diss. (Masch.) Hamburg 1982.

Benrath, Gustav Adolf, Luther und die Mystik – ein Kurzbericht, in: Peter Manns (Hg.), Zur Lage der Lutherforschung heute (s. u.), 44–58.

Beyna, Werner, Das moderne katholische Lutherbild, Essen 1969.

Bizer, Ernst, Die Entdeckung des Sakraments durch Luther, EvTh 17 (1957) 64–90.

– Luther und der Papst, München 1958.

– Fides ex auditu. Eine Untersuchung über die Entdeckung der Gerechtigkeit Gottes durch Martin Luther, Neukirchen 1958, erw. ³1966.

Bloch, Ernst, Thomas Münzer als Theologe der Revolution, München 1921, Neudruck Frankfurt a. M. 1977 (= Gesamtausgabe Bd. 2, 1969).

Böckle, Franz, Fundamentalmoral, München 1977.

– Werte und Normbegründung, in: CGG Bd. 12 (1981) 37–89.

Boehmer, Heinrich, Der junge Luther, Gotha 1925, 4. Aufl. hg. von Heinrich Bornkamm, Stuttgart 1951, ⁶1971.

Bornkamm, Heinrich, Iustitia dei in der Scholastik und bei Luther, ARG 39 (1942) 1–46; jetzt in ders., Luther. Gestalt und Wirkungen (s. u.), 95–129.

– Luther im Spiegel der deutschen Geistesgeschichte, Göttingen 1955, ²1970.

– Das Ringen der Motive in den Anfängen der reformatorischen Kirchenverfassung, in: ders., Das Jahrhundert der Reformation. Gestalten und Kräfte, Göttingen 1961, ²1966, 202–219.

– Zur Frage der Iustitia Dei beim jungen Luther, I., ARG 52 (1961) 16–29; II., ARG 53 (1962) 1–60, abgedruckt in: Lohse (Hg.), Der Durchbruch (s. o. 2.), 289–383.

– Luther. Gestalt und Wirkungen [= Gesammelte Aufsätze], Gütersloh 1975.

Borth, Wilhelm, Die Luthersache (causa Lutheri) 1517–1524. Die Anfänge der Reformation als Frage von Politik und Recht, Lübeck/Hamburg 1970.

Bouwsma, William J., Renaissance and Reformation. An Essay in their Affinities and Connections, in: Oberman (Hg.), Luther and the Dawn (s. u.), 127–149.

Brandenburg, Albert, Gericht und Evangelium. Zur Worttheologie in Luthers erster Psalmenvorlesung, Paderborn 1960.

– Martin Luther gegenwärtig. Katholische Lutherstudien, Paderborn 1969.

– Die Zukunft des Martin Luther. Luther, Evangelium und die Katholizität, Münster/ Kassel 1977.

Brecht, Martin, Iustitia Christi. Die Entdeckung Martin Luthers, ZThK 74 (1977) 179–223.

– Der rechtfertigende Glaube an das Evangelium von Jesus Christus als Mitte von Luthers Theologie, ZKG 89 (1978) 45–77.

– Randbemerkungen in Luthers Ausgaben der »Deutsch Theologia«, LuJ 47 (1980) 11–32.

– Curavimus enim Babylonem, et non est sanata, in: Remigius Bäumer (Hg.), Reformatio Ecclesiae. Beiträge zu kirchlichen Reformbemühungen von der Alten Kirche bis zur Neuzeit. Festgabe für Erwin Iserloh, Paderborn 1980, 581–595.

– Martin Luther. Sein Weg zur Reformation 1483–1521, Stuttgart 1981.

– Der Zusammenhang von reformatorischer Entdeckung und reformatorischem Programm als ökumenisches Problem, in: Lehmann (Hg.), Luthers Sendung (s. o. 2.).

Brosché, Fredrik, Luther on Predestination. The Antinomy and the Unity Between Love and Wrath in Luther's Concept of God, Uppsala 1978.

Brosse, Olivier de la, Lateran V, in: Olivier de la Brosse – Joseph Lecler – Henri Holstein – Charles Lefebvre, Lateran V und Trient (1. Teil) (= Geschichte der Ökumenischen Konzilien [s. o. Aubert], Bd. X), Mainz 1978, 9–124.

Brosseder, Johannes, Luthers Stellung zu den Juden im Spiegel seiner Interpreten, München 1972.

– Martin Luther (1483–1546), in: Heinrich Fries – Georg Kretschmar (Hg.), Klassiker der Theologie I, München 1981, 283–313.

– Verdoppelt das Bemühen! Die Einstellung Papst Johannes Pauls II. zur ökumenischen Arbeit, ÖR 31 (1982) 60–68.

Brunner, Peter, Reform – Reformation, Einst – Heute. Elemente eines ökumenischen Dialogs im 450. Gedächtnisjahr von Luthers Ablaßthesen, KuD 13 (1967) 159–183.

Brunotte, Heinz, Das Amt der Verkündigung und das Priestertum aller Gläubigen, Berlin 1962.

Brunotte, Wilhelm, Das geistliche Amt bei Luther, Berlin 1959.

Butler, Cuthbert/Lang, Hugo, Das Vatikanische Konzil. Seine Geschichte von innen geschildert in Bischof Ullathornes Briefen, München ²1961 (¹1933).

Chenu, Marie-Dominique, La théologie au XIIᵉ siècle, Paris 1957.

– Das Werk des hl. Thomas von Aquin, Heidelberg/Graz 1960, Nachdruck 1982 (frz. unter dem Titel: Introduction à l'étude de s. Thomas d'Aquin, Paris 1950, unverändert ³1974).

Christmann, Heinrich M., Die Liebe (1. Teil). Kommentar zu Thomas von Aquin: Summa Theologiae II–II 23–33 (= Deutsche Thomas-Ausgabe Bd. 17A), Heidelberg/Graz 1959.

Concilium. Internationale Zeitschrift für Theologie, 5 (1969) Heft 3: Dienst und Leben des Priesters in der Welt von heute; 18 (1982) Heft 3: Jesus, Gottes Sohn?

Congar, Yves, Christus in der Heilsgeschichte und in unseren dogmatischen Traktaten, Concilium 2 (1966) 3–13.

Cornehl, Peter, Gottesdienst, in: Ferdinand Klostermann – Rolf Zerfaß (Hg.), Praktische Theologie heute. München/Mainz 1974, 449–463.

– Theorie des Gottesdienstes – ein Prospekt, ThQ 159 (1979) 178–195.

– Christen feiern Feste. Integrale Festzeitpraxis als volkskirchliche Gottesdienststrategie, Pastoraltheologie 70 (1981) 218–233.

Denifle, Heinrich Suso, Luther und Luthertum in ihrer ersten Entwicklung. 2 Bde. in 3, Mainz 1904/1909 (Bd. 1 geteilt in 2. Aufl. sowie Bd. 2 hg. von Albert M. Weiß).

– Erg.-Bd. 1: Die abendländischen Schriftausleger bis Luther über Justitia Dei (Rom. 1,17) und Justificatio, Mainz 1905.

330

Dettloff, Werner R., Die Entwicklung der Akzeptations- und Verdienstlehre von Duns Scotus bis Luther mit besonderer Berücksichtigung der Franziskanertheologen, Münster 1963.

Dockhorn, Klaus, Luthers Glaubensbegriff und die Rhetorik. Zu Gerhard Ebelings Buch »Einführung in theologische Sprachlehre«, Linguistica Biblica, 21/22, Februar 1973, 19–39.

Dörries, Hermann, Erasmus oder Luther. Eine kirchengeschichtliche Einführung, in: Walter Blankenburg u. a. (Hg.), Kerygma und Melos. Festschrift Christhard Mahrenholz zum 70. Geburtstag, Kassel 1970, 533–570.

– Wort und Stunde III: Beiträge zum Verständnis Luthers, Göttingen 1970.

Duchrow, Ulrich, Christenheit und Weltverantwortung. Traditionsgeschichte und systematische Struktur der Zweireichelehre, Stuttgart 1970.

Duchrow, Ulrich – Hoffmann, Heiner (Hg.), Die Vorstellung von Zwei Reichen und Regimenten bis Luther, Gütersloh 1972.

Dulles, Avery – Lindbeck, George, Die Bischöfe und der Dienst des Evangeliums. Ein Kommentar zu CA 5, 14 und 28, in: Meyer – Schütte (Hg.), Confessio Augustana (s. o. 2.), 140–167.

Ebeling, Gerhard, Evangelische Evangelienauslegung. Eine Untersuchung zu Luthers Hermeneutik, München 1942, Nachdruck Darmstadt 1962.

– Das Wesen des christlichen Glaubens, Tübingen 1959, ⁴1963; als Siebenstern-Taschenbuch 1964, ³1967.

– Luther. Theologie, in: RGG IV (1960), 495–520 [= RGG].

– Wort und Glaube [= Gesammelte Aufsätze], (I), Tübingen 1960, ³1967; II: Beiträge zur Fundamentaltheologie und zur Lehre von Gott, 1969; III: Beiträge zur Fundamentaltheologie, Soteriologie und Ekklesiologie, 1975.

– Wort Gottes und Tradition, Studien zu einer Hermeneutik der Konfessionen, Göttingen 1964.

– Luther. Einführung in sein Denken, Tübingen 1964; als UTB 1090 ⁴1981.

– Lutherstudien I, Tübingen 1971; II: Disputatio de homine, davon bis jetzt: Erster Teil: Text und Traditionshintergrund, 1977; Zweiter Teil: Die philosophische Definition des Menschen. Kommentar zu These 1–19, 1982.

– Die Zehn Gebote, in Predigten ausgelegt, Tübingen 1973.

– Das Leben – Fragment und Vollendung. Luthers Auffassung vom Menschen im Verhältnis zu Scholastik und Renaissance, ZThK 72 (1975) 310–334.

– Dogmatik des christlichen Glaubens, 3 Bde. Tübingen 1979.

– Die Wahrheit des Evangeliums. Eine Lesehilfe zum Galaterbrief, Tübingen 1981.

– Wiederentdeckung der Bibel in der Reformation – Verlust der Bibel heute?, in: Beiheft 5 zur ZThK: Das Neue Testament heute. Zur Frage der Revidierbarkeit von Luthers Bibelübersetzung, Tübingen 1981, 1–19.

Elert, Werner, Morphologie des Luthertums, 2 Bde., München 1931/32, Nachdruck 1958.

Erikson, Erik H., Der junge Mann Luther. Eine psychoanalytische und historische Studie, München 1964 (engl. unter dem Titel: Young Man Luther, New York 1958, ²1962).

Esnault, René H., Luther et le monachisme aujourd'hui. Lecture actuelle du De votis monasticis iudicium, Genf/Paris 1964.

Finkenzeller, Johannes, Die Zählung und die Zahl der Sakramente. Eine dogmatische Untersuchung, in: Scheffczyk u. a. (Hg.), Wahrheit und Verkündigung (s. o. 2.), II, 1005–1033.

– Die Lehre von den Sakramenten im allgemeinen. Von der Schrift bis zur Scholastik. Von der Reformation bis zur Gegenwart (= HDG IV 1a–b), Freiburg i. Br. 1980/81.

Forster, Karl (Hg.), Wandlungen des Lutherbildes, Würzburg 1966.

Franzen, August (Hg.), Um Reform und Reformation. Zur Frage nach dem Wesen des »Reformatorischen« bei Martin Luther, Münster 1968.

Franzen, August – Müller, Wolfgang, Das Konzil von Konstanz. Beiträge zu seiner Geschichte und Theologie, Freiburg i. Br. 1964.

Friedenthal, Richard, Luther. Sein Leben und seine Zeit, München 1967, Neuaufl. 1982.

Fries, Heinrich, glauben – wissen. Wege zu einer Lösung des Problems, Berlin 1960.

– »Ex sese, non ex consensu Ecclesiae«, in: Remigius Bäumer – Heimo Dolch (Hg.), Volk Gottes. Zum Kirchenverständnis der katholischen, evangelischen und anglikanischen Theologie, Freiburg i. Br. 1967, 480–500.

– Herausgeforderter Glaube, München 1968.

– Glaube und Kirche auf dem Prüfstand. Versuche einer Orientierung, München 1970.

– Glaube und Kirche als Angebot, Graz 1976.

– Ökumene statt Konfessionen? Das Ringen der Kirche um Einheit, Frankfurt a. M. 1977.

– Dienst am Glauben. Aufgaben und Probleme theologischer Arbeit, München 1981.

Friesen, Abraham, Reformation and Utopia. The Marxist Interpretation of the Reformation and its Antecedents, Wiesbaden 1974.

Gehrig, Helmut (Hg.), Martin Luther. Gestalt und Werk, Karlsruhe 1967.

Geißer, Hans, Die Interpretation der kirchlichen Lehre vom Gottmenschen bei Karl Rahner SJ, KuD 14 (1968) 307–330.

Gemeinsame römisch-katholische/evangelisch-lutherische Kommission (Hg.), Das Herrenmahl, Paderborn/Frankfurt a. M. 1979.

– Das geistliche Amt in der Kirche, Paderborn/Frankfurt a. M. 1981.

Gerken, Alexander, Theologie der Eucharistie, München 1973.

Gill, Joseph, Konstanz und Basel-Florenz (= Geschichte der Ökumenischen Konzilien [s. o. Aubert] Bd. IX), Mainz 1967.

Gloege, Gerhard, Die Grundfrage der Reformation – heute, KuD 12 (1966) 1–13.

Göllner, Reinhard – Görtz, Heinz-Jürgen – Kienzler, Klaus, Einladung zum Glauben. Vom Verstehen des Menschen zum Verstehen des Glaubens, Freiburg i. Br. 1979.

Goertz, Hans-Jürgen, Der Zweite Speyerer Reichstag und die Täufer, in: Rainer Wohlfeil – Hans-Jürgen Goertz, Gewissensfreiheit als Bedingung der Neuzeit. Fragen an die Speyerer Protestation von 1529 (= Bensheimer Hefte 54), Göttingen 1980, 25–46.

Gössmann, Elisabeth, Der Christologietraktat in der Summa Halensis, bei Bonaventura und Thomas von Aquin, MThZ 12 (1961) 175–191.

Gogarten, Friedrich, Luthers Theologie, Tübingen 1967.

Grane, Leif, Contra Gabrielem. Luthers Auseinandersetzung mit Gabriel Biel in der Disputatio contra scholasticam theologiam 1517, Kopenhagen 1962.

– Gregor von Rimini und Luthers Leipziger Disputation, Studia Theologica Lundensia 22 (1968) 29–49.

– Modus loquendi theologicus. Luthers Kampf um die Erneuerung der Theologie (1515–1518), Leiden 1975.

Grane, Leif – Lohse, Bernhard (Hg.), Luther und die Theologie der Gegenwart. Referate und Berichte des 5. Internationalen Kongresses für Lutherforschung Lund 14.–20. 8. 1977, Göttingen 1980.

Greshake, Gisbert, Die theologische Herkunft des Personbegriffs, in: Günther Pöltner (Hg.), Personale Freiheit und pluralistische Gesellschaft, Freiburg i. Br. 1981, 75–86.

– Priestersein. Zur Theologie und Spiritualität des priesterlichen Amtes, Freiburg i. Br. 1982.

Grillmeier, Alois – Bacht, Heinrich (Hg.), Das Konzil von Chalkedon. Geschichte und Gegenwart, 3 Bde., Würzburg 1951–1954, ³1962.

Grisar, Hartmann, Luther, 3 Bde., Freiburg i. Br. 1911/12, ³1924/25.

– Martin Luthers Leben und sein Werk, Freiburg i. Br. 1925, ²1927.

Grötzinger, Eberhard, Luther und Zwingli. Die Kritik an der mittelalterlichen Lehre von der Messe – als Wurzel des Abendmahlsstreites, Zürich/Gütersloh 1980.

Grosche, Robert, Pilgernde Kirche [= Gesammelte Aufsätze], Freiburg i. Br. 1938, ²1969.

Grünberg, Wolfgang, Lernen im Rhythmus des Alltags. Luthers Kleiner Katechismus nach 451 Jahren. Anmerkungen zu einem theologisch-pädagogischem Konzept, Pastoraltheologie 70 (1981) 258–274.

Gülzow, Henneke, Eschatologie und Politik. Zum religiösen Pluralismus im 16. Jahrhundert, in: Lohse – Pesch (Hg.), Das »Augsburger Bekenntnis« (s. o. 2.), 32–63.

Günter, Wolfgang, Martin Luthers Vorstellung von der Reichsverfassung, Münster 1976.

Gyllenkrok, Axel, Rechtfertigung und Heiligung in der frühen evangelischen Theologie Luthers, Uppsala 1952.

Hacker, Paul, Das Ich im Glauben bei Martin Luther, Graz 1966.

Hägglund, Bengt, Renaissance and Reformation, in: Oberman (Hg.), Luther and the Dawn (s. u.), 150–157.

Hahn, Fritz, Luthers Auslegungsgrundsätze und ihre theologischen Voraussetzungen, ZSTh 12 (1934/35) 165–218.

– Die Heilige Schrift als Problem der Auslegung bei Luther, EvTh 10 (1950/51) 407–424.

Hamel, Adolf, Der junge Luther und Augustin. Ihre Beziehungen in der Rechtfertigungslehre nach Luthers ersten Vorlesungen 1509–1518 untersucht, 2 Bde., Gütersloh 1934/35.

Hasler, August, Luther in der katholischen Dogmatik. Darstellung seiner Rechtfertigungslehre in den katholischen Dogmatikbüchern, München 1968.

Heckel, Johannes, Lex charitatis. Eine juristische Untersuchung über das Recht in der Theologie Martin Luthers, München 1953.

– Im Irrgarten der Zwei-Reiche-Lehre, München 1957.

Heintze, Gerhard, Luthers Predigt von Gesetz und Evangelium, München 1958.

Hendrix, Scott, Luther und das Papsttum, Concilium 12 (1976) 493–497.

– Luther and Papacy. Stages in a Reformation Conflict, Philadelphia 1981.

Hennig, Gerhard, Cajetan und Luther. Ein historischer Beitrag zur Begegnung von Thomismus und Reformation, Stuttgart 1966.

Hermann, Rudolf, Luthers These »Gerecht und Sünder zugleich«. Gütersloh 1930, Nachdruck 1960.

– Von der Klarheit der Heiligen Schrift. Untersuchungen und Erörterungen über Luthers Lehre von der Schrift in »De servo arbitrio«, Berlin 1958.

– Zum Streit um die Überwindung des Gesetzes. Erörterungen zu Luthers Antinomerthesen, Weimar 1958.

– Gesammelte Studien zur Theologie Luthers und der Reformation, Göttingen 1960.

Hessen, Johannes, Luther in katholischer Sicht, Bonn 1947, ²1949.

Honecker, Martin, Zur gegenwärtigen Interpretation der Zweireichelehre, ZKG 89 (1978) 150–162.

– Die Weltverantwortung des Glaubens – zur ethisch-politischen Dimension der Theologie Martin Luthers, in: Lehmann (Hg.), Luthers Sendung (s. o. 2.).

Horst, Ulrich, Der Streit um die Heilige Schrift zwischen Kardinal Cajetan und Ambrosius Catharinus, in: Scheffczyk u. a. (Hg.), Wahrheit und Verkündigung (s. o. 2.) I, 551–577.

– Papst – Konzil – Unfehlbarkeit. Die Ekklesiologie der Summenkommentare von Cajetan bis Billuart, Mainz 1977.

– Thomas de Vio Cajetan (1469–1534), in: Fries – Kretschmar (Hg.), Klassiker (s. o. Brosseder) I, 269–282.

– Unfehlbarkeit und Geschichte. Studien zur Unfehlbarkeitsdiskussion von Melchior Cano bis zum I. Vatikanischen Konzil, Mainz 1982.

Iserloh, Erwin, Der Kampf um die Messe in den ersten Jahren der Auseinandersetzung mit Luther, Münster 1952.
– Gnade und Eucharistie in der philosophischen Theologie des Wilhelm von Ockham. Ihre Bedeutung für die Ursachen der Reformation, Wiesbaden 1956.
– Sacramentum et exemplum. Ein augustinisches Thema lutherischer Theologie, in: Erwin Iserloh – Konrad Repgen (Hg.), Reformata Reformanda. Festgabe für Hubert Jedin I, Münster 1965, 247–264.
– Luthers Stellung in der theologischen Tradition, in: Forster (Hg.), Wandlungen des Lutherbildes (s. o. 2.), 13–47.
– Luther und die Mystik, in: Asheim (Hg.), Kirche, Mystik, Heiligung (s. o.), 60–83.
– Die protestantische Reformation, in: HKG IV (1967) 3–446.
– Luther zwischen Reform und Reformation. Der Thesenanschlag fand nicht statt, Münster ³1968.
– Gratia und Donum. Rechtfertigung und Heiligung nach Luthers Schrift »Wider den Löwener Theologen Latomus«, Cath 24 (1970) 67–83 = Studien zur Geschichte und Theologie der Reformation. Festschrift für Ernst Bizer, Neukirchen 1969, 141–156.
– »Von der Bischofen Gewalt«, in: Erwin Iserloh (Hg.), Confessio Augustana und Confutatio. Der Augsburger Reichstag 1530 und die Einheit der Kirche. Internationales Symposion der Gesellschaft zur Herausgabe des Corpus Catholicorum in Augsburg vom 3.–7. September 1979, Münster 1980, 473–488.
– Geschichte und Theologie der Reformation im Grundriß, Paderborn 1980.
– Der fröhliche Wechsel und Streit. Zu Theobald Beers Werk über Grundzüge der Theologie Martin Luthers, Cath 37 (1982) 101–114.
Iwand, Hans-Joachim, Rechtfertigungslehre und Christusglaube. Eine Untersuchung zur Systematik der Rechtfertigungslehre Luthers in ihren Anfängen, Leipzig 1930, Nachdruck München/Darmstadt 1961.
– Glaubensgerechtigkeit nach Luthers Lehre, München 1941, ³1959, Neudruck jetzt in: Hans-Joachim Iwand, Glaubensgerechtigkeit. Gesammelte Aufsätze II, hg. von Gerhard Sauter, München 1980, 11–125.
– Um den rechten Glauben. Gesammelte Aufsätze, hg. und eingeleitet von Karl Gustav Steck, München 1959.
– Theologische Einführung und Erläuterungen zu »De servo arbitrio«, in: MA Erg.-Bd. 1, München ³1954, Nachdruck 1962.

Jedin, Hubert, Wo sah die vortridentinische Kirche die Lehrdifferenzen mit Luther? Cath 21 (1967) 85–100.
– Wandlungen des Lutherbildes in der katholischen Kirchengeschichtsschreibung, in: Forster (Hg.), Wandlungen des Lutherbildes (s. o. 2.), 77–101.
– Zum Wandel des katholischen Lutherbildes, in: Gehrig (Hg.), Martin Luther (s. o.), 35–46.
– Ekklesiologie um Luther, in: Fuldaer Hefte 18, Berlin/Hamburg 1968, 9–29.
Jetter, Werner, Die Taufe beim jungen Luther. Eine Untersuchung über das Werden der reformatorischen Sakraments- und Taufanschauung, Tübingen 1954.
Joest, Wilfried, Gesetz und Freiheit. Das Problem des Tertius usus legis bei Luther und die neutestamentliche Parainese, Göttingen 1951, ⁴1968.
– Paulus und das Luthersche simul iustus et peccator, KuD 1 (1955) 269–320.
– Ontologie der Person bei Luther, Göttingen 1967.
Jorissen, Hans, Die Bußtheologie der Confessio Augustana. Ihre Voraussetzungen und Implikationen, Cath 35 (1981) 58–89.
Jüngel, Eberhard, Das Sakrament – was ist das? Versuch einer Antwort, in: Eberhard Jüngel – Karl Rahner, Was ist ein Sakrament? Vorstöße zur Verständigung, Freiburg i. Br. 1971, 7–61.

- Quae supra nos, nihil ad nos. Eine Kurzformel der Lehre vom verborgenen Gott – im Anschluß an Luther interpretiert, EvTh 32 (1972) 197–240.
- Gott als Geheimnis der Welt. Zur Begründung der Theologie des Gekreuzigten im Streit zwischen Theismus und Atheismus, Tübingen 1976, ³1978.
- Zur Freiheit eines Christenmenschen. Eine Erinnerung an Luthers Schrift, München 1978.

Junghans, Helmar, Der Einfluß des Humanismus auf Luthers Entwicklung bis 1518, LuJ 37 (1970) 37–101.
- Wittenberg als Lutherstadt, Berlin (Ost)/Göttingen 1979.

Käsemann, Ernst, Exegetische Versuche und Besinnungen (I), Göttingen 1961.

Kasper, Walter, Dogma unter dem Wort Gottes, Mainz 1965.
- Neue Akzente im dogmatischen Verständnis des priesterlichen Dienstes, Concilium 5 (1969) 164–170.
- Glaube und Geschichte [= Gesammelte Aufsätze], Mainz 1970.
- Einführung in den Glauben, Mainz 1972.
- Jesus der Christus, Mainz 1974 u. ö.
- Gottes Glaube im Angesicht von säkularisierter und atheistischer Umwelt, in: Hermann Wieh (Hg.), Ein Gott für die Welt. Glaube und Sinnfrage in unserer Zeit, München 1980, 37–55.
- Der Gott Jesu Christi. Das Glaubensbekenntnis der Kirche I, Mainz 1982.

Kasten, Horst, Taufe und Rechtfertigung bei Thomas von Aquin und Martin Luther, München 1970.

Kerlen, Dietrich, Assertio. Die Entwicklung von Luthers theologischem Anspruch und der Streit mit Erasmus von Rotterdam, Wiesbaden 1976.

Kern, Walter – Link, Christian, Autonomie und Geschöpflichkeit, in: CGG Bd. 18 (1982), 101–148.

Kinder, Ernst, Der evangelische Glaube und die Kirche. Berlin ²1960.
- Zur Sakramentslehre, NZSTh 3 (1961) 141–174.
- Was ist eigentlich evangelisch?, Stuttgart 1961.

Kinder, Ernst – Haendler, Klaus (Hg.), Gesetz und Evangelium. Beiträge zur gegenwärtigen theologischen Diskussion (= Wege der Forschung Bd. 142), Darmstadt 1968.

Kleinknecht, Hermann, Gemeinschaft ohne Bedingungen. Kirche und Rechtfertigung in Luthers großer Galaterbrief-Vorlesung von 1531, Stuttgart 1981.

Koch, Hans-Gerhard, Luthers Reformation in kommunistischer Sicht, Stuttgart 1961.

Koch, Traugott, Das Böse als theologisches Problem, KuD 24 (1978) 285–320.
- Das Problem des evangelischen Kirchenverständnisses nach dem Augsburger Bekenntnis, in: Lohse – Pesch (Hg.), Das »Augsburger Bekenntnis« (s. o. 2.), 125–143.

Köhnlein, Manfred, Was bringt das Sakrament? Disputation mit Karl Rahner, Göttingen 1972.

Kösters, Reinhard, Luthers These »Gerecht und Sünder zugleich«. Zu dem gleichnamigen Buch von Rudolf Hermann, Cath 18 (1964) 48–77; 193–217; 19 (1965) 138–162; 171–185.

Kohls, Ernst-Wilhelm, Die Theologie des Erasmus, 2 Bde., Basel 1966.
- Luther oder Erasmus. Luthers Theologie in der Auseinandersetzung mit Erasmus, 2 Bde., Basel 1972/78.

Kraus, Georg, Vorherbestimmung. Traditionelle Prädestinationslehre im Lichte gegenwärtiger Theologie, Freiburg i. Br. 1977.

Kroeger, Matthias, Rechtfertigung und Gesetz. Studien zur Entwicklung der Rechtfertigungslehre beim jungen Luther, Göttingen 1968.

Kühn, Ulrich, Natur und Gnade in der deutschen katholischen Theologie seit 1918, Berlin 1961.

– Via caritatis. Theologie des Gesetzes bei Thomas von Aquin, Berlin (Ost) 1964, Göttingen 1965.
– Die Rechtfertigungslehre des Thomas von Aquin in evangelischer Sicht, in: Ulrich Kühn – Otto H. Pesch, Rechtfertigung im Gespräch zwischen Thomas und Luther, Berlin (Ost) 1967, 9–36.
– Thomas von Aquin und die evangelische Theologie, in: Ludger Oeing-Hanhoff (Hg.), Thomas von Aquin 1274/1974, München 1974, 13–31.
– Kirche (= Handbuch Systematischer Theologie Bd. 10), Gütersloh 1980.
– Thomas von Aquin (1225–1274), in: Fries – Kretschmar (Hg.), Klassiker (s. o. Brosseder) I, 212–225.

Küng, Hans, Rechtfertigung, Die Lehre Karl Barths und eine katholische Besinnung, Einsiedeln 1957, ⁴1964.
– Zur Diskussion um die Rechtfertigung, ThQ 143 (1963) 129–135.
– Kirche im Konzil (= Herder-Taschenbuch 140), Freiburg i. Br. 1963.
– Strukturen der Kirche, Freiburg i. Br. 1962, ²1964.
– Unfehlbar? Eine Anfrage, Zürich 1970 u. ö.
– Gottesdienst – warum? (= Theologische Meditationen 43), Zürich 1976.

Kunst, Hermann, Martin Luther und der Krieg. Eine historische Betrachtung, Stuttgart 1968.

Kuss, Otto, Der Römerbrief, übersetzt und erklärt, bisher 3 Lieferungen (Röm 1,1–11,36), Regensburg 1957–1978.

Lau, Franz, Luthers Lehre von den beiden Reichen, Berlin ²1953.

Lau, Franz – Bizer, Ernst, Reformationsgeschichte Deutschlands bis 1555, in: KiG, III K, Göttingen 1961, ²1966.

Lehmann, Karl, Das dogmatische Problem des theologischen Ansatzes zum Verständnis des Amtspriestertums, in: Franz Henrich (Hg.), Existenzprobleme des Priesters, München 1969, 121–175.

Lell, Joachim, Evangelische Fragen an die römisch-katholische Kirche (= Bensheimer Hefte 32), Göttingen 1967.
– Zur Zweireichelehre, in: Im Lichte der Reformation (Jahrbuch des Evangelischen Bundes) 19 (1976) 71–95.

Lieberg, Hellmut, Amt und Ordination bei Luther und Melanchthon, Göttingen 1962.

Lienhard, Marc, Christologie et humilité dans la Theologia crucis du commentaire de l'Epître aux Romains de Luther, RHPhR 1962, 304–315.
– Martin Luthers Christologisches Zeugnis. Entwicklung und Grundzüge seiner Christologie, 1980 (frz. unter dem Titel: Luther, Témoin de Jésus-Christ, Paris 1973).

Link, Wilhelm, Das Ringen Luthers um die Freiheit der Theologie von der Philosophie, München 1940, ²1955.

Löhrer, Magnus, Gottes Gnadenhandeln als Erwählung des Menschen, in: MS IV/2 (1973), 767–830.

Loewenich, Walther von, Luthers theologia crucis, München 1929, ⁴1954; Neuaufl. 1982.
– Luther als Ausleger der Synoptiker, München 1954.
– Der moderne Katholizismus, Witten 1955, ⁴1959; Neubearbeitung unter dem Titel: Der moderne Katholizismus vor und nach dem Konzil, Witten ³1970.
– Martin Luther. Der Mann und das Werk, München 1981.

Lohff, Wenzel – Walther, Christian (Hg.), Rechtfertigung im neuzeitlichen Lebenszusammenhang. Studien zur Interpretation der Rechtfertigungslehre, Gütersloh 1974.

Lohse, Bernhard, Ratio und Fides. Eine Untersuchung über die ratio in der Theologie Luthers, Göttingen 1958.
– Luthers Antwort in Worms, Luther 29 (1958) 124–134.
– Mönchtum und Reformation. Luthers Auseinandersetzung mit dem Mönchsideal des Mittelalters, Göttingen 1963.

336

- Luther als Disputator, Luther 34 (1963) 97–111.
- Die Bedeutung Augustins für den jungen Luther, KuD 11 (1965) 116–135.
- Lutherdeutung heute, Göttingen 1968.
- Das Verständnis des leitenden Amtes in Lutherischen Kirchen in Deutschland von 1517–1918, in: Ivar Asheim – Victor R. Gold (Hg.), Kirchenpräsident oder Bischof. Untersuchungen zur Entwicklung und Definition des kirchenleitenden Amtes in der lutherischen Kirche, Göttingen 1968, 55–74.
- Lutherforschung im deutschen Sprachbereich seit 1966, LuJ 38 (1971) 91–120.
- Epochen der Dogmengeschichte, Stuttgart ³1974 (= ⁴1978) ergänzt ⁵1983.
- Marginalien zum Streit zwischen Erasmus und Luther, Luther 46 (1975) 5–24.
- Zur Ordination in der Reformation, in: Reinhard Mumm (Hg.), Ordination und kirchliches Amt, Paderborn/Bielefeld 1976, 11–18.
- Luthers Ruf zur Reformation der Kirche, in: Vilmos Vajta (Hg.), Die evangelisch-lutherische Kirche. Vergangenheit und Gegenwart, Stuttgart 1977, 18–41.
- Die Einheit der Kirche bei Luther, Luther 50 (1979) 10–24.
- Dogma und Bekenntnis in der Reformation: Von Luther bis zum Konkordienbuch, in: Carl Andresen (Hg.), Handbuch der Dogmen- und Theologiegeschichte II, Göttingen 1980, 1–164.
- Martin Luther. Eine Einführung in sein Leben und sein Werk, München 1981, ²1982.
- Zur Lage der Lutherforschung heute, in: Manns (Hg.), Zur Lage (s. u.), 9–30.
- Die Einheit der Kirche nach der Confessio Augustana, in: Karl Lehmann – Edmund Schlink (Hg.), Evangelium – Sakramente – Amt und die Einheit der Kirche. Die ökumenische Tragweite der Confessio Augustana, Freiburg/Göttingen 1982, 58–79.
- Die Stellung zum Bischofsamt in der Confessio Augustana, a. a. O. 80–107.
Lortz, Joseph, Die Reformation in Deutschland, 2 Bde., Freiburg i. Br. 1939/40, 6. unveränderte Aufl., 2 Bde. in 1, 1982.
- Reformation als religiöses Anliegen heute, Trier 1948.
- Einleitung, in: Iserloh, Gnade und Eucharistie (s. o.), XIII–XL.
- Luthers Römerbriefvorlesung. Grundanliegen, TThZ 71 (1962) 129–153; 216–247.
- Zum Kirchendenken des jungen Luther, in: Scheffczyk u. a. (Hg.), Wahrheit und Verkündigung (s. o. 2.) II, 947–986.
- Wert und Grenzen der katholischen Kontroverstheologie in der ersten Hälfte des 16. Jahrhunderts, in: Franzen (Hg.), Um Reform (s. o.), 9–32.
- Sakramentales Denken beim jungen Luther, LuJ 36 (1969) 9–40.
Lotz, Walter, Das Mahl der Gemeinschaft. Zur ökumenischen Praxis der Eucharistie, Kassel/Düsseldorf 1977.
Lubac, Henri de, Exégèse médiévale. Les quatre sens de l'Ecriture, 2 Bde. in 4, Paris 1959–1964.
Lutz, Heinrich, Zum Wandel der katholischen Lutherinterpretation, in: Reinhard Koselleck – Wolfgang J. Mommsen – Jörn Rüsen (Hg.), Objektivität und Parteilichkeit (= Theorie der Geschichte. Beiträge zur Historik Bd. 1), Stuttgart 1977, 173–198.
- Das Ringen um Deutsche Einheit und kirchliche Erneuerung. Deutsche Geschichte von Kaiser Maximilian I. bis zum Westfälischen Frieden, Berlin 1983.

Manns, Peter, Fides absoluta – Fides incarnata. Zur Rechtfertigungslehre Luthers im Großen Galaterkommentar, in: Iserloh – Repgen (Hg.), Reformata Reformanda (s. o. Iserloh) I, 265–312.
- Lutherforschung heute. Krise und Aufbruch, Wiesbaden 1967.
- Amt und Eucharistie in der Theologie Martin Luthers, in: Peter Bläser u. a., Amt und Eucharistie, Paderborn 1973, 68–173.
- Ketzer oder Vater im Glauben? »Vorlagen« Nr. 4, Lutherhaus-Verlag Hannover 1980.
- Das Luther-Jubiläum 1983 als ökumenische Aufgabe, ÖR 30 (1981) 290–313.

- »Lortz, Luther und der Papst«, Nachwort in: Lortz, Die Reformation in Deutschland, ⁶1982, II, 353-391.
- »Katholische Lutherforschung in der Krise«?, in: Manns (Hg.), Zur Lage (s. u.) 90-128.
- (Hg.), Zur Lage der Lutherforschung heute, Wiesbaden 1982.

Manns, Peter – Loose, Helmut Nils [Bilder], Martin Luther. Die große Bildbiographie zum 500. Geburtstag mit einem Vorwort von Bischof D. Eduard Lohse, Freiburg i. Br./Lahr 1982 (zitiert: Manns, Martin Luther).

Marcuse, Herbert, Studien über Autorität und Familie, in: ders., Ideen zu einer kritischen Theorie der Gesellschaft (= edition suhrkamp 300), Frankfurt a. M. 1969, 55-156.

Maron, Gottfried, Kirche und Rechtfertigung. Eine kontroverstheologische Untersuchung, ausgehend von den Texten des Zweiten Vatikanischen Konzils, Göttingen 1969.
- Die römisch-katholische Kirche von 1870-1970, in: KiG IV N₂, Göttingen 1972.
- »Niemand soll sein eigener Richter sein«. Eine Bemerkung zu Luthers Haltung im Bauernkrieg, Luther 46 (1975) 60-75.
- Das katholische Lutherbild der Gegenwart. Anmerkungen und Anfragen (Bensheimer Hefte 52), Göttingen 1982.

Marxsen, Willi, Der »Frühkatholizismus« im Neuen Testament, Neukirchen 1958.

Maurer, Wilhelm, Von der Freiheit eines Christenmenschen. Zwei Untersuchungen zu Luthers Reformationsschriften 1520/21, Göttingen 1949.
- Kirche und Geschichte. Gesammelte Aufsätze, I: Luther und das evangelische Bekenntnis; II: Beiträge zu Grundsatzfragen und zur Frömmigkeitsgeschichte, Göttingen 1970.

McSorley, Harry J., Luthers Lehre vom unfreien Willen nach seiner Hauptschrift De Servo Arbitrio im Lichte der biblischen und kirchlichen Tradition, München 1967.

Meinhold, Peter, Das Grundanliegen Luthers und die kirchliche Lage der Gegenwart, in: Forster (Hg.), Wandlungen des Lutherbildes (s. o. 2.), 131-155.
- Luther heute. Wirken und Theologie Martin Luthers, des Reformators der Kirche, in ihrer Bedeutung für die Gegenwart, Berlin/Hamburg 1967.

Meissinger, Karl August, Der katholische Luther, München 1952.

Metz, Johann Baptist, Der Unglaube als theologisches Problem, Concilium 1 (1965) 484-492.

Meyer, Hans Philipp, Kirchenleitung nach lutherischem Verständnis. Zur Auslegung von Confessio Augustana 28, Zeitschrift für ev. Kirchenrecht 25 (1980) 115-135.

Meyer, Harding, La doctrine de la justification dans le dialogue interconfessionnel mené par l'Eglise luthérienne, RHPhR 1977, 19-51.
- Das Bischofsamt nach CA 28, in: Iserloh (Hg.), Confessio Augustana (s. o.) 489-498.

Meyer, Harding – Schütte, Heinz, Die Auffassung von der Kirche im Augsburgischen Bekenntnis, in: Meyer – Schütte (Hg.), Confessio Augustana (s. o. 2.), 169-197.

Modalsli, Ole, Das Gericht nach den Werken. Ein Beitrag zu Luthers Lehre vom Gesetz, Göttingen 1963.
- Luthers Turmerlebnis 1515, Studia Theologica Lundensia 22 (1968) 51-91.

Moeller, Bernd, Tauler und Luther, in: La Mystique Rhénane. Travaux du Centre d'Etudes supérieures specialisés d'Histoire de Religions de Strasbourg, Paris 1963, 157-168.
- Das Spätmittelalter, in: KiG II H, Göttingen 1966.
- Das Reich und die Kirche in der frühen Reformationszeit, in: Lohse – Pesch (Hg.), Das »Augsburger Bekenntnis« (s. o. 2.), 17-31.

Moeller, Bernd – Stackmann, Karl, Luder – Luther – Eleutherius. Erwägungen zu Luthers Namen, in: Nachrichten der Akademie der Wissenschaften in Göttingen, I: Philologisch-Historische Klasse, 1981 Nr. 7, Göttingen 1981, 169-203.

Mokrosch, Reinhold, Politik und Gesellschaft in Luthers Theologie, Concilium 12 (1976) 487-492.

Mostert, Walter, Scriptura sacra sui ipsius interpres. Bemerkungen zum Verständnis der Heiligen Schrift durch Luther, LuJ 46 (1979) 60-96.

Mühlen, Karl-Heinz zur, Nos extra nos. Luthers Theologie zwischen Mystik und Scholastik, Tübingen 1972.
- Reformatorische Vernunftkritik und neuzeitliches Denken. Dargestellt am Werk M. Luthers und Fr. Gogartens, Tübingen 1980.
Müller, Gerhard, Die Rechtfertigungslehre. Geschichte und Probleme, Gütersloh 1977.
- Zwischen Konflikt und Verständigung. Bemerkungen zu den Sonderverhandlungen während des Augsburger Reichstages 1530, in: Gerhard Müller (Hg.), Die Religionsgespräche der Reformationszeit (= Schriften des Vereins für Reformationsgeschichte Bd. 191), Gütersloh 1980, 21–33.
- Der fremde Luther. Die Last der Tradition im neuzeitlichen Protestantismus, in: H. F. Geißer u. a., Weder Ketzer (s. o. 2.), 93–122.
Müller, Gerhard – Pfnür, Vinzenz, Rechtfertigung – Glaube – Werke, in: Meyer – Schütte (Hg.), Confessio Augustana (s. o. 2.), 106–138.

Nembach, Ulrich, Predigt des Evangeliums. Luther als Prediger, Pädagoge, Rhetor, Neukirchen 1972.

Oberman, Heiko Augustinus, Das tridentinische Rechtfertigungsdekret im Lichte spätmittelalterlicher Theologie, ZThK 61 (1964) 251–282.
- Der Herbst der mittelalterlichen Theologie (= Spätscholastik und Reformation I), Zürich 1965 (engl.: The Harvest of Medieval Theology. Gabriel Biel and Late Medieval Nominalism, Cambridge [Mass.] 1963).
- »Iustitia Christi« und »Iustitia Dei«. Luther und die scholastischen Lehren von der Rechtfertigung, in: Lohse (Hg.), Der Durchbruch (s. o. 2.), 413–444 (engl. unter dem Titel: »Iustitia Christi« and »Iustitia Dei«. Luther and the Scholastic Doctrines of Justification, The Harvard Theological Revue 59 [1966] 1–26).
- Simul gemitus et raptus: Luther und die Mystik, in: Asheim (Hg.), Kirche, Mystik, Heiligung (s. o.), 20–59.
- Wir sein pettler. Hoc est verum. Bund und Gnade in ther Theologie des Mittelalters und der Reformation, ZKG 78 (1967) 232–252.
- Wittenbergs Zweifrontenkrieg gegen Prierias und Eck. Hintergrund und Entscheidungen des Jahres 1518, ZKG 80 (1969) 331–358.
- Werden und Wertung der Reformation. Vom Wegestreit zum Glaubenskampf (= Spätscholastik und Reformation II), Tübingen 1977.
- Gregor von Rimini. Werk und Wirkung bis zur Reformation, Berlin 1981.
- Wurzeln des Antisemitismus. Christenangst und Judenplage im Zeitalter von Humanismus und Reformation, Berlin 1981.
- Martin Luther – Vorläufer der Reformation, in: Eberhard Jüngel – Johannes Wallmann – Wilfrid Werbeck (Hg.), Verifikationen. Festschrift für Gerhard Ebeling zum 70. Geburtstag, Tübingen 1982, 91–119.
- (Hg.), Luther and the Dawn of the Modern Era. Papers for the Fourth International Congress für Luther Research (Saint Louis, Mo., 22–27. 8. 1971), Leiden 1974.
Olivier, Daniel, Der Fall Luther. Geschichte einer Verurteilung 1517–1521, Stuttgart 1972 (frz. unter dem Titel: Le procès Luther 1517–1521, Paris 1971).
- Warum hat man Luther nicht verstanden?, Concilium 12 (1976) 477–481.
- Luthers Glaube. Die Sache des Evangeliums in der Kirche, Stuttgart 1982 (frz. unter dem Titel: La foi de Luther. La cause de l'Evangile dans l'Eglise, Paris 1978).
Ozment, Steven E., Homo spiritualis. A comparative Study of the Anthropology of Johannes Tauler, Jean Gerson and Martin Luther (1509–1516) in the Context of their Theological Thought, Leiden 1969.

Pannenberg, Wolfhart, Der Einfluß der Anfechtungserfahrung auf den Prädestinationsbegriff Luthers, KuD 8 (1962) 81–99.

- Grundfragen systematischer Theologie. Gesammelte Aufsätze, I, Göttingen 1967, ²1971; II, Göttingen 1980.
- Ethik und Ekklesiologie. Gesammelte Aufsätze, Göttingen 1977.
- Gottesgedanke und menschliche Freiheit, Göttingen ²1978.
- Das Verhältnis zwischen der Akzeptationslehre des Duns Scotus und der reformatorischen Rechtfertigungslehre, in: Camille Bérubé (Hg.), Regnum Hominis et Regnum Dei. Acta Quarti Congressus Scotistici Internationalis, I, Rom 1978, 215–218.

Pelikan, Jaroslav, Luther the Expositor, in: Luther's Works. Companion Volume to the American Edition of Luther's Works, St. Louis, Mo., 1959.
- Obedient Rebels. Catholic Substance and Protestant Principle in Luther's Reformation, London 1964.

Persson, Per Erik, Repraesentatio Christi. Der Amtsbegriff in der neueren römisch-katholischen Theologie, Göttingen 1966.

Pesch, Otto Hermann, Freiheitsbegriff und Freiheitslehre bei Thomas von Aquin und Luther, Cath 17 (1963) 197–244.
- Der hermeneutische Ort der Theologie bei Thomas von Aquin und Martin Luther und die Frage nach dem Verhältnis von Philosophie und Theologie, ThQ 146 (1966) 159–212.
- Zwanzig Jahre katholische Lutherforschung, LR 16 (1966) 392–406.
- Zur Frage nach Luthers reformatorischer Wende. Ergebnisse und Probleme der Diskussion um Ernst Bizer, Fides ex auditu, Cath 20 (1966) 216–243; 264–280; abgedruckt in: Lohse (Hg.), Der Durchbruch (s. o. 2.), 445–505.
- Abenteuer Lutherforschung. Wandlungen des Lutherbildes in katholischer Theologie, Die Neue Ordnung 20 (1966) 417–430.
- Die Lehre vom »Verdienst« als Problem für Theologie und Verkündigung, in: Scheffczyk (Hg.), Wahrheit und Verkündigung (s. o. 2.) II, 1865–1907.
- Existentielle und sapientiale Theologie. Hermeneutische Erwägungen zur systematisch-theologischen Konfrontation zwischen Luther und Thomas von Aquin, ThLZ 92 (1967) 731–742.
- Theologie der Rechtfertigung bei Martin Luther und Thomas von Aquin. Versuch eines systematisch-theologischen Dialogs, Mainz 1967.
- Luthers Kritik am Mönchtum in katholischer Sicht, in: Alonso Pereira u. a. (Hg.), Strukturen christlicher Existenz. Festgabe für P. Friedrich Wulf SJ zum 60. Geburtstag, Würzburg 1968, 81–96; 371–374 (Anmerkungen).
- Sprechender Glaube. Entwurf einer Theologie des Gebetes, Mainz 1970, ²1971.
- Die Frage nach Gott bei Thomas von Aquin und Martin Luther, Luther 41 (1970) 1–25.
- Aus der Lutherforschung. 453 Jahre Reformation, ThQ 150 (1970) 417–432 [= Besprechung von Büchern von Lohse, Iserloh, Franzen, K. G. Steck, Maron, Brandenburg].
- Besinnung auf die Sakramente. Historische und systematische Überlegungen und ihre pastoralen Konsequenzen, FZPhTh 18 (1971) 266–321.
- Der Professor unter den Aposteln. Paulus und Thomas von Aquin, in: G. C. Berkouwer – H. A. Oberman (Hg.), De dertiende apostel en het elfde gebod. Paulus in de loop der eeuwen, Kampen 1971, 53–67.
- Ketzerfürst und Kirchenlehrer. Wege katholischer Begegnung mit Martin Luther (= Calwer Hefte 114), Stuttgart 1971.
- Freiheit. III. [Mittelalter], in: Historisches Wörterbuch der Philosophie, II (Basel 1972) 1083–1088.
- Das Gebet, Augsburg 1972; Neudruck Mainz 1980.
- Die Weisheit ist das irdische Heil. Thomas von Aquino nach 700 Jahren, Evangelische Kommentare 7 (1974), März 1974, 169–172.
- »Das heißt eine neue Kirche bauen«. Luther und Cajetan in Augsburg, in: Max Seckler u. a. (Hg.), Begegnung. Beiträge zu einer Hermeneutik des theologischen Gesprächs [= Festschrift für Heinrich Fries], Graz 1972, 645–661.

- Gottes Gnadenhandeln als Rechtfertigung und Heiligung des Menschen, in: MS IV/2 (1973), 831–920.
- Die bleibende Bedeutung der thomanischen Tugendlehre. Eine theologiegeschichtliche Meditation, FZPhTh 21 (1974) 359–391.
- Der gegenwärtige Stand der Verständigung [über Luther], Concilium 12 (1976) 534–542.
- Das Gesetz. Kommentar zu Thomas von Aquin: Summa Theologiae I–II 90–105 (= Deutsche Thomas-Ausgabe Bd. 13), Graz 1977.
- Bilanz der Diskussion um die vatikanische Primats- und Unfehlbarkeitsdefinition, in: Arbeitsgemeinschaft ökumenischer Universitätsinstitute (Hg.), Papsttum als ökumenische Frage, München/Mainz 1979, 159–211.
- »Um Christi willen...« Christologie und Rechtfertigungslehre in der katholischen Theologie: Versuch einer Richtigstellung, Cath 35 (1981) 17–57.
- Gesetz und Gnade, in: CGG Bd. 13, Freiburg i. Br. 1981, 8–77.
- Unsicherheit und Glaube. Zur Frage nach dem Halt im Glauben (= Theologische Meditationen 56), Zürich 1981.
- »Ketzerfürst« und »Vater im Glauben«. Die seltsamen Wege katholischer »Lutherrezeption«, in: Geißer u. a., Weder Ketzer (s. o. 2.), 123–174.
- Katholiken lernen von Luther, in: Lehmann (Hg.), Luthers Sendung (s. o. 2.).
- Das katholische Sakramentsverständnis im Urteil gegenwärtiger evangelischer Theologie, in: Jüngel u. a. (Hg.), Verifikationen (s. o. Oberman), 317–340.
- Gerechtfertigt aus Glauben. Luthers Frage an die Kirche, Freiburg i. Br. 1982.
- Neue Beiträge zur Frage nach Luthers reformatorischer Wende, Cath 37 (1983).

Pesch, Otto Hermann – Peters, Albrecht, Einführung in die Lehre von Gnade und Rechtfertigung, Darmstadt 1981.

Peters, Albrecht, Realpräsenz. Luthers Zeugnis von Christi Gegenwart im Abendmahl, Berlin/Hamburg 1960, [2]1966
- Luthers Turmerlebnis, NZSTh 3 (1961) 203–236, abgedruckt in Lohse (Hg.), Der Durchbruch (s. o. 2.), 243–288.
- Glaube und Werk. Luthers Rechtfertigungslehre im Lichte der Heiligen Schrift, Berlin/Hamburg 1962, [2]1967.
- Die priesterliche Dimension des Amtes in reformatorischer Sicht: in: Beiheft 38 zur ÖR: Eucharistie und Priesteramt, 1982, 76–101.
- Christsein heute im Sinne Martin Luthers, Luther 53 (1982) 53–75.

Pfammatter, Josef – Furger, Franz (Hg.), Theologische Berichte II: Zur neueren christologischen Diskussion, Zürich 1973.

Pfnür, Vinzenz, Einig in der Rechtfertigungslehre? Die Rechtfertigungslehre der Confessio Augustana (1530) und die Stellungnahme der katholischen Kontroverstheologie zwischen 1530 und 1535, Wiesbaden 1970.

Pfürtner, Stephanus, Luther und Thomas im Gespräch. Unser Heil zwischen Gewißheit und Gefährdung, Heidelberg 1961.

Pinomaa, Lennart, Sieg des Glaubens. Grundlinien der Theologie Luthers, bearbeitet und hg. von Horst Beintker, Berlin/Göttingen 1964.

Pratzner, F., Messe und Kreuzesopfer. Die Krise der sakramentalen Idee bei Luther und in der Mittelalterlichen Scholastik, Wien 1970.

Preus, James Samuel, From Shadow to Promise. Old Testament Interpretation from Augustine to the Young Luther, Cambridge (Mass.) 1969.

Rahner, Karl, Schriften zur Theologie, bisher 14 Bde. Zürich 1954–1980.
- Von der Not und dem Segen des Gebetes (Herder-Taschenbuch 28), Freiburg i. Br. 1958; als Neudruck [10]1980.
- Kirche und Sakramente, Freiburg i. Br. 1960.
- Vorfragen zu einem ökumenischen Amtsverständnis, Freiburg i. Br. 1974.

– Grundkurs des Glaubens. Einführung in den Begriff des Christentums, Freiburg i. Br. 1976, ¹²1982.

Raske, Michael, Natur und Gnade. Zu dem gleichnamigen Buch von Ulrich Kühn, Cath 17 (1963) 129–157.

Ratzinger, Joseph, Einführung in das Christentum. Vorlesungen über das Apostolische Glaubensbekenntnis, München 1968 u. ö.

– Prognosen für die Zukunft des Ökumenismus, in: Bausteine für die Einheit der Christen. Arbeitsblätter des Bundes für evangelisch-katholische Wiedervereinigung 17 (1977) Heft 65, 6–14.

– Das Fest des Glaubens. Versuche zur Theologie des Gottesdienstes, Einsiedeln 1981.

Reiter, Paul J., Martin Luthers Umwelt, Charakter und Psychose, sowie die Bedeutung dieser Faktoren für seine Entwicklung und Lehre. Eine historisch-psychiatrische Studie, 2 Bde., Kopenhagen 1937–1941.

Rendtorff, Trutz, Emanzipation und christliche Freiheit, in: CGG Bd. 18, 149–179.

Rogge, Joachim (Hg.), Luther in Worms. Ein Quellenband, Witten 1971.

Rückert, Hanns, Vorträge und Aufsätze zur historischen Theologie, Tübingen 1972.

Rupp, Gordon, The Righteousness of God, London 1953.

Schäfer, Rolf, Zur Datierung von Luthers reformatorischer Erkenntnis, ZThK 66 (1969), 151–170.

Schillebeeckx, Edward, De sacramentele heilseconomie. Theologische bezinning op S. Thomas' sacramentenleer in het licht van de traditie en van de hedendagse sacramentens-problematiek, 1. Teil, Antwerpen 1952.

– Das tridentinische Rechtfertigungsdekret in neuer Sicht. Concilium 1 (1965) 452–454.

– Die eucharistische Gegenwart. Zur Diskussion um die Realpräsenz, Düsseldorf 1968.

– Das kirchliche Amt, Düsseldorf 1982.

Schilson, Arno – Kasper, Walter, Christologie im Präsens. Kritische Sichtung neuer Entwürfe, Freiburg i. Br. 1974, erw. ²1980.

Schlink, Edmund, Gesetz und Evangelium als kontroverstheologisches Problem, KuD 3 (1957) 251–306.

– Der kommende Christus und die kirchlichen Traditionen. Beiträge zum Gespräch zwischen den getrennten Kirchen, Göttingen 1961.

– Grundfragen eines Gesprächs über das Amt der universalen kirchlichen Einheit, in: Arbeitsgemeinschaft (Hg.), Papsttum (s. o. Pesch), 13–32.

Schneider, Theodor, Zeichen der Nähe Gottes. Grundriß der Sakramententheologie, Mainz 1979.

– Deinen Tod verkünden wir. Gesammelte Studien zum erneuerten Eucharistieverständnis, Düsseldorf 1980.

– Christologie, exegetisch – dogmatisch. Methodische Erwägungen aus der Sicht des Systematikers, Cath 35 (1981) 280–286.

Schrey, Heinz-Horst (Hg.), Reich Gottes und Welt. Die Lehre Luthers von den zwei Reichen (= Wege der Forschung Bd. 107), Darmstadt 1969.

Schulin, Ernst, Die Lutherauffassungen in der deutschen Geschichtsschreibung, in: Lehmann (Hg.), Luthers Sendung (s. o. 2.).

Schulz, Siegfried, Die Mitte der Schrift. Der Frühkatholizismus im Neuen Testament als Herausforderung an den Protestantismus, Stuttgart 1976.

Schwab, Wolfgang, Entwicklung und Gestalt der Sakramententheologie bei Martin Luther, Frankfurt/Bern 1977.

Schwarz, Reinhard, Fides, spes und caritas beim jungen Luther. Unter besonderer Berücksichtigung der mittelalterlichen Tradition, Berlin 1962.

– Bonaventura und Luther. Ihre Hoffnung auf eine selbstvergessene Kirche, Wissenschaft und Weisheit 38 (1975) 41–56.

Schwarzwäller, Klaus, Sibboleth. Die Interpretation von Luthers Schrift de servo arbitrio seit Theodosius Harnack. Ein systematisch-kritischer Überblick, München 1969.
- Theologia crucis. Luthers Lehre von der Prädestination nach de servo arbitrio 1525, München 1970.
Seckler, Max, Instinkt und Glaubenswille nach Thomas von Aquin, Mainz 1961.
- Glaube, in: Heinrich Fries (Hg.), Handbuch Theologischer Grundbegriffe I, München 1962, 528-548.
- Katholisch als Konfessionsbezeichnung, ThQ 145 (1965) 401-431.
- Im Spannungsfeld von Wissenschaft und Kirche. Theologie als schöpferische Auslegung der Wirklichkeit [= Gesammelte Aufsätze], Freiburg i. Br. 1980.
Seils, Martin, Der Gedanke vom Zusammenwirken Gottes und des Menschen in Luthers Theologie, Gütersloh 1962.
Seeberg, Erich, Luthers Theologie. Motive und Ideen, I: Die Gottesanschauung, Göttingen 1929; II: Christus. Wirklichkeit und Urbild, Stuttgart 1937.
Selge, Kurt-Victor, Die Augsburger Begegnung von Luther und Kardinal Cajetan im Oktober 1518. Ein erster Wendepunkt auf dem Weg zur Reformation, Jahrbuch der Hessischen kirchengeschichtl. Vereinigung 20 (1969) 37-54.
- Normen der Christenheit im Streit um Ablaß und Kirchenautorität 1518-1521. Erster Teil: Das Jahr 1518, Heidelberg (Habilitationsschrift, Masch.) 1968.
Seppelt, Franz Xaver/Schwaiger, Georg, Geschichte der Päpste. Von den Anfängen bis zur Gegenwart, München 1964.
Seybold, Michael, Die Siebenzahl der Sakramente, MThZ 27 (1976) 113-138.
Söhngen, Gottlieb, Gesetz und Evangelium. Ihre analoge Einheit, theologisch, philosophisch, staatsbürgerlich, Freiburg i. Br./München 1967.
- Gesetz und Evangelium, Cath 14 (1960) 81-105.
Spitz, Lewis W., The Renaissance and Reformation movements, Chicago 1971.
Stakemeier, Adolf, Das Konzil von Trient über die Heilsgewißheit, Heidelberg 1947.
Stange, Carl, Der johanneische Typus der Heilslehre Luthers im Verhältnis zur paulinischen Rechtfertigungslehre, Gütersloh 1949.
- Die Anfänge der Theologie Luthers, Berlin 1957.
Stauffer, Richard, Die Entdeckung Luthers im Katholizismus. Die Entwicklung der katholischen Lutherforschung seit 1904 bis zu Vatikan II, Zürich 1968.
Steck, Karl Gerhard, Lehre und Kirche bei Luther, München 1963.
- Einleitung, in: Karl Gerhard Steck (Hg.), Luther für Katholiken, München 1969, 11-41.
Stein, Wolfgang, Das kirchliche Amt bei Luther, Wiesbaden 1974.

Tecklenburg-Johns, Christa, Luthers Konzilsidee in ihrer historischen Bedingtheit und ihrem reformatorischen Neuansatz, Berlin 1966.
Thielicke, Helmut, Theologische Ethik I, Tübingen ⁴1972.
- Theologie des Geistes (= Der evangelische Glaube III), Tübingen 1978.
Törnvall, Gustav, Geistliches und weltliches Regiment bei Luther, München 1947.
Tüchle, Hermann, Reformation und Gegenreformation, in: GK III, Einsiedeln 1965.

Urban, Hans Jörg, Der reformatorische Protest gegen das Papsttum. Eine theologiegeschichtliche Skizze, Cath 30 (1976) 295-319, abgedruckt in: Albert Brandenburg - Hans Jörg Urban (Hg.), Petrus und Papst. Evangelium, Einheit der Kirche, Papstdienst, Münster 1977, 266-290.
Utz, Arthur-Fridolin, Grundlagen der menschlichen Handlung. Kommentar zu Thomas von Aquin: Summa Theologiae I-II 49-70 (Deutsche Thomas-Ausgabe Bd. 11), Salzburg/Leipzig 1940.
- Glaube als Tugend. Kommentar zu Thomas von Aquin: Summa Theologiae II-II 1-16 (Deutsche Thomas-Ausgabe Bd. 15), Heidelberg/Graz 1950.

343

Vajta, Vilmos (Hg.), Lutherforschung heute. Referate und Berichte des 1. Internationalen Lutherforschungskongresses, Aarhus, 18.–23. 8. 1956, Berlin 1958.

– (Hg.), Luther und Melanchthon, Referate und Berichte des 2. Internationalen Kongresses für Lutherforschung, Münster, 8.–13. 8. 1960, Göttingen 1961.

Vercruysse, Joseph E., Fidelis populus. Eine Untersuchung über die Ecclesiologie in Martin Luthers »Dictata super Psalterium«, Wiesbaden 1968.

Vogelsang, Erich, Die Anfänge von Luthers Christologie nach der ersten Psalmenvorlesung, Berlin 1929.

Vorster, Hans, Das Freiheitsverständnis bei Thomas von Aquin und Martin Luther, Göttingen 1965.

Wapler, Paul, Die Stellung Kursachsens und des Landgrafen Philipp von Hessen zur Täuferbewegung, Münster 1910.

Watson, Philip S., Um Gottes Gottheit. Eine Einführung in Luthers Theologie, übers. von Gerhard Gloege, Berlin ²1967 (engl. unter dem Titel: Let God be God, London 1947).

Weier, Reinhold, Das Thema vom verborgenen Gott von Nikolaus von Kues zu Martin Luther, Münster 1967.

Weisheipl, James A., Thomas von Aquin. Sein Leben und seine Theologie, Graz 1980 (engl. unter dem Titel: Friar Thomas d'Aquino: His Life, Thought and Works, New York 1974).

Weß, Paul, Befreit von Angst und Einsamkeit. Der Glaube in der Gemeinde, Graz 1973.

Wicks, Jared, Man yearning for Grace. Luther's Early Spiritual Teaching, Wiesbaden 1969.

Wiederkehr, Dietrich, Glaube an Erlösung. Konzepte der Soteriologie vom Neuen Testament bis heute, Freiburg i. Br. 1976.

Wilckens, Ulrich, Der Brief an die Römer, 3 Bde. Zürich/Neukirchen 1978–1982.

Wingren, Gustav, Luthers Lehre vom Beruf, München 1952.

Wohlfeil, Rainer, Bedingungen der Neuzeit, in: Wohlfeil – Goertz, Gewissensfreiheit (s. o. Goertz), 7–24.

– Einführung in die Geschichte der deutschen Reformation, München 1978.

– Das wissenschaftliche Lutherbild der Gegenwart in der Bundesrepublik Deutschland und in der Deutschen Demokratischen Republik. Ein Vergleich, Hannover, Niedersächsische Landeszentrale für politische Bildung, 1982.

– (Hg.), Reformation oder frühbürgerliche Revolution, München 1972.

– (Hg.), Der Bauernkrieg 1524–26, München 1975; darin Wohlfeil, Einleitung: Der Bauernkrieg als geschichtswissenschaftliches Problem, 7–50.

Wolf, Ernst, Peregrinatio, I: Studien zur reformatorischen Theologie und zum Kirchenproblem, München 1954, ²1962; II: Studien zur reformatorischen Theologie, zum Kirchenrecht und zur Sozialethik, München 1965.

– Über »Klarheit der Hl. Schrift« nach Luthers »De servo arbitrio«, ThLZ 92 (1967) 721–730.

Wolf, Gerhard Philipp, Das neuere französische Lutherbild, Wiesbaden 1974.

Wolf, Gunther (Hg.), Luther und die Obrigkeit (= Wege der Forschung Bd. 85), Darmstadt 1972.

Zulehner, Paul M., Kirche – Anwalt des Menschen, Wien/Freiburg i. Br. 1980.

Zweites Vatikanisches Konzil: s. o. 2.: Lexikon für Theologie und Kirche.

Nachträge

Bott, Gerhard – Ebeling, Gerhard – Moeller, Bernd (Hg.) Martin Luther. Sein Leben in Bildern und Texten, Frankfurt am Main 1983 (zu S. 19).

Congar, Yves, Martin Luther. Sa foi, sa réforme. Études de théologie historique, Paris 1983 (zu S. 17 Anm. 7).

Ebeling, Gerhard, Martin Luthers Weg und Wort, Frankfurt am Main 1983 (= biographische Einleitung zu Bott – Ebeling – Moeller, s. o.), Frankfurt am Main 1983 (zu S. 19).

Elze, Martin, Züge spätmittelalterlicher Frömmigkeit in Luthers Theologie, ZThK 62 (1965) 381–402 (zu S. 89 Anm. 30).

– Das Verständnis der Passion Jesu im ausgehenden Mittelalter und bei Luther, in: Geist und Geschichte der Reformation. Festgabe für Hanns Rückert zum 65. Geburtstag, Berlin 1966, 127–151 (zu ebd.).

Gritsch, Eric W., Martin Luther and Violence: A Reappraisal of a Neuralgic Theme, Sixteenth Century Journal 3/1 (April 1972) 37–55 (zu S. 229 f. Anm. 3).

Honecker, Martin, Thesen zur Aporie der Zweireichelehre, ZThK 78 (1981) 128–140 (zu ebd.).

Lumière et vie. Revue de formation et de réflexion theologiques, Nr. 158: Martin Luther. Un chrétien à temps et à contretemps (mit Beiträgen von Yves Congar, Claude Gerest, Jean-Denis Kraege, Marc Lienhard, Daniel Olivier, François Vouga, Guy Wagner), Lyon 1982 (zu S. 17 Anm. 7, auch S. 18 Anm. 16).

Maron, Gottfried, Luther 1917. Beobachtungen zur Literatur des 400. Reformationsjubiläums, ZKG 93 (1982) 1–45 (zu S. 18 Anm. 16 – als Kontrast!).

– »Von der Freiheit eines Christenmenschen«. Die bleibende Bedeutung Martin Luthers, in: »Im Lichte der Reformation«. Jahrbuch des Evangelischen Bundes, 26 (1983) 5–22 (zu S. 177 Anm. 6).

Mayer, Hans, Martin Luther. Leben und Glaube, Gütersloh 1982 (zu S. 19).

Nowack, Kurt, Zweireichelehre. Anmerkungen zum Entstehungsprozeß einer umstrittenen Begriffsprägung und kontroversen Lehre, ZThK 78 (1981) 105–127 (zu S. 229 f. Anm. 3).

Oberman, Heiko A., Luther. Mensch zwischen Gott und Teufel, Berlin 1982 (zu S. 19; 307 Anm. 5).

Quandt, Siegfried (Hg.), Luther, Die Reformation und die Deutschen (= Geschichte, Politik und die Massenmedien Bd. 1), Paderborn 1982 (zu S. 18 Anm. 16).

Richter, Julius, Luthers Gedanken über den »gerechten Krieg«, EvTh 20 (1960) 125–142 (zu S. 229 f. Anm. 3).

Rogge, Joachim, Martin Luther. Sein Leben. Seine Zeit. Seine Wirkungen, Gütersloh 1983 (zu S. 19).

Scharffenorth, Gerta, Den Glauben ins Leben ziehen ... Studien zu Luthers Theologie, München 1982 (zu S. 64 Anm. 43; 229 f. Anm. 3; 266 Anm. 8).

Steinmetz, David C., Misericordia Dei. The Theology of J. v. Staupitz in its late medieval Setting, Leiden 1969 (zu S. 60).

– Luther and Staupitz. An Essay in the intellectual Origins of the Protestant Reformation, Durham, N.C. 1981 (zu ebd.).

Una Sancta. Zeitschrift für ökumenische Begegnung, 37 (1982) Heft 4: Welchen Luther feiern? (zu S. 18 Anm. 16 [Beiträge von O. H. Pesch, B. Lohse, J. Brosseder]; zu S. 205 Anm. 4 [Beitrag von R. Wohlfeil]; zu S. 253 Anm. 47 [Beitrag von G. Kretschmar]; zu S. 266 Anm. 8 [Beitrag von H. Geißer]; zu S. 229 f. Anm. 3 [Beitrag von B. Stoyiannos]).

Zahrnt, Heinz, Martin Luther. In seiner Zeit – für unsere Zeit, München 1983 (zu S. 19).

Hinweis: Weil im Rahmen dieser rasch notwendig gewordenen 2. Auflage eine kritische Stellungnahme nicht möglich war, habe ich bewußt einige Neuerscheinungen der letzten Monate nicht genannt, die mir trotz großer Aufmerksamkeit in der Öffentlichkeit für die Klärung von Sachfragen nicht förderlich, eher irreführend scheinen.

VERZEICHNIS DER ZITIERTEN WERKE LUTHERS

WA 1

20-29	Predigt über Joh 1,1 (25. Dez. 1514)
65-69	Ex sermone habito Dominica X post. Trinit. (1516)
85-87	Predigt über Mt 9,12 (21. Sept. 1516)
111-115	Predigt über Ps 19,2 (21. Dez. 1516)
145-151	Disputationsthesen für Bartholomäus Bernhardi: Quaestio de viribus et voluntate hominis sine gratia disputata (1516)
224-228	Disputatio contra scholasticam theologiam. Thesen für Franz Günther (4. Sept. 1517)
233-238	Disputationes pro declaratione virtutis indulgentiarum (95 Ablaßthesen; 31. Okt. 1517)
243-246	Ein Sermon von Ablaß und Gnade (1517/18)
267-277	Zwei deutsche Fastenpredigten: über Joh 9,1-38 (17. März 1518); über Joh 11,1-45 (19. März 1518)
353-374	Disputatio Heidelbergae habita. Probationes conclusionum, quae in capitulo Heidelbergensi disputatae sunt (25. April 1518)
378-379	Ein deutsch Theologia, das ist ein edles Büchlein von rechtem Verstand, was Adam und Christus sei (Vorrede zu der vollständigen Ausgabe der »Theologia deutsch« (1518)
398-521	Decem praecepta Wittenbergensi praedicata populo (zwischen 29. Juni 1516 und 24. Febr. 1517 gehalten; Bearbeitung von 1518)
525-628	Resolutiones disputationum de indulgentiarum virtute (1518)
647-686	Ad dialogum Silvestri Prieriatis de potestate papae responsio (1518)

WA 2

(5) 6-26	Acta Fratris M. Lutheri Augustiniani apud Legatum Apostolicum Augustae (Acta Augustana; 1518)
50-56	Replica F. Silvestri Prieriatis ad F. M. Luther. Luthers Vorwort (1519)
80-130	Auslegung deutsch des Vaterunser für die einfältigen Laien...Nicht für die Gelehrten (1519; Ausgabe Luthers)
132-142	Ein Sermo von der Betrachtung des heiligen Leidens Christi (1519)
145-152	Sermo de duplici iustitia (1518)
254-383	Disputatio Johannis Eccii et Lutheri Lipsiae habita (1519)
391-435	Resolutiones Lutherianae super propositionibus suis Lipsiae disputatis (Leipziger Disputation; 1519)
443-618	In epistolam Pauli ad Galatas M. Lutheri commentarius (Kleiner Galater-kommentar; 1519)
685-697	Ein Sermon von der Bereitung zum Sterben (1519)
727-737	Ein Sermon von dem heiligen hochwürdigen Sakrament der Taufe (1519)
742-758	Ein Sermon von dem hochwürdigen Sakrament des heiligen wahren Leichnams Christi und von den Bruderschaften (1519)

WA 3

11-652	1. Psalmenvorlesung (Dictata super psalterium; 1513-1515)

WA 4

1-462	1. Psalmenvorlesung (Forts.)

348

WA 11

28-30	Predigt über Mt 9,2 ff. (26. Okt. 1523)
220-224	Predigt über Lk 2,12 ff. (26. Dez. 1523)
245-281	Von weltlicher Obrigkeit, wie weit man ihr Gehorsam schuldig sei (1523)
408-416	Daß eine christliche Versammlung oder Gemeine das Recht habe, alle Lehre zu urteilen und Lehrer zu berufen, ein- und abzusetzen. Grund und Ursach aus der Schrift (1523)

WA 12

11-30	Ordnung eines gemeinen Kastens (1523; Leisinger Kastenordnung)
166-196	De instituendis ministris ecclesiae ad senatum Pragensem Behemiae (1523)
261-300	Predigt über 1. Petr 1 (1523, ohne genaues Datum)
301-341	Predigt über 1. Petr 2 (1523?)
438-452	Ein Sermon und Eingang in das 1. Buch Mose, das ist in das Buch der Schöpfung (22. März 1523)
517-524	Sermon am ersten Sonntag nach Ostern Quasimodogeniti (über Joh 20,19 ff.; 12. April 1523)

WA 14

497-753	Deuteronomium Mosi cum annotationibus (Vorlesung Luthers über das 5. Buch Mose 1523/24; Druck 1525)

WA 15

210-221	Ein Brief an die Fürsten zu Sachsen von dem aufrührerischen Geist [Thomas Müntzer] (1524)
293-322	Von Kaufhandlung und Wucher (1524)
481-506	Ein Sermon von der Beichte und dem Sakrament. Item der Brauch und Bekenntnis christlicher Freiheit (über Mt 4,1 ff.; 14. Febr. 1524)

WA 16

213-226	Predigt über Ex 12, Allegorie (30. April 1525)

WA 17 I

92-101	Predigt über Mt 28,10 ff. (15. März 1525)
102-134	Sermon von der Hauptsumme Gottes Gebots, dazu vom Mißbrauch und rechten Brauch des Gesetzes (1. Tim 1,3-2, 7. 17. 18. 24.; 27. März 1525; Druck 1526)
228-243	Predigt über Ps 26 (12. Mai 1525)

WA 17 II

5-247	Fastenpostille (1525)
5-15	Postille über Röm 12, 1 ff., 1. Stg. n. Epiphanias
161-172	Postille über 1 Kor 13,1 ff., Quinquagesime
251-516	Roths Festpostille (1527)
457-462	Postille über Lk 1,39-56, am Tage, da Maria zu Elisabeth ging.

WA 18

291-334	Ermahnung zum Frieden auf die zwölf Artikel der Bauerschaft in Schwaben (1525)
357-361	Wider die räuberischen und mörderischen Rotten der Bauern (1525)
384-401	Ein Sendbrief von dem harten Büchlein wider die Bauern (1525)

WA 44	
1-825	Genesis – Vorlesung; Forts. (s. o.)
WA 46	
538-558	Predigt über Joh 1,1-2 (7. Juli 1537)
WA 47	
785-790	Predigt über 1. Joh 3,13 ff. (8. Juni 1539)
WA 48	
385-712	Tischreden
WA 49	
233-254	Predigt über Joh 1,1-14 (25. Dez. 1541)
262-283	Die drei Symbola oder Bekenntnis des Glaubens Christi...(1538)
WA 50	
192-254	Die Schmalkaldischen Artikel (Manuskript Dez. 1536; Druck 1538)
509-653	Von den Konziliis und Kirchen (1539)
WA 51	
200-264	Der 101. Psalm durch D. M. Luther ausgelegt (1534/35)
469-572	Wider Hans Worst (1541)
WA 52	
1-839	Hauspostille D. M. Luthers (1544)
23-30	Postille über Mt 11,2-10 (3. Advent 1532)
WA 53	
231-260	Exempel, um einen rechten christlichen Bischof zu weihen (20. Jan. 1542)
WA 54	
179-187	Vorrede Luthers zum ersten Bande der Gesamtausgabe seiner lateinischen Schriften (Wittenberg 1545)
206-299	Wider das Papsttum zu Rom, vom Teufel gestiftet (1545)
WA 56	
3-528	Vorlesung über den Römerbrief (Nov. 1515 – Sept. 1516; 3-154: Glossen; 157-528: Scholien)
WA 57	in dreifacher Paginierung
(Röm) 5-232	Vorlesung über den Römerbrief (1515-1516; 5-127: Glossen; 131-232: Scholien)
(Gal) 5-108	Luthers erste Vorlesung über den Galaterbrief 1516-1517; 5-49: Glossen; 53-108: Scholien)
(Heb) 5-238	Luthers Vorlesung über den Hebräerbrief (1517-1518; 3-91: Glossen; 97-238: Scholien)

PERSONENVERZEICHNIS

356

358